Sylvie Marineau

Torrent de passions

Torrent de passions

Carolyn Bergeron

Édition
Mortagne Poche
250, boul. Industriel, bureau 100
Boucherville (Québec)
J4B 2X4

Diffusion
Tél.: (514) 641-2387
Téléc.: (514) 655-6092

Dépôt légal
Bibliothèque nationale du Canada
Bibliothèque nationale du Québec
Bibliothèque Nationale – Paris
3e trimestre 1993

ISBN: 2-89074-536-8

1 2 3 4 5 - 93 - 97 96 95 94 93

Imprimé au Canada

À Marius et Pauline, mes parents, pour qu'ils sachent que les efforts qu'ils ont fournis et les attentions dont ils m'ont toujours chaudement entourée, n'ont pas été inutiles. Je souhaite qu'ils comprennent que ce livre est la preuve de l'amour et de la reconnaissance que je leur porte.

À Gilles, mon mari, mon ami et mon premier lecteur. Parce qu'il a su me donner son appui sans compter; parce qu'il a cru en moi sans réserves; parce que lorsque le doute s'installait en moi, il était toujours là pour m'encourager. Merci d'être présent.

À Amélie et François-Olivier, ma nièce et mon neveu. J'espère que cette œuvre, qui est la réalisation d'un rêve que je croyais utopique et de grands espoirs, les poussera à développer leurs talents et à s'épanouir dans ce qu'ils aiment, avec ceux qu'ils aiment et qui les aiment.

PREMIÈRE PARTIE

CHAPITRE 1

– Je n'arrive pas à y croire. Jamais! M'entendez-vous? Jamais!

La voix de la jeune fille était chargée de colère, d'incrédulité et d'un tel mépris qu'elle en devenait rauque.

– Vous êtes peut-être mon père, mais cela ne vous donne pas tous les droits. Si maman était encore parmi nous, jamais vous ne réaliseriez vos projets.

– Justement, ma fille. Tu l'as dit! Ta mère est morte il y a vingt ans, le jour de ta naissance. C'est à moi, et à moi seul, qu'a incombé la responsabilité de prendre soin de toi et de tes six sœurs. Je vous ai nourries, logées, habillées. Cela me confère tous les droits sur vous. J'ai été plus que généreux pendant toutes ces années. Je te demande en retour d'aider ton pauvre vieux père et tu ne témoignes que de l'ingratitude.

– Vous, généreux?

Le vieil homme crut que sa fille allait se jeter sur lui tellement son visage était marqué par la haine.

– Vous, généreux? répéta-t-elle. Depuis le jour où je fus assez grande pour me servir d'une serpilière ou pour récurer des chaudrons, j'ai été votre bonne, pis, votre esclave. Ne me parlez donc pas de votre générosité, vous me donnez envie de vomir!

– Tais-toi, Xaviera. Je te défends de me parler sur ce ton. Tu feras ce que je te demande. Je te l'ordonne. Tes sœurs ont bien accepté, elles.

– Mes sœurs! De pauvres idiotes! Vous exigeriez d'elles qu'elles se noient dans le ruisseau et elles vous obéiraient aveuglément.

– Allons, allons, Xaviera. Tu t'emportes. Tes paroles dépassent ta pensée.

La voix de John Newcomen, de dure et sèche qu'elle était, devint douce, mielleuse.

– Ma petite fille chérie, Xaviera ma belle, tu sais bien que tu es ma préférée. Il y a quelque chose en toi qui force mon admiration. Tu as l'intelligence de deux hommes, l'entêtement d'un régiment de mules et la beauté d'une reine. Tu es née pour être dorlotée, cajolée, couverte de bijoux et de fourrures. Mais que veux-tu! Je n'ai pas eu de chance. Je suis né pauvre.

Xaviera n'en croyait pas ses oreilles. Elle regardait cet homme, qui n'avait de père que le nom, lui jouer la comédie.

«Il aurait dû se faire homme de théâtre. Voilà au moins une chose qu'il aurait réussie, se disait-elle. Quel acteur!»

Elle le détaillait froidement, sans le moindre soupçon d'amour ou même de respect. Ce petit bonhomme, gros, malpropre, le cheveu rare et grisonnant, avait le teint couperosé de celui qui boit sans mesure, et la marque, dans ses petits yeux fuyants, d'une avidité et d'une cruauté innommables.

Cet être qu'elle aurait voulu voir disparaître de sa vie tant de fois; cet être qui ne respirait que méchanceté et violence n'avait rien en commun avec elle, si ce n'est le nom qu'elle portait.

La jeune fille, sans fausse modestie ni prétention, se savait belle. Elle était assez grande et élancée, avec des membres gracieux et bien déliés, aux attaches fines et une taille si menue qu'elle pouvait presque l'entourer de ses deux mains. Une poitrine ferme, ni trop généreuse, ni trop peu. Un visage triangulaire, aux pommettes quelque peu saillantes, un petit nez qui se relevait effrontément à son extrémité et une bouche pulpeuse, d'un beau rouge incarnat qui ne devait rien aux fards.

Mais ce qui attirait irrésistiblement l'attention dans ce visage, c'étaient les yeux. Légèrement bridés, ils étaient du violet le plus profond, ornés de cils fournis d'une longueur incroyable, fixant sur la vie un regard lucide et vif. Les sourcils, noirs, s'arquaient doucement vers les tempes.

Et la chevelure! D'un noir sauvage aux reflets bleutés, semblable à un casque de jais, épaisse et soyeuse, elle ondulait et dansait comme si elle avait une vie propre. Une peau au grain serré, satinée, un teint doré qui rappelait les origines étrangères de sa mère.

Elle n'avait jamais pu savoir avec certitude d'où venait sa mère. Son père s'était toujours montré réticent à fournir des détails sur cette femme qui était morte en lui donnant le jour. Quand John Newcomen parlait de feu son épouse, c'était toujours en des termes peu élogieux. Selon lui, elle avait été mesquine, criarde et d'une violence à décourager presque toute tentative d'approche.

La jeune fille, quant à elle, encensait cette femme qu'elle n'avait jamais connue. Dans sa vie sans douceur et sans amour, elle aimait imaginer que sa mère avait été une femme parfaite, à la patience d'ange pour avoir pu supporter son père pendant toutes ces années.

Xaviera lui donnait un visage, copie presque identique du sien; une voix douce et chantante, possédant un petit accent exotique et charmant, évoquant ses origines mystérieuses.

La jeune fille s'était créé une oasis de paix où elle se réfugiait à volonté et refaisait ses forces en fixant ses pensées sur cette créature de rêve maternelle, quand elle ne pouvait plus supporter la vie miséreuse que lui imposait son père, dans une ambiance continuelle de tension et de crainte.

Tout aurait pu être différent si son père, cet homme méprisable, n'avait pas dilapidé la petite fortune qu'il avait héritée de sa famille. Ils habitaient une maisonnette à la campagne, à peu de distance d'un petit village du sud de l'Angleterre. Plusieurs années auparavant, ils avaient compté à leur actif une dizaine d'acres de terre cultivable ainsi que quelques têtes de bétail.

Mais la passion du jeu qui gouvernait Newcomen, telle une maîtresse excentrique, les avait tous menés à la ruine. Les terres avaient été vendues peu à peu et les quelques meubles de valeur qui avaient connu plusieurs générations de Newcomen, cédés pour une misérable centaine de livres[1].

«Oh! je le déteste! rageait Xaviera. Par sa faute, je vis dans le dénuement le plus total. Si j'étais un homme, je lui demanderais réparation pour toutes ces années de misère et je lui ferais sauter la cervelle. Je serais bien débarrassée! Peut-être suis-je entêtée et vindicative, comme il m'en accuse si souvent, mais jamais je ne me plierai à sa volonté!»

La jeune fille fut rappelée à l'ordre par un coup de canne asséné brusquement sur son épaule.

– Xaviera, reviens sur terre, ordonna sèchement son père. Puisqu'il paraît impossible de te faire entendre raison, je vais donc agir comme bon me semble. J'avais foi en ton bon sens, mais je constate que tu en es totalement dépourvue. Comme de toutes les qualités qui feraient de toi une bonne épouse. Aussi, la discussion est-elle close. Ma décision est prise et tu en passeras par où je veux, sinon... gare au fouet!

♦ ♦ ♦

La jeune fille, horrifiée par cet avenir abominable que lui réservait son père, alla se réfugier à la cuisine.

Elle savait y retrouver Mary, sa nourrice et son unique amie dans cette maison. Mary était la seule domestique et faisait office, tout à la fois, d'éducatrice, de cuisinière et de ménagère. Bien entendu, elle ne percevait plus de gages depuis fort longtemps,

1. **Livre sterling: unité monétaire principale de la Grande-Bretagne.**

mais elle avait refusé de se séparer de sa petite Xaviera pour une sordide question d'argent. John Newcomen avait eu beau protester que sa maigre escarcelle ne pourrait supporter le poids d'une bouche supplémentaire à nourrir, devant la détermination farouche de Mary, il avait dû battre en retraite. Cette femme lui inspirait une peur viscérale.

C'était en fait tout un personnage que cette nourrice. Non pas qu'elle fût mauvaise. Au contraire. Mais quand il s'agissait de défendre les intérêts de sa protégée, elle se transformait en véritable dragon, s'il osait la contrarier. Elle imposait sa volonté sans accepter le moindre compromis.

Malgré la frugalité des repas et les longues journées harassantes, elle gardait une rondeur lui conférant un air de santé éternelle. Les cheveux blancs, le visage rougeaud et les joues rebondies, elle inspirait confiance et donnait irrémédiablement envie de se blottir dans la chaleur de son ample poitrine. Elle avait bien quelques petites manies agaçantes, telle sa croyance démesurée dans la pratique des simples[1] et de la magie, blanche ou noire, mais il se dégageait d'elle une telle impression de réconfort et de tendresse qu'on oubliait facilement ses défauts.

Comme Xaviera entrait dans la cuisine, le cœur en furie, elle surprit Mary occupée à se servir une bonne rasade de whisky, boisson divine qu'elle se procurait par le biais d'une source d'approvisionnement mystérieuse.

– Eh bien! ma bonne. Je croyais que tu avais tiré un trait sur cette mauvaise habitude.

– Dieu tout-puissant! Combien de fois devrai-je encore te répéter de ne pas surgir dans une pièce aussi silencieusement? À force de me faire sursauter, tu finiras par me faire passer l'arme à gauche. Tu sais très bien que j'ai le cœur malade et, ces derniers temps, il recommence ses folles cadences. Il faut bien que je me soigne, non? Dieu tout-puissant...

Xaviera l'interrompit sans façon.

---

1. Plantes médicinales.

Elle savait, par expérience, que si elle ne parlait pas tout de suite, elle serait dans l'impossibilité de placer un seul mot avant plusieurs minutes. Quand Mary lui servait du «Dieu tout-puissant», c'est qu'elle s'apprêtait à se lancer dans des diatribes interminables et répétitives.

– D'accord, Mary. Pardonne-moi. J'ignorais que ton cœur faisait encore des siennes. Soigne-toi, ma bonne, j'ai trop besoin de toi pour accepter que tu me quittes prématurément.

Mary s'approcha de la jeune fille et, l'entourant de ses bras, entreprit de la bercer comme elle le faisait si souvent quand Xaviera était toute petite.

– Qu'y a-t-il, ma chatte? Je te sens toute frémissante de colère et d'un chagrin immense. Confie-toi à moi.

– Oh! si tu savais, Mary! s'exclama la jeune fille, des larmes de rage dans la voix. C'est père. Je n'arrive pas à croire qu'il soit tombé si bas. Il a joué, une fois de plus. Et devine un peu avec qui? Lord Milton. Oui, oui. Ce Lord Milton. Et il a perdu, naturellement. Et comme nous n'avons plus rien à vendre... Oh! Mary, c'est trop horrible! Il veut nous vendre aux enchères[1], nous, ses filles!

Mary lui répondit dans un hoquet d'indignation:

– Dieu tout-puissant!... Je le savais capable de bien des bassesses. Mais ça! Attends un peu que je lui mette la main dessus. Il n'aura pas assez de toute sa vie pour se repentir. L'imbécile, le vaurien, le...

– Assez, Mary. Je ne t'ai pas tout dit. Il veut vendre mes six sœurs par paires, en tant que domestiques. Mais moi, il veut me vendre comme épouse.

– Dieu tout-puissant! Il dépasse les bornes. Je m'en vais lui arracher les yeux, à cet homme indigne. Ce n'est pas possible, il a complètement perdu la raison. Ma petite chérie, te faire ça à toi, si belle, si intelligente. C'est inacceptable!

---

1. Au XVIIIe siècle, pareille pratique était permise, bien qu'elle n'était pas chose courante.

– Je sais, Mary. Mais, crois-moi, je ne le laisserai pas faire. Je me tuerai s'il le faut, mais il ne me cédera pas à quelque vieillard lubrique, obsédé par une seule idée, celle de se plonger dans mon lit. Je te le jure, Mary, je m'ouvrirai les veines si je ne trouve pas une autre solution, éructa Xaviera, féroce, les yeux brillant de haine.

– Je te reconnais bien là, ma chatte. Fière, orgueilleuse et courageuse. Mais que comptes-tu faire et que peux-tu faire?

– Je l'ignore, mais je trouverai! Bon sang! oui, je trouverai!

– Xaviera, combien de fois t'ai-je dit de ne pas jurer? Ça ne fait pas très convenable chez une jeune fille.

– Ce n'est pas un petit «Bon sang» qui m'enverra brûler plus rapidement dans les feux de l'enfer.

– Ne parle pas de ce que tu ne connais pas. Lorsque j'étais enfant, ma mère me...

– Mary, je t'en prie, la coupa Xaviera d'un ton sec. Ne recommence pas à m'embêter avec tes histoires de bonne femme, veux-tu? Tu as mal choisi ton moment.

Blessée, Mary prit un air de martyre, comptant bien éveiller un peu de compassion dans le cœur de la jeune fille.

– C'est bon. Je suis désolée, dit cette dernière en levant les yeux au plafond. Tu le sais, je m'emporte facilement. Mais ce matin, je ne me possède plus de rage. Bon sang! je dois trouver une solution!

Cette fois-ci, Mary ne releva pas le blasphème.

– Viens, ma chatte. Je vais te préparer une bonne tisane. Je suis justement allée aux simples, à l'aube...

– C'est ça, l'interrompit la jeune fille, tout excitée. C'est ça, les simples. La voilà, la solution.

Fébrile, elle sauta au cou de la vieille femme qui, tout abasourdie, ne comprenait goutte à cette manifestation de joie soudaine.

– Mary, je t'adore. Tu es l'envoyée des dieux! Nous avons une semaine devant nous. Voilà de quelle façon nous procéderons.

♦ ♦ ♦

Le lendemain, on pouvait voir John Newcomen, filant à toute allure dans les rues du village, arborant un sourire satisfait, les bras chargés d'affiches qu'il placardait sur les murs de la place publique.

On y lisait ce qui suit:

«Oyez! Oyez! Le vingt-six avril de l'an de grâce mil sept cent soixante, venez assister à une vente aux enchères très spéciale. Six jeunes filles seront vendues par paires, en guise de domestiques. Elles sont en bonne santé, obéissantes et ne rechignent pas à l'ouvrage. Pour ceux qui se chercheraient une épouse, la dernière de mes filles ira au plus offrant. Venez tous en grand nombre et n'oubliez pas de bien garnir vos bourses. Vous comprendrez qu'une mise minimale sera exigée pour cette jeune fille à la beauté inégalable et aux innombrables qualités. Vous êtes tous les bienvenus. Soyez au rendez-vous, devant les portes de l'*Auberge du Cerf doré*.»

CHAPITRE II

– Eh bien! ma fille, es-tu prête?

Newcomen s'était paré de ses plus beaux atours.

Il portait une culotte de satin bouton d'or serrée par une jarretière sous le genou ainsi qu'une veste de même couleur s'ornant de petits boutons recouverts de brocart noir. L'habit, noir également, était garni de parements brodés de fleurs rouges et vertes. La chemise, en soie d'un blanc passé, offrait aux regards un jabot moussant et des manchettes de dentelle qui recouvraient presque entièrement les petites mains aux doigts boudinés, privés de tout bijou. Des bas de laine noire gainaient les mollets maigres et les pieds se chaussaient de souliers à boucle dorée. Newcomen avait même poussé la coquetterie jusqu'à dissimuler ses cheveux rares et hirsutes sous une lourde perruque d'un beau brun chocolat.

Cet étalage d'étoffes riches et soyeuses aux couleurs criardes, qui ne mettait que trop en évidence un visage marqué par la débauche et les excès de toutes sortes, reflétait bien le caractère futile et superficiel de cet homme.

Xaviera, incrédule, le contemplait, bouche bée, les yeux brillant d'un éclat rageur. Une question obsédante se posait à son esprit: «Où avait-il pu trouver l'argent pour s'offrir cette tenue extravagante et de mauvais goût?»

Voyant que sa fille l'examinait d'un regard scrutateur, Newcomen s'enquit:

– Suis-je à mon avantage? Suis-je assez élégant?

La jeune fille ne put résister à l'envie de le piquer de sa méchanceté, médecine que son père distribuait lui-même grassement.

– Pourquoi vous inquiéter de votre toilette? Ce n'est pas vous que l'on met en vente.

– Xaviera, tu me peines. Tu sais très bien que si j'avais pu agir autrement, je l'aurais fait. Mais j'ai un besoin urgent de cet argent. Si je ne rembourse pas Lord Milton ce soir, on m'enverra à la prison pour dettes.

Plus la jeune fille écoutait la voix geignarde de son père, plus elle sentait la colère l'étouffer.

– Vous n'auriez que ce que vous méritez. Vous êtes sans cœur et insensible. Je ne vous pardonnerai jamais l'affront que vous me faites subir. Si mes sœurs sont assez idiotes pour ne pas vous en tenir rigueur, cela les concerne. Mais, croyez-moi, si je le pouvais, je vous tuerais.

Pour la première fois, Newcomen mesura l'ampleur de la haine que sa fille éprouvait à son égard.

Il réagit avec emportement:

– Surveille ta langue, ma fille, sinon elle te perdra. Compte-toi heureuse que je n'aie pas le temps de te montrer de quel bois je me chauffe. Tu baisserais rapidement la tête sous la caresse de ma badine.

– Vous n'avez jamais su faire que cela, lui cracha-t-elle au visage, méprisante. Nous étriller avec le fouet ou avec ce qui vous tombait sous la main. Vous n'êtes pas un homme, mais un pleutre qui ressent le besoin de battre une femme pour éprouver sa force. Je n'ai que dédain pour vous et je suis heureuse que mère soit morte. Elle ne peut voir jusqu'où vous pouvez aller.

Un rictus de haine et de méchanceté déforma le visage blême de Newcomen.

– Ta mère. Ah! parlons-en de ta mère! Incapable de pondre autre chose que des filles. Une bonne à rien. Et une putain.

Xaviera bondit avec la rapidité de l'éclair et, folle de rage, agrippa son père par les revers de son habit.

– Ne dites plus jamais cela! Ne parlez plus jamais de ma mère sur ce ton ni dans ces termes, ou je vous écorcherai vif.

Newcomen recula sous le choc de ce regard déterminé et chargé d'une violence meurtrière. Un court instant, il crut que sa fille allait mettre ses menaces à exécution sur-le-champ.

Pour se donner contenance, il détacha lentement les mains de Xaviera, crispées sur son habit.

– Calme-toi, furie. Tu es bien la fille de ta mère. C'est une chance que les six autres soient malléables. Je t'avertis, petite, si jamais tu inventes quoi que ce soit pour faire échouer la vente, il t'en cuira. Personne ne doit connaître ton caractère intempestif avant qu'un marché soit conclu. C'est compris?

Xaviera, soudainement docile, acquiesça.

– Maintenant, prépare-toi. Tes sœurs sont prêtes. Nous t'attendrons dans la voiture.

– Père, laissez-moi encore quelques minutes. Je voudrais me recueillir et rester encore un peu dans cette maison où j'ai grandi... Et pourriez-vous demander à Mary de monter, je vous prie? J'aimerais lui dire adieu, murmura-t-elle.

Magnanime, Newcomen s'abandonna à un élan de générosité inhabituelle chez lui.

– C'est bien, ma fille. Je t'envoie ce vieux dragon. Et prends ton temps. J'imagine ce que tu dois ressentir.

«Tu parles!» pensa Xaviera, assez cavalièrement.

Elle songeait aux derniers jours qu'elle venait de vivre. À cette angoisse qui lui taraudait les tripes sans relâche. Combien de soirées avait-elle passées dans cette attente torturante, à faire les cent pas dans sa petite chambre vide et froide?

Cette anxiété qui lui serrait la gorge, qui faisait battre son cœur à une allure folle, qui mouillait ses mains d'une sueur froide était insupportable. Elle devait réussir, sinon elle serait perdue. Elle n'accepterait jamais d'être vendue au plus offrant.

Elle imaginait facilement quel genre d'homme délierait les cordons de sa bourse pour la posséder. Un vieillard obèse et infirme, au corps flasque et aux désirs gourmands, alimentés par la vue d'un corps jeune et appétissant. Jamais Xaviera ne consentirait à se soumettre aux caresses pressées et malhabiles d'une vieille baderne presque sénile. Il était surhumain, pour une jeune fille de constitution normale, de penser s'abandonner dans des bras qui embrasseraient bientôt la mort.

Sans rêver au Prince Charmant, car cela ne rejoignait pas l'idée qu'elle se faisait du mari idéal, Xaviera espérait un homme à la chair ferme, à la sève jeune et à la force sauvage, qui saurait calmer ce feu qui lui brûlait parfois les reins.

Xaviera n'usait pas de fausse pruderie comme bien des filles de son âge. Quand elle était plus jeune, elle avait interrogé Mary jusqu'à ce qu'elle obtienne les réponses satisfaisant sa curiosité. Elle savait donc ce qui se passait le soir des noces, entre les nouveaux époux.

Elle ne s'effarouchait pas non plus, comme toutes ces oies hypocrites qui poussaient les hauts cris et se couvraient les yeux de leurs mains lorsqu'elles voyaient un homme torse nu, tout en le détaillant soigneusement entre leurs doigts légèrement écartés.

Elle éprouvait une curiosité qui, pour elle, était tout naturellement saine, même qu'une certaine excitation lui chatouillait les sens à l'idée de voir le corps d'un homme dans sa nudité intégrale. Mais pas celui d'un vieillard pour lequel le repos éternel déroulait un suaire. Cela jamais!

Elle se secoua quand elle entendit les pas pesants de Mary s'approcher de sa chambre.

«Bon sang! nous devons réussir!»

♦ ♦ ♦

Lorsque Newcomen vit sa fille franchir la porte, il faillit en avaler son cigare de surprise.

– Mais qu'est-ce que c'est que cet accoutrement? rugit-il.

Xaviera se permit un petit sourire de triomphe.

Elle était vêtue de noir de la tête aux pieds. Mais ce qui mettait son père au bord de l'apoplexie, c'était ce voile opaque posé sur ses cheveux, la dissimulant aux regards jusqu'à la hauteur des hanches.

– Où as-tu la tête, ma fille? Les hommes qui viendront à la vente ne veulent pas acquérir une veuve, mais une jeune fille à l'allure joyeuse qui leur laisse présager mille délices. Tu tiens vraiment à ce que je me fasse écharper vivant?

Xaviera savait qu'elle devait jouer serré pour que son plan n'échoue pas.

Elle répondit donc avec calme:

– Père, pensez à l'effet de surprise. Quand vous m'emmènerez sur l'estrade, ainsi vêtue, cela attirera immédiatement l'attention sur nous. Cela excitera la curiosité des hommes, les rendant désireux de voir la jeune fille qui se soustrait à leurs regards sous ce voile épais. Pendant que vous attiserez leur convoitise, vous pourrez faire monter les enchères jusqu'à un prix inespéré. Tous voudront payer cher pour m'admirer. Et puis, ce voile a une autre utilité, moins mercantile celle-là. Il cache la trop grande usure de cette pauvre robe. N'êtes-vous pas d'accord?

Le cœur battant, Xaviera attendit la réponse de son père.

– Ma fille, je ne regrette pas d'avoir fondé tous mes espoirs en toi. Tu allies beauté et ruse et, ma foi, un sens du négoce qui m'étonne. Je suis fier de toi. Moi qui m'attendais à me trouver dans l'obligation de te ficeler et de te traîner par les cheveux, me voilà bien surpris.

Xaviera fut heureuse que l'épaisseur du voile empêchât son père de voir le sourire qui retroussait ses lèvres et qui anticipait sa réussite triomphale.

– Venez, père. Vous ne voudriez pas faire attendre tous ces gens?

– Tu as raison, ma fille. Allez, cocher, au village.

CHAPITRE III

Pour l'occasion, son père avait loué une voiture avec cocher. Une fois de plus, Xaviera se demanda où il avait bien pu trouver l'argent pour se payer ce luxe. Peut-être comptait-il sur le succès de la vente pour régler la location?

La jeune fille était dans tous ses états. Elle passait par une gamme d'émotions très intenses: l'excitation, la haine, l'espoir, l'angoisse.

«Mon plan doit marcher. Il le faut absolument, sinon je me tue. Jamais je n'appartiendrai à l'un de ces vieux dégoûtants. Bon sang! si cette affaire pouvait être déjà terminée! Mère, pensez à moi. Où que vous soyez, si vous pouvez voir dans quel pétrin je suis, venez à mon secours.»

À travers le brouillard de ses pensées, elle entendait ses sœurs pleurnicher et égrener leurs chapelets de prières. Elle ne ressentait que mépris et aversion pour elles.

Depuis sa plus tendre enfance, Xaviera n'avait jamais respecté les êtres faibles. Elle n'accordait de valeur qu'à ceux qui se battaient et ne courbaient pas l'échine devant l'adversité. Elle-même ne s'octroyait que très peu de moments de faiblesse. Même si on la blessait, même si on lui crevait le cœur, elle ne laissait jamais transparaître sa peine. Elle réagissait offensivement, en causant deux fois plus de mal qu'on ne lui en avait fait.

Elle avait été élevée dans de telles conditions que, pour survivre, elle avait développé une habileté presque infaillible à se défendre et à attaquer. Il n'y avait aucune place dans sa vie pour la pitié ou la compassion. Si, parfois, elle se laissait attendrir par quelque spectacle vraiment poignant, elle se le reprochait vertement. Pour subsister, il lui fallait faire taire son cœur.

Elle fut tirée de ses pensées par l'arrêt brusque de la voiture. L'anxiété revint à la charge, serrant ses griffes autour de sa gorge.

«Tu dois vaincre. Tu vas vaincre, bon sang!» s'encouragea-t-elle.

Newcomen se pencha vers sa benjamine:

– Reste dans la voiture jusqu'à ce que j'en aie terminé avec tes sœurs. Je viendrai te chercher.

Sans attendre de réponse, il s'éloigna, entraînant dans son sillage ses filles de plus en plus larmoyantes.

Xaviera se laissa aller contre le dossier. Elle pouvait profiter de ce répit pour se calmer et se préparer à la crise de rage que son père ne manquerait pas de piquer quand il verrait la surprise qu'elle lui réservait. Une brusque envie de fuir la saisit. Elle aurait pu se sauver sans que personne ne la remarque vraiment.

Mais elle se gourmanda, se traitant de lâche. Elle devait aller jusqu'au bout de ce qu'elle avait entrepris, quoi qu'il lui en coûtât.

Pour tromper son anxiété, elle tira vers elle le rideau qui recouvrait la petite fenêtre, afin de jeter un coup d'œil aux alentours. Elle fut vraiment surprise par le nombre de gens attroupés près de l'estrade où ses sœurs prenaient place, craintives.

Les hommes formaient la majorité du groupe, naturellement. Mais Xaviera s'étonna de la quantité de femmes qui se bousculaient afin de se repaître du malheur de quelques-unes de leurs congénères. Même si elle abhorrait la faiblesse et n'éprouvait que de minces sentiments fraternels pour ses sœurs, elle ne comprenait pas que des êtres humains soient mesquins au point de se complaire dans la tragédie vécue par leurs semblables.

L'envie la prit d'aller secouer ces mégères, qui passaient pour de bonnes âmes et qui prêchaient la charité chrétienne au sortir de la chapelle, mais elle se retint, pensant à l'effet qu'elle provoquerait, surgissant de la voiture telle une justicière voilée! C'était d'un cynisme...

Xaviera sentait sa nervosité se changer en hystérie. Elle devait absolument dominer ses émotions, sinon elle s'effondrerait quand le moment serait venu de se montrer plus forte que jamais.

Elle vit son père tendre la main vers la bourse bien rebondie que lui remettait une grosse femme habillée avec recherche. Elle reconnut madame Guillett, la femme de l'aubergiste. Elle sut ainsi que deux de ses sœurs serviraient dorénavant au *Cerf doré*, probablement comme filles de table.

Elle ne put pousser plus avant ses réflexions, car son père revenait vers la voiture de son pas dandinant, affichant un large sourire qui témoignait de sa satisfaction devant ces trois marchés conclus rapidement.

– Allez, viens, ma fille. C'est à nous maintenant. Tes six sœurs sont placées et j'en ai obtenu un bon prix. Mais je suis encore bien loin d'avoir réuni la somme que je dois à Lord Milton. Alors je compte sur toi.

Xaviera, rendue muette par l'appréhension, ne répliqua pas.

Elle sut qu'on l'avait enfin remarquée lorsqu'elle entendit le murmure qui se propageait, telle une traînée de poudre, dans les rangs serrés des badauds. Elle vit l'étonnement se peindre sur les visages grossiers, sans éclat. Elle nota avec satisfaction l'air déçu qu'arboraient plusieurs des hommes qui espéraient toujours la beauté exceptionnelle promise par les affiches.

Son père, la tête fièrement levée, l'amena à son bras jusqu'à l'estrade. Ils laissaient derrière eux des chuchotements mécontents concernant la parole non respectée, menaçant d'une bagarre possible si on ne leur montrait pas la fille à l'instant.

Newcomen, péremptoire, les fit taire.

– Oyez! Oyez! Silence, bonnes gens! Voici enfin la future mariée, la plus belle de toutes mes filles que je donnerai, hélas! aujourd'hui. Elle a tenu à paraître voilée pour réserver la surprise de sa divine beauté à l'heureux élu qui en fera sa femme. La mise minimale sera de cinq cents livres.

Des exclamations de dépit et d'incrédulité s'élevèrent dans la foule. La somme demandée dépassait de beaucoup la capacité d'achat de la majorité des assistants.

Le père de Xaviera se chargea de les calmer.

– Mes bons amis, écoutez-moi. Si je réclamais un montant initial de cinquante livres, vous seriez les premiers à penser qu'elle ne doit pas être si extraordinaire, ma Xaviera, pour que j'accepte de la céder à si bas prix. Je me porte garant de sa beauté, de son intelligence, de sa docilité et de sa pureté. Alors, qui sera le premier à offrir le montant de la mise?

Xaviera vit un vieil homme lever la main. Une perruque couvrait son crâne probablement dégarni, une moustache jaunâtre mangeait sa lèvre supérieure, des jambes frêles supportaient avec difficulté un corps dont la presque totalité du poids semblait concentrée dans le renflement de la panse.

Un frisson d'horreur secoua la jeune fille quand, d'une voix fluette, il annonça:

– Moi! Moi! Je double la mise. J'offre mille livres pour cette jeune beauté qui, je le souhaite, réchauffera mes vieux os.

Des rires gras et vulgaires fusèrent parmi la foule.

John Newcomen sentit son cœur palpiter. Il était littéralement interdit. Il ne pensait jamais que la vente se déroulerait si bien. Les mille livres, ajoutées aux mille cinq cents qu'il avait obtenues en échange de ses six autres filles, couvriraient largement ses dettes tout en lui laissant un confortable pécule, mais son avidité le poussa à demander plus.

– Voyons, mon bon. Mille livres pour une telle beauté

seraient insuffisantes. Ce serait presque une offense. Même à la cour du Fermier George[1] vous ne trouverez aussi délicieuse créature. Alors, mes amis, qu'attendez-vous?

Quelqu'un dans le groupe l'interpella:

– Hé l'ami! qu'c'est qu'elle a, la mioche, pour s'cacher d'sous son bout d'tissu? Es-t'y laide, la ribaude, ou infirme?

La foule l'encourageait et les voix s'enflaient dans un tollé général d'indignation. On réclamait ce pour quoi on était venu: une belle fille.

Xaviera se sentait près de l'effondrement. Ses nerfs étaient mis à rude épreuve.

«Que tout soit fini le plus vite possible!» pria-t-elle.

Le père de la jeune fille hésitait. Serait-il plus judicieux de demander à Xaviera de se dévoiler tout de suite ou devrait-il s'ingénier à pousser plus loin son avantage? Étant cupide, il opta pour la seconde solution.

Il regarda le vieil homme qui lui avait offert mille livres et lui dit:

– Mon ami, si vous surenchérissez jusqu'à mille cinq cents livres, je vous promets que non seulement ma fille retirera son voile, mais qu'elle se dénudera pour que vous puissiez évaluer la marchandise avant de l'acquérir.

La foule se déchaîna. Tous et toutes souhaitaient voir le vieillard accepter. On pouvait sentir monter leur excitation à l'idée du spectacle savoureux qui s'annonçait. Les yeux brillaient de fièvre et les sourires concupiscents s'élargissaient.

Quant à Xaviera, elle était horrifiée. Comment son père pouvait-il monnayer sa pudeur pour mille cinq cents livres? Même pour la plus grosse somme au monde, il fallait être aux abois et totalement dénué de scrupules pour, en premier lieu, désirer vendre sa fille, et ensuite exiger qu'elle se déshabille devant des dizaines de personnes.

---

1. Surnom que l'on donnait fréquemment au roi George III.

Pendant ce temps, le vieillard se faisait harceler par les badauds qui l'entouraient.

– Allez, vieil homme. Toi, tu l'auras toute ta vie. Sois généreux, l'ami.

– Hé! l'ancien! laisse-nous lorgner la gaillarde un peu! Donne-nous du rêve, quoi! Garde pas tout pour toi.

Newcomen jugea qu'il était temps d'intervenir.

– Mais décidez-vous, mon bon. Si vous ne voulez pas, dites-le tout de suite, que nous puissions continuer la vente. Nous n'y passerons pas la nuit. Alors, que pensez-vous du marché que je vous propose?

Le vieillard humecta ses lèvres du bout de sa langue et souffla de sa voix chevrotante:

– Marché conclu! Mille cinq cent livres pour la petite, en bon argent sonnant. Mais je veux la voir, comme vous l'avez promis.

Newcomen ne se tenait plus de joie. Il réglerait enfin ses dettes et garderait par-devers lui la coquette somme de huit cents livres. Quelle chance!

Il pensa même, tant le succès de l'opération le rendait euphorique, à offrir une centaine de livres à Xaviera pour la remercier de sa bonne volonté.

– Mon ami, revenez sur terre. Je veux voir la marchandise, l'interpella le vieil homme, le sortant de sa rêverie.

– Eh bien! que ceux qui ont le cœur faible s'assoient ou quittent la place sur-le-champ, car je vous dévoilerai dans quelques secondes une beauté à vous couper le souffle, à vous faire tomber raide mort.

Dans la foule, on criait, on sifflait, on tapait des mains. L'impatience était le mot d'ordre.

Xaviera, elle, s'encourageait à voix basse. Elle ne devait pas flancher maintenant. Il lui fallait aller jusqu'au bout, même si la pensée de la vengeance prochaine de son père la terrifiait et lui coûterait probablement la vie. D'une façon ou d'une autre, ce serait elle la perdante.

Elle vit son père s'approcher, le sourire engageant.

– Ma fille, ma petite fille chérie, tu as trouvé preneur. Maintenant, tel que promis à ces bonnes gens, tu dois retirer ce voile.

– Bien, père, comme il vous plaira, murmura Xaviera d'une voix étouffée.

Le silence s'installa parmi la foule. Sur tous les visages levés vers l'estrade, on lisait l'attente, le plaisir anticipé. La tension s'accrut imperceptiblement.

Xaviera tira d'un coup sec sur l'étoffe.

Des exclamations de dégoût s'élevèrent.

– 'Est horrible, la môme!

– 'A pouvait ben s'cacher, la morveuse.

– Pouah! C'est ça ta beauté, l'ami?

– Espèce de menteur! Vous m'avez trompé, s'égosilla le vieil homme, trépignant de rage sur ses petites jambes.

John Newcomen était abasourdi. Il se tenait sur l'estrade, les bras ballants, les yeux ronds comme des billes, envahi par l'incrédulité, la bouche ouverte sur un cri muet. Cette *chose* ne pouvait pas être Xaviera. C'était un cauchemar. La plus belle de ses filles s'était transformée en un laideron repoussant!

Il la regardait sans comprendre, presque sans la reconnaître.

La chevelure normalement brillante et bouclée, qu'il admirait depuis toujours en secret, pendouillait lamentablement autour de son visage, dans un désordre qui laissait penser qu'elle n'avait pas été lavée depuis des mois et qu'elle devait abriter toute la vermine du monde. Son visage, si cette bouillie informe méritait ce nom, était méconnaissable. Le teint de la jeune fille, naturellement doré et resplendissant de santé, surprenait par sa couleur verdâtre et son aspect maladif. Une cicatrice répugnante, boursouflée et rouge, partait du coin extérieur de l'œil droit pour se frayer un chemin tortueux jusqu'à la lèvre supérieure. Même les dents, qu'il se rappelait régulières et d'une blancheur nacrée, avaient laissé la place à des chicots noirs et rares.

John se passa la main sur les yeux, espérant chasser cette vision cauchemardesque.

«Mon Dieu, réveillez-moi, je vous en conjure!» supplia-t-il intérieurement.

La colère soulevait à présent la foule, qui s'estimait trompée.

– Hé! bonhomme! t'es qu'un sale menteur. 'Est affreuse, la môme.

– C'est-y qu't'avais peur d'jamais la marier qu'tu nous as joué c'te comédie?

– Sais-tu c'qu'on en fait des vauriens comme toi, tricheur? On les attache au pilori quelques s'maines, à'pluie et au frette. Ça leu' remet les idées en place, j'te l'garantis, moi.

– Taisez-vous tous, manants, cria le vieillard de sa petite voix. C'est moi qu'on a trompé sans vergogne, pas vous.

Puis, se tournant vers le père de Xaviera:

– J'ignore ce qui vous a motivé à nous jouer ainsi la comédie. Cette fille est horrible et semble d'une saleté écœurante. Je suis peut-être vieux et fatigué, mais mes yeux savent encore se réjouir devant la beauté. Je demande réparation.

– Mon bon ami, je vous jure... Je n'étais pas au courant de cette supercherie... Ma Xaviera est une réelle beauté... Cette fille n'est pas la mienne... Elle a dû me jouer un tour à sa façon. Mais je peux vous certifier qu'elle aura affaire à moi!

– Cela m'importe peu. Vous la battrez comme plâtre si vous le désirez, mais moi je veux, que dis-je, j'exige réparation pour cet affront public.

Comprenant enfin où le vieil homme voulait en venir, John, ivre de colère, lui demanda:

– Combien voulez-vous pour effacer cette insulte dont je refuse la responsabilité?

– Cent livres!

Le père de Xaviera manqua s'étouffer devant cette requête mirobolante.

– Ne trouvez-vous pas que vous exagérez? À toutes fins utiles, vous n'avez rien acheté. Je ne devrais même pas vous donner un penny[1].

– Oh! Mais vous oubliez le ridicule dans lequel vous m'avez entraîné, mon ami. Si vous préférez, je peux demander à toutes ces bonnes gens qui m'entourent de mettre leurs menaces à exécution, répliqua-t-il.

Ne pouvant plus reculer, John Newcomen s'inclina.

– C'est bon, je vous les donne, vos cent livres. Voilà qui est réglé.

Le vieillard s'avança de son pas mal assuré, s'appuyant avec ostentation sur sa canne à pommeau d'or travaillé. Magnanime, il empocha la bourse remplie de pièces sonnantes, mais crut bon de donner quelques conseils à Newcomen.

– Mon ami, faites disparaître rapidement cette monstruosité avant que la foule ne la lynche. Et tâchez de mettre votre fille à votre main. C'est tout de même honteux de voir dans quelle situation embarrassante elle vous a plongé.

John suffoquait de rage.

Il empoigna par le bras une Xaviera jubilante et la tira sans ménagement vers la voiture.

– Remets ton voile, ma fille. Je ne tiens pas à ce que tout le pays t'aperçoive dans ce déguisement de mascarade. Nous en reparlerons, n'en doute pas. Quant à moi, je vais tenter l'impossible pour récupérer mes cent livres. Ne t'éloigne pas de la maison. À mon retour, nous aurons une petite conversation tous les trois: toi, moi et mon fouet.

---

1. Unité monétaire anglaise.

CHAPITRE IV

La jeune fille monta en courant à l'étage. Elle pénétra dans sa chambre, le cœur étreint par une joie sauvage. Elle avait réussi! Elle était libre! Quelle sensation grisante!

Ayant entendu les pas précipités de sa protégée, Mary l'avait suivie, suant et soufflant sur les marches de cet escalier raide et branlant qu'elle qualifiait d'invention du diable.

Elle arriva dans la chambre de Xaviera en nage, les joues cramoisies, et s'écroula pesamment sur la seule chaise qui meublait la pièce.

– Dieu tout-puissant! Ces marches me tueront un jour.

– Allons, Mary. Tu sais très bien que les marches n'ont rien à y voir. Tu es trop grosse, voilà tout, fit la jeune fille, malicieuse.

La nourrice dressa la tête et répliqua, indignée:

– Je ne suis pas trop grosse, comme tu dis si gentiment, jeune fille. Je suis légèrement enrobée et...

Un éclat de rire spontané l'interrompit.

– Oh! Mary, tu me feras mourir de rire. Légèrement enrobée... Cesse de dire des sottises et viens plutôt m'aider à me débarbouiller.

Soudain fébrile, Mary s'empressa auprès de la jeune fille et toutes deux conjuguèrent leurs efforts pour la dépouiller de l'amas de pâtes collantes qui la défiguraient.

– Vas-tu enfin me dire comment ça c'est passé, Dieu tout-puissant?

Excitée, les yeux brillants, Xaviera s'exécuta de bon cœur.

– Oh! Mary, si tu avais pu voir la tête qu'il faisait! Père bouillait littéralement de rage. Je suis bien heureuse de lui avoir joué ce tour. S'il pensait pouvoir disposer de moi comme bon lui semblait, eh bien! il s'est vite détrompé.

– Et moi? On m'oublie prestement, à ce que je vois.

– Ma bonne Mary, ne te fâche pas. Tu sais bien que, sans toi, j'étais perdue, dit-elle en déposant tendrement un baiser sur les grosses joues de sa vieille amie. Jamais plus je ne me moquerai de ta passion pour les simples et la magie, ajouta-t-elle. Grâce à toutes tes recettes secrètes, tu as pu me fabriquer de toutes pièces ce masque hideux. Je t'en serai éternellement reconnaissante. J'ignorais qu'il fût possible de créer tant de pâtes, de poudres et de couleurs avec d'insignifiantes petites plantes.

– Il y a encore bien des choses que tu ignores, ma chatte, répliqua sentencieusement la vieille femme. Mais ne te réjouis pas trop tôt. Tu n'es pas sans savoir ce qui t'attend. Affronter la colère de ton père ne sera pas chose aisée.

– Tu sais bien que j'ai l'habitude, Mary, fit Xaviera, amère. Ce ne sont pas quelques coups de fouet supplémentaires qui y changeront beaucoup. Et puis, il n'irait quand même pas jusqu'à me tuer?

– Je ne parierais pas ma vie là-dessus, marmonna la bonne vieille entre ses dents.

Puis, reprenant à voix haute:

– Allez, maintenant, dépêche-toi. Tu dois avoir retrouvé ton aspect normal lorsque ton père reviendra. Je ne garantis rien de ses actes si tu lui apparais dans cet accoutrement.

– Ne te tracasse pas pour moi. Je m'en sortirai, comme toujours. Je suis solide et je peux te jurer que ce n'est pas cet homme dégénéré qui verra ma fin, lâcha Xaviera avec une telle haine que Mary ne put s'empêcher de tressaillir.

Elle s'inquiétait sincèrement pour sa protégée. Elle avait réussi à lui éviter un avenir qui s'annonçait terrible, sous la férule d'un vieil homme préoccupé par la seule pensée de satisfaire ses désirs écœurants et lubriques. Mais les jours à venir se présenteraient-ils sous de meilleurs auspices? Mary en doutait.

Elle connaissait Newcomen depuis des années. Plus souvent qu'à son tour, elle avait assisté, impuissante, au traitement inacceptable qu'il infligeait à ses filles. Qu'en serait-il maintenant que Xaviera s'était révoltée ouvertement et l'avait ridiculisé devant tous ces gens? Elle savait cet homme capable d'une brutalité déchaînée.

Mais, ce qui la tracassait par-dessus tout, c'était l'état dans lequel se trouvait l'âme de sa petite fille. Elle la savait physiquement très forte. Elle résisterait aux sévices inhumains que lui administrerait son père, son orgueil et sa fierté lui apportant tout le support nécessaire. Mais son cœur? Mais son âme? Pourrait-elle survivre à ce dernier châtiment, à cet ultime affront d'avoir été mise en vente par son propre père comme une vulgaire marchandise?

Mary avait peur pour l'avenir de Xaviera. Serait-elle en mesure, un jour, de guérir ce cœur blessé, foulé aux pieds par un homme cruel? Laisserait-elle tomber la carapace qui la protégeait, pour s'envoler vers un foyer chaleureux et rempli d'amour? La vieille femme le souhaitait, car elle connaissait Xaviera mieux que personne. Elle méritait de rencontrer le bonheur et l'amour. Mais la jeune fille le désirait-elle, l'accepterait-elle, s'il se présentait un jour?...

Mary fut tirée de ses pensées par le bruit de la porte d'entrée que John Newcomen avait claquée avec brusquerie.

– Hâte-toi, ma bonne. Je ne veux pas qu'il te trouve ici. Il te renverrait et tu es ma seule amie. J'ai tellement besoin de toi! implora la jeune fille, un éclair de terreur traversant ses yeux, rapidement chassé par un regain de courage.

– Dieu tout-puissant! Il va te tuer, s'énerva la vieille femme.

– Mary, la reprit vertement Xaviera. Ne commence pas à pleurnicher. Tu m'enlèverais toutes mes forces.

Entendant le bruit des pas se rapprocher, la jeune fille poussa la bonne femme hors de sa chambre.

– Va. Tout ira bien. Tu recolleras les morceaux plus tard... s'il en reste, dit-elle, tentant bien pauvrement de faire de l'humour.

– Dieu soit avec toi.

À peine Mary avait-elle tourné le dos que John Newcomen arrivait au bout du couloir, le teint violacé et les mains serrées sur le manche de son fouet.

– Tu es fière de toi? demanda-t-il d'une voix dangereusement calme.

– Oui. Très fière, répondit sa fille, la tête relevée, les yeux luisant de défi. Et si j'avais pu faire plus, je n'aurais pas hésité.

– Ne me pousse pas à bout, gronda Newcomen, en martelant ses mots. Tu m'as ridiculisé, tu m'as insulté, moi, ton père, devant tous ces gens. Tu n'avais pas le droit...

La jeune fille le coupa avec violence.

– J'avais le droit, que vous m'avez donné, de ne plus vous considérer comme mon père, le jour où vous avez décidé de me vendre comme une vulgaire pièce de tissu. J'avais le droit, pour toutes ces années où vous avez usé de moi comme si j'avais été la pire des souillons. J'avais le droit, car depuis le jour de ma naissance, vous avez résolu de me haïr parce que je ne comblais pas vos espérances de descendance, n'étant qu'une malheureuse fille. J'avais le droit, pour toutes ces années pendant lesquelles je vous ai maudit de ne pas m'avoir aimée, malgré mon sexe. J'avais le droit, pour ma mère que vous avez tuée en l'épuisant avec toutes ces grossesses qui vous laissaient insatisfait.

Tout en parlant, Xaviera s'était avancée lentement vers son père, jusqu'à pouvoir lui cracher ses derniers mots au visage. Sur ses cils tremblaient des larmes, qu'elle retenait au prix d'un effort surhumain.

Elle lui faisait face, écumant de rage, le visage blême, les traits tirés, animée par une force qui la dépouillait de toute prudence.

Méprisante, elle jeta:

– Vous n'êtes pas un homme, vous êtes une larve. Une larve desséchée par l'envie, la malice et la cupidité. Je vous hais, m'entendez-vous? Et vous pouvez me tuer à l'instant, je vous en remercierai éternellement. Vous me débarrasseriez enfin de votre présence qui me fait souhaiter être une bâtarde plutôt que votre fille.

La gifle claqua dans le silence soudain pesant.

– Je ne te permettrai pas, petite peste, de me parler ainsi. Tu n'as et n'auras jamais aucun droit sur moi. Jamais! Je t'abattrai plutôt.

– Vous n'en aurez jamais le courage. Le seul talent que vous possédiez est celui de tout détruire autour de vous parce que vous avez raté votre vie. Vous avez même échoué dans l'obtention de ce que vous désiriez le plus au monde, c'est-à-dire un fils, parce que vous êtes un incapable.

Blanc de colère, les yeux révulsés, Newcomen l'empoigna par les cheveux et lui tira violemment la tête en arrière.

– Ne dis plus jamais cela, hurla-t-il. Si je n'ai pas eu de fils, c'est à cause de ta mère. Cette sale putain. Elle le faisait exprès! À chaque accouchement, elle me disait: «Ne t'inquiète pas. La prochaine fois, tu l'auras, ton fils.» Mais la fois suivante, c'était encore une fille, toujours une fille. Jusqu'à toi. Je n'ai pu le supporter plus longtemps.

Une lueur de joie sadique dansa dans ses yeux.

– Sais-tu ce que j'ai fait, petite garce? Je l'ai rouée de coups jusqu'à ce qu'elle me supplie d'arrêter, jusqu'à ce que j'entende ses os craquer. Mais j'ai continué à frapper, frapper au point de la laisser pour morte. Voilà ce que j'ai fait de ta putain de mère. Et c'est toi, la responsable de ce meurtre. Si tu avais été le fils que j'espérais tant, j'en aurais fait une reine. C'est toi qui l'as tuée.

Xaviera, effondrée, demeurait figée sur place. Des frissons de désespoir la secouaient tout entière.

Ainsi, sa mère n'était pas morte en couches comme on le lui avait toujours laissé croire, mais plutôt pour l'avoir mise au monde, elle, une fille.

Une vague de haine la submergea. Aveuglée par sa peine, elle se jeta sur son père, cause de son désarroi, et le martela de ses poings crispés.

– Comment avez-vous pu? Vous avez tué ma mère. Assassin! Scélérat! Meurtrier! C'est vous que l'on devrait tuer. Vous empoisonnez tout ce que vous touchez. Ne me laissez pas la chance de vous occire ou je vous abattrai comme le chien que vous êtes.

John était affolé par ce qu'il avait révélé. Qu'avait-il fait? Il ne pouvait plus reculer. Il s'était pourtant juré de ne jamais parler de cette journée dont le seul souvenir l'horrifiait. Lui, devenu meurtrier!

Dès qu'il eût réalisé la gravité de son acte, il n'avait plus pu bien vite se supporter. Il s'était mis à boire et à jouer, cherchant l'oubli. Mais ce souvenir continuait de le torturer et de le hanter depuis vingt ans.

Comment bannir de sa mémoire le jour où il était descendu plus bas que le pire des bagnards? Et cette fille, double presque identique de sa mère par son corps et son caractère, ravivait ses souvenirs jour après jour. Comme il avait souhaité pouvoir la faire disparaître, elle aussi!

Une douleur cuisante à la joue le ramena au présent.

«La petite roulure. Elle m'a griffé.»

Il la saisit par les épaules et la secoua tel un pommier tourmenté par la tempête.

– Comme je t'en ai voulu, petite garce, de tant lui ressembler! Le même corps souple et attirant, le même tempérament de feu. C'était comme si elle était revenue me narguer par-delà la mort. Tu étais un reproche constant.

Vidée, Xaviera se laissa glisser mollement sur le tapis élimé.

– Vous auriez dû me tuer. Je n'aurais pas vécu toutes ces années d'horreur. Et je n'aurais pas eu à apprendre la pire des vérités sur vous: mon père, un assassin! C'était le seul élément manquant au tableau. Je ne veux plus jamais vous voir. Je partirai ce soir.

– Oh! non, ma fille. Tu ne te sauveras pas de cette façon. Tu as oublié que ce soir, je dois rencontrer Lord Milton et qu'il s'attend à ce que j'honore ma dette dans sa totalité. Ce n'est pas avec les quelques misérables livres que la vente de tes sœurs m'a procurées que je pourrai respecter l'échéance. Dieu sait que Lord Milton est assez pointilleux sur le recouvrement des dettes de jeu. Je risque la prison.

Perfide, Xaviera jeta:

– Vous n'avez qu'à jouer l'argent que vous avez amassé aujourd'hui. Voilà quelque chose que vous connaissez bien. Ou allez préparer votre baluchon. On m'a laissé entendre que vous aviez droit aux objets personnels à la prison pour dettes. De toute façon, vous devriez déjà y être, en prison. Pour meurtre! Allez-vous-en. Je me contrefiche de ce qui peut vous arriver.

Newcomen, prenant de l'assurance devant la soudaine faiblesse de sa fille, riposta sur un ton enjoué:

– Mais voilà une excellente idée.

♦ ♦ ♦

N'entendant plus rien à l'étage, Mary gravit l'escalier pesamment, faisant gémir le bois vieilli sous ses pas.

Elle trouva Xaviera prostrée sur le tapis, roulée en boule tel un animal traqué, la douleur gravée au fond de ses yeux.

Effrayée, la pensant blessée, Mary se pencha sur elle et demanda doucement:

– Qu'as-tu, ma chatte? Est-ce que cette brute t'a fait du mal?

Incapable de prononcer un mot, la jeune fille agrippa le tablier de sa nourrice et se blottit contre elle.

– Dieu tout-puissant! Que t'a-t-il fait? Viens, ma chatte. Viens, Mary va s'occuper de toi.

La jeune fille, telle une poupée de son, se laissa emmener vers son petit lit, où Mary la fit asseoir avant d'entreprendre de la déshabiller.

Tout en s'escrimant sur le corsage trop ajusté de Xaviera, Mary tentait de la rassurer en lui chuchotant doucement des mots tendres, les mêmes qu'elle lui murmurait quand, toute petite, elle lui confiait sa peine.

Elle sentait son corps se détendre sous l'effet de ses paroles apaisantes et de ses caresses affectueuses. Elle voyait venir le moment où sa protégée accepterait de libérer les larmes qu'elle contenait difficilement.

La prenant dans ses bras, Mary la berça longtemps, attristée par le poids immense de ce chagrin qui se déversait sur sa poitrine généreuse, tout en maudissant cet homme qui semait la peine et le malheur sous ses pas.

Quand la jeune fille se fut calmée, la vieille femme l'allongea gentiment sous ses maigres couvertures et lui dit:

– Je vais te préparer une petite tisane dont j'ai le secret et qui t'apportera l'oubli dans un sommeil réparateur. Demain, il sera temps de parler et de penser à l'avenir.

Xaviera tendit la main et, d'une caresse légère qui remua le cœur de la bonne vieille, car ce geste était rare, elle effleura sa joue toute ridée en murmurant:

– Merci, Mary. Tu es bonne. Si je me laissais aller à un accès de sensiblerie que j'abhorre, je te dirais que je t'aime.

Ses yeux se remplirent de larmes.

– Bon sang! comme je déteste cette faiblesse! Si je ne me surveille pas, je deviendrai vite semblable à toi, une pleurnicheuse qui cherche sans cesse un mouchoir dans sa manche ou dans son corsage.

Ces paroles, qui auraient pu être blessantes, étaient dites dans un sourire de cajolerie moqueuse. De toute façon, Mary était prête à se faire hacher menu pour que lui revienne sa Xaviera.

– Si tu recommences à m'asticoter, c'est que tu es sur la bonne voie. Je vais chercher ta tisane et ensuite tu dormiras tout ton soûl. Demain, nous aurons tout le temps de nous pencher sur ta situation...

CHAPITRE V

Pendant ce temps, à Milton Manor, se jouait une partie d'envergure.

En effet, en quittant la chambre de sa fille, Newcomen s'était dirigé directement vers Milton Manor, situé à quelque distance de sa maison.

Tout en marchant, il entrevoyait le manoir jouant à cache-cache derrière les arbres.

Construite au XVIe siècle, l'habitation se nichait dans une petite vallée. En forme de E, elle était recouverte de briques grises. Les bras du E étaient courts et massifs, chacun muni d'un porche indépendant. Quatre tourelles au toit de cuivre ornaient les coins des ailes principales. Comme cela avait été la mode au XVIe siècle, plusieurs groupes de cheminées étaient disséminés sur les façades. L'ensemble, quoique un peu austère, formait un exemple parfait de symétrie.

Le paysage d'une riche beauté atténuait la sévérité de la construction. Des arbres feuillus et des conifères, groupés dans un amalgame harmonieux, procuraient un havre d'ombre rafraîchissante. Des massifs d'arbustes et de fleurs aux coloris chatoyants mettaient une note de gaieté et de légèreté dans ce décor qui aurait paru d'une triste rigueur si ce n'avait été de leur présence. Une pièce d'eau, où s'ébattaient quelques cygnes d'un blanc duveteux, faisait face au porche principal. Les communs, séparés du manoir, voisinaient les étables et les écuries, composant un tout d'une propreté coquette.

«Le salaire que verse ce lord à tous ses domestiques suffirait amplement à m'assurer une retraite confortable», pensa Newcomen avec envie.

Haussant les épaules dans un soupir d'agacement, il descendit la pente douce du sentier de gravillon, bordé d'herbe verte et grasse, qui conduisait à la porte d'entrée.

Soams, le majordome, l'introduisit dans le hall.

– Veuillez entrer, monsieur. Lord Milton est occupé en ce moment, mais il devrait se libérer incessamment. Si vous voulez prendre un siège, je viendrai vous chercher sous peu.

Newcomen détaillait le hall avec le même agrément, la même admiration que lors de sa toute première visite, qui datait de quelques années.

La combinaison du style très ornementé du XVIe siècle et des arabesques légères et gracieuses du rococo de Robert Adam[1] donnait un résultat surprenant, d'une sobriété inattendue.

Face à la porte d'entrée, s'élevait un escalier magistral, du plus pur style élisabéthain. En chêne anglais, large et droit, les rampes massives, il aurait laissé une impression de solidité presque rustique, n'eussent été des statues érigées à sa base et des enjolivures travaillées dans le bois des rampes.

Le plancher était de marbre blanc veiné de gris; les murs, sur lesquels on reconnaissait la griffe quintessenciée de Robert Adam, étaient d'un gris perle conférant à la pièce une atmosphère masculine, reposante pour l'œil, comparativement à certaines maisons où les roses criards, les rouges violents et les mauves pesants agressaient et étourdissaient.

---

1. Architecte et décorateur écossais, né à Kirkcaldy en 1728. En 1761, il fut nommé architecte adjoint du roi George III.

Des niches s'enfonçaient dans les murs, abritant des bustes classiques inspirés des divinités grecques, parures du XVIe siècle que Lord Milton avait tenu à conserver. Les meubles, tendus de soie grise et blanche, élégants et raffinés, portaient la signature de Thomas Chippendale[1]. L'agencement de cette pièce donnait un sentiment de paix et de confort par la qualité de son ornement.

Contrairement à bien des maîtres de maison désireux d'étaler leur fortune, Lord Milton n'avait pas commis l'erreur d'associer richesse et quantité. Toutes les pièces du manoir que Newcomen avait visitées étaient à l'image de celle-ci: des teintes douces, gris perle, bleu pâle, vert tendre, beige et blanc; peu de tableaux, peu de tapisseries, peu ou pas de dentelles, de broderies, de bibelots; des fauteuils élégants, tendus de soie ou de satin; des tapis de Perse d'une sobre beauté, quelques collections de pierres précieuses, de tabatières et d'armes.

D'aucuns auraient jugé cette demeure dépourvue de tout confort ou de toute magnificence. Mais elle était à l'image de son propriétaire, sans ostentation, d'un luxe discret et quelque peu rigide, respirant une puissance tranquille.

John Newcomen fut tiré de ses pensées par le toussotement insistant de Soams.

– Sa Grâce va vous recevoir dans le salon vert. Si vous voulez bien me suivre.

– Non, laissez, Soams. Je connais le chemin.

Si le majordome fut surpris d'être congédié de la sorte, il n'en laissa rien paraître.

Newcomen se glissa dans le petit salon, sans même avoir pris la peine de frapper.

– Mon cher ami. Comment allez-vous?

Obséquieux, il s'avança vers l'homme debout à côté de la cheminée, où brûlait un feu ronflant et rougeoyant.

---

1. Ébéniste anglais né à Otley (Yorkshire) en 1718. Il travailla surtout de concert avec Robert Adam.

Dédaignant la main tendue, Lord Milton demanda sèchement:

– Venez-vous vous acquitter de votre dette?

Mal à l'aise, Newcomen déglutit et se lança dans une explication ardue:

– Eh bien! voyez-vous, il y a un petit problème. Je devais réunir une grosse somme d'argent aujourd'hui. Oui, des affaires que j'avais négligées...

Sceptique, Lord Milton leva un sourcil inquisiteur.

– Serait-ce la vente aux enchères qui a eu lieu cet après-midi, que vous considérez comme une affaire négligée?

– Oui. Non... euh!.... En fait, oui. Mais il y a eu un pépin. Et, enfin, je n'en ai pas tiré la somme espérée.

Méprisant, Milton répliqua:

– Newcomen, je n'ai jamais ressenti pour vous ni respect ni amitié. Pour moi, vous êtes un partenaire de jeu qui, de surcroît, me fait la grâce de perdre. Mais je peux vous assurer qu'aujourd'hui, je n'éprouve pour vous que dégoût. Quel genre d'homme êtes-vous donc pour aller vendre vos filles au village comme du vulgaire bétail?

Sentant la situation tourner à son désavantage, John tenta de se disculper.

– C'est vous, le responsable. Vous êtes riche, vous pouvez perdre au jeu les sommes qu'il vous plaît, sans que cela vous pose de problème, tandis que moi...

– Justement.

La voix de Lord Milton claqua avec sécheresse.

– C'est à vous qu'il appartient de vous contenir, si vous n'avez pas les moyens de supporter les conséquences de vos actes. Trêve de bavardages... De combien disposez-vous?

– Mille quatre cents livres, répondit-il, pestant en son for intérieur contre le vieil homme qui lui avait soutiré cent livres pour l'affront qu'il disait avoir subi.

– C'est bien peu. Vous m'en devez huit cents de plus.

Humectant ses lèvres du bout de sa langue, Newcomen rassembla son courage:

– Voilà. J'ai un marché à vous proposer. Nous allons disputer une autre partie, si vous le voulez bien. Si je gagne, ma dette sera effacée. Sinon, je vous donne ma fille en mariage.

Un éclat de rire sinistre lui coupa la parole.

– Newcomen, vous êtes imbattable! Vous forcez presque mon admiration tant vous êtes égal à vous-même! Je n'ai jamais rencontré quelqu'un d'aussi constant que vous dans la veulerie et la bassesse. Vous imaginez-vous vraiment que j'épouserais ce monstre dont personne n'a voulu? Non, ne niez pas. On m'a tout raconté. On m'a décrit, avec force détails, sa laideur repoussante. J'ai trente-deux ans, je suis riche et libre. Pourquoi m'encombrerais-je d'une épouse qui, de plus, serait laide à donner des cauchemars? Non. Si nous jouons, nous le ferons selon les règles habituelles. Vous avez une chance sur deux de gagner, une chance sur deux de perdre.

Newcomen voulut protester.

– C'est mon dernier mot, jeta brusquement Lord Milton.

♦ ♦ ♦

Quand Xaviera s'éveilla, le soleil brillait déjà haut dans le ciel. Elle éprouva quelque difficulté à rassembler ses esprits, la tisane que lui avait fait boire Mary lui brouillant les idées.

Au souvenir de ses mésaventures de la veille, elle rabattit les couvertures au pied de son lit et bondit vers la petite table où était posé le broc d'eau. Elle fit ruisseler l'eau froide sur son visage et s'ébroua comme un jeune chien afin de chasser les gouttelettes qui s'accrochaient à ses cheveux.

Elle s'examina sans pitié dans le petit morceau de glace qui tenait tant bien que mal sur la table bancale.

Ses cheveux, encore emmêlés par le sommeil, lui donnaient

un charme négligé assez attirant. Ses paupières, légèrement gonflées, se fermaient à demi sur un regard alangui par les dernières vapeurs de la nuit. Sa bouche avait cette expression de l'enfance conservée dans l'innocence mais, quand on s'y attardait un peu, elle prenait l'aspect d'un fruit sauvage qui implorait la cueillette.

Elle était belle et le savait depuis toujours. Jusqu'à ce jour, cette conviction l'avait laissée indifférente. Mais maintenant, ce don de la nature lui servirait. Elle partirait à Londres et trouverait sûrement un homme prêt à payer le prix fort pour user de sa jeunesse et de ses attraits.

Enfin, elle ne connaîtrait plus la pauvreté, les mains écorchées par les gros travaux, les robes qui tombaient en lambeaux parce qu'il n'y avait pas d'argent pour acheter une pièce de tissu et en confectionner d'autres. Oublié tout cela! Elle serait une reine, couverte de bijoux, de fourrures, de robes, de lingerie fine et mangeant enfin à sa faim. Tout ce qu'elle désirait, elle l'obtiendrait.

Elle refusait de porter attention à la petite voix qui scandait à ses oreilles le nom dont étaient affublées les femmes qui menaient cette vie qu'elle envisageait pour elle-même.

Tout à ses projets, Xaviera mit longtemps à réaliser que c'était Mary qui poussait ces cris d'orfraie.

Sans même se couvrir, elle s'élança vers l'escalier, descendit les marches quatre à quatre et se dirigea directement vers la cuisine, où elle pensait, logiquement, trouver la vieille femme.

Ne la voyant pas, elle l'appela:

– Mary, où es-tu? Que se passe-t-il?

Les exclamations paniquées de la bonne femme, ponctuées du sempiternel «Dieu tout-puissant», lui parvinrent de ce qui lui sembla être la pièce qu'on appelait pompeusement la bibliothèque. Il ne lui en restait vraiment plus que le nom, les livres de valeur ayant tous été engloutis dans la passion effrénée de Newcomen pour le jeu et l'alcool.

Elle s'arrêta net sur le pas de la porte, un spectacle effrayant s'offrant à elle.

Son père gisait sur le sol, dans une position grotesque, la tête éclatée, serrant un pistolet dans sa main droite. Se tordant les mains, Mary se tenait à ses côtés, agitée par un tremblement nerveux.

– Il... il s'est... Dieu tout-puissant...

La jeune fille s'approcha de la bonne femme et lui asséna une gifle magistrale. Cela eut pour effet de la calmer instantanément.

– Pardonne-moi, Mary, mais tu en avais rudement besoin.

– Ça va, ça va, marmonna la vieille en se frottant la joue.

Xaviera, réalisant soudain ce que la situation impliquait de catastrophique pour elle, se précipita sur le cadavre de son père et le bourra de coups de poing en lui criant sa haine.

– Espèce de lâche! Tu m'auras embêtée jusque dans la mort.

Horrifiée, Mary s'empressa de lui faire lâcher prise.

– Ma chatte, tu perds la tête. Secouer un mort ainsi, c'est un sacrilège.

Ayant dit, elle se signa avec diligence.

– Bon sang, Mary! Ne fais pas l'idiote. Sais-tu ce que ça signifie pour moi, le fait qu'il se soit suicidé? Je vais te le dire, moi, ce que ça signifie. J'hérite de ses dettes. Tu comprends, maintenant?

Sans répondre directement à la question, Mary lui tendit une feuille de papier chiffonnée.

– Lis cela. Ce sont ses dernières volontés.

D'un geste brusque, Xaviera lui arracha le feuillet des mains et déchiffra, avec un sentiment de colère croissant, l'écriture maladroite de son père.

«Xaviera, ma fille, je ne suis plus qu'une épave. Hier, suivant ton conseil, je me suis présenté chez Lord Milton, dans l'espoir de trouver un arrangement. Nous avons joué une autre partie et j'ai perdu. J'ai tout perdu. Je dois à Marcus Milton la somme de dix mille livres, et quelque cinq cents autres à mes créanciers. Je

sais que toi, tu t'en sortiras, tandis que moi, je suis trop vieux pour aller mourir en prison dans le déshonneur. Adieu.»

– Qu'il soit maudit! s'écria rageusement la jeune fille. Il aura été une larve jusqu'au bout, me faisant endosser la responsabilité de régler ses dettes ou, si je me trouve dans l'impossibilité de le faire, d'aller en prison. S'il n'avait déjà trépassé, je le tuerais de mes propres mains. Il aura tout fait pour que je le poursuive de ma haine, même dans la mort. Je lui souhaite de brûler dans les feux de l'enfer pour l'éternité... Mais, en ce qui me concerne, adieu beaux projets!

Intriguée, Mary ouvrit la bouche mais Xaviera ne lui laissa pas le temps de l'interroger.

– Oublie cela, ma bonne. C'était trop beau pour durer, dit-elle en repensant aux plans qu'elle avait échafaudés à son réveil. Mais je ne me laisserai pas faire, ajouta-t-elle, énergique. Je connais quelqu'un qui aura une visite inattendue, aujourd'hui même.

– Mais de qui parles-tu?

– De Lord Milton.

Mary eut un haut-le-corps.

– Tu ne veux tout de même pas aller rencontrer cet homme? Dieu tout-puissant! mais as-tu perdu la tête? C'est tout à fait hors de question. Ce serait d'une inconvenance!... Je... tu...

Suffoquée, Mary ne trouvait plus ses mots.

– Penses-tu que j'ai envie de moisir dans une prison, à attendre que mes cheveux blanchissent et que mon visage se ride? Oh! non, j'ai grandi dans la misère la plus totale et, crois-moi, cela va changer! Qu'est-ce que représentent dix mille livres pour un homme si bien nanti? Des poussières. Une goutte d'eau dans l'océan. Je te fais le serment de revenir avec un papier dûment signé, sur lequel il sera écrit en toutes lettres que la dette est effacée. Peut-être même réussirai-je à lui soutirer quelques centaines de livres pour régler les factures des créanciers?

La jeune fille, emportée par la passion de son discours, ressemblait à un jeune coq prêt à livrer bataille.

– Fais chauffer de l'eau et prépare ma robe bleue, ordonna-t-elle. Je dois user de tous les atouts possibles et, pour le moment, le seul qui soit en ma possession, c'est mon apparence.

– Qu'as-tu en tête, ma chatte? s'inquiéta Mary.

– Rassure-toi, ma bonne. Je ne ferai rien dont tu pourrais rougir. Mais je suis prête à tout pour améliorer mon sort, même à m'abaisser devant cet homme et à le supplier. Je trouverai bien une solution...

– Ma chatte, je ne voudrais surtout pas refroidir ton enthousiasme, mais je crois que nous avons un problème beaucoup plus urgent à résoudre, dit la vieille femme en triturant son tablier, mal à l'aise.

– Quel est-il?

– Lui, répondit-elle en pointant du doigt le cadavre de Newcomen. Qu'allons-nous en faire?

– Dans la mesure où je suis concernée, tu peux ou le brûler dans la cheminée ou l'enterrer dans le jardin. Cela m'indiffère complètement! dit la jeune fille en jetant un regard dégoûté sur son père.

– Mais... Xaviera, tu n'y penses pas! s'indigna Mary.

– Fais ce que tu jugeras bon. Mais je ne débourserai pas un seul penny pour lui offrir un enterrement. Et ne discute pas.

– Serait-ce trop te demander que de m'aider à le sortir dans le jardin? s'informa la vieille femme, choquée par l'attitude de sa protégée.

– Si tu n'es pas assez forte pour le porter toute seule, va quérir quelqu'un au village, ou bien laisse-le pourrir sur le plancher. Il est tout à fait hors de question que je le touche, ne serait-ce que du bout des doigts, articula-t-elle sèchement. Lorsque tu auras réglé ce problème, tu prépareras ma robe bleue et tu me feras couler un bain. J'ai un rendez-vous très important. Allez, va, va.

La vieille femme, le cœur troublé par la dureté impitoyable de la jeune fille, tout en la comprenant, s'éloigna en hochant la tête.

– À nous deux, Lord Milton! lança Xaviera d'une voix décidée.

CHAPITRE VI

– Puis-je vous être utile, mademoiselle? s'enquit Soams.

La jeune fille, impressionnée malgré elle par l'imposante richesse de Milton Manor, mit quelques secondes à se ressaisir.

D'un ton qu'elle voulait assuré, elle demanda:

– Serait-il possible d'avoir un entretien avec Lord Milton?

– Je crains que ce ne soit irréalisable dans l'immédiat, mademoiselle. Sa Seigneurie est fort occupée, répondit Soams, toujours imperturbable.

Ignorant le refus poli, Xaviera, ayant retrouvé son aplomb, déclara:

– Eh bien! j'attendrai qu'il se libère.

Le majordome, embarrassé par l'insistance de la jeune fille et par le désespoir que, en dépit de ses efforts louables, elle ne parvenait guère à dissimuler, dit doucement:

– Si vous le désirez, vous pourriez expliquer la raison de votre venue au secrétaire de Lord Milton. Celui-ci sera peut-être à même...

Ayant perçu une inflexion apitoyée dans la voix du vieux

domestique, Xaviera redressa le menton et l'interrompit brutalement:

– Je ne veux voir aucun intermédiaire. Je tiens à m'entretenir d'une affaire urgente avec Lord Milton et personne ne m'en empêchera, dussé-je patienter jusqu'à la nuit!

Ayant dit, elle écarta brusquement le pauvre homme, trop surpris par la rapidité de son geste pour réagir.

Profitant de son avantage, la jeune fille s'élança dans le grand hall, vers la première porte qu'elle aperçut.

Elle pénétra d'un pas résolu dans un petit salon décoré entièrement dans des tons de bleu pâle, prête à lutter férocement.

Son intrusion pour le moins intempestive fit lever le sourcil à un jeune homme assis nonchalamment près de la cheminée où flambait un bon feu, un livre ouvert sur les genoux.

– Mais qu'est-ce que...

Ne le laissant pas terminer sa phrase, la jeune fille, drapée dans une attitude hautaine, le toisa d'un œil mauvais et l'apostropha d'un ton rogue:

– Vous voilà enfin! Quel lâche êtes-vous donc pour vous camoufler derrière des portes closes et laisser à vos domestiques le soin d'éconduire les indésirables?

Le jeune homme, interloqué, demanda:

– Mais qui êtes-vous et que me voulez-vous?

– Je m'appelle Xaviera Newcomen.

– Ce nom devrait-il signifier quelque chose pour moi? s'enquit-il de plus en plus ébahi.

– Ah! non, ne faites pas celui qui ne comprend rien! Ça ne prend pas avec moi. Si je suis une inconnue pour vous, mon père ne l'était certes pas, persifla-t-elle, la colère lui mettant du rouge aux joues.

– Doucement, doucement. Asseyez-vous sagement et expliquez-moi tranquillement ce qui me vaut cette tirade pour le moins importune. Nous sommes des gens civilisés, nous pouvons nous entendre sans vociférer comme de vulgaires poissonniers.

La jeune fille, qui n'avait guère prêté attention à la personnalité de son interlocuteur jusqu'à ce moment, le détailla avec méfiance, recherchant dans ce physique assez agréable un signe quelconque de duperie.

Le jeune homme, qui devait avoir dans les environs de vingt-cinq ans, était toujours assis dans la confortable bergère. Trop absorbée par ses propres problèmes, Xaviera n'avait pas remarqué la canne placée à portée de sa main. Légèrement embarrassée, elle continua néanmoins à le dévisager avec ce que Mary aurait qualifié de discourtoisie manifeste.

D'épais cheveux blonds et bouclés entouraient un visage à la délicate beauté presque féminine. Des yeux bleu clair posaient sur la jeune fille un regard doux et sympathique, qu'accentuaient encore des cils d'une longueur presque choquante pour un homme. Le nez, fin et droit, surmontait des lèvres pleines, dont la courbe un peu molle dénotait assurément une certaine faiblesse de caractère. Mais ce qui étonnait le plus, chez ce jeune homme, était sa tenue vestimentaire.

Il était habillé avec beaucoup trop de recherche, à la mode d'il y avait vingt ans, quand les dentelles et les bijoux paraient abondamment les habits. Il portait même le justaucorps que la grande majorité de ces messieurs avaient relégué aux oubliettes depuis plusieurs années et auquel s'était substituée une veste beaucoup plus pratique et moins tape-à-l'œil.

Xaviera, décontenancée par ce jeune homme à l'apparence excessivement soignée, faillit se laisser distraire de son but.

La voix de son interlocuteur la ramena sur terre.

– Je vois que vous appréciez ma façon de m'habiller. Moi aussi, j'aime les belles choses, les dentelles, les soieries, les bijoux. Je ne prise guère la mode de cette seconde moitié du siècle. Elle ne correspond pas à mes besoins de raffinement, pas plus qu'elle ne sied à ma silhouette délicate.

La jeune fille commençait à s'impatienter. Elle n'avait pas fait tout ce chemin pour engager une conversation mondaine sur la mode! Elle ne pouvait pas croire que cet homme à l'allure sympathique, quoiqu'un peu futile, soit ce Lord Milton dont le seul nom faisait frémir tout l'entourage.

«Ce sera plus facile que je ne l'avais imaginé, songea-t-elle. Quelques flatteries bien tournées suffiront à l'amadouer et j'obtiendrai tout ce que je désire.»

Changeant de tactique, elle dit d'une voix contrite:

– Vous me voyez désolée, Lord Milton, d'avoir ainsi troublé votre paix. Mais, vous le comprendrez sûrement, j'étais en colère et je me suis laissée emporter par mes émotions. Je n'aurais jamais dû m'introduire ici presque de force...

La jeune fille suspendit sa phrase, déroutée par l'expression de souffrance qui déformait les traits du jeune homme.

– Je crois qu'il y a erreur sur la personne, dit-il, la voix amère. Je ne suis pas Lord Milton, mais son frère cadet, Laurence.

L'incrédulité puis la consternation s'inscrivirent sur le visage de Xaviera, cédant prestement la place à la colère.

– Vous ne pouviez pas le dire plus tôt! Vous me faites perdre inutilement mon temps. Alors, où est-il?

– Grand frère? Il s'adonne à des occupations... disons... particulières, pour le moment, répondit Laurence, avec une ironie curieusement mordante.

Ayant intercepté le rapide coup d'œil que le jeune homme avait lancé vers une petite porte dérobée, au fond de la pièce, la jeune fille chargea. Sûre de ce que Laurence ne pourrait la rattraper, en raison de son infirmité, elle le prit de vitesse.

– Ne faites pas ça! N'entrez pas dans ce boudoir! s'écria-t-il.

Sans prêter attention à l'avertissement, elle se rua presque sur la porte et l'ouvrit à toute volée.

Le spectacle qui l'attendait la cloua sur place.

Un homme, torse nu et visiblement ivre, s'acharnait sur le corsage d'une femme aux cheveux blonds qui poussa un cri aigu en la voyant, et détala à toutes jambes, mettant tant bien que mal de l'ordre dans sa toilette.

L'atmosphère de la petite pièce, chargée d'un parfum féminin et capiteux, respirait une sensualité à l'état brut, un désir à fleur de peau, presque palpable. Xaviera, malgré toute son innocence, sentit ce vent de passion brûlante pénétrer sa chair et ses sens, la laissant troublée et muette.

Bousculé par le départ précipité de sa compagne, l'homme était tombé à genoux sur le sol. Tempêtant à voix basse contre ces stupides bonnes femmes, il se redressa, conservant son équilibre avec peine et se tourna vers la jeune fille.

– Qui êtes-vous? Que voulez-vous? demanda-t-il d'une voix pâteuse.

Xaviera, incapable de lui répondre, le fixait avec intensité, comme hypnotisée, tous ses sens aiguisés.

Les cheveux noirs, légèrement ondulés, étaient simplement retenus par un ruban sur la nuque. Le visage, un peu long, avait les traits marqués, d'une beauté un peu sauvage. Le nez fin et droit, les lèvres pleines et sensuelles, ne pouvaient faire oublier l'étrangeté du regard. Les yeux dardés sur elle criaient leur différence. L'un était noir, l'autre d'un bleu azur. Mais cette particularité n'enlevait rien à la beauté de ce visage de bronze. Au contraire, cela lui conférait un charme unique.

Détachant avec difficulté ses yeux de ce regard perçant, la jeune fille admira malgré elle les épaules larges, le torse puissant et bruni par le grand air, les hanches étroites, les jambes musclées et nerveuses qui, pour l'instant, maintenaient leur propriétaire dans un équilibre précaire. L'ensemble était impressionnant.

Xaviera qui, pourtant, dépassait d'une bonne tête la plupart des jeunes filles de son âge, se sentait minuscule face à cet homme duquel émanaient une force et une vigueur imposantes, malgré son état d'infériorité passager. Elle le soupçonnait être un adversaire de taille.

Un éclat de rire moqueur la sortit de son engourdissement hypnotique.

– Alors, jeune fille, ce que vous voyez vous plaît-il?

Xaviera, choquée d'être ainsi interpellée, s'insurgea:

– Je m'appelle Xaviera Newcomen. Quand on s'adresse à moi, on dit «mademoiselle».

Un éclair d'intérêt traversa le regard étrange de Lord Milton, en chassant du même coup les vapeurs de l'alcool.

– Ainsi, vous êtes ce laideron dont personne n'a voulu à la vente aux enchères?

Blessée par ce rappel brutal de sa condition, la jeune fille jeta rageusement:

– Si vous n'aviez pas mené mon père à la ruine, cette humiliation grotesque m'aurait été épargnée. Si vous étiez un être humain plutôt qu'un monstre, vous auriez eu pitié de ce que...

– Pitié? J'ignore le sens de ce mot, mademoiselle Newcomen, dit Marcus en martelant les syllabes de son nom, de manière à lui laisser entendre qu'il la dédaignait.

Piquée par ce timbre de voix à l'intonation désobligeante, Xaviera rétorqua, les yeux étincelants:

– Il n'y a pas que la pitié que vous ne connaissiez pas. Le respect, la compassion, l'intégrité, et même la sobriété, vous sont également étrangers.

– Ne forcez pas votre chance, jeune fille. Je suis peut-être ivre, mais pas au point de me voir incapable de vous administrer une bonne correction.

– Vous n'oseriez pas! s'indigna-t-elle.

– Oh! si. Vous êtes ici chez moi et je n'admettrai pas que l'on porte un jugement sur ma conduite. Tenez-vous-le pour dit, siffla Lord Milton entre ses dents.

Xaviera, rendue circonspecte par la lueur inquiétante qui brillait dans les yeux de son vis-à-vis, s'abstint de répondre.

– Dites-moi vite ce qui me vaut l'insigne honneur de votre présence et fichez le camp. Vous me fatiguez avec votre air arrogant et vos accusations.

Oubliant toute prudence, Xaviera, insultée par tant de grossièreté venant de la part d'un prétendu gentilhomme, dit:

– Je veux un papier, signé de votre main, certifiant que la dette de mon père est effacée. Je veux aussi mille livres pour rembourser les créanciers qui dorment presque sous nos fenêtres. Cette somme ne représente pratiquement rien pour l'homme richissime que vous êtes et, comme je n'ai pas l'intention de croupir dans une prison pour dettes le reste de mes jours, c'est, je crois, la meilleure façon de racheter votre conduite impardonnable. Vous êtes l'unique responsable de la situation inextricable dans laquelle je me retrouve.

– C'est tout?

– Oui et ne cherchez pas à négocier, le prévint Xaviera, se félicitant de cette victoire par trop facile.

– Je ne cherche aucunement à négocier. Je refuse, tout simplement.

La jeune fille, les yeux révulsés par une fureur sans nom, marcha sur Lord Milton, le visage menaçant.

– Vous refusez? cria-t-elle. C'est invraisemblable! Bon sang! si j'étais un homme, je vous tuerais! Vous ne pouvez refuser de me remettre ce qui me revient de droit. Vous avez profité de ce que mon père était...

– Était? répéta Marcus, le sourcil levé.

– Oui, était. Mon père s'est suicidé ce matin. Vous devez être fier de vous, maintenant. Vous m'avez non seulement ruinée, mais déshonorée.

– Nous y voilà! Tout de suite les grands mots. Si votre père s'est enlevé la vie, je n'en suis nullement responsable. Ce sont sa cupidité, son avidité et sa bêtise qui l'ont tué.

– Peut-être, mais c'est avec vous qu'il a joué. Vous connaissiez sa situation financière et vous avez tout de même accepté qu'il dispute une autre partie avec vous. Vous l'avez tué aussi sûrement que si vous aviez pressé vous-même la gachette, lança Xaviera, des larmes de rage plein les yeux.

– Il suffit! dit Marcus, la voix coupante. Je n'ai supprimé personne et je ne vous donnerai pas un penny. Est-ce bien clair?

Sans qu'aucune erreur ne soit permise, Xaviera pouvait lire inscrite sur le visage de son adversaire la décision qu'il avait arrêtée.

Mais, ne s'avouant pas vaincue, elle proposa:

– Très bien. Vous ne me donnerez rien, mais vous ne pouvez refuser de jouer une partie avec moi et me laisser la possibilité de récupérer cet argent.

– Vous êtes folle! jeta Lord Milton, incrédule. Vous ne savez probablement pas tenir un jeu de cartes correctement.

– Peu importe. Ce que je vous demande, c'est si vous m'acceptez comme partenaire de jeu. Si je gagne, ma dette sera effacée et vous me ferez cadeau de mille livres supplémentaires. Sinon, je trouverai un moyen de vous rembourser ce que je vous dois dans son intégralité. J'en fais serment.

Xaviera, anxieuse, attendit la réponse de Marcus.

– Bien, je suis d'accord. Mais je vous préviens, je jouerai avec vous comme je le ferais avec un homme. Pas de faveurs, répliqua Lord Milton, impressionné malgré lui par l'acharnement et la ténacité que la jeune fille mettait à vouloir sauver sa peau.

Elle sentit ses jambes fléchir sous elle, soulagée par ce sursis.

– Quand cette partie peut-elle avoir lieu? s'enquit-elle.

– Demain soir, à dix heures.

– Je serai au rendez-vous.

– Je l'espère pour vous, dit Marcus, ironique.

♦ ♦ ♦

– C'est de la pure folie, ma chatte, gémissait Mary. Dieu tout-puissant...

– Peut-être as-tu raison, mais je dois y arriver, rétorqua la jeune fille.

Xaviera tentait infructueusement de nouer les rubans qui fermaient le collet de sa cape. Impatientée par ses mains tremblantes et maladroites, elle demanda à Mary de l'aider.

Tout en s'exécutant, la vieille femme continuait de soliloquer.

– Tu devrais tirer un trait sur toute cette histoire. Il ne fera qu'une bouchée de toi. Dieu tout-puissant! a-t-on idée de lancer pareil défi à cet homme? Nous finirons bien par trouver un moyen de lui rendre...

– Bon sang, Mary! coupa-t-elle. Arrête tes jérémiades. Tu m'agaces à la fin! Je dois le faire et je vais le faire. Ne m'enlève pas tout mon courage. J'ai besoin de toi et de ton appui.

– Si tu m'avais mise au courant de tes projets hier, je t'aurais préparé une boisson dont j'ai le secret et tu te serais réveillée seulement dans deux jours! Naturellement, on ne me dit jamais rien, à moi...

– Assez! cria la jeune fille, la voix aiguë. Tais-toi ou je ne réponds plus de mes actes. Bon sang, Mary! je me préoccupe de mon avenir, de notre avenir, et tu parles de me faire dormir avec tes remèdes de bonne femme. Je me serais réveillée en prison, oui.

Voyant les yeux de Mary se remplir de larmes, Xaviera se calma.

– Ma bonne, il faut que tu comprennes que je dois agir vite, très vite. Je n'ai peut-être que quelques jours devant moi. Tu ne connais pas Lord Milton. Cet homme n'a pas une once de pitié dans le cœur. Il me fera arrêter si je ne lui rends pas son précieux argent rapidement. N'en doute pas.

– D'accord, d'accord. Mais je t'en conjure, sois prudente. Tu sais, un homme seul avec une belle jeune fille...

Un rire moqueur l'interrompit.

– Ne crains rien. Ma vertu n'intéresse en aucune manière notre lord. De toute façon, nous ne serons pas seuls. Il y a les domestiques.

Peu rassurée, la vieille femme laissa partir Xaviera à contrecœur et se mit à prier avec ferveur.

Cela lui serait sûrement d'un grand secours.

♦ ♦ ♦

– Lord Milton m'attend, annonça Xaviera au majordome.

Soams, surpris, laissa entendre poliment que son maître ne lui avait pas donné d'instructions à ce sujet.

– Eh bien! il a tout simplement omis de le mentionner. Mais je vous jure qu'il espère ma venue! renchérit-elle, montrant une assurance qu'elle était loin de ressentir.

– Dans ce cas... Entrez, mademoiselle. Je vais me renseigner tout de suite auprès de Sa Grâce. Euh! Pardonnez mon impertinence, mademoiselle, mais qui dois-je annoncer?

– Oh! Xaviera Newcomen.

Soams, aussi stylé fût-il, ne put s'empêcher de sursauter en entendant ce nom.

– Ah! bien... Si vous voulez vous donner la peine de prendre un siège, je ne serai pas long.

Xaviera le remercia et s'assit, sans le savoir, sur la chaise que son père avait occupée trois jours auparavant.

Pour tromper son angoisse, elle examina les lieux.

À chacune de ses découvertes, elle sentait sa détermination s'affirmer. Elle aussi voulait à tout prix connaître ce luxe, cette vie facile à laquelle seuls les élus accédaient.

«Comme il doit être agréable de se faire appeler milady ou Votre Grâce, d'avoir des dizaines de domestiques à son service, de porter des robes et des bijoux coûteux, de la lingerie en soie, de manger à sa faim, de dormir dans un lit moelleux! Un jour, je posséderai tout cela, dussé-je me vendre pour y arriver!» songeait la jeune fille, farouche.

– Mademoiselle Newcomen. Mademoiselle, répéta Soams. Lord Milton va vous recevoir.

– Oh! Pardonnez-moi, j'étais distraite.

– Si vous voulez bien me suivre dans le petit salon bleu, je vous prie. Sa Seigneurie vous y attend.

Xaviera, les jambes soudainement flageolantes, emboîta le pas au majordome et, lorsqu'il ouvrit la porte, elle l'entendit annoncer:

– Mademoiselle Newcomen, Votre Grâce.

– Très bien, Soams. Faites-la entrer.

La jeune fille, étreinte par une brusque timidité, demeura figée sur le seuil de la pièce.

– Eh bien! mademoiselle, entrez. Je ne suis pas un ogre, dit Lord Milton d'un ton peu engageant. À quoi dois-je le plaisir de cette visite tardive?

Interdite, Xaviera se demandait à quel jeu il jouait.

– Vous savez très bien que nous devions nous rencontrer ce soir, répliqua-t-elle sèchement, prête à sortir ses griffes.

L'étonnement qu'elle lut dans ses yeux paraissait sincère.

– Je suis désolé, mais je ne comprends pas. Vous ai-je donné rendez-vous? Voilà qui me surprend, je ne vous connais même pas!

– N'essayez pas de me duper, Votre Grâce, jeta la jeune fille, furieuse, en mordant dans ses mots. Vous savez aussi bien que moi que je me trouvais ici même hier matin et que nous devions nous revoir pour régler nos affaires.

– Et de quelles affaires s'agit-il? s'enquit Marcus

– Oh! Cessez immédiatement ce jeu stupide. Si vous usez de tactiques déloyales dans le but de profiter de mon éventuel énervement, ça ne marchera pas. J'ai bien l'intention de jouer cette partie et de gagner. Alors, arrêtez de feindre l'ignorance. Vous nous faites perdre un temps précieux, dit la jeune fille, en tapant légèrement du pied.

– Et à quoi sommes-nous censés jouer?

– Aux cartes, bon sang!

– Calmez-vous, mademoiselle. Je ne vois pas l'utilité de me parler aussi grossièrement ou de jurer. Expliquez-vous, enfin! Je comprendrai peut-être de quoi il retourne.

S'avisant de la même lueur inquiétante qui était apparue, la veille, dans les yeux de Marcus quand il avait menacé de la corriger, Xaviera battit en retraite, prudente.

– Vous ne vous souvenez vraiment de rien?

– Non, de rien du tout. Je devais être ivre quand je vous ai reçue, car je n'ai aucun souvenir de notre conversation, cela dit sans vouloir vous froisser, répondit Marcus d'un ton beaucoup trop poli pour être sincère.

Méfiante, Xaviera lui fit un récit détaillé du marché qu'ils avaient conclu. Plus elle progressait dans sa narration, plus l'incrédulité se peignait sur les traits de Lord Milton.

Puis, outrée, elle vit ses épaules agitées par un éclat de rire fort insultant.

– Cette situation n'a rien d'amusant, dit-elle, furieuse.

– Jouer aux cartes avec vous? Mais vous êtes complètement folle! répliqua-t-il, des gloussements étranglant sa voix.

Reprenant son sérieux, il ajouta:

– Désolé de vous décevoir, mais je n'ai accepté cette partie ridicule que parce que je n'étais pas dans mon état normal. Il est hors de question que je joue aux cartes avec une femme, si jolie soit-elle, pour un enjeu aussi important que dix mille livres. Quelle idée!

– Vous n'avez pas le droit de vous récuser maintenant. Vous ne pouvez revenir sur votre parole, riposta Xaviera, envahie par le désespoir.

– Qui m'en empêchera? Vous, peut-être? Ne vous rendez pas ridicule. Vous n'êtes pas sans savoir que vous perdriez si j'étais votre adversaire au jeu. Nous pouvons toujours nous arranger autrement...

– Non, le coupa-t-elle. Il n'y a que ce moyen à mes yeux. Comment croyez-vous que je pourrai vous rembourser? Je vous hais, Lord Milton. De toutes mes forces, de tout mon être, je vous exècre!, cracha-t-elle, dégoûtée.

Il s'avança vers elle d'un pas menaçant, le regard sombre.

– N'abusez pas de ma patience. Je vous ai assez vue et entendue. Veuillez avoir l'obligeance de quitter cette maison avant que je ne vous fasse jeter dehors.

– Vous en seriez bien capable! lança la jeune fille, faisant taire sa peur.

– Certainement. Je n'ai que faire d'une petite peste telle que vous, qui se croit permis de venir m'embêter chez moi avec des histoires qui ne me concernent nullement. Parfaitement! cela ne me concerne pas. Si votre père était idiot, c'était son problème plus que le mien. Je n'ai rien à me reprocher. Alors, faites-moi le plaisir de sortir d'ici.

Lord Milton avait hurlé les derniers mots.

La jeune fille écumait d'une rage telle qu'elle ne se maîtrisait plus.

– Vous n'êtes qu'un immonde ver de terre! Je vous déteste, vous et tout ce que vous représentez! Vous croyez tenir le monde dans le creux de votre main parce que vous êtes riche et puissant. Mais laissez-moi vous dire une chose. Tous vos biens ne pourront vous acheter une âme, ni vous donner un cœur. Vous êtes un pauvre type!

– Dehors! rugit-il. Dehors, avant que je ne commette l'irréparable.

– Je pars, mais nous nous reverrons. Je n'ai pas dit mon dernier mot.

– Fichez le camp de ma maison ou je vous botterai les fesses pour vous obliger à sortir. Avez-vous compris?

Oubliant toute dignité, Xaviera s'empressa de s'exécuter.

– Et allez au diable! entendit-elle avant que la porte se referme sur elle.

– Tu y viendras avec moi, chez le diable, espèce de mufle! murmura la jeune fille, frémissant de colère.

CHAPITRE VII

Dans sa petite chambre froide, Xaviera cherchait en vain le sommeil.

À son retour du manoir, elle avait trouvé la bonne Mary endormie, inondant le silence de la maison de ses ronflements. Une tasse ébréchée, à demi vidée, dégageait une forte odeur de whisky. La jeune fille, pour une fois, ne sourit pas de la mauvaise habitude de la vieille femme. Elle bénissait plutôt ce lourd sommeil artificiel qui lui épargnait, pour l'instant, les plaintes et les reproches inévitables de Mary.

Elle aussi avait besoin d'un bon remontant. Elle vida d'un trait le contenu de la tasse et sentit immédiatement les bienfaits de l'alcool qui réchauffait ses membres glacés, plus par la nervosité que par la fraîcheur de cette nuit d'avril.

Dans son lit dur et inconfortable, elle tournait dans sa tête le souvenir des moments humiliants passés à Milton Manor. Quel homme horrible! Il était peut-être beau et riche, mais cela ne lui donnait pas tous les droits. Xaviera luttait pour ne pas se laisser gagner par le découragement. Il lui restait un atout, mais c'était plus que risqué.

Tant d'émotions la tiraillaient! Elle se sentait terriblement seule! Elle aurait bien voulu que sa mère, cette femme dont la présence lui avait tant manqué, soit près d'elle. Dans le secret de son cœur, elle lui confia sa peine, son désarroi et lui demanda conseil. Ce dialogue muet avec un être imaginaire lui procurait normalement un réconfort considérable et lui redonnait la force de continuer à se battre.

Mais, ce soir-là, la magie n'opérait pas. Un vide glacial lui tordait les tripes. Elle avait rencontré plus fort qu'elle. Plus dur qu'elle.

«Ce diable d'homme! Bon sang! si je le pouvais, je le réduirais en charpie. Je le hais. Oh! comme je le hais. Mais il paiera la note. Et beaucoup plus vite qu'il ne le croit. Il ne connaît pas encore Xaviera Newcomen. Il verra à qui il a affaire. Je lui réserve une petite surprise qui aura pour effet, je l'espère, de le rendre littéralement fou de rage.

«Mais je devrai me montrer prudente. Il me faudra jouer serré, sinon mon plan avortera. C'est un risque fou. Pourtant, je suis sûre de ne pas me tromper. Je le sens... Si j'use d'assez de finesse et de rouerie, il mordra à l'appât. Rira bien qui rira le dernier!»

Réconfortée par le sort auquel elle vouait Lord Milton, elle se pelotonna frileusement sous ses maigres couvertures et s'endormit sur un sourire vengeur.

♦ ♦ ♦

Le lendemain matin, au lever, Xaviera se sentait d'attaque, malgré le temps orageux. D'humeur plus légère que la veille, elle était prête à aller jusqu'au bout de son combat et à remporter la victoire. Lord Milton allait apprendre à ses dépens de quel bois elle se chauffait!

Elle descendit allègrement l'escalier et se dirigea vers la cuisine d'où elle entendait Mary vaquer à ses occupations.

– Bonjour, ma bonne. Quelle belle journée, n'est-ce-pas?

– Dieu tout-puissant! Combien de fois faudra-t-il te répéter de ne pas me faire sursauter de cette façon? Tu devrais te déplacer en actionnant une clochette, ce serait beaucoup plus sûr pour ma survie, grommela la vieille femme. Mon pauvre cœur ne le supportera pas encore bien longtemps. Il galope comme un fou!

– Mary, ne serait-ce pas plutôt ton whisky qui te donne ces palpitations? fit la jeune fille, malicieuse.

– Ne recommence pas tes tracasseries! Dis-moi plutôt comment s'est déroulée ta rencontre avec Sa Grâce.

– Très mal. Mais ce serait trop long à raconter, et une matinée chargée se présente à nous. Alors, ne perdons pas de temps.

Mary, méfiante, regarda la jeune fille qui affichait une euphorie rien moins que surprenante pour quelqu'un venant d'essuyer un échec.

– Que vas-tu encore inventer? Tu finiras par me rendre folle. On ne sait jamais sur quel pied danser avec toi, et c'est ainsi depuis que tu as appris à parler. Je me souviens des crises de rage que tu nous...

– Mary, je t'en prie, coupa rapidement Xaviera, n'ayant aucune envie de prêter l'oreille, pour la millième fois, à l'histoire de sa jeunesse tumultueuse. Laisse tomber les retours en arrière et tourne-toi vers l'avenir. Et si mon plan fonctionne, notre vie sera dorénavant plus qu'enviable, je t'en donne ma parole.

– Dieu tout-puissant! C'est bien cela qui m'inquiète. Tu as ton visage des jours de grand combat.

– Eh bien! oui. Je retourne chez Lord Milton ce matin même. Il ne pourra résister aux arguments que je lui apporte. C'est ma dernière chance et j'ai bien l'intention de réussir, cette fois-ci. Prépare-moi vite un bon bain.

– Encore? s'étonna la vieille femme. Tu auras la peau aussi ridée qu'un vieux pruneau avant d'avoir atteint trente ans!

– Cesse de ronchonner et fais ce que je te dis. Aie confiance en moi. Ai-je jamais reculé devant un défi?

– Justement. C'est bien ce qui m'effraie, grogna-t-elle en mettant l'eau à chauffer.

♦ ♦ ♦

«Bon sang, quel sale temps! Si j'avais su que je me ferais tremper jusqu'aux os, j'aurais évité de prendre un bain. Quel fier spectacle offrirai-je à Lord Milton! Oh! et puis tant pis! Je ne me présente pas à lui dans le but de lui plaire, non?»

Quand Soams vint ouvrir la porte, il se figea de stupeur à la vue de la jeune fille, les cheveux dégoulinants et plaqués sur le visage, les vêtements alourdis par la pluie, et les souliers maculés d'un mélange de boue et de brins d'herbe.

Se reprenant vivement, il s'enquit:

– Qu'y a-t-il pour votre service, mademoiselle Newcomen?

– Je veux voir votre maître, Soams.

– Je suis désolé, mais Sa Seigneurie dort encore.

– Eh bien! réveillez-le. Je dois lui parler à l'instant. C'est extrêmement urgent.

– C'est que... voyez-vous... Quand Sa Grâce se fait tirer du lit... euh!... elle est d'une humeur... massacrante, toussota Soams, ostensiblement embarrassé.

– Je prends le risque d'attirer les foudres de Sa Seigneurie sur moi, mais je dois la voir immédiatement. Je vous en prie.

Ne pouvant résister à l'appel au secours qu'il lisait dans les yeux de Xaviera, le majordome s'inclina, disant qu'il allait prévenir le valet de Lord Milton.

Xaviera, soulagée, resta plantée sur le seuil de la porte, n'osant s'asseoir, de peur d'abîmer les soieries avec ses vêtements mouillés.

Entendant la voix basse, rendue rauque par la colère, du propriétaire de Milton Manor, Xaviera fit une rapide prière et se raidit, prête à batailler pour son avenir.

– Que voulez-vous encore? aboya Marcus.

Gardant son calme, elle dit d'une voix ferme:

– J'aimerais avoir un entretien avec vous. Je ne vous dérangerai guère plus de quelques minutes.

– J'espère pour vous que vous avez une raison satisfaisante pour oser me réveiller à l'aube. Sinon, gare à vous! menaça-t-il.

Négligeant de répondre, Xaviera le suivit dans le petit salon bleu, qu'elle commençait à bien connaître.

Sans même lui offrir un siège, Lord Milton se laissa choir pesamment dans une bergère, à proximité du feu qui pétillait gaiement dans la cheminée.

Xaviera, glacée dans ses habits trempés, lui adressa intérieurement une remarque bien sentie, critiquant ses manières d'ours mal léché.

– Bon, venons-en au fait. Que voulez-vous?

Prenant son courage à deux mains, la jeune fille se lança.

– À la suite de notre discussion d'hier, j'ai réfléchi longuement. Vous aviez raison, il n'aurait pas été convenable pour vous de jouer aux cartes avec une femme. Je comprends maintenant vos sentiments. Mais j'ai trouvé une solution qui, je crois, pourrait nous satisfaire tous deux.

Rendu suspicieux par le ton inhabituellement doux et poli de la jeune fille, Marcus demanda d'une voix rogue:

– Quelle est cette solution miraculeuse?

Opposant une résistance farouche à la panique qui s'insinuait en elle, elle dit précipitamment:

– C'est simple... Vous m'épousez.

D'abord muet de saisissement, Lord Milton se laissa ensuite aller à une envie de rire irrépressible.

– Vous êtes encore plus folle que je ne l'imaginais! Moi, vous épouser? Mais vous êtes-vous regardée récemment? Vous ressemblez à un malingre chat mouillé. Vous n'avez absolument rien d'attirant. Et dites-vous bien que si, à trente-deux ans, je défends avec acharnement mon statut de célibataire, ce n'est certainement pas pour une fille comme vous que je renoncerai à ma liberté.

Xaviera s'étrangla dans un hoquet de colère devant le dédain et la muflerie à peine dissimulés de son interlocuteur.

– Je ne corresponds peut-être pas à votre idéal féminin, mais j'ai tout de même des qualités. Je sais tout faire dans une maison, et même plus encore. Je...

– Et dans un lit? l'interrompit Marcus, brutal. Comment vous débrouillez-vous dans un lit?

– Oh! Vous... vous êtes grossier... dégoûtant, répugnant! Vous êtes immonde, bredouilla la jeune fille, rouge de honte et de rage.

– Ça suffit, maintenant! Je n'ai que trop prêté l'oreille à vos élucubrations démentes. Depuis les trois derniers jours, on ne voit plus que votre petite personne envahissante dans ma maison et je ne vous supporte plus. Maintenant, sortez et ne revenez plus jamais! Je donnerai des instructions à Soams. Vous vous trouverez désormais dans l'impossibilité de venir m'ennuyer. Vous êtes horriblement agaçante.

Tandis que Lord Milton discourait, Xaviera s'était ressaisie.

«La raison ne l'a pas fait fléchir. Très bien. À présent, je sors le grand jeu. Et surtout, attention aux faux pas!»

Se campant solidement sur ses pieds, elle attaqua:

– Parfait! Puisque vous vous entêtez à ne pas vouloir m'aider de votre plein gré, je vous y forcerai. J'en ai le pouvoir.

Percevant une menace sérieuse dans l'attitude belliqueuse de Xaviera, Marcus s'exhorta au calme, au prix d'un grand effort.

– Que voulez-vous dire?

Notant avec satisfaction qu'elle avait enfin capté son intérêt, la jeune fille renchérit:

– Lors de notre première rencontre, je vous ai surpris en galante compagnie, si je ne me trompe?

– Je ne vois pas en quoi ma vie amoureuse vous concerne, ni quel rapport elle peut avoir avec notre problème.

– J'y viens, j'y viens.

Xaviera prit une profonde inspiration et, sachant qu'elle jouait le tout pour le tout, se jeta à l'eau.

– J'ai reconnu votre belle amie, malgré l'empressement qu'elle a mis à s'enfuir. Certaines personnes bien intentionnées m'avaient raconté que, parmi les gens de votre classe, les aventures avec des femmes mariées étaient chose courante. Mais j'estimais ces accusations bassement gratuites et malveillantes. J'étais assurée que des hommes ou des femmes faisant partie de l'aristocratie, de l'élite, ne pouvaient s'abaisser à ce genre de vie... comment dirais-je... à la débauche. Oui, je crois que c'est le terme qui convient. Donc, je ne croyais pas que vos pairs pouvaient s'adonner à la débauche, mais j'ai perdu cette ultime illusion en vous voyant à l'œuvre, il y a trois jours...

– Où voulez-vous en venir?

Xaviera exultait. Il avait mordu, comme elle l'espérait.

Sans porter attention au visage durci de son interlocuteur, elle poursuivit de plus belle, poussant perfidement son avantage.

– Cela nuirait sans aucun doute à la réputation de cette dame, si des racontars touchant à la nature pour le moins coupable de vos relations parvenaient à certaines oreilles peu enclines à la compréhension.

– Ah! nous y sommes! Le chantage, persifla Marcus, cynique. Je savais que votre famille ne prêchait guère l'honorabilité, mais je n'aurais jamais cru que vous iriez si loin, que vous descendriez si bas. Mais je vous l'assure, vous perdez votre temps.

Fermant son esprit à ces paroles blessantes, Xaviera demanda d'une voix innocente:

– Vraiment? Est-il vrai que vous soyez apprécié à la cour?

– Cessez ce jeu stupide! Je vous répète que vous n'obtiendrez rien de moi.

– Même si, en bon et fidèle sujet que je suis, j'allais informer notre gentil roi George de vos fredaines avec Lady Durham?

Se levant d'un bond, Marcus, le visage tordu de rage, attrapa la jeune fille par les épaules et la secoua sans ménagement.

– Vos menaces ne vous mèneront nulle part, petite garce! Vous ne réussirez pas à m'intimider.

– Si j'en crois la rumeur, Sa Majesté est un homme honnête et surtout, chaste. Je suis certaine qu'il ne priserait guère d'apprendre que la femme d'un de ses ministres préférés entretient des relations douteuses avec vous. D'autant plus qu'on rapporte que le roi vous tient en haute estime. Cette femme mérite-t-elle vos attentions au point que vous risquiez de perdre les faveurs royales? Ne raconte-t-on pas que notre souverain a très bonne mémoire et que ce qu'il n'oublie pas, il ne le pardonne pas? Pensez-vous qu'il excuserait un comportement libertin qu'il réprouve, parce que vous avez tout bonnement l'heur de lui plaire?

– Vous surpassez, et de loin, par votre fourberie et votre rouerie, les poules jacassantes et mesquines que l'on côtoie à la cour. Vous y frissonneriez d'aise. Mais, rentrez bien cela dans votre petite tête, je n'ai rien à craindre d'une sale pimbêche de votre acabit. Il vous sera impossible d'accéder au château et d'y rencontrer George III. On n'y laisse pas s'introduire les paysans!

Incapable de se contenir plus longtemps, Xaviera explosa:

– Détrompez-vous! Je prendrai tous les moyens pour me rendre à Londres ou en quelque autre endroit où se trouvera le roi. Je dormirai à la porte du palais le temps qu'il faudra, je me jetterai sous ses pieds en le suppliant de m'écouter, si je dois en arriver là. Mais, croyez-moi, je me ferai entendre. Et je vous ruinerai!

Lisant la résolution farouche plaquée sur les traits de la jeune fille, Lord Milton ne pouvait plus douter qu'elle mettrait ses menaces à exécution.

– Je ne vous permettrai pas de détruire ma vie. Je vous donnerai tout l'argent que vous voulez, mais vous disparaîtrez de ma vue pour l'éternité, sans quoi je pourrais me laisser gagner par la tentation de tordre votre joli cou, gronda Marcus.

Xaviera frémissait d'une joie mauvaise. Elle touchait enfin au but.

Tirant parti de la situation ambiguë dans laquelle Lord Milton était plongé jusqu'au cou, elle lui asséna le coup fatal.

– Mais je ne veux pas d'argent. Je veux que vous m'épousiez. Telle est la condition à mon silence.

La jeune fille crut que Lord Milton allait s'étrangler.

– Jamais! Jamais je ne me marierai avec une fille de votre espèce, prête à tout pour sauver sa misérable peau, même à traîner les gens dans la boue. Jamais!

– Vous n'avez pas le choix, se délecta-t-elle. C'est cela ou je révèle tous vos petits secrets à George III et vous serez banni de la cour.

Acculé au pied du mur, Lord Milton ne pouvait que s'avouer vaincu.

– Très bien. Nous nous marierons, mais je vous jure que vous me paierez cela. Vous constaterez rapidement que revêtir l'identité de Lady Milton vous coûtera beaucoup plus que quelques années d'emprisonnement. Vous demanderez grâce avant longtemps, siffla-t-il.

♦ ♦ ♦

– Mary, où te caches-tu? Mary, j'ai réussi.

La vieille femme, alertée par les cris triomphants de sa protégée, s'empressa de la rejoindre.

– Dieu tout-puissant! Dans quel état t'es-tu mise? Calme-toi ou tu vas me faire faire une syncope.

Se moquant des airs affolés de sa bonne amie, Xaviera prit Mary dans ses bras et l'enleva dans une danse endiablée à travers la maison vide.

– Entends-tu, Mary? J'ai réussi. Nous serons immensément riches!

– Dieu tout-puissant! arrête-toi, tu me donnes le tournis. Mon pauvre cœur...

La jeune fille la fit asseoir sur une chaise branlante, remplit à ras bord une tasse de whisky et la lui tendit.

– Bois cela, ma bonne. Tu en auras besoin. J'ai une grande nouvelle à t'annoncer.

Mary leva la tête d'un air dubitatif.

– Quelle est donc cette nouvelle si merveilleuse qu'elle te fait me rendre malade en épuisant mon pauvre cœur par cette sarabande échevelée?

– Je vais me marier!

La vieille femme se changea aussitôt en statue de pierre. Elle ouvrit la bouche, puis la referma sans émettre le moindre son.

– Remets-toi, ma bonne. Tu devrais te réjouir plutôt que de faire grise mine.

– Tu excuseras ma surprise, qui semble te paraître démesurée, mais avec qui te maries-tu, Dieu tout-puissant?

– Lord Marcus Milton. Telle que tu me vois, dans quelque temps, je serai Lady Milton.

Mary était terrassée.

– Dieu tout-puissant! Lord Milton? Ce diable d'homme? Celui-là même qui a des yeux vairons? Oh! Mon Dieu... Quand j'étais jeune, ma mère répétait à qui voulait l'entendre qu'un homme qui avait les yeux de deux couleurs différentes détenait le pouvoir du démon. Tu ne vas pas te marier avec lui? Il ne t'apporterait que le malheur.

– Oh! Oublie donc tes histoires de sorcière pour une fois, dit Xaviera, vexée de ne s'attirer que des reproches. Je te parle de notre avenir. Je jouirai enfin de la richesse, du respect et de tous les honneurs attachés au nom des Milton.

– J'aimerais bien savoir de quels stratagèmes tu as usé pour réussir ce tour de force. On prétend que Lord Milton serait plutôt réfractaire à l'idée du mariage, fit Mary, d'une voix insidieuse.

Xaviera répondit dans un grand éclat de rire.

– Oh! si tu avais pu voir sa tête quand je l'ai menacé d'étaler au grand jour sa liaison avec Lady Durham! J'étais folle de joie. Le grand Marcus Milton, berné par une pauvre petite paysanne. Il a foncé tête baissée dans le piège que je lui tendais. Même un nouveau-né aurait compris que je mentais effrontément. Mais pas lui!

– Explique-toi avec plus de clarté, la somma la vieille femme, qui baignait dans l'incompréhension la plus totale.

– C'est tout simple. Tu te souviens des nombreuses fois où je me suis rendue au marché du village à ta place? Eh bien! si on ouvre grand les oreilles, on y surprend des conversations qui ne manquent pas d'intérêt. Un jour que je me trouvais devant l'étal du poissonnier, attendant qu'il me serve, j'écoutais distraitement deux vieilles femmes qui péroraient méchamment sur l'un ou l'autre de nos notables. Ma curiosité fut vivement éveillée lorsqu'elles mentionnèrent le nom de Lady Durham. Je me suis donc approchée discrètement, pour en entendre davantage. C'est à ce moment que j'ai appris que Lady Durham et Lord Milton entretenaient une liaison amoureuse.

«J'avais oublié cet incident jusqu'à il y a trois jours, quand je me suis rendue à Milton Manor pour la première fois. J'y ai découvert Lord Milton occupé à honorer les charmes d'une beauté blonde. Ce n'est qu'hier que j'ai pensé à Lady Durham. Sans avoir la moindre certitude de ce que j'avançais, j'ai dit à Lord Milton que j'avais reconnu, en la personne de sa tendre amie, l'épouse de notre illustre ministre. Et il m'a crue! termina la jeune fille, son visage trahissant un reste d'incrédulité, mêlé à un plaisir évident. Je lui ai confié mes intentions d'informer Sa Majesté de son inconduite s'il ne m'épousait pas!...

– Du chantage? s'étrangla la bonne femme. Mais à quoi penses-tu? Tu veux dire que tu as contraint cet homme à t'épouser sous la menace? Oh! ma chatte, tu ne dois pas te marier dans ces conditions. Tu seras malheureuse comme les pierres. On s'engage dans le mariage parce que l'on aime son futur époux ou que l'on éprouve pour lui une certaine affection. Mais pas en lui forçant la main! Cet homme te fera la vie dure, crois-moi.

– Ce ne pourra pas être pire que de passer ma vie avec un vieillard dégénéré.

La voix de la jeune fille avait claqué sèchement dans la pièce.

Mary comprit qu'elle faisait allusion à la vente aux enchères et sa pitié à son égard s'en trouva accrue.

D'une voix douce, elle expliqua patiemment:

– Je sais, ma chatte. L'avenir que te réservait ton père était rien moins qu'attrayant. Mais vivre nuit et jour avec Lord Milton ne sera pas de tout repos. Tu as été malhonnête, tu as rusé pour arriver à tes fins, et un homme ne pardonne pas ces choses-là. Tu t'embarques sur une drôle de galère.

– Cela m'importe peu qu'il me déteste et qu'il me rende la vie impossible. J'ai été à bonne école avec mon père. Mais aujourd'hui, je tiens enfin la chance d'atteindre un niveau de vie dont je n'avais même jamais osé rêver. Et rien ni personne, entends-tu, personne ne m'en empêchera! Pas même toi!

La jeune fille, les yeux brillant d'une fièvre combative, affronta Mary.

La vieille femme sut que, quoi qu'elle fasse, elle ne pourrait jamais arrêter Xaviera. Il en avait toujours été ainsi.

CHAPITRE VIII

Le voyage avait été agréable, bien qu'il se fût déroulé dans une atmosphère tendue.

La veille, Xaviera avait reçu un court message de Lord Milton, lui intimant d'être prête à partir pour Londres, le lendemain matin, à l'aube. Il désirait l'emmener chez sa tante, Lady Gilberte Milton, afin qu'elles puissent toutes les deux effectuer les achats nécessaires à la composition du trousseau. Il l'informait, par la même occasion, qu'elle devrait prolonger son séjour chez Lady Gilberte, une femme de goût à l'éducation raffinée, qui veillerait à lui enseigner les bonnes manières. Il ne tenait, en aucun cas, à ce que ses amis sachent qu'il allait épouser une paysanne.

Malgré le caractère insultant de cette lettre, Xaviera s'était sentie soulevée de joie. Enfin, la grande vie! À elle les belles robes, la lingerie fine, les parfums de luxe, les bijoux coûteux!

Elle s'était empressée d'aller voir Mary à la cuisine pour lui faire part des projets de Lord Milton.

– Vite, ma bonne. Demain matin, nous quitterons notre mortelle campagne pour nous rendre à Londres. Nous logerons quelques jours, peut-être même quelques semaines, chez Lady Gilberte, la tante de mon futur mari. N'est-ce pas excitant?

– Eh bien! il n'a pas perdu de temps! grommela la vieille femme.

– Allons, Mary! La journée est bien trop belle pour l'assombrir par des ronchonnements. Nous devons nous hâter, il y a tant à faire! Il faut que je sois présentable pour rencontrer Lady Milton. Je dois prendre un bain, laver mes cheveux, arranger une de mes robes afin qu'elle n'ait pas trop l'apparence d'une guenille, faire les bagages et fermer la maison...

– C'est bon, n'en rajoute plus. Nous serons prêtes. Mais permets-moi de te dire que tu sembles bien impatiente de te jeter dans la gueule du loup, rétorqua Mary, visiblement décidée à ne pas se laisser gagner par l'agitation de la jeune fille.

– Mary, si tu persistes à vouloir grogner, je pars toute seule. Je te laisserai ici et entreprendrai le voyage en tête-à-tête avec Lord Milton, menaça Xaviera, sachant que c'était le meilleur moyen d'endiguer les plaintes interminables de la vieille femme.

Cette dernière serait, en effet, bien trop occupée à préserver les convenances pour s'acharner à lui prédire un avenir sombre et malheureux.

– Ah! non. Si tu crois que je t'abandonnerai sans chaperon entre les mains de ce démon, tu commets une grave erreur. Ma chatte, pense un peu à ce que diraient les gens.

Xaviera dissimula un sourire amusé. Comme elle la connaissait bien, sa bonne Mary!

♦ ♦ ♦

Malgré l'heure tardive et la fraîcheur encore piquante de cette soirée du début de mai, les rues de Londres s'avéraient être très encombrées.

Xaviera regardait de tous côtés, éblouie par ce spectacle nouveau et coloré. Peu lui chauffait l'air renfrogné de l'homme assis face à elle, dans la voiture luxueuse et confortable! Elle était bien décidée à ne pas le laisser ternir sa joie. Londres! Quelle ville magnifique! Une terrible envie la démangeait de pouvoir tout explorer dans l'immédiat.

«Il est à souhaiter que Lady Milton n'ait pas le même caractère exécrable que son neveu, sans quoi je périrai d'ennui dans les semaines à venir, songea-t-elle irrévérencieusement. Et je compte bien m'amuser un peu avant de devenir une femme mariée et respectable.»

– Nous sommes arrivés! annonça Marcus d'une voix lugubre.

S'arrachant à ses pensées, Xaviera étudia attentivement la maison devant laquelle ils s'étaient arrêtés, dans un quartier cossu de la ville. Elle fut terriblement déçue par l'aspect rébarbatif de la construction: façade grise, sévère, percée de quelques rares fenêtres.

«Cela augure bien! pensa Xaviera, désenchantée. Si l'humeur de la propriétaire s'apparente un tant soit peu à l'allure lugubre de cette maison, cela promet d'être d'une folle gaieté.»

Lord Milton lui tendit la main afin de l'aider à descendre de la voiture.

– Pressez-vous. Je dois être de retour à Milton Manor demain matin, jeta-t-il rondement.

– Est-il besoin d'aboyer comme vous le faites? rétorqua-t-elle, non moins brusquement.

– Xaviera, je t'en prie, la reprit sévèrement Mary.

– Tiens, ma bonne, tu retrouves l'usage de la parole? fit la jeune fille, moqueuse.

En effet, la vieille femme s'était rencognée sur la banquette de la voiture, osant à peine bouger et s'était tenue coite toute la durée du voyage, ce qui tenait du miracle, venant d'une incorrigible bavarde telle que Mary.

La jeune fille savait que la responsabilité de cette attitude inhabituelle incombait à Lord Milton. Elle avait même été surprise que la bonne vieille ne se signe pas avec zèle chaque fois que Marcus s'agitait sur son siège, visiblement impatienté par l'insistante vigilance avec laquelle Mary le fixait.

Lord Milton manœuvra le heurtoir d'un geste rageur et,

comme si le domestique avait surveillé leur arrivée, la porte s'ouvrit instantanément sur un majordome à l'air emprunté.

– Votre Grâce, quel plaisir de vous revoir! Sa Seigneurie se porte bien? s'enquit obséquieusement le vieil homme.

– Oui. Très bien, merci, James.

– Si vous voulez vous donner la peine de me suivre, Lady Milton vous attend au salon.

– Et Mary? demanda Xaviera.

– James s'occupera d'elle. Allons, venez.

Xaviera n'en croyait pas ses yeux. Elle n'avait certes pas envisagé de se trouver confrontée à un tel phénomène. Tout ce qu'elle avait pu imaginer sur Lady Gilberte ne correspondait en rien à la réalité. La jeune fille était suffoquée.

Confortablement installée sur un sofa d'un rose criard, la femme la plus étonnante qu'elle ait jamais vue lui souriait.

– Vous devez être Xaviera? Entrez, mon petit. Je vois, à votre air surpris, que mon neveu ne vous a pas prévenue de ce que je sois l'excentrique de la famille.

Excentrique, elle l'était! Une perruque d'un blanc rosé était posée, tel un joyau précieux, sur une minuscule tête ronde. Le petit visage accusait la soixantaine avancée, malgré l'épaisse couche de poudre qui le recouvrait. Leur éclat accentué par un mince trait de crayon noir, les yeux, d'un bleu perçant et témoignant d'une vive intelligence, s'étiraient vers les tempes, où une grosse mouche[1] noire en forme de lune, ne manquait pas d'attirer

1. Élément de raffinement féminin et parfois masculin. La mouche, faite de soie noire imprégnée de matière adhésive, prenait plusieurs formes: cercle, triangle, fleur, animal, étoile, cœur, quartier de lune ou symbole de carte à jouer. Lors de son apparition, la mouche avait une utilité bien terre à terre: celle de dissimuler les marques laissées par la petite vérole (variole). Par la suite, on en fit un objet de coquetterie. On lui attribua même un langage. En effet, selon l'endroit où on la collait sur le visage ou le décolleté, on faisait comprendre aux intéressés que l'on était libre ou marié, ou encore qu'on était un passionné, prêt à se lancer dans une aventure brûlante, le plus souvent hors mariage. Certains poussaient même l'excentricité jusqu'à se parsemer le visage d'une dizaine de mouches de formes différentes.

l'attention. Le nez, mince et droit, conférait un caractère noble à ce visage outrageusement fardé. Les lèvres, fines, copieusement soulignées par un rouge feu, s'arquaient dans un sourire qui dénotait une nature généreuse et chaleureuse.

Et que dire de la robe extravagante! C'était un amalgame de dentelles, de sequins, de velours, de satin et de diamants, d'un rose sucré, donnant à Lady Milton l'apparence d'une appétissante pâtisserie et dans lequel disparaissait presque complètement sa silhouette menue. Quelle femme surprenante!

Et quelle pièce non moins saisissante! Entièrement décorée dans un camaïeu de roses, allant du plus foncé au plus pâle, surchargée de meubles laqués admirablement travaillés, de bibelots représentant la culture orientale, de vases, de tableaux, de paravents, de tapisseries et d'une multitude de miniatures reproduisant fidèlement des scènes de la vie quotidienne du mystérieux empire du Soleil-Levant, il était facile de se figurer ce minuscule bout de femme évoluant dans cette imitation parfaite d'un salon chinois. Au centre de cette collection d'objets précieux, ne passant pas inaperçu, trônait un nu sculpté dans un marbre blanc d'Italie, offrant toutes les parties de son anatomie aux regards curieux ou scandalisés des visiteurs.

«Eh bien! à la lumière de ce que je vois, je crois qu'elle me plaira bien, cette Lady Gilberte», pensa la jeune fille, enchantée par la personnalité originale de la vieille dame.

– Allez, approchez-vous mon petit, que je puisse voir de près celle qui a finalement ravi le cœur de mon irascible neveu!

Xaviera, soudainement timide, s'avança lentement vers Lady Gilberte.

– Mon petit, ne vous a-t-on pas appris à plonger dans une révérence respectueuse lorsque vous vous trouvez en présence d'une personne d'âge respectable? s'enquit la bonne dame, gentiment.

– Euh!... non, milady, bredouilla-t-elle, rougissante.

– Tante Gilberte, rappelez-vous que Xaviera a été élevée à

la campagne et qu'elle ne connaît donc pas nos usages, expliqua Marcus, d'une voix à l'ironie mordante.

– Je n'aime pas ce ton, jeune homme! dit la vieille dame, lui jetant un coup d'œil incisif.

Puis, se tournant vers la jeune fille qui verdissait de colère rentrée:

– Ne vous inquiétez pas, mon petit, nous remédierons à cette lacune rapidement. Pour l'instant, nous allons prendre un léger repas et ensuite, vous irez dormir. Vous devez être épuisée par ce long voyage. Demain, il sera temps de faire plus ample connaissance.

– Je vous prie de m'excuser, tante Gilberte, mais il me faut retourner à Milton Manor dès ce soir, l'informa Lord Milton.

La vieille dame arqua les sourcils, marquant sa surprise, et demanda:

– Pourquoi cela, Marcus? Tu ne peux tout de même pas abandonner Xaviera aussitôt arrivé! Tu resteras dîner avec nous.

– Tante Gilberte, j'ai des affaires urgentes à traiter. Je ne puis m'attarder, bien que je le désire ardemment, mentit-il sans fausse honte.

– J'imagine très bien quelle affaire urgente te rappelle à Milton Manor: une superbe femme aux cheveux blonds, marmonna la vieille dame à voix basse.

Reprenant plus haut, elle s'adressa à son neveu d'un ton qui n'admettait pas de réplique:

– Je tiens mordicus à avoir un entretien avec toi avant que tu ne te maries. Est-ce que je me fais bien comprendre?

– Oui, oui, fit Marcus, impatient. Mais je suis dans l'obligation de vous quitter pour le moment. Je reviendrai chercher Xaviera et sa nourrice dans deux semaines.

– Parfait. Maintenant, viens m'embrasser et sauve-toi vite régler tes affaires.

Le sous-entendu était on ne peut plus clair.

La vieille dame lui suggérait de mettre fin rapidement et définitivement à sa liaison avec Lady Durham.

Voyant Marcus s'apprêter à partir, elle demanda perfidement:

– Tu n'embrasses pas Xaviera? Après tout, vous êtes presque fiancés!

Ne pouvant ignorer cette remarque sans passer pour un goujat, Lord Milton s'approcha de la jeune fille et déposa un baiser coléreux sur sa joue.

– Au revoir, Xaviera, la salua-t-il d'un ton froidement poli.

La jeune fille, trop surprise, ne put réagir.

La vieille dame, quant à elle, regardait son neveu s'éloigner d'un pas roide, satisfaite de pouvoir encore lui imposer sa volonté.

«Mon garçon, si cette petite allie l'intelligence à son incroyable beauté, tu n'as pas fini de rager et de tempêter», songeait-elle, se réjouissant par anticipation à l'idée de ces futurs affrontements.

♦ ♦ ♦

Xaviera fut tirée de son sommeil par un coup discret frappé à la porte de sa chambre. Un peu égarée par le fait de se retrouver dans une pièce inconnue, elle prit quelques secondes à remettre de l'ordre dans ses idées.

Une voix au timbre pointu acheva de la réveiller.

– Pourrais-je vous voir un instant, mon petit? demanda Lady Gilberte.

– Oui, oui, bien sûr, milady, s'empressa-t-elle de répondre.

La vieille dame fit une entrée remarquée.

Elle était vêtue d'un déshabillé rose presque transparent, orné de duvet de cygne, qui s'ouvrait sur une chemise de nuit d'un blanc éblouissant et chaussée de petites mules aux talons d'une hauteur vertigineuse.

Voyant la jeune fille à demi redressée sur ses oreillers, la bouche ouverte, elle rit de bon cœur.

– Mon petit, fermez votre bouche. Ce n'est guère élégant. Vous ressemblez à un crapaud gobant des mouches.

Vexée par la comparaison peu flatteuse, Xaviera se mura dans un silence indigné.

– Ne vous froissez pas, mon petit. Vous apprendrez à me connaître rapidement. J'ai mon franc parler, mais on s'y habitue. Bientôt, vous ne remarquerez même plus que j'emploie parfois des expressions... disons, un peu spéciales.

La jeune fille, réconfortée, sourit.

– Pardonnez-moi, milady. J'ai un caractère assez emporté et je m'offusque facilement. Je suis désolée.

Lady Gilberte étudia la jeune fille avec acuité et hocha la tête.

– Il m'apparaît que nous nous entendrons à merveille. J'appréhendais quelque peu notre rencontre, je vous l'avoue en toute franchise. Quand j'ai reçu le message m'annonçant votre arrivée, j'ai été réellement étonnée. Dans sa lettre, mon neveu disait m'emmener une jeune fille pour que je me charge de raffiner son éducation. À travers mes illusions les plus fantaisistes, je vous qualifiais de bonne fille pâlotte et un peu niaise, au tempérament soumis. J'aurais pourtant dû savoir que mon neveu n'aurait été en rien attiré par une telle personnalité. Vous correspondez beaucoup plus à l'idée que je me faisais de celle qu'épouserait Marcus. Vous êtes d'une grande beauté et on lit sans peine, dans vos yeux magnifiques, une volonté farouche.

– Merci, milady.

– Ah! non, cessez de me donner du milady à tout instant. Dites simplement Gilberte ou tante Gilberte, si vous préférez. Quant à moi, je vous appelerai Xaviera ou mon petit et je vous tutoierai.

– Cela me convient tout à fait... tante Gilberte.

– À la bonne heure! Et maintenant, passons aux choses sérieuses. Te sens-tu d'attaque pour supporter d'interminables essayages toute la journée?

– Bon sang! j'en meurs d'envie depuis si longtemps! s'exclama Xaviera, le cœur gonflé de plaisir.

– Jeune fille, il te faudra surveiller ton langage. Je t'interdis de jurer sous mon toit, la réprimanda la vieille dame, sévère.

– Pardonnez-moi, tante Gilberte. Je saurai tenir ma langue en votre présence, répondit-elle, feignant la contrition, indiquant clairement par là qu'elle ne soignerait son élocution qu'en compagnie de Lady Gilberte.

Cette dernière partit d'un grand éclat de rire.

– Tu me plaisais déjà, mais là, tu as conquis mon cœur. À présent, sors de ce lit que je puisse t'examiner.

La jeune fille déplia ses longues jambes fuselées et vint se placer aux côtés de la bonne dame, qui n'en parut aussitôt que plus minuscule.

– Tu es grande, mais pas à l'excès. Je verrai à ce que tes souliers n'aient pas de talons trop hauts. Ma parole! tu es magnifique. J'en connais plus d'une qui, à ta vue, pâlirait de jalousie. Le contraste entre tes cheveux noirs et tes yeux violets ferait damner un saint. Et ce corps! Tout ce qu'il faut aux bons endroits. Eh bien! quoi? Je t'embarrasse? Mon petit, crois-moi, tu n'as pas à rougir de ton corps. Tu es absolument superbe! Tu pourrais rendre n'importe quel homme fou de désir. Même le plus fanatique des misogynes.

Le babillage incessant de la vieille dame redonnait à la jeune fille toute sa confiance en elle.

– Quand tu seras présentée à la cour, tu remporteras un succès phénoménal. Mais, pour cela, il te faudra être parée des plus somptueux atours. Et je vais m'employer à te pourvoir d'une garde-robe époustouflante, dès aujourd'hui.

Devenant brusquement sérieuse, la vieille dame prit la main de Xaviera entre les siennes et dit, un peu triste:

– Tu sais, mon petit, tu arrives au bon moment. Depuis bientôt un an, je résiste tant bien que mal aux tentacules glaciaux de la mort. Succomber d'ennui, c'est horrible!

Xaviera, qui se laissait rarement attendrir, sentit son cœur se serrer et spontanément, embrassa la vieille joue poudrée.

Plus touchée qu'elle ne voulait le montrer, Lady Gilberte se secoua, chassant ses pensées moroses.

– Maintenant que tu es là, tout va changer. Tu ignores jusqu'à quel point ta présence me réconforte. Un peu de distraction dans ces longues journées monotones, voilà ce qu'il me fallait pour me raidir devant le dernier appel. Nous allons nous amuser comme des coqs en pâte, mon petit. Tandis que j'y pense, nous devrons faire quelque chose pour ces pauvres mains, elles sont dans un état lamentable!

Retirant sèchement sa main de celles de la vieille dame, Xaviera les cacha derrière son dos.

Doucement, Lady Gilberte lui dit:

– Tu n'as pas à avoir honte. Des mains qui ont connu les lessives et les gros travaux sont rarement douces et blanches. Mais nous nous en occuperons aussi. Quand tu te marieras, tu pourras présenter à Marcus une main sans cals, d'une uniformité parfaite. Je t'en donne ma parole.

Xaviera pensa par-devers elle que son mari n'accorderait sûrement que bien peu d'importance à l'état de ses mains.

– Voilà Mary. Elle a tenu à t'apporter personnellement ton petit déjeuner. Je vous laisse toutes les deux. Je t'attends dans le petit salon rose dans une heure. Et... j'aime la ponctualité, précisa la vieille dame en s'éloignant dans un bruissement de soie.

♦ ♦ ♦

– Mademoiselle, vous êtes divinement belle! s'exclama la couturière.

Xaviera était bien près de l'approuver, tant le reflet que lui renvoyait la glace l'émerveillait.

Elle portait une robe de soirée dont la simplicité faisait toute la beauté. En satin, d'un violet riche et soutenu, elle semblait avoir été créée pour elle. Le décolleté vertigineux, dénudant la poitrine laiteuse jusqu'à l'extrême limite de la décence, aurait pu choquer la pudeur de certains, si la couturière n'avait ajouté un empiècement de dentelle écrue à sa base, soustrayant à la convoitise de ces messieurs la peau douce et dorée de la jeune fille, jusqu'à la hauteur des aisselles. L'effet en était surprenant, suggestif, sans pour autant tomber dans la vulgarité.

Le tissu satiné épousait ensuite la taille naturellement étroite de Xaviera, rendue encore plus mince par le port du corset, pour aller plonger en pointe au niveau des hanches. La jupe s'épanouissait en corolle sur les paniers, laissant apparaître un jupon de dentelle écrue, identique à celle du décolleté. Les manches étaient ballonnées et plissées jusqu'à mi-bras, puis collaient étroitement à la peau pour se terminer par de petites manchettes de la même dentelle, qui recouvraient presque entièrement les poignets.

Ce dénuement presque sévère mettait savamment en valeur la beauté de la jeune fille. Le violet de la robe se reflétait dans ses yeux en forme d'amande, en ravivant la couleur. Ses cheveux lustrés et bouclés, que la couturière avait rapidement montés en chignon serré, dégageaient une nuque gracieuse, sur laquelle frisaient quelques mèches folles, étonnant par leur couleur de jais profonde et contrastant admirablement avec son teint frais et rosi par l'excitation. Ses lèvres pleines et sensuelles s'étiraient dans un sourire ravi et enchanté.

– Mon petit, aucun qualificatif n'est assez puissant pour rendre grâce à ta beauté! Tu les feras tous mourir d'envie, qu'ils soient homme ou femme, déclara Lady Gilberte, secrètement satisfaite par la noblesse et la dignité innées de Xaviera.

S'arrachant avec difficulté à la contemplation de son reflet, la jeune fille se tourna vers la vieille dame et lui serra les mains avec reconnaissance.

– Tante Gilberte, si vous saviez le plaisir que vous me

faites. Je peux enfin dire adieu à toutes mes guenilles et à la médiocrité.

La vieille dame ne manqua pas de relever la note d'amertume qui perçait dans la voix de sa protégée.

Pour faire diversion et épargner à la jeune fille l'humiliation d'un apitoiement indésirable, Lady Gilberte pivota vers madame Carrington, la couturière.

– Avons-nous tout le nécessaire? Je suis lasse et je souhaite aller me reposer.

– Oh! Pardonnez-moi, tante Gilberte. Cette journée a sûrement été éprouvante pour vous et, tout à ma joie, je ne m'en suis pas préoccupée, dit Xaviera, se sentant visiblement coupable.

– Ne t'en fais pas, mon petit. Ton plaisir, à lui seul, réchauffe mon vieux cœur et me fait du bien. Quant à mes pauvres jambes, eh bien! elles se tiendront tranquilles demain.

«Malgré tous les murs qu'elle érige entre elle et les autres pour se protéger, cette petite est bonne et vulnérable. Elle a dû mener une vie affreuse pour être si rétive et révoltée. J'ai espoir que son mariage avec Marcus la rendra heureuse. Lorsqu'elle aura appris qu'aimer et être aimée n'apporte pas seulement que souffrances, elle sera libérée. Mais je ne suis pas certaine que Marcus soit l'homme le plus indiqué pour opérer ce miracle. On l'a lui-même trop blessé. Enfin, on verra bien», pensait la vieille lady, tandis que madame Carrington énumérait la liste de leurs achats.

– Nous disons donc: cinq robes de soirée, six pour l'après-midi, trois autres pour le thé et quatre dernières pour l'avant-midi; une douzaine de jupons, quatre chemises de nuit, une demi-douzaine de déshabillés, une dizaine de bas de soie, quelques mouchoirs de dentelle, deux manchons, les réticules assortis aux toilettes, les souliers, les rubans. J'ai un magnifique vison blanc qu'une de ces dames a négligé de faire prendre, aimeriez-vous l'acquérir? Il produirait un effet spectaculaire sur mademoiselle, avec ses cheveux noirs et son teint doré.

Sur un signe affirmatif de Lady Gilberte, madame Carrington en prit note.

– Voilà! je crois n'avoir rien oublié. Avec les retouches et les nouvelles robes que nous devons confectionner, je pourrais vous livrer le tout dans six jours. Naturellement, je dois compter un peu plus de temps pour la robe de mariée. Est-ce que cela convient à milady? s'enquit la couturière, prête à travailler jour et nuit pour satisfaire cette cliente généreuse qui payait toujours ses factures rubis sur l'ongle.

– Ce sera parfait, madame Carrington. Ah! te voilà, mon petit. Es-tu prête?

– Oui, tante Gilberte. Je suis exténuée. Il est grand temps que nous rentrions, je suis tout près de m'effondrer.

– Allons-y. Nous serons plus à notre aise chez moi pour bavarder devant une bonne tasse de thé.

♦ ♦ ♦

Tôt le lendemain matin, Lady Gilberte fit envoyer chercher Xaviera par sa femme de chambre.

Bien calée contre ses oreillers, déjà poudrée et emperruquée, à croire qu'elle dormait ainsi attifée, la vieille dame sourit en la voyant.

– Viens t'asseoir, mon petit, fit-elle en tapotant une place sur le lit, à ses côtés. Nous devons avoir une petite conversation. Il y a quelque chose qui me chiffonne depuis ton arrivée et je désire en avoir le cœur net.

Xaviera, sur ses gardes, tourna vers elle un visage fermé.

– Ne prends pas cet air renfrogné avec moi. Je ne représente pas l'Inquisition! Je veux simplement te poser quelques questions et j'apprécierais que tu y répondes avec franchise. Qu'y a-t-il exactement entre toi et mon neveu? Comment vous êtes-vous rencontrés?

Xaviera s'agita, mal à l'aise. Elle n'avait jamais su mentir.

– Eh bien!... nous avons fait connaissance dans des circonstances... inhabituelles.

– Mais encore? l'interrogea la vieille dame, les sens brusquement en alerte devant le malaise visible de la jeune fille.

Xaviera raconta, tant bien que mal, les événements qui l'avaient amenée à croiser le chemin de Lord Milton, taisant la partie de son histoire ayant trait au chantage exercé par elle sur le neveu de Lady Gilberte. Celle-ci, vivement indignée par le comportement indécent de feu John Newcomen, l'interrompait sans cesse par ses exclamations horrifiées.

– Mon pauvre petit! Tu as vécu des moments plutôt tristes.

– Je ne cherche pas votre pitié, se hérissa aussitôt la jeune fille.

– Allons, calme-toi. Tu n'as pas à être constamment sur tes gardes avec moi, tu le sais bien. Ressentir de la pitié pour toi serait faire insulte à ton tempérament entier et combatif. Mais tu ne peux m'enlever le droit d'être scandalisée par la conduite inqualifiable de ton père!

Xaviera se détendit imperceptiblement.

– Tu ne m'as toujours pas dit comment vous en êtes venus, toi et Marcus, à désirer vous unir. Je connais bien mon neveu et je sais que même pour la plus belle des femmes, il n'aurait renoncé à sa liberté. Il a de bonnes raisons pour cela... Je sens que tu me caches quelque chose.

La jeune fille, sachant qu'il n'y avait plus d'issue possible, se jeta à l'eau.

– Eh bien! je l'ai fait chanter!

S'attendant à ce que les cieux lui tombent sur la tête, Xaviera demeura abasourdie devant le rire inextinguible qui secouait les épaules de la vieille dame.

– Toi, maître-chanteur? C'est trop drôle! Si je comprends bien, tu exerces une emprise quelconque sur mon incorruptible neveu? C'est fantastique. J'aimerais bien connaître tous les détails de l'histoire, hoqueta-t-elle, tentant, sans succès, de maîtriser son hilarité.

– C'est simple. Lors de ma première visite à Milton Manor, j'ai surpris votre neveu en charmante compagnie. Voyant qu'il refusait d'effacer la dette que mon père avait contractée et que je lui avais, à prime abord, proposé de rembourser en jouant une partie de cartes avec lui... donc, devant son refus obstiné, le chantage fut mon dernier recours. Je l'ai menacé de me présenter à la cour et de révéler à Sa Majesté que... que la femme d'un de ses ministres préférés entretenait une relation hors mariage avec Lord Milton.

«Sachant que votre neveu bénéficiait d'une attention particulière de la part de George III, je lui ai laissé entendre que le roi, apprenant sa conduite pour le moins irrespectueuse, lui retirerait aussitôt son amitié et les privilèges s'y rattachant. Je ne peux pas dire que je sois fière de moi, mais c'était la seule façon d'éviter de moisir dans une prison pour dettes. Aucun sentiment amoureux ne nous lie. J'irais même jusqu'à dire, en étant sûre de ne pas me tromper, que c'est plutôt le contraire.».

– Eh bien! mon petit, tu ne manques pas de souffle! sourit Lady Gilberte. Mais je peux t'assurer que tu t'es fait un ennemi féroce. Marcus déteste qu'on lui force la main... Au bout du compte, tu es peut-être celle qu'il lui faut. Je suis certaine que tu l'empêcheras de t'imposer sa volonté. Ça lui fera du bien.

– N'aimez-vous pas votre neveu? s'enquit Xaviera, étonnée par la lueur de satisfaction qui brillait dans les yeux de la vieille dame.

– Mais oui, je l'aime beaucoup. C'était un enfant charmant jusqu'à ce que... Enfin, il a beaucoup changé. Il s'est endurci et est devenu intraitable. Je crois qu'il lui sera bénéfique de se heurter à une volonté aussi forte que la sienne. Peut-être réussiras-tu à briser ses chaînes? Peut-être redeviendra-t-il le jeune homme bon et doux qu'il était à l'âge de dix-huit ans?

– J'en doute énormément, répliqua Xaviera, sceptique. Il est vindicatif, vaniteux, orgueilleux, ombrageux, coléreux, sans pitié...

La vieille dame mit un terme à la nomenclature peu flatteuse dans laquelle la jeune fille s'était lancée.

– Doucement, mon petit! Tu n'y vas pas de main morte. Tu devrais te montrer plus généreuse. On n'injurie pas de cette façon son propre reflet...

– Que voulez-vous dire?

– Tout simplement que vous êtes presque identiques, Marcus et toi. Non, ne m'interromps pas. Vous cachez, tous deux, une âme tourmentée et violentée sous des comportements haineux et agressifs. Mais, au fond de vous-mêmes, vous dissimulez un grand besoin: celui d'être aimé et rassuré. N'ai-je pas raison, mon petit?

Incapable de répondre, Xaviera ravalait les sanglots qui lui nouaient la gorge.

– Pleure, mon petit. Il n'y a rien là de honteux. Et tu verras, cela te soulagera. Crois-en ma longue expérience.

La jeune fille laissa couler silencieusement les larmes sur ses joues, dans une attitude raidie, tentant désespérément d'endiguer cette immense tristesse qui l'envahissait.

Lady Gilberte caressa doucement sa main, n'osant prendre Xaviera dans ses bras, de peur de la voir s'échapper aussi vite qu'une huître referme sur elle sa coquille, quand elle se sent menacée.

– Mon pauvre petit, comme tu as dû souffrir! Mais, tu verras, quand tu sauras t'ouvrir et t'épanouir, la vie te semblera un beau cadeau. Cela fait mal parfois d'aimer, mais c'est tellement bon. Tu as un long chemin à parcourir, mais tu y parviendras. Je sais que tu y arriveras, car tu vibres d'une telle force. Tu ne peux que réussir.

– Vous croyez? murmura-t-elle.

– J'en suis absolument certaine! affirma la vieille dame, émue de voir une lueur d'espoir traverser le regard de Xaviera.

– Vous savez, tante Gilberte, c'est la première fois qu'on me parle comme vous le faites. Il y avait bien Mary, mais ce n'est pas pareil… Elle est tellement… tellement… différente de moi.

– Je comprends, mon petit. Mais Mary est une âme simple. Elle était là pour veiller à ton éducation et ne pouvait répondre à toutes tes questions. Je ne prétends pas en avoir le pouvoir, mais j'ai vécu, moi aussi, des épreuves terribles et je crois être en mesure de t'aider.

Ayant désormais recouvré son calme, Xaviera demanda avec curiosité:

– Avez-vous déjà aimé, tante Gilberte?

– Oui, mon petit. Je n'ai aimé qu'un seul homme dans toute ma vie. Ce fut une triste expérience. J'ai eu bien des amants après lui, mais je ne l'ai jamais oublié. Quoi? Est-ce que l'idée que j'aie eu des aventures te choque?

– Non, mais... C'est seulement que je ne vous imagine pas...

– Voilà bien la jeunesse! Tu veux dire que tu ne me vois pas jeune, belle et amoureuse? Je peux admettre que ce soit difficile pour toi de l'imaginer, maintenant que la vieillesse a laissé sa griffe sur mon visage et mon corps. Mais quand j'avais ton âge, j'étais très belle et beaucoup de jeunes hommes se seraient fait couper la main pour pouvoir m'approcher, fit-elle, ses yeux bleus débordant de souvenirs.

– Racontez-moi, tante Gilberte, pria la jeune fille. Racontez-moi votre amour.

– C'est une bien longue histoire, mais puisque tu parais en avoir tellement envie, je t'en ferai le récit avec plaisir.

Faisant signe à Xaviera de s'appuyer confortablement à ses côtés, sur les oreillers, Lady Gilberte se recueillit quelques instants.

– Mes parents sont morts alors que j'avais dix-huit ans. Ce fut mon frère Henry, âgé de vingt-cinq ans, qui devint plus tard le père de Marcus et de Laurence, qui me prit en charge.

«À ce moment-là, on me considérait déjà comme l'excentrique de la famille. J'étais têtue, orgueilleuse et très volontaire. Je n'en faisais qu'à ma tête. Mon pauvre frère en attrapait des cheveux blancs!

«Henry, lui, était totalement à l'opposé de moi. C'était un homme sans imagination, froid et distant à l'occasion, d'une sévérité absolue, mais dénué de toute violence.

«À cette époque, nous vivions à Milton Manor. Ce fameux été, mon frère venait tout juste d'engager un nouveau palefrenier. Il s'appelait Jason et il était magnifique, une force de la nature. Âgé de vingt ans, il respirait la santé et la joie de vivre. Je me sentis aussitôt attirée par lui. Son sourire me faisait perdre la tête. J'étais toujours à tourner autour des écuries, désirant me trouver à ses côtés, ne serait-ce que quelques minutes.

«Jason résista longtemps à mes tentatives de séduction. Il restait à sa place, comme on le lui avait enseigné depuis sa naissance, et pas une fois il n'esquissa le moindre geste équivoque dans ma direction. J'étais de plus en plus amoureuse. Convaincue que Jason ne m'avouerait jamais que je lui plaisais, je décidai de prendre l'initiative.

«Un soir, alors que mon frère visitait sa fiancée, je me rendis aux communs, certaine d'y trouver Jason. Sous le prétexte que j'avais cru apercevoir un rôdeur tandis que je me promenais dans les jardins, je lui demandai de me raccompagner jusqu'à la maison. Le pauvre Jason ne réalisa pas sur l'instant que j'inventais de toutes pièces une bien piètre excuse, les jardins étant très éloignés des communs! S'il avait réfléchi quelques secondes, il aurait constaté qu'il m'aurait été plus facile d'aller demander l'aide d'un des domestiques du manoir. Il ne comprit ce que j'avais en tête que lorsque je l'attirai vers le petit pavillon construit aux limites du domaine et qui, aujourd'hui, tombe en ruine.

«Il protesta, se défendit de son amour pour moi, mais il ignorait qu'il était impossible de me détourner d'un but que je m'étais fixé. Mon petit, cette soirée fut la plus belle de toute ma vie. Jason était un amant d'une douceur et d'une tendresse inimaginables...

«Je réussis à cacher notre liaison à Henry très longtemps. Nous nous rencontrions la nuit, dans notre pavillon, et je me glissais furtivement dans ma chambre au petit matin. La pensée de ces moments privilégiés me faisait rêver la journée durant et patienter jusqu'à notre prochain rendez-vous. Puis Henry se maria et tout commença à aller de mal en pis. Je n'aimais pas Elizabeth, que je trouvais dure et sèche, et elle me le rendait bien.

«Aussitôt arrivée à Milton Manor, elle se mit à me chercher noise. Elle affirmait à Henry que j'avais besoin de discipline, qu'elle veillerait à ce que je sois d'humeur moins folâtre. Elle alla jusqu'à me dénicher un mari qui, selon ses dires, était un excellent parti. Je réagis violemment, révoltée par cette décision qu'elle avait prise sans même me consulter. Mon frère prit ma défense. Je crois qu'elle ne le lui a jamais pardonné.

«Les choses empirant, je suppliai donc Jason de s'enfuir avec moi. Il refusa, essayant de me faire entendre raison. Il disait qu'étant habituée à être entourée de luxe et de nombreux serviteurs, je serais incapable de supporter la vie qu'il menait et que cet état de choses détruirait assurément notre amour. Son assurance me fit hésiter et je promis de réfléchir plus longuement. Peut-être avait-il raison? Mais les événements qui suivirent démontrèrent que j'aurais dû insister.

«Ma belle-sœur, qui me détestait de plus en plus, commença à m'espionner mais il était déjà trop tard quand je m'en suis aperçue. Elle avait tout découvert. Il y eut une scène horrible. Je n'avais jamais vu mon frère se mettre dans un état pareil. Sans prêter attention à mes explications embrouillées, il se dirigea vers les communs, martelant ses bottes avec son fouet. Sans que je puisse intervenir, je vis Henry administrer à Jason une correction d'une violence effrayante. Mon frère ne s'arrêta de frapper que lorsqu'il n'eut plus la force de lever le bras. D'une voix étranglée, il somma Jason de quitter son poste sur-le-champ et, considérant qu'il s'était payé grassement de par sa relation avec moi, il ne lui versa pas ses gages.

«Je me terrai dans ma chambre pendant de longs jours, sanglotant et refusant de manger, de boire ou de voir qui que ce soit. Je tombai malade et fis une fausse-couche. J'ignorais tout de cette petite vie qui palpitait en moi! Si j'avais su que j'étais enceinte, je me serais forcée à me nourrir et à boire pour garder cet enfant. J'étais doublement anéantie.

«Je me remis lentement de ce cauchemar. Quand j'eus recouvré assez de forces, j'allai voir Henry et lui dis que je partirais pour Londres aussitôt que ma santé me permettrait de voyager. Je ne voulais pas assister au triomphe de ma belle-sœur, qui déambulait dans les couloirs de Milton Manor en criant littéralement sa joie de me voir terrassée par la douleur. Elle racontait à qui voulait l'entendre, même aux domestiques, que j'avais évité la pire des hontes, celle de mettre au monde un bâtard et d'entacher, par ce fait, l'honneur de la famille.

«Je partis quelques semaines plus tard. Je ne revis jamais Elizabeth. Mais mon frère vint quelquefois me rendre visite en cachette, emmenant avec lui Marcus et Laurence lorsqu'ils furent nés.

«Je plains ces enfants d'avoir eu une mère telle que la leur, une mère au cœur desséché, envieuse du bonheur des autres. Mon pauvre frère, lui, était tout simplement un être faible, écrasé par une horrible mégère. Je ne lui tiens plus rigueur de ce qu'il a fait...

«Avant de mourir, il m'a écrit, me demandant de l'absoudre de ce geste de fureur sauvage auquel il s'était abandonné et qu'il avait porté, tel un fardeau, pendant toutes ces années. Je lui ai pardonné. Cela faisait si longtemps...»

La vieille dame tressaillit quand Xaviera effleura doucement sa main.

– Tu es encore là, mon petit? Je croyais t'avoir fait fuir avec tous mes vieux souvenirs.

– Pas du tout, tante Gilberte. Votre histoire m'a passionnée, dit la jeune fille, attristée. Qu'avez-vous fait lorsque vous êtes arrivée à Londres?

– Je pense que j'ai suffisamment radoté pour aujourd'hui et

je suis certaine que la seconde moitié de mon récit te plairait moins, biaisa la vieille dame en se ressaisissant. Je te raconterai cela une autre fois. Il est l'heure, pour nous, de nous mettre au travail.

Déçue, Xaviera soupira.

– Si, si, insista Lady Gilberte. Je tiens à ce que mon neveu soit satisfait lorsqu'il reviendra te chercher. Tu dois être parfaite.

– Je doute que Lord Milton voie jamais la perfection en moi, riposta la jeune fille avec humeur. Pour lui, être parfaite signifie sûrement être docile et béer d'admiration devant sa beauté.

– Ainsi donc, tu as remarqué qu'il était beau? demanda la bonne dame, un peu perfide.

CHAPITRE IX

– Si vous pensez que je vais laisser cette petite bécasse m'évincer, c'est bien mal me connaître!

Lady Durham fulminait. Ses grands yeux verts lançaient des éclairs.

– Qu'elle le crie sur les toits, si ça lui chante! Qu'on sache que nous nous aimons, cela m'importe peu. Je n'ai pas peur du scandale.

– Eh bien! moi, cela me gêne, Alice, répliqua sèchement Marcus. J'ai énormément de respect pour Sa Majesté et je tiens à son amitié. C'est grâce au roi que je puis faire le commerce de denrées précieuses avec le Moyen-Orient et je ne permettrai à personne de détruire ce que j'ai bâti.

– Si je comprends bien, vos sordides bénéfices matériels prennent plus d'importance que moi à vos yeux, dit Alice d'une voix cinglante.

– Vous mélangez tout, soupira Marcus, visiblement agacé par cette scène qu'il désirait éviter par-dessus tout.

S'exhortant au calme, il expliqua:

– Alice, si je n'épouse pas cette fille, elle ira raconter au roi que nous avons une liaison et, croyez-moi, elle en est capable. Tenez-vous vraiment à être traînée dans la boue, à ce que votre mari vous renie? Vous savez très bien que Lord Durham vous répudierait si jamais la nature de nos relations venait à sa connaissance. De par sa position politique, il n'aurait pas d'autre choix. Toutes les portes se fermeraient devant vous, comme si vous aviez la lèpre!

En lui brossant ce sombre tableau d'un avenir misérable, Marcus savait très bien que le courroux de Lady Durham s'apaiserait.

– Vous avez raison, mon amour. Il vaut mieux nous abstenir de provoquer tout esclandre. Mais jurez-moi que cette fille ne représente rien pour vous.

– Bien sûr, Alice. Ce n'est qu'une enfant. Elle a à peine vingt ans! Comment pourrais-je être séduit par cette insignifiante fillette, alors que je suis entièrement comblé par une femme d'expérience? s'empressa de répondre Marcus, coupant court à une hypothétique crise de nerfs.

– En êtes-vous vraiment sûr? s'enquit Alice, soupçonneuse. À quoi ressemble-t-elle? Est-elle jolie?

– Soyez sans crainte, Alice. Sa joliesse est bien fade si on l'oppose à votre incomparable beauté.

Flattée, Lady Durham entoura le cou de son amant de ses bras légèrement potelés et l'attira contre elle.

– Ainsi, vous m'aimez toujours, roucoula-t-elle, rassurée sur le pouvoir de ses charmes pulpeux.

– Personne ne peut vous égaler, Alice! éluda Marcus, heureux de s'en tirer à si bon compte.

♦ ♦ ♦

– Tu me manqueras, mon petit.

– Vous aussi, tante Gilberte. Mais nous nous reverrons à la cour, lors de ma présentation officielle au roi et à la reine. Et ensuite, vous viendrez à Milton Manor célébrer mes fiançailles.

– Je sais, mon petit. Mais la maison me paraîtra bien grande et bien vide sans ta présence. T'apprendre tous les subtils artifices qui font maintenant de toi une jeune fille accomplie m'apportait un tel amusement. Tu as été une très bonne élève. Marcus sera sûrement étonné par ta transformation.

En effet, Xaviera resplendissait dans sa toute nouvelle robe de soie lilas, qui épousait étroitement les courbes gracieuses de son corps. Ses cheveux, habilement coiffés, entouraient son fin visage de boucles folles et mettaient bien en évidence son profil aux traits nets et nobles. Il se dégageait d'elle une impression d'assurance tranquille et une certaine sensualité presque à fleur de peau. Lady Gilberte avait su tirer profit de ses qualités naturelles pour la métamorphoser en une jeune fille troublante, combinant dans un mélange savant une éducation raffinée et un tempérament explosif.

– Il sera en mesure de nous le dire lui-même, puisque le voici qui arrive, fit la vieille dame en entendant les coups de heurtoir impératifs.

James, toujours aussi emprunté, introduisit Lord Milton dans le salon rose.

– Bonjour, tante Gilberte, la salua-t-il en l'embrassant sur ses joues ridées. Vous êtes toujours aussi belle.

– Vil flatteur, glousse-t-elle, secrètement ravie par ce compliment. Adresse plutôt tes louanges à Xaviera.

Faisant mine de ne s'apercevoir de la présence de la jeune fille qu'à ce moment, il se tourna vers elle et ne put s'empêcher d'être étonné par les changements qui s'étaient opérés en elle.

«Elle semble plus étoffée, plus... femme», songea-t-il.

– Bonjour, Xaviera. Comment allez-vous? s'enquit-il poliment mais froidement.

Insultée par cette indifférence glaciale, cette dernière lui répondit du bout des lèvres.

Soucieuse d'alléger l'atmosphère subitement tendue, Lady Gilberte demanda:

– Et si nous parlions un peu de la présentation de Xaviera à la cour? Elle est désormais prête à faire face honorablement à cette obligation.

– Justement, à ce propos, j'ai obtenu une dispense royale. Sa Majesté, consciente du fait que je porte toujours le deuil de mère, décédée il y a seulement trois mois, m'a fait grâce de ce que je juge comme un pénible et inutile devoir. Nous nous fiancerons dans la plus stricte intimité. J'avais même projeté de ne souligner cet événement que par une bague de fiançailles que je donnerais à Xaviera, aujourd'hui même. Quant au mariage, il sera célébré à la chapelle de Milton Manor, en présence de quelques-uns de mes amis et la vôtre, naturellement, tante Gilberte.

Xaviera, ivre de rage, ne put se contenir plus longtemps.

– Vous êtes ignoble! Vous savez très bien que je rêvais d'être présentée à Sa Majesté et que je caressais l'idée d'un mariage d'importance. Vous êtes désagréable à plaisir. Vous êtes mesquin, petit, égoïste...

– Mon deuil ne me permet pas de grandes festivités, répliqua nonchalamment Lord Milton, interrompant la tirade de la jeune fille.

– Votre deuil! Laissez-moi rire! Votre mauvaise volonté, plus exactement. Vous n'avez pas encore digéré le fait que je vous aie obligé à m'épouser et vous vous vengez bassement. Cela ne m'étonne pas de vous!

Lady Gilberte essaya d'intervenir en faveur de sa protégée.

– Marcus, tu n'es pas sans savoir que cela compte beaucoup dans la vie d'une jeune fille que d'être présentée à la cour. C'est quelque chose de grandiose, de solennel et d'émouvant qui n'arrive qu'une seule fois. Ne lui gâche pas son plaisir par un entêtement stupide.

– J'ai arrêté ma décision et je n'en changerai pas, répondit-il, de plus en plus renfrogné et impatient.

Sortant un écrin de la poche de son habit, il le tendit à la jeune fille.

– Prenez-le, c'est votre bague de fiançailles.

– Gardez-la, votre bague. Je n'en veux pas.

– Allons, mon petit. Ne fais pas ta mauvaise tête. Je suis sûre que Marcus t'emmènera à la cour aussitôt que la période de deuil réglementaire sera écoulée. N'est-ce-pas, Marcus? insista la vieille dame, fusillant son neveu du regard.

– Certainement, marmonna celui-ci, bien obligé de faire bonne figure.

Rassérénée, Xaviera prit le petit coffret et l'ouvrit lentement. Ses yeux brillèrent à la vue du magnifique diamant assis sur un simple anneau d'or.

Tendant sa main gauche à Marcus, elle attendit, provocante, qu'il passe la bague à son annulaire.

S'inclinant, il s'adressa à elle ironiquement:

– Savez-vous que le diamant symbolise le bonheur conjugal? On prétend qu'il donne du courage à l'homme et de la fierté à la femme. Une légende raconte que les feux magnifiques qu'il lance seraient l'aura des dieux emprisonnés à l'intérieur et qu'il accorderait la félicité à celle qui le porte. Je souhaite pour vous que la légende dise vrai.

Trop occupée à admirer le bijou chatoyant, Xaviera ne prit même pas la peine de lui répondre.

Fronçant les sourcils devant l'attitude pour le moins offensante de son neveu, Lady Gilberte s'approcha de la jeune fille, désireuse de partager sa joie au caractère presque puéril.

Dans un sursaut de surprise, elle laissa échapper étourdiment:

– Mais, Marcus, ce n'est pas la bague qu'Henry avait offerte à ta mère.

La vieille dame se serait battue.

– J'ai jugé qu'il valait mieux donner à Xaviera quelque chose de plus discret que cette bague à l'encombrante monture que mère affectionnait tant.

– Dites plutôt que vous me considérez indigne de porter la bague de votre chère mère. Eh bien! reprenez-la, votre bague infecte.

À toute volée, la jeune fille lança l'objet responsable du conflit, puis elle saisit ses jupes à pleines mains et s'enfuit en vociférant et en sanglotant tout à la fois.

– Tu m'excuseras, Marcus, mais il faut absolument que je la rattrape. Dans l'état de rage où tu l'as jetée, elle est bien capable de tout démolir sur son passage.

– Allez-y, tante Gilberte. Et ramenez-la-moi calmée, sans quoi je la ficellerai et la bâillonnerai avant de la mettre dans la voiture. Je n'ai aucunement envie de souffrir ses lamentations toute la durée du voyage, en plus de supporter le regard méfiant que sa nourrice fixe constamment sur moi, comme si j'étais le diable personnifié.

– En tout cas, je n'ai pas de félicitations à te faire. En fait de diplomatie, un ours sauvage en serait plus pourvu que toi. Cette petite mérite mieux que toi, si tu veux mon avis. En vieillissant, tu ressembles de plus en plus à ta mère et, crois-moi, cette comparaison n'est guère à ton avantage.

Laissant son neveu abasourdi par la véhémence de sa sortie, la vieille dame se drapa dans toute la dignité que lui permettaient sa taille minuscule et son accoutrement insolite et quitta la pièce de son pas pressé.

CHAPITRE X

Une activité fébrile régnait à Milton Manor en cette fin de printemps ensoleillé. Les préparatifs en vue du mariage allaient bon train. Dans deux jours, soit le huit juin de l'an de grâce mil sept cent soixante, Xaviera deviendrait Lady Milton.

Excitée par toute cette agitation, la jeune fille était partout à la fois. En effet, Marcus lui avait abandonné la tâche de décorer les pièces où auraient lieu la cérémonie et la réception. De plus, elle devait superviser la préparation des appartements où séjourneraient les invités. Toute la fête se déroulerait à l'intérieur même de Milton Manor, qui abritait une chapelle et une salle de bal grandiose.

«Comme il est agréable, ce sentiment de puissance que vous apporte la richesse! songeait Xaviera, encore abasourdie par ce nouveau train de vie. Tous ces gens qui suivent mes ordres à la lettre, sans rouspéter, sans même se poser de questions. Oui, vraiment, la richesse a du bon!»

Ramenée à l'ordre par la voix grincheuse de Pierre, le chef français, Xaviera soupira, exaspérée.

– Mademoiselle, vous ne m'écoutez pas, disait-il en massacrant l'anglais de son accent pointu.

– Mais si, Pierre, je vous écoute. Mais je vous répète depuis des heures que je vous fais entièrement confiance. J'ignore tout de la façon dont on dresse un menu dans de pareilles occasions et je n'y connais goutte en cuisine française. Je suis certaine que vous vous débrouillerez mieux que moi.

– Certainement, mademoiselle, répliqua-t-il, méprisant, ses grosses moustaches frémissant d'indignation.

Pierre avait un physique assez déconcertant.

Son torse, d'une longueur disproportionnée, était posé disgracieusement sur de petites jambes maigres et tordues. Ses longs bras décharnés, qu'on aurait pu croire empruntés au corps d'un géant, se terminaient par des mains gigantesques aux doigts squelettiques, déformés par les rhumatismes.

Son visage, non moins surprenant, d'une pâleur cadavérique, était envahi par une épaisse broussaille de poils noirs. La moustache, qui faisait pour on ne sait quelle raison la fierté de son propriétaire, mangeait complètement la lèvre supérieure et allait se perdre dans les nombreuses rides des joues creusées, s'enroulant sur elle-même à ses extrémités. Les yeux, d'un noir insondable, se renfonçaient sous des arcades sourcilières proéminentes, conférant au regard un air mauvais et coléreux. Le nez aquilin finissait de donner à l'ensemble une touche peu rassurante, soulignant le caractère intempestif et l'orgueil chatouilleux du chef.

D'un ton supérieur, Pierre détailla le menu qu'il convenait de préparer pour une telle réception, insistant copieusement sur l'ignorance de la jeune fille.

– Pour commencer, nous servirons une chiffonnade. C'est un potage, prit-il la peine de spécifier. Ensuite un hors-d'œuvre, probablement une galantine d'oseille. En ce qui concerne les moyennes entrées, nous en préparerons trois, soit la sole aux fines herbes, la perche à la hollandaise et le saumon grillé. Les grandes entrées consisteront en une hure de saumon au four, une carpe au court-bouillon et une truite aux épices. Viennent ensuite les plats de rost: sole, filet de brochet, limandes frites, truites et queues de saumon. Pour les entremets chauds, ce sera des choux-fleurs au parmesan, des artichauts frits, des petits pains aux champignons, des haricots verts et des choux-raves. Pour ce qui est des entremets froids, je crois que nous en servirons un seul, soit le buisson d'écrevisses. Et, naturellement, les desserts, les vins, les liqueurs...Voilà, mademoiselle. Je me demande seulement si je trouverai tout ce dont j'ai besoin dans ce pays de grisaille! supputa le chef, doutant à l'avance du résultat.

Xaviera, les yeux écarquillés, fixait Pierre d'un air ébahi.

– Mais nous n'aurons pas besoin de toute cette nourriture. C'est beaucoup trop! Nous ne serons qu'une vingtaine de personnes, tout au plus.

– Mademoiselle, permettez-moi de vous rappeler que je sais ce que je fais, dit le cuisinier d'un ton sec, les yeux étincelants.

– Très bien, très bien, l'apaisa la jeune fille.

«Ce n'est pas le temps que Pierre nous pique une de ses saïntes colères. J'aurais du mal à trouver une explication plausible pour Lord Milton, s'il nous rendait son tablier», pensa-t-elle.

D'une petite voix, elle s'enquit:

– Est-ce que vous nous servirez quelques plats typiquement anglais? Les invités, qui n'ont pas tous la chance d'avoir un chef tel que vous, hésiteront peut-être à se...

Pierre la coupa impoliment, soupirant en son for intérieur à l'idée d'avoir à côtoyer tous ces saúvages qui ne connaissaient rien à la gastronomie.

– Bien, mademoiselle. Je rôtirai quelques volailles bien grasses et peut-être aussi deux ou trois chevreaux. S'il le faut vraiment.

– Je vous remercie, Pierre. J'apprécie votre aide, d'autant plus que, sans vous, je serais perdue.

Profitant de ce que la jeune fille avouât son incompétence, le cuisinier insinua perfidement:

– Naturellement, si j'avais eu affaire à Lord Milton qui, bien que je le connaisse depuis peu, paraît être un homme à la culture...

Ne lui laissant pas l'occasion de terminer sa phrase, Xaviera, incapable de rester plus longtemps impassible devant ces attaques perpétuelles, répliqua vertement:

– Vous feriez bien de tenir votre langue. Dans deux jours, je serai la maîtresse de maison. Si l'envie m'en prend, je pourrai vous renvoyer. Alors, ne me poussez pas à bout, c'est un conseil que je vous donne.

Prenant ses jupes à pleines mains, Xaviera sortit de la pièce, la tête fièrement levée. Dans sa hâte aveugle, elle heurta de plein fouet un minuscule échafaudage de dentelles roses.

– Eh bien! mon petit. Où sont passées tes bonnes manières?

Un instant interdite, la jeune fille chassa instantanément sa colère et embrassa chaleureusement la vieille dame.

– Tante Gilberte, quelle surprise! Comme je suis heureuse de vous revoir!

– Comment, quelle surprise? As-tu oublié que je suis invitée à votre mariage?

– Bien sûr que non. Mais avec tout ce que j'ai eu à faire, j'ai perdu la notion du temps et j'ai complètement oublié que vous arriviez aujourd'hui.

Puis, se rappelant tout ce que la bonne dame lui avait enseigné, elle invita Lady Gilberte à venir s'asseoir et lui demanda si elle désirait un rafraîchissement.

– Ce ne sera pas de refus, mon petit. Je suis fourbue. Ces longs voyages sur les chemins cahoteux ne sont vraiment plus de mon âge! De plus, j'ai le gosier aussi sec que le désert du Sahara!

Sautant du coq à l'âne, la vieille dame dit:

– Maintenant, je veux tout savoir. Par quel mystérieux hasard te trouves-tu ici, à Milton Manor?

Gênée par le regard perçant de Lady Gilberte, Xaviera répondit d'une voix éteinte:

– Je sais bien que cette situation vous paraît inconvenante, mais Lord Milton a insisté pour que je m'installe ici. Il jugeait que sa future épouse ne pouvait décemment rester dans une bicoque tombant en ruine.

– À ce que je vois, mon neveu se soucie comme d'une guigne de ta réputation. J'aurai deux mots à lui dire. Soit il est inconscient, soit il est devenu fou. Mon petit, ne sais-tu pas ce que les gens vont penser en voyant que tu vis sous le toit de ton fiancé?...

– Je sais, tante Gilberte. Mais, pour être tout à fait franche, je m'en moque. Je suis bien ici et je suis occupée du matin au soir. Je préfère cela de beaucoup à tourner en rond dans une maison vide et froide. De plus, je n'ai vu Lord Milton que très rarement ces dernières semaines.

– Tout de même, il aurait pu m'envoyer chercher. Ma présence à vos côtés aurait tué les commérages dans l'œuf. Enfin, le mal est fait, nous n'épiloguerons pas plus longtemps sur cette malencontreuse décision. Maintenant, explique-moi la raison pour laquelle tu t'es jetée sur moi, tel un diable sortant d'une boîte, à mon arrivée.

Se souvenant pourquoi elle était entrée si brusquement en collision avec Lady Gilberte, Xaviera retrouva toute sa colère.

– C'est ce chef que Lord Milton a engagé il y a deux semaines. C'est un Français qui a servi dans une maison très célèbre à Paris et, sous ce prétexte, Pierre se permet de me regarder de haut, avec mépris, comme si je n'étais qu'une pauvre sotte. Je ne supporte pas cet homme, mais je dois faire bonne figure. Votre neveu tient beaucoup à lui et il m'a ordonné de le bien traiter. Si Pierre nous quittait maintenant, il ne me le pardonnerait jamais. Surtout à deux jours du mariage! Ce serait un grief à rajouter sur sa liste déjà longue, si je l'en crois.

Lady Gilberte, bien qu'amusée par les critiques de Xaviera, autant à l'égard du chef que de son neveu, éloigna prudemment les pensées de la jeune fille de ce sujet épineux.

– Et qu'en est-il des préparatifs?

Oubliant sa rancœur, Xaviera, les joues rosies par l'excitation, énuméra par le détail tout ce qu'elle avait entrepris depuis trois bonnes semaines.

– Nous avons presque terminé, conclut-elle. Il n'y a plus que les bouquets de fleurs à composer et les tables à dresser pour la réception.

– Eh bien! mon petit, tu n'as pas perdu de temps. Tu aurais dû me faire appeler, je me serais fait un plaisir de mettre la main à la pâte.

– Je n'en doute pas, tante Gilberte. Mais il me fallait réussir toute seule, répondit-elle en relevant fièrement son petit menton. C'était plus qu'important pour moi et j'avoue que je suis entièrement satisfaite des résultats obtenus.

– Je comprends, mon petit. Je suis heureuse que tout se soit bien passé. Maintenant, dis-moi une chose. Cette idée me hante depuis quelques jours et je voudrais m'assurer que ce n'est que mon imagination qui s'est stupidement emballée. Est-ce que Marcus a invité Lord Durham et sa femme? demanda presque timidement la vieille dame, espérant voir ses craintes balayées sur-le-champ.

Xaviera accusa le coup et essaya de tromper la vigilance de Lady Gilberte en affichant une indifférence feinte.

– Lord et Lady Durham ont fait porter leur réponse la semaine dernière. Ils nous informaient de leur bonheur à partager cet événement avec nous.

– Quel mufle! s'indigna la bonne dame, n'ayant nul besoin de spécifier que ce qualificatif s'adressait à Marcus. J'en ai les jambes coupées.

– Ne vous en faites pas, tante Gilberte. Nous avons eu, à ce sujet, une discussion assez violente, votre neveu et moi. Mais je crois que cette rencontre aura un aspect positif. Je pourrai enfin voir cette femme immorale autrement que s'enfuyant furtivement. Et, par la même occasion, elle pourra se rendre compte que je n'ai nullement l'intention d'être reléguée à l'arrière-plan. Il lui sera facile de réaliser que je n'ai rien en commun avec la petite idiote campagnarde qu'elle m'imagine sûrement être.

Irritée d'être interrompue par l'arrivée inopinée du valet de Lord Milton, Xaviera s'enquit impatiemment:

– Qu'y a-t-il, Adderly?

– Sa Grâce est de retour et désirerait s'entretenir avec mademoiselle dans le petit salon bleu.

– Maintenant? fit-elle, surprise.

– C'est ce que Sa Seigneurie a demandé, répondit le valet d'un ton pompeux.

– Très bien, je vais le rejoindre tout de suite. Vous pouvez disposer, Adderly.

Puis, se tournant vers Lady Gilberte, elle s'excusa:

– Je suis désolée de ce contretemps, mais si vous le voulez bien, je vais sonner Polly, ma femme de chambre. Elle vous conduira à vos appartements, où vous pourrez prendre un peu de repos avant le dîner.

– Très bien, mon petit, ne t'occupe pas de moi. Va, ne fais pas attendre mon neveu.

Xaviera, le cœur serré par une anxiété qu'elle était incapable de maîtriser, se dirigea vivement à la rencontre de son fiancé.

Elle frappa discrètement à la porte et, ne recevant pas de réponse, elle entra d'un pas décidé.

Faisant face à Lord Milton, elle dit d'une voix qu'elle espérait ferme:

– Vous vouliez me voir?

Marcus acquiesça d'un hochement de tête et lui fit signe de s'asseoir.

Ignorant l'invite, la jeune fille resta debout, crispant convulsivement ses mains l'une contre l'autre, envahie par une absurde appréhension.

Lord Milton dit de sa voix grave:

– Je crois qu'il est temps que nous ayons une petite conversation.

– À quel sujet? demanda-t-elle précipitamment.

– Si vous m'interrompez à tout moment, nous n'en finirons jamais, releva Marcus, légèrement impatienté. Je voudrais que nous éclaircissions quelques points concernant ce simulacre de mariage.

S'apprêtant à l'interroger de nouveau, Xaviera se mordit les lèvres et laissa Lord Milton exprimer sa pensée.

– Vous savez que je n'ai, en aucune façon, désiré ces épousailles pour le moins inusitées. Par la force des choses, j'ai dû m'incliner. Il n'en demeure pas moins que je ne suis guère disposé qu'à partager mon nom avec vous. Je ne me trouve pas dans l'obligation de respecter les conditions entourant un mariage normal, heureusement. Voici donc comment j'entrevois notre futur. Vous pourrez disposer de la maison et de tout ce qui s'y rattache, naturellement. Je vous verserai une pension mensuelle de cinq cents livres, ce qui est plus que généreux dans les circonstances actuelles. Vous pourrez prendre tous les amants que vous voudrez, pour autant que le tout soit fait discrètement. Une chose, par contre, sur laquelle je ne serai pas aussi obligeant: n'engendrez aucun bâtard, ou vous perdriez toute jouissance de votre richesse nouvellement acquise. Vous quitteriez cette maison sur-le-champ!

«Quant à moi, j'habiterai le plus souvent la maison de Londres. Si j'ai des aventures, je veillerai à être aussi discret que vous. Ah! oui, autre chose. Puisque nous sommes à la veille de nous unir et que sous peu vous rencontrerez mes amis, j'exige de vous un comportement amoureux et serein. Je tiens à ce que tous aient l'illusion que règne entre nous la meilleure des ententes. Je n'en ai pas fini! Si jamais l'envie me prenait de vous rendre visite la nuit, dans vos appartements, j'espère trouver une femme douce et consentante. Mais, qu'une chose soit bien claire: même de notre hypothétique fusion, je ne veux pas qu'il y ait de progéniture. J'ai en horreur ces petites choses hurlantes et bavantes. Me suis-je bien fait comprendre?»

Xaviera, suffoquant d'une fureur sans nom, explosa enfin.

– Qui croyez-vous donc être pour me dire quoi faire ou ne pas faire? Vous n'avez aucun droit sur moi.

– C'est là où vous vous trompez, petite fille, la coupa Lord Milton, sardonique. J'ai tous les droits sur vous: droit de vie ou de mort, droit de vous chasser ou de vous répudier; droit de vous faire enfermer dans un couvent sous quelque fumeux prétexte de conduite déshonorante et... droit de cuissage.

Hors d'elle, la jeune fille pensa mourir à l'instant, foudroyée par cette rage qui lui dévorait le cœur.

– Vous n'avez aucun droit sur moi. Aucun! hurla-t-elle. Je prendrai des amants si j'en ai envie, j'aurai des enfants si je le veux et vous ne viendrez dans mes appartements que si je vous y autorise. Si vous croyez pouvoir m'enfermer à la campagne pendant que vous batifolerez à Londres avec votre maîtresse, vous commettez une grossière erreur.

Lord Milton agrippa violemment la jeune fille par les cheveux et tira sans pitié sa tête vers l'arrière en criant, le visage menaçant:

– Vous ferez comme je l'ai décidé. Vous êtes mon bien. Je vous ai achetée et vous m'appartenez. Vous m'avez vaincu en m'obligeant à vous épouser. Je vous avais fait la promesse que vous vous en repentiriez. Si mes conditions ne vous conviennent pas, ne vous en prenez qu'à vous-même. Vous n'avez que ce que vous méritez.

Il la relâcha brusquement.

Faisant taire sa peur, la jeune fille s'insurgea, sifflant entre ses dents.

– Je suis libre, entendez-vous? Je ne suis pas un pantin dont on tire les ficelles selon son gré. Je ferai comme il me plaira. Je ne suis pas votre bien. C'est vous qui m'appartenez, non le contraire.

Lord Milton, se maîtrisant à grand-peine, répondit d'une voix que la fureur assourdissait:

– Ne me poussez pas à bout! Je saurai vous rendre obéissante, n'en doutez pas. Je vous aurai à l'usure et bientôt, vous mangerez dans ma main.

– Jamais! cria Xaviera, révoltée. Je suis habituée au fouet, vous ne me ferez jamais céder par la force.

– Il existe bien d'autres moyens que le fouet pour venir à bout de votre résistance. Pauvre petite! je vous plains. Vous ne savez pas à qui vous avez affaire, railla-t-il, soudain calmé.

– Oh! si, je ne le sais que trop! Vous êtes un rustre, un monstre, un mufle, un sauvage, un immonde ver de terre...

La jeune fille s'arrêta en voyant l'objet de sa fureur s'éloigner, visiblement peu affecté par les invectives qu'elle proférait contre lui.

Il se retourna sur le seuil de la porte et la salua moqueusement:

– Nous nous reverrons à la chapelle.

♦ ♦ ♦

– Mon petit, que s'est-il passé? Nous entendions vos cris à travers toute la maison, dit la vieille dame, inquiète.

Épuisée, Xaviera se laissa tomber à ses côtés.

– Oh! Tante Gilberte, ne me demandez rien. Je n'ai plus la force de parler.

– Mon petit, mon petit. Vous ne pouvez continuer à vous affronter de la sorte, Marcus et toi. Dans peu de temps, vous vous entretuerez.

– Je sais, je sais. Il n'y aura qu'un vainqueur. Pour le moment, je suis bien près de croire que ce sera votre neveu.

– Allons, allons. Où est passée ta combativité, mon petit? Tu ne penses pas ce que tu dis, j'en suis absolument certaine, l'encouragea la vieille dame.

– Peut-être avez-vous raison, tante Gilberte. Mais, pour l'instant, tout ce dont j'ai besoin, c'est d'un bon bain chaud et d'une tisane dont ma vieille Mary a le secret, fit la jeune fille d'une voix faible.

Sautant sur l'occasion, Lady Gilberte détourna l'attention de Xaviera vers un sujet moins pénible.

– Ainsi donc, ta bonne amie est ici?

– Oui, elle a absolument tenu à m'accompagner. Elle disait que même si elle n'était qu'une domestique, sa présence arriverait peut-être à me sauvegarder de l'opprobre. Oh! pardonnez-moi, tante Gilberte, j'avais négligé de vous en informer.

– Alors, tout est bien. L'honneur est sauf.

Un éclair d'amusement traversa les yeux hagards de la jeune fille.

– Ma réputation est peut-être sans tache, mais ce qu'elle a pu me donner comme maux de tête avec ses «Dieu tout-puissant» retentissant dans tout le manoir, c'est inimaginable!

La bonne dame, satisfaite de voir Xaviera sortir de son abattement, décida que le moment était bien choisi pour lui donner un petit conseil.

– Mon petit, permettrais-tu à une vieille folle de mon grand âge de te faire une remarque avisée?

Peu habituée à des entrées en matière aussi tortueuses venant de la part de Lady Gilberte, Xaviera hocha la tête, soupçonneuse.

– Pourquoi ne pas désarmer mon terrible neveu par la douceur?

– Plutôt mourir! lança-t-elle en quittant précipitamment la chambre de la vieille dame, blessée par ces propos surprenants qu'elle interprétait comme une trahison.

Renonçant à la rappeler, Lady Gilberte soupira, une moue dubitative incurvant ses lèvres lourdement fardées.

«Et ça ne fait que commencer», pensa-t-elle.

♦ ♦ ♦

– Mademoiselle Xaviera, vous êtes sublime! s'exclama Polly, sa femme de chambre, ouvrant des yeux incrédules. Lord Milton sera subjugué par votre beauté!

«J'en doute», songea la jeune fille.

Mais, ne voulant pas gâcher son plaisir en pensant à ce rustre qui allait devenir sous peu son mari, Xaviera continua de s'admirer dans la glace en pied.

La robe, que madame Carrington avait fait livrer la veille, était une magistrale œuvre d'art. Toute de satin crème, ornée de parements de dentelle de même couleur, elle était d'une simplicité presque dépouillée. La seule extravagance à laquelle s'était laissée aller la couturière tenait en cette pluie de diamants minuscules, dispersés habilement sur le corsage et la jupe gonflée par les paniers. À chacun de ses mouvements, les pierres capturaient toute la lumière, nimbant la jeune fille d'une luminosité presque surnaturelle.

Ses cheveux, fraîchement lavés, avaient été coiffés en chignon lâche par Polly, dégageant le visage rayonnant d'une beauté qui ne devait rien de son éclat aux fards.

La femme de chambre, encore plus excitée que sa maîtresse, pinçait un pli ici, en déplaçait un autre là, dans un ballet étourdissant.

– Polly, arrête de sautiller, tu m'agaces! ordonna la jeune fille.

Attendrie par la déception mal dissimulée qui s'était peinte sur le bon visage rousselé de Polly, Xaviera reprit plus doucement:

– Va chercher Mary, s'il te plaît. Je voudrais lui parler quelques instants avant de partir.

Polly, ouvrant la porte à toute volée, tomba sur Lord Milton, tout de noir vêtu.

Ne réussissant toujours pas à s'habituer à l'aspect impressionnant du maître de Milton Manor, la domestique balbutia maladroitement une excuse et s'empressa de disparaître.

Marcus s'avança tranquillement et tendit à la jeune fille un lourd coffret en bois de rose.

Voyant que Xaviera ne faisait pas un geste pour le prendre, il le lui mit entre les mains.

– Qu'est-ce? demanda-t-elle froidement.

– Ouvrez-le, vous verrez. N'ayez pas peur, je ne vous réserve aucune mauvaise surprise. Pas en un si beau jour, dit-il, cynique.

Xaviera examinait son futur mari, éblouie malgré elle par son apparence flatteuse.

Toujours vêtu sobrement de couleurs foncées, Lord Milton ne dérogeait pas à ses habitudes en ce jour de festivités. L'habit de satin noir épousait les lignes de son torse puissant, soulignant la largeur des épaules puis collait étroitement à la taille, pour se terminer élégamment à la pointe des basques qui battaient les cuisses musclées, moulées dans une culotte de soie noire serrée sous les genoux. La veste, bien ajustée, cousue dans la même étoffe que la culotte, couvrait partiellement la chemise d'une blancheur éclatante, au jabot mousseux et gonflé. La seule touche de fantaisie tenait en une grosse perle noire, piquée négligemment dans la dentelle du jabot.

«Il a un sale caractère, mais je comprends qu'une femme délaisse son mari pour se retrouver dans ses bras. Il est vraiment superbe! S'il n'était pas ce qu'il est, je serais peut-être attirée par lui», songeait Xaviera, surprise par la tournure que prenaient ses pensées.

Voyant un sourire moqueur se dessiner sur les lèvres de son fiancé, qui supportait silencieusement l'examen détaillé dont il était l'objet, la jeune fille ouvrit d'un geste sec le coffret qui pesait lourdement dans ses mains.

Elle ne put retenir une exclamation de surprise ravie.

La cassette débordait de bijoux, tous plus magnifiques les uns que les autres. Des émeraudes, des rubis, des diamants, des améthystes, des perles; montés en colliers, en diadèmes, en bracelets, en bagues et en pendentifs, éblouissant par leurs reflets étincelants.

Le souffle coupé, Xaviera demanda:

– C'est pour moi tout cela?

– Oui. Ces bijoux sont dans notre famille depuis des générations. Il y en a de très anciens, aussi je vous prierais d'en prendre grand soin.

Vexée, Xaviera répliqua:

– Cela va de soi.

– Choisissez la parure que vous voulez porter aujourd'hui et rendez-moi tout de suite le coffret.

– Craindriez-vous que je ne le vole? demanda-t-elle, sur la défensive.

– Vous êtes agaçante, à la fin! Cessez donc de chercher un sens caché à la plus innocente de mes paroles. Je veux simplement remettre ces bijoux en sûreté. Avec tous ces domestiques inconnus que j'ai dû engager pour la journée, je ne veux pas courir le risque qu'ils soient dérobés. Ces bijoux vous appartiennent tant que vous serez ma femme.

Sentant la menace sous-jacente qu'impliquaient ces derniers mots, Xaviera se redressa fièrement.

Mais avant même qu'elle ait pu ouvrir la bouche, Lord Milton dit d'une voix dure, implacable:

– Nous n'avons pas le temps de nous déchiqueter aujourd'hui. Faites votre choix et donnez-moi le coffret sans plus ajouter un mot, je vous prie. Gardez les scènes pour plus tard. N'oubliez pas qu'en ce jour mémorable, nous donnons une représentation en public. Veillez à tenir votre langue. Je veux que tous ceux qui sont ici croient à notre entente. Si vous exhibez votre tempérament acariâtre, mes amis ne comprendront pas que je vous aie élue au rang d'épouse, en dépit de votre indiscutable beauté.

Fouillant rageusement dans la boîte en bois de rose, Xaviera arrêta son choix sur un simple collier de grosses perles aux formes irrégulières et à la nacre éburnéenne.

Remerciant Lord Milton du bout des lèvres pour ce somptueux cadeau, elle tenta, tant bien que mal, d'attacher le fermoir compliqué en or massif.

– Laissez-moi vous aider, proposa Marcus, les sourcils ironiquement relevés sur ses yeux étranges.

– Ne m'approchez pas! jeta la jeune fille, d'une voix paniquée.

– Auriez-vous peur de moi?

– Certainement pas! riposta-t-elle, l'orgueil fouetté. C'est simplement que chaque fois que nous nous sommes retrouvés à moins de deux pas l'un de l'autre, vous m'avez malmenée.

– Je vous promets qu'il n'en sera rien. Laissez-moi faire, sinon nous serons encore ici demain matin.

S'exécutant de mauvais gré, Xaviera lui remit le collier.

Elle ne put s'empêcher de frissonner quand le souffle chaud de Lord Milton caressa ses épaules dénudées.

– Avez-vous froid, Xaviera? s'enquit Marcus, pertinemment conscient du trouble étrange qui avait pris possession de la jeune fille pendant quelques secondes.

La porte qui s'ouvrait sur Polly et Mary la priva du plaisir de lui assener une réplique cinglante.

Lord Milton, moqueur, s'inclina et se retira, laissant les trois femmes s'activer aux derniers préparatifs.

– Ma chatte, tu es fantastique! Mon pauvre cœur en fait des bonds désordonnés! s'exclama la bonne Mary, les mains pressées sur son ample poitrine. Dieu tout-puissant! ma petite chatte qui se marie. Et avec ce diable d'homme! Si on m'avait dit ça!...

Cherchant un moyen de mettre un terme aux litanies de sa vieille amie, la jeune fille lui demanda de l'aider à arranger son voile.

La bonne femme s'agitait autour d'elle, babillant sans cesse, rappelant des souvenirs communs, entourant Xaviera d'une attention envahissante.

– Mary, vas-tu te taire à la fin? Tu es exaspérante!

Blessée, la bonne vieille se tut instantanément, contenant difficilement ses larmes.

– Oh! non, Mary, pas ça! s'exclama-t-elle, désolée de lui avoir parlé sur ce ton brusque. Pardonne-moi, ma bonne. C'est que je suis tellement énervée.

– Je sais, je sais, ma chatte. Mais je ne peux m'empêcher d'être émue. Je ne te verrai presque plus maintenant. Tu seras bien trop prise par ta nouvelle vie pour t'occuper d'une vieille femme encombrante. Que veux-tu, cela m'attriste!

Avec une douceur surprenante de sa part, la jeune fille entoura Mary de ses bras et la serra très fort contre elle, peu soucieuse de froisser sa robe.

– Oh! ma bonne. Je ne t'abandonnerai pas. Tu resteras ici, je pourrai donc te voir tous les jours. Je t'aime trop, je te dois trop pour te laisser toute seule. Si tu n'avais pas été là, je n'aurais pu survivre, tu le sais bien. Tu as été presque une mère pour moi.

Émue, Xaviera luttait contre les larmes qui menaçaient de rouler sur ses joues. Pour elle aussi, cette journée marquait un grand changement dans sa vie.

Comme si elle lisait dans ses pensées, Mary se détacha de la jeune fille et, cherchant son regard, elle dit:

– Promets-moi que tu défendras à ce suppôt du diable le droit de te détruire. Jure-moi que si jamais il te menait la vie trop dure, tu ferais appel à moi.

– Mary, que dis-tu là? Je n'ai jamais pensé à m'enlever la vie, même dans les moments les plus difficiles, s'indigna la jeune fille, sachant que la bonne femme faisait allusion à ses dons de guérisseuse.

– Mais, ma chatte, l'idée ne m'a jamais effleurée de préparer une quelconque potion pour toi. Je pensais plutôt à... lui!

Scandalisée, la jeune fille découvrait une facette du caractère de Mary dont elle ignorait l'existence.

– Tu veux dire que tu m'aiderais à me débarrasser de Lord Milton, le cas échéant? Mais tu n'y penses pas! Ce serait un meurtre! chuchota-t-elle en lançant un regard gêné à Polly, qui assistait stoïquement à leur entretien.

– Tut! tut! Tout de suite les grands mots. Je ne le vois pas du tout comme ça. Ce serait un service à te rendre. Dieu tout-puissant! comme je hais cet homme!

– Mary, aurais-tu abusé de l'alcool, ces derniers temps? demanda Xaviera, sévère.

– Mais non. Pourquoi? fit cette dernière en ouvrant des yeux innocents.

Trop innocents pour être sincères.

– Je ne te reconnais pas, ma bonne.

– Peut-être ne m'as-tu jamais réellement connue, répliqua Mary, mystérieuse. Mais laissons cela pour l'instant. Tu dois descendre rejoindre ton futur mari dans quelques minutes.

Laissant Polly mettre la dernière touche à la toilette de sa protégée, la vieille femme s'éloigna.

Xaviera, inquiète, se demandait si la vieillesse et les longues années de privations n'avaient finalement eu raison de l'équilibre mental de son amie.

«Il faudra que je la surveille, se dit-elle. Elle est bien capable d'empoisonner Lord Milton, dans l'état où elle est!»

CHAPITRE XI

Au bras d'un des amis londoniens de Lord Milton, Xaviera fit une entrée remarquée dans la chapelle. Sir Victor Chatham, imbu de l'importance de sa petite personne, déplaisait à Xaviera par ses allusions constantes et peu discrètes à la nuit de noces qui allait suivre.

Mais la jeune fille n'avait pu donner son avis quant au choix de son cavalier, celui-ci étant le seul homme parmi les invités à ne pas être accompagné. Xaviera n'en était pas surprise. Qui donc aurait pu supporter un tel sot plus de cinq minutes?

De son petit pas précieux et pédant, sous les exclamations de ravissement, il emmena la jeune fille jusqu'à l'autel, où l'attendaient Marcus et le révérend Wilsmith. Tendant sa main droite à Lord Milton, Xaviera prit place et la cérémonie commença.

La jeune fille jetait quelques coups d'œil anxieux à son fiancé. L'air grave, celui-ci regardait le révérend dans une attitude compassée.

«Il pourrait au moins essayer de sourire. Peut-être a-t-il peur que son masque ne se fendille?» pensa la jeune fille, se reprochant aussitôt d'avoir cédé à des pensées aussi peu charitables dans ce lieu de recueillement divin.

La voix du révérend la fit sursauter.

– Xaviera, acceptez-vous de prendre Marcus, ici présent, pour époux? Jurez-vous de l'aimer, de le chérir, de lui obéir? Si oui, dites: je le jure.

La jeune fille s'étonna de ce petit filet de voix sortant de sa gorge serrée lorsqu'elle répondit:

– Oui, je le jure.

– Bien. Marcus, acceptez-vous de prendre Xaviera, ici présente, pour épouse? Jurez-vous de l'aimer, de la chérir, de la protéger? Si oui, dites: je le jure.

– Oui, je le jure.

D'une voix forte et claire, Marcus avait prononcé ces mots qui l'engageaient pour une vie entière, un sourire désabusé étirant sa bouche généreuse.

Satisfait, le révérend Wilsmith reprit:

– Vous venez d'échanger des anneaux. Tous deux, je le souhaite, savez ce qu'ils représentent. Puisqu'ils n'ont ni fin, ni commencement, nul ne peut interrompre leur course éternelle, symbole de la volonté de Dieu. Ce que Dieu a uni, Lui seul peut le désunir, dans la mort. Marcus, Xaviera, je vous déclare maintenant mari et femme. Puissiez-vous connaître le bonheur et donner à votre Père de nombreux enfants.

Posant un regard de chaleureuse sympathie sur Lord Milton, qu'il avait vu grandir, le révérend ajouta:

– Marcus, vous pouvez embrasser la mariée.

Sous les acclamations de joie, Lord Milton releva lentement le voile qui dissimulait le visage de sa jeune femme.

Feignant d'être amoureux, Marcus baisa les lèvres tremblantes de Xaviera, doucement d'abord, puis avec insistance.

Étouffant un cri de rage, Lord Milton porta la main à sa bouche, que la jeune fille venait de mordre sauvagement.

– Vous n'avez pas à profiter de la situation, persifla-t-elle, les yeux étincelants.

– Vous me le paierez! menaça son mari.

Puis, réalisant soudain que l'assistance retenait son souffle, étonnée par cette scène pour le moins déconcertante, Marcus dit d'une voix forte:

– Venez, mes amis. Allons célébrer cet événement. Ma tendre épouse est un peu nerveuse, comme vous l'avez tous constaté. Une coupe débordant de champagne suffira à la faire redevenir la femme douce et éprise que j'ai connue.

Sous les rires soulagés et les applaudissements, Marcus et Xaviera se dirigèrent vers la salle de réception, suivis de près par les invités qui s'interpellaient joyeusement en échangeant leurs impressions.

Une seule personne ne participait pas à cette bonne humeur générale. Lady Alice Durham rongeait son frein, s'efforçant de cacher sa contrariété sous un sourire factice.

«Oh! Il va m'entendre! "Comment aurais-je pu être séduit par cette insignifiante fillette, alors que je suis entièrement comblé par une femme d'expérience?" m'a-t-il dit il y a quelques semaines. Hmmmmh! le rustre. Une insignifiante fillette! Cette fille est d'une beauté saisissante. Tel que je le connais, Marcus ne résistera pas longtemps à ses attraits. Mais je ferai tout pour empêcher ce mariage de donner des fruits.»

Interrompant le cours de ses pensées vengeresses, Lord Durham tendit une main molle vers sa femme, l'incitant à emboîter le pas aux autres invités.

Repoussant la main à la peau flasque et ridée d'un geste dégoûté, Alice s'éloigna à grands pas, laissant son mari derrière elle, interloqué.

♦ ♦ ♦

– Mon petit, tu es tout simplement splendide! dit Lady Gilberte en serrant Xaviera dans ses bras. Je te souhaite, du plus profond de mon cœur, d'être heureuse. Toi aussi, Marcus.

La vieille dame, à qui revenait de droit l'insigne honneur

d'adresser la première ses compliments aux nouveaux époux, inclina majestueusement la tête et céda la place à Laurence. Ce dernier, fidèle à lui-même, offrait un spectacle saisissant. Vêtu d'un habit de satin d'un mauve criard, croulant sous les dentelles, les broderies et les bijoux, il bombait son torse mince, en arborant un large sourire, quoiqu'un peu crispé. D'un geste gracieux, il se courba sur la main que lui tendait Xaviera et y posa ses lèvres avec un rien d'insistance.

– J'ai bien failli ne pas pouvoir assister à la cérémonie, petite sœur. Les médecins de Londres ne m'ont libéré que très tard, hier soir. Mais ces quatre semaines, pendant lesquelles je me suis fait à la fois torturer et dorloter, ont soulagé les horribles douleurs que me causait ma blessure à la jambe. Mais me voilà, ponctuel et heureux de vous souhaiter la bienvenue dans notre honorable famille, dit-il d'une voix légèrement ironique.

Puis, se tournant vers Marcus, il ajouta sèchement avant de s'éloigner:

– Félicitations, grand frère! Selon ton habitude, tu obtiens toujours ce qu'il y a de mieux.

Xaviera jeta un regard curieux au visage subitement renfrogné de son mari.

Les propos de Laurence l'avaient surprise par leur trop grande politesse, teintée d'une admiration incrédule et d'un brin de méchanceté. Mais l'arrivée des invités, impatients de présenter rapidement leurs vœux de bonheur afin de pouvoir se diriger ensuite vers le buffet gargantuesque, l'empêcha de s'attarder plus longuement sur cet incident.

La jeune fille souriait et serrait machinalement des mains, désireuse de voir la fin de cette corvée.

L'estomac étreint par une faim dévorante, elle, qui n'avait rien avalé depuis la veille, étant trop agitée pour ingurgiter ne fût-ce qu'une tasse de thé au petit déjeuner, luttait farouchement contre l'évanouissement.

«Qu'ils fassent vite! pensa-t-elle. Qu'on en finisse avec ces simagrées hypocrites que je puisse, moi aussi, donner l'assaut à ce buffet.»

Sentant son mari se raidir à ses côtés, elle se tourna vers lui et suivit la direction que prenait son regard.

Lady Alice Durham avançait d'un pas décidé, le visage dur, distançant Lord Durham qui s'essoufflait à trottiner derrière elle, l'appelant d'une voix presque soumise:

– Attendez-moi, Alice. Mais... attendez-moi!

Faisant la sourde oreille, cette dernière, telle une furie blonde, marchait sur Xaviera, ses yeux verts brillant d'une haine implacable.

Comme si elle se rappelait soudain l'endroit où elle se trouvait et réalisait que quelqu'un pouvait surgir à n'importe quel moment et la surprendre dans cet état de rage meurtrière, Lady Durham s'arrêta brusquement. Elle plaqua sur son visage bleu de dépit une expression souriante.

Son mari, qui la poursuivait toujours, la rejoignit, soufflant, suant, une remarque acide au bord des lèvres.

Ne lui laissant pas le temps d'exprimer sa réprobation, Alice l'empoigna par le bras et l'entraîna vers le couple qui les attendait.

Marcus se chargea de faire les présentations.

– Ma chère petite, vous êtes magnifique! Mais comme vous semblez jeune, à peine sortie de l'enfance! dit-elle, perfide, en guise de félicitations.

– Il est normal que je paraisse si fraîche à vos côtés, Lady Durham, répliqua la jeune fille, franchement impertinente.

Déconfite, Alice se voyait prise à son propre jeu. Elle n'avait en aucune façon imaginé que Xaviera savait se défendre en société.

Marcus, quoique légèrement amusé, mit un terme à cet échange de propos acérés en invitant le couple à s'approcher des tables chargées de victuailles.

Prenant sa jeune épouse en aparté, il murmura:

– Je vous saurais gré de ne pas insulter notre invitée. Votre remarque était plus que désobligeante. Même Lord Durham, qui a pourtant une longue expérience des débats politiques pendant lesquels tous les coups bas sont permis, en est resté pantois, au point d'en oublier la plus élémentaire politesse en ne nous présentant pas ses vœux de bonheur et de félicité.

– Vous croyez peut-être que je vais me gêner? répondit Xaviera, un sourire insolent jouant sur ses lèvres.

– Vous feriez bien de tenir votre langue, sinon il vous en cuira, jeta Marcus, l'air vaguement menaçant.

Empêchant la jeune fille de répliquer, Sir Victor Chatham s'avançait vers eux de son petit pas précieux, une coupe de champagne à la main.

– Allons, viens, Marcus. Laisse un peu de répit à ta céleste épouse. Tu as de longues nuits devant toi pour satisfaire ton désir d'être seul avec elle.

Dégoûtée, Xaviera s'écarta avant que la main gourmande de Victor vienne entourer sa taille fine et chercha refuge auprès de son mari qui, pour l'instant, faisait figure de havre de sécurité.

– Nous nous apprêtions précisément à rejoindre nos amis, n'est-ce pas, ma chérie? annonça Marcus, prenant au sérieux son rôle de mari amoureux.

Levant vers Lord Milton un visage faussement débordant d'amour, Xaviera acquiesça, tendant sa joue à son mari pour qu'il y dépose un baiser.

S'exécutant, Marcus murmura à son oreille:

– N'en faites pas trop! Je pourrais presque croire que vous êtes amoureuse de moi!

Dans un sourire resplendissant de bonheur, la jeune fille chuchota:

– N'ayez crainte, cela ne risque pas d'arriver.

♦ ♦ ♦

Xaviera soupira en se laissant tomber lourdement aux côtés de Laurence.

– J'ai tellement dansé que mes pauvres pieds ne sont plus que douleur!

– C'est normal, vous êtes très en demande. Dans mon cas, ce serait plutôt mon arrière-train qui ne serait que douleur, à force de rester assis, dit le jeune homme, jetant un regard amer sur sa jambe estropiée.

Confuse de sa maladresse, elle balbutia des excuses embrouillées.

– Ne vous sentez pas coupable, Xaviera. C'est moi qui devrais vous demander pardon pour avoir assombri votre joie. Eh bien! quel effet cela vous fait-il d'être maintenant l'épouse de grand frère?

– Mais... c'est merveilleux! répondit-elle, en se forçant à la gaieté.

– Vraiment? Êtes-vous heureuse, petite sœur?

– Oui, Laurence, je suis très heureuse. Votre frère est un homme remarquable, mentit-elle, se cantonnant dans son rôle de jeune femme follement éprise.

– Vous avez raison. Il est absolument remarquable! répondit le jeune homme d'une voix lugubre, dans laquelle perçait une pointe de jalousie.

Mal à l'aise, Xaviera s'éloigna de son taciturne beau-frère, prétextant le besoin urgent de se rafraîchir.

La jeune fille monta à l'étage et se réfugia dans le silence réconfortant de la chambre qui lui avait été assignée lors de son arrivée à Milton Manor. Lasse, elle voulait se reposer de toute cette agitation qui l'entourait depuis quelques heures.

Se dirigeant vers son cabinet de toilette où elle savait trouver de l'eau fraîche, elle se dissimula rapidement dans une encoignure de la porte en entendant des voix se rapprocher. Elle n'avait aucune envie d'entretenir une conversation futile avec l'une ou l'autre de ces petites sottes qui accompagnaient les amis de Marcus.

Se faisant toute petite et retenant son souffle, en souhaitant que l'on ne remarquât pas sa présence, la jeune fille se pétrifia sur place lorsqu'elle reconnut les voix de son mari et de Lady Durham.

– Vous ne manquez pas de toupet, Marcus Milton. Oser me dire que vous épousiez une insignifiante fillette à la joliesse fade! Cette bécasse est d'une beauté à couper le souffle, je me dois bien de l'admettre. Quel mufle vous faites! Et cette petite garce qui se permet d'insinuer que je suis vieille. Oh!

Ne se tenant plus de rage, Alice parcourait la pièce de long en large, sous le regard ennuyé de Marcus.

– Eh bien! dites quelque chose, nom de Dieu!

– Alice, vous vous laissez emporter. Mais que voulez-vous que je vous dise? Quand j'ai emmené Xaviera chez ma tante, elle avait l'air d'un misérable sac d'os mal attifé! Elle n'était en rien comparable à votre beauté voluptueuse, Alice, fit Marcus d'un ton apaisant, désireux d'échapper à une scène pénible.

«Un misérable sac d'os! s'indigna la jeune fille. Je lui en ferai un, moi, de sac d'os! Vaut mieux être un sac d'os qu'une baudruche boudinée comme cette Alice.»

– Et maintenant? Ah! non, ne jouez pas à celui qui ne comprend pas. Maintenant que vous êtes marié à cette divinité, que va-t-il se passer?

– Mais vous le savez très bien, Alice. Je vous ai expliqué maintes fois de quelle façon nous nous étions entendus, Xaviera et moi, en ce qui concerne notre union. Je suis libre de faire ce qui me plaît, sans avoir de comptes à lui rendre.

– J'ai cru à toutes vos belles histoires, mais c'était avant que je la voie. Elle n'est pas uniquement belle, mais rusée et dénuée de tout scrupule. Elle fera de vous ce qu'elle voudra.

– Alice, vous me connaissez bien mal si vous pensez qu'une enfant de vingt ans m'enroulera autour de son petit doigt.

– Voilà l'erreur qui vous conduira à votre perte. Vous la considérez comme une enfant. Mais c'est une femme. Et elle usera de tous ses charmes pour vous jeter à ses pieds.

– Allons, Alice. Votre imagination s'emballe, dit Marcus, riant des inquiétudes de sa belle amie. Il n'y a rien entre Xaviera et moi que de la haine, une haine impitoyable.

– Justement! La haine est un des nombreux visages cachés de l'amour.

– Il suffit, Alice! Vous m'ennuyez. Je vous ai dit tout ce qu'il y avait à dire. Maintenant, je me dois de rejoindre mes invités. Vous devriez m'imiter avant que votre mari ne retourne la maison dans tous les sens pour vous retrouver.

– Je ne partirai que lorsque vous m'aurez promis de ne jamais la toucher!

– Mais qu'est-ce que c'est que cette idée? Je ne suis nullement disposé à jurer de quoi que ce soit. Alice, je serais vraiment fâché de mettre un terme à notre relation. Mais si vous persistez dans cette attitude inadmissible et à exiger à tort et à travers, c'est ce qui arrivera. Bon, je dois retourner à mes obligations. Tâchez de ne pas trop vous attarder!

Se croyant seule dans la pièce, Lady Durham se campa devant le miroir, inventoriant ses charmes à voix haute.

– Malgré mes trente ans, je suis encore très belle. Bien que quelques rides aient laissé une marque indélébile, quoique discrète, autour de mes yeux, j'ai une peau de pêche, satinée et douce. Mes seins sont toujours hauts et fermes. Ma taille s'épaissit bien un peu mais, en coupant les sucreries, je peux y remédier facilement. Mes jambes, quant à elles, sont parfaites. Dans l'ensemble, à quelques petits détails près, il m'est possible de conserver mon pouvoir sur Marcus. Mais, dans cinq ans, lorsque s'amorcera la flétrissure et l'affaissement de ma chair, cette petite garce sera encore magnifique. Qu'en sera-t-il alors de mon bel amour? Je dois trouver un moyen de me débarrasser de cette enfant encombrante. Si elle me volait l'amour de Marcus, j'en mourrais.

Faisant soudain volte-face, elle ricana méchamment.

– Chère petite! tu ne sais pas à qui tu as affaire. Dans quelque temps, tu souhaiteras être née avec les yeux au milieu du front. Ta beauté sera ta pire ennemie. Si tu avais été laide, je n'aurais même pas fait de cas de toi. Oh! comme je te déteste! Je n'aurai de cesse que tu sois hors de mon chemin. Même si, pour cela, je dois te tuer.

«Et Marcus m'aidera. Oui, il m'aidera à t'anéantir, trop heureux de se débarrasser du lourd fardeau que ta présence lui impose. Ha! Ha! Ha! Ha!»

Secouée par un rire triomphant, Lady Durham sortit de la chambre en claquant la porte, ignorant toujours que Xaviera avait assisté à sa représentation édifiante.

La jeune fille, appuyant son front contre la fraîcheur des lambris de bois, reprenait péniblement son souffle. Elle était atterrée par la haine incommensurable qu'elle inspirait à cette femme.

«La richesse doit me ramollir le cerveau. Il y a peu de temps, j'aurais bondi hors de ma cachette pour lui arracher les yeux. Je pourrai féliciter tante Gilberte. Par ses enseignements, elle est parvenue à faire de moi une vraie femme du monde et une poule mouillée, songeait la jeune fille, désemparée par cette soudaine faiblesse. Ce doit être toutes ces émotions, tout ce champagne qui me troublent les esprits. Demain, je serai sûrement capable de réagir à nouveau normalement. Mais, pour l'instant, j'ai besoin d'un remontant. Cette femme me donne des frissons dans le dos.»

♦ ♦ ♦

– Venez, Xaviera. Il est temps de monter. Les invités sont fatigués et ils ont hâte de se retirer dans leur chambre, lui souffla Marcus à l'oreille.

Depuis qu'elle était redescendue dans la salle de réception, la jeune fille avait l'impression de flotter. Peut-être était-ce dû aux nombreuses coupes de champagne qu'elle avait vidées l'une après l'autre, à un rythme effrayant.

Elle avait vécu les dernières heures comme dans un rêve, détachée, indifférente à tout ce qui l'entourait. C'était une expérience inconnue d'elle, que l'ivresse.

– Non, je ne veux pas monter. Je veux encore danser! protesta-t-elle d'une voix pâteuse.

– Ma parole, vous êtes ivre! s'exclama Marcus, choqué.

– Ivre, moi? Mais non, je ne suis pas ivre, dit la jeune fille en trébuchant sur ses mots.

– Je vais vous accompagner jusqu'à votre chambre. Je ne peux vous laisser monter l'escalier seule, vous risqueriez de vous casser la figure dans l'état où vous êtes.

– Mais non, tout va très bien. Si vous pouviez arrêter de bouger constamment, ça irait beaucoup mieux.

– Je ne bouge pas, Xaviera. C'est l'alcool qui vous fait tourner la tête, répliqua Marcus, impatienté.

Ne l'écoutant pas, la jeune fille dit en étouffant un hoquet disgracieux derrière sa main:

– J'ignorais que vous aviez un frère jumeau. Pourquoi m'avoir caché ce fait? Mais oui, regardez! Il est tout à côté de vous. Mais enfin, vous devez bien le voir vous aussi. Oh! Il n'est plus là. Il est parti. Mais par où a-t-il bien pu passer? Je comprends pourquoi vous avez tu son existence. Il est d'une telle goujaterie. Il est parti sans me saluer... Tout de même!...

– Ça suffit, maintenant! Tenez-vous bien à mon bras, je vais trouver une excuse pour monter avec vous. Et essayez de ne pas vous étaler de tout votre long, ce serait très embarrassant.

– Bien sûr, mon petit mari. Tout pour vous faire plaisir. Ne suis-je pas votre petite femme docile et soumise? demanda la jeune fille, dans un rire de gorge.

– Cessez ce jeu idiot. Cette situation est écœurante! J'ai toujours eu en horreur les femmes ivres.

– Mais puisque je vous dis que je ne suis pas ivre! Peut-être un peu grise, mais pas ivre, s'entêta Xaviera, évitant de justesse un des valets qui desservaient les tables.

Se frayant tant bien que mal un chemin à travers les invités et les nombreux domestiques pressés d'aller prendre un repos bien mérité, Marcus soutint la jeune femme jusqu'à l'endroit où Lady Gilberte, affalée dans un fauteuil confortable, se décrochait le cou chaque fois que sa tête endormie retombait sur sa poitrine.

– Tante Gilberte, je dois raccompagner Xaviera à ses appartements. Pourriez-vous inventer une quelconque excuse à notre départ précipité?

– Naturellement! dit-elle en lançant un bref regard à Xaviera, et comprenant l'urgence de la situation. Mais peu importe le prétexte que j'invoquerai, tes amis imagineront à plaisir que tu es un mari soucieux de remplir ses devoirs conjugaux avec empressement.

Marmonnant quelque juron inaudible, Marcus entraîna Xaviera dans l'ascension périlleuse de l'imposant escalier.

La jeune femme n'arrêtait pas de bavarder à tort et à travers, pour ensuite étouffer un petit rire irritant derrière sa main libre.

Poussant la porte du pied, Lord Milton la souleva dans ses bras pour la faire entrer dans sa chambre, décidé à en finir au plus vite.

Xaviera, rendue hardie par la consommation d'alcool, taquina son mari:

– Vous êtes bien romantique, Lord Milton! Faire franchir le seuil de ses appartements à votre jeune épouse en la portant dans vos bras, voilà quelque chose qui m'étonne énormément de vous.

Marcus fit signe à Polly, qui avait attendu sa maîtresse, de les laisser seuls, et la femme de chambre se sauva en gloussant et en balbutiant un «Bonne nuit, milord, milady».

Déposant Xaviera sans douceur sur le lit mœlleux, Lord

Milton entreprit de détacher les innombrables petits boutons qui fermaient sa robe de mariée dans le dos.

La jeune femme se contorsionna, tordant son joli cou pour voir son mari, et lui lança une œillade coquine.

– Tenteriez-vous de me séduire, mon petit mari?

– Ne vous faites pas d'illusions. Si j'ai tenu à m'occuper moi-même de votre toilette, c'est dans le seul but que votre femme de chambre n'ait pas connaissance de l'état lamentable dans lequel vous vous êtes mise. Mon rôle consiste à vous déshabiller et à vous mettre sous les couvertures. Rien de plus, Xaviera.

– Je veux que vous restiez ici. Je veux... je veux... euh!... être votre femme!

– Vous êtes déjà ma femme, Xaviera.

– Non, non, vous ne comprenez pas. Je veux que vous me teniez dans vos bras et que vous me fassiez la même chose qu'à Alice Durham, geignit la jeune femme, n'éprouvant aucune honte devant les énormités qu'elle prononçait, l'alcool consommé en grande quantité faisant taire ses inhibitions.

– Votre attitude serait choquante et déplacée, si je ne vous savais ivre. Je n'aurais jamais cru que vous vous jetteriez à ma tête, grogna Marcus, s'acharnant à délacer le corset de Xaviera.

– Vous me faites mal! se plaignit-elle. Vous pourriez être plus doux.

– Si vous n'étiez pas aussi molle, si vous restiez en place, je ne vous ferais pas mal, rétorqua Marcus, les mâchoires soudain serrées devant ces deux globes de chair ferme et dorée qui jaillissaient hors de leur prison de fer.

– Qu'y a-t-il, mon petit mari? Vous semblez crispé, dit Xaviera, totalement inconsciente de l'effet qu'elle produisait dans cette tenue impudique.

Se soustrayant avec peine à ce spectacle plus que tentateur, Marcus retourna brusquement la jeune femme afin qu'elle lui offre son dos, pouvant ainsi continuer à la dévêtir, sans avoir constamment sous les yeux ces seins magnifiques qui se dressaient presque avec majesté.

– Allez-vous arrêter de me malmener comme si j'étais une paillasse qu'on secoue pour en déloger la vermine? protesta-t-elle en gémissant.

Quand Xaviera fut nue comme un ver, Marcus lui ordonna d'un ton rogue d'enfiler sa chemise de nuit et de se glisser dans son lit.

Troublé plus qu'il ne voulait l'admettre par le corps de déesse de sa femme, Lord Milton était pressé d'en finir.

– Je ne vois pas pourquoi, puisque vous m'avez déshabillée, vous ne pourriez refaire l'opération en sens inverse, fit-elle, aguichante. Mettez-la-moi vous-même, ma chemise!

Jurant tout bas, Lord Milton s'empara du fin vêtement que sa femme lui tendait et le lui passa sans ménagement par-dessus la tête.

Quand elle fut à nouveau décente, bien que peu couverte par ce mince voile de dentelle arachnéenne, Marcus respira plus librement.

Se glissant docilement sous les couvertures, Xaviera se sentit prise de nausées.

– Marcus, j'ai affreusement mal au cœur! chuchota-t-elle d'une pauvre petite voix.

– Oh! non! vous n'allez pas être malade? demanda son mari, horrifié et dégoûté.

– Non, non. C'est passé maintenant. Ce doit être toute cette nourriture trop riche.

Un sourire moqueur apparut sur les lèvres de Marcus, amusé malgré lui par l'obstination de la jeune femme à refuser d'admettre qu'elle était ivre.

– Eh bien! bonne nuit, Xaviera. Je donnerai des ordres pour qu'on vous laisse dormir.

– On n'embrasse pas sa petite femme avant de la quitter?

– Ne jouez pas à ce jeu avec moi, vous seriez assurément perdante! répliqua-t-il durement.

– Mais je ne joue pas. Je veux que vous m'embrassiez, bouda-t-elle. Après tout, nous sommes mariés.

S'asseyant sur le bord du lit, Marcus approcha lentement son visage de celui de sa femme. Il posa doucement ses lèvres sur la bouche invitante de Xaviera puis, habilement, força ses lèvres à s'entrouvrir dans un baiser d'une ardeur ravageuse.

Xaviera se débattit mollement, étrangement émue par ces sensations nouvelles qui faisaient battre son cœur à un rythme effréné.

Affolée, elle tenta brusquement de se défaire de cette étreinte enivrante.

– Laissez-moi. Mais allez-vous me lâcher? Je ne vous ai demandé qu'un petit baiser!

– Je vous avais prévenue de ne pas jouer ce jeu-là avec moi. Vous y laisserez des plumes, croyez-moi. Puis-je me retirer maintenant ou désirez-vous autre chose?

– Allez-vous-en! J'ai sommeil, murmura la jeune femme.

À peine eut-elle fini sa phrase qu'elle dormait profondément, vaincue par les vapeurs de l'alcool.

Lord Milton l'observa quelques instants, tenté de reprendre cette bouche fraîche et pure qui l'avait remué plus qu'il ne désirait se l'avouer.

♦ ♦ ♦

Xaviera fut réveillée par l'éclat aveuglant du soleil, déjà haut dans le ciel.

«Il doit être horriblement tard!» pensa-t-elle en se redressant dans son lit.

Une douleur atroce lui traversa brutalement la tête de part en part.

«Mon Dieu, qu'est-ce qu'on a fait à ma tête? J'ai l'impression qu'une centaine de régiments de cavalerie piétinent et galopent dans mon crâne.»

Se laissant retomber sur ses oreillers, Xaviera tira sur le cordon qui pendait à la tête de son lit, appelant Polly à son secours. Comme si elle n'avait fait qu'attendre ce signal toute la matinée, la femme de chambre pointa sa frimousse joviale dans l'entrebâillement de la porte, tenant le plateau du petit déjeuner dans ses mains.

– Avez-vous bien dormi, mademoiselle Xaviera? s'enquit-elle en gloussant.

– Pas si fort! Ne parle pas si fort! J'ai une affreuse migraine.

Puis, regardant attentivement la jeune fille, elle demanda:

– Pourquoi cet air satisfait et ces ricanements idiots?

Sans se formaliser du ton brusque de sa jeune maîtresse, Polly répondit, un éclair égrillard passant rapidement dans ses yeux verts:

– Je sais que le maître vous a accompagnée jusqu'à votre chambre, cette nuit.

Dissimulant tant bien que mal la panique qui s'emparait d'elle sournoisement, Xaviera dit d'un ton rude:

– Et puis?

– Et puis rien, marmonna Polly, réalisant que la jeune femme n'était guère d'humeur joyeuse. Je vais vous laisser prendre votre petit déjeuner tranquillement et quand vous aurez besoin de moi, vous me sonnerez.

Xaviera, peu désireuse de rester seule avec ses pensées troublantes, dit d'un ton radouci:

– Ne fais pas la mauvaise tête, Polly. Viens t'asseoir un peu, j'aimerais que nous discutions toutes les deux.

Rassérénée, la domestique prit place sur une chaise droite et attendit sagement que sa maîtresse rassemble ses idées.

– Quel âge as-tu, Polly?

– Seize ans, mademoiselle Xaviera.

– As-tu un ami... euh!... je veux dire... es-tu amoureuse?

– Oui, mademoiselle.

– Comment s'appelle ton ami?

– John, mademoiselle.

– Depuis combien de temps vous fréquentez-vous?

– Quelques mois, mademoiselle, répondit la jeune fille, ne voyant pas où Xaviera voulait en venir.

– Et tu l'aimes vraiment?

– Ben, je crois... oui, mademoiselle.

– Cesse de m'appeler mademoiselle à toutes les deux secondes, c'est très agaçant. De plus, je suis mariée maintenant, tu devrais dire milady ou Votre Grâce.

– Bien, mad... euh!... pardon, milady... c'est-à-dire, Votre Gr...

Polly ravala en vitesse la fin de sa phrase, sous le regard noir que lui jeta sa maîtresse.

– Je suis désolée, milady. Mais voilà plus de trois semaines que je suis à votre service et j'ai pris l'habitude de vous appeler mademoiselle Xaviera. Ça me fait tout drôle de changer pour milady ou Votre Grâce. Et puis, vous êtes tellement jeune!...

– C'est bon. Oublie cela, Polly, coupa Xaviera, plus préoccupée par la conversation qu'elles avaient engagée que par une futile question de titre. As-tu déjà... euh!... As-tu déjà permis à ton ami de t'embrasser?

– Vous voulez rire? Bien sûr que oui. Même qu'on est allé plus loin que ça, si vous comprenez ce que je veux dire, riposta Polly, plissant son petit nez polisson.

– Et est-ce que c'était... agréable?

– Tu parles! Oh! pardon, mademoiselle. Pour sûr que c'était agréable! C'était même plus que cela. C'était le paradis. De toute façon, je n'ai pas besoin de vous expliquer, n'est-ce pas? Avec un beau monsieur comme Lord Milton, ce ne devait pas être désagréable.

– Polly, tu t'égares, la rappela à l'ordre Xaviera, les joues en feu. Bon, laisse-moi à présent. Va voir Mary, dis-lui qu'elle me prépare quelque chose pour me débarrasser de cette horrible migraine et veille à ce qu'on fasse chauffer de l'eau pour mon bain.

La femme de chambre sortit, laissant seule cette maîtresse à l'humeur si changeante mais qui la traitait bien, contrairement aux deux autres femmes qu'elle avait servies et qui passaient leur rage sur leurs domestiques.

Xaviera était effondrée. Qu'avait-elle failli faire? Elle, Lady Milton, avait passé tout près de demander à Polly, une simple femme de chambre et sa cadette de quelques années, ce que l'on éprouvait quand un homme vous faisait l'amour.

«Quelle honte! Xaviera, ma fille, secoue-toi un peu! Bon sang, quelle idée saugrenue de demander à quelqu'un, une domestique de surcroît, de m'expliquer des choses si personnelles. Décidément, depuis hier, j'accumule les expériences désastreuses!»

La jeune femme se remémorait les événements de la veille. Elle essayait d'analyser ses émotions, de rassembler ses idées. Elle, qui s'attendait que sa vie change lorsqu'elle porterait le nom victorieux de Lady Milton, ne ressentait que le goût amer de l'insatisfaction. Elle possédait enfin tout ce qu'elle avait désespérément désiré: l'argent, le pouvoir, la puissance, les belles robes, les bijoux, un manoir, des terres. Tout! Elle possédait tout. Elle aurait dû exulter. Mais un incompréhensible mécontentement la torturait.

«Mais qu'est-ce qui m'arrive? J'étais prête à tout pour accéder à cette position sociale tant convoitée et maintenant que j'y suis, j'ai cette envie qui me tenaille d'avoir plus encore. Mais quoi?»

Xaviera se revoyait dans la petite chapelle au moment où

elle avait hésité quelques secondes avant de répondre «oui, je le jure». Une main froide s'était refermée sur son cœur tandis qu'une petite voix martelait dans sa tête: «Tu te trompes, tu te trompes». Elle avait dû rassembler toute sa volonté, toute sa combativité pour ne pas s'enfuir et pour répéter ces quelques mots qui l'enchaînaient à un homme qu'elle détestait.

Xaviera s'était sentie vidée, absente. Comme si son âme s'était retirée de son corps, ne laissant qu'une enveloppe charnelle qui souriait et serrait des mains. Elle avait dansé, mangé, ri, mais en ayant toujours l'impression qu'il s'agissait d'une inconnue qui évoluait à travers la salle.

Le seul moment où elle avait senti qu'elle reprenait possession de son corps et de son esprit, c'était lorsqu'elle s'était retrouvée prisonnière dans sa chambre, assistant involontairement à la conversation entre Marcus et Lady Durham. Les paroles blessantes qu'ils avaient échangées à son sujet lui avaient rendu sa force et son besoin de combattre, tout en faisant naître en elle une frayeur terrible, paralysante, à la vue de la haine incommensurable qui ravageait les traits d'Alice Durham.

«Cette femme est prête à me tuer. Je l'en sens capable. Mais Marcus est-il monstrueux au point de vouloir ma mort? Au point de participer aux projets de sa maîtresse?»

Le doute l'envahissait. Elle savait que son mari la détestait, et pour quelles raisons. Elle savait aussi qu'il abhorrait la situation dans laquelle elle l'avait poussé. Mais faisait-on disparaître quelqu'un seulement parce qu'il avait contrecarré vos plans? Xaviera ne savait plus.

Elle se rappelait être ensuite redescendue parmi les invités et croyait connaître la cause de cette migraine qui lui battait les tempes. Elle avait abusé de ce nectar auquel elle n'était pas habituée. Mais pas au point de ne plus se souvenir.

Rougissante, elle revoyait toute la scène se dérouler sous ses yeux: Marcus qui la déshabillait, Marcus qui lui passait sa chemise de nuit par-dessus la tête sans douceur, Marcus qui l'embrassait. La jeune femme savait que, malgré son ivresse, un petit démon impossible l'avait poussée à agir comme elle l'avait fait.

Même à travers les brumes de l'alcool qui lui tournaient la tête, elle avait gardé une toute petite part de conscience de ce qui se passait. Ce petit démon avait réveillé en elle une deuxième nature, provocante et sensuelle, qui la troublait.

Chassant brusquement de son esprit ces pensées importunes, Xaviera tira d'un geste sec le cordon doré, appelant Polly.

Celle-ci entra, portant deux baquets d'eau fumante, suivie par une petite bonne ployant, elle aussi, sous le poids de sa charge.

– Votre bain sera prêt dans quelques minutes, mademoiselle Xaviera. Mary doit venir vous porter votre tisane. Elle tenait absolument à le faire elle-même.

– Merci, Polly. Est-ce que tu sais si mon mari est déjà sorti?

Une expression d'étonnement se peignit sur les traits de la femme de chambre.

– Comment? Mademoiselle ne sait pas? Lord Milton a quitté le manoir très tôt ce matin. Il se rendait à Londres, je crois.

La jeune femme, estomaquée, se plongea dans le bain bouillant, retenant difficilement les imprécations rageuses qui se bousculaient sur ses lèvres.

– Va, laisse-moi, Polly. Et trouve-moi Mary le plus vite possible. Cette migraine empire d'instant en instant.

♦ ♦ ♦

Ayant retrouvé un aspect présentable, la jeune femme descendit dans la grande salle à manger, prête à engloutir tout ce qui se trouverait sur la table.

Elle y trouva la tante de Marcus, attablée devant un copieux petit déjeuner.

– Bonjour, tante Gilberte. Comment vous sentez-vous ce matin? demanda-t-elle en déposant un baiser léger sur ses joues ridées.

– Je suis exténuée. Ces réceptions bruyantes, qui m'enchantaient naguère, m'épuisent. D'autant plus que j'ai dû prêter une oreille complaisante aux discussions politiques et assommantes de Lord Durham. Cet homme est d'un pénible! Je sais très bien, désormais, pourquoi sa femme le... Oh! pardonne-moi, mon petit. Tu comprends ce que je voulais dire, n'est-ce-pas?

Xaviera s'abstint de répondre, gardant le nez obstinément baissé sur le contenu de son assiette.

La vieille dame chercha un dérivatif à l'impair monumental qu'elle venait de commettre et demanda, ignorant qu'elle mettait le pied dans le plat une seconde fois:

– As-tu vu mon neveu, ce matin?

– Non! Il est déjà parti pour Londres, cria Xaviera, hors d'elle.

– Est-il absolument nécessaire de hurler de cette façon? Tu vas ameuter toute la maison, dit Lady Gilberte d'un ton réprobateur. N'oublie pas le rang que tu occupes maintenant. Si tu dois vociférer comme une marchande de poissons, fais-le dans un endroit où personne ne pourra t'entendre.

Vexée d'être ainsi rappelée à l'ordre, Xaviera s'enferma dans un silence boudeur.

– Qu'y a-t-il, mon petit? Tu sembles être assise sur une pelote d'épingles, aujourd'hui.

– Je n'ai rien.

– Si tu n'as pas envie d'en parler, cela te regarde. Mais ne décharge pas ta mauvaise humeur sur des innocents.

Se rendant au raisonnement de la vieille dame, Xaviera dit:

– Vous avez raison, tante Gilberte. Pardonnez-moi. Je suis tout simplement furieuse contre Marcus. Il aurait pu avoir la décence d'attendre le départ de nos invités avant d'aller courir la prétentaine à Londres!

– Et pourquoi l'aurait-il fait?

– C'est cela. Prenez sa défense maintenant! s'indigna la jeune femme.

– Ne t'emporte donc pas si vite! Je veux simplement dire qu'il n'y a aucune raison pour que Marcus change ses habitudes, dans le seul but de tromper la galerie. Après tout, votre mariage n'en est pas un d'amour. Loin de là!

– Ça n'a aucun rapport. C'est votre neveu lui-même qui tenait à ce que nous jouions au parfait couple d'amoureux en présence de ses amis.

– Mais que veux-tu, à la fin? Tu aurais préféré qu'il reste ici toute la journée à te tenir la main et à soigner tes horribles maux de tête parce que tu as trop bu, hier soir? explosa la vieille dame, agacée par la mauvaise foi évidente de la jeune femme.

Surprise par cet éclat pour le moins mérité, Xaviera rougit violemment.

– C'est juste que je ne veux pas être humiliée inutilement.

– Mais non, mon petit! Sois certaine que Marcus a inventé une excuse plausible à son départ. Tu m'inquiètes, Xaviera. Tu sembles avoir les nerfs en boule, ce matin. Que s'est-il passé pour que tu te mettes dans un état pareil?

– Rien.

– Enfin, ce sont tes affaires. Quant à moi, je dois me presser, car j'ai demandé qu'on prépare ma voiture pour une heure.

– Oh! non, vous n'allez pas partir, vous aussi? Vous n'allez pas me laisser seule dans cette grande maison? dit la jeune femme, affolée à l'idée des longues heures solitaires qui la guettaient.

– Il faudra que tu t'y habitues, mon petit. Si vous ne changez pas la qualité des relations que vous entretenez, toi et mon neveu, tu dois t'attendre à ce qu'il vive le plus souvent à Londres, te laissant seule ici.

– Je sais tout cela. Mais s'il croit que je vais me jeter à ses pieds pour qu'il m'emmène avec lui, il se trompe royalement, répliqua sauvagement Xaviera.

Se voyant impuissante à lui faire entendre raison, Lady Gilberte soupira et s'éloigna de son petit pas majestueux.

CHAPITRE XII

N'ayant envie de rien, Xaviera était allée s'installer dans sa pièce préférée, le petit salon bleu. Bien calée contre le dossier d'une confortable bergère, la jeune femme écoutait le silence ouaté qui régnait sur Milton Manor, espérant qu'une visite inattendue viendrait briser la monotonie de cette journée qui s'écoulait lentement, trop lentement.

Comme si les dieux s'étaient chargés d'exaucer ses prières, elle entendit le pas caractéristique de Laurence s'approcher de la porte. Rassérénée par cette diversion, Xaviera lui adressa un sourire étincelant lorsqu'il pénétra dans la pièce.

– Excusez-moi, petite sœur. J'ignorais que vous vous trouviez ici. Je vous laisse seule, si vous le voulez.

– Oh! non, restez avec moi, s'empressa-t-elle de répondre, trop heureuse de cette compagnie inespérée. Nous pourrions en profiter pour apprendre à mieux nous connaître. Qu'en pensez-vous?

– Vos désirs sont des ordres, petite sœur, dit le jeune homme, grimaçant de douleur en s'asseyant.

– Laurence, je ne voudrais pas vous paraître indiscrète, mais qu'est-il arrivé à votre jambe?

– C'est un souvenir assez pénible. Je préférerais de beaucoup parler d'autre chose, si vous n'y voyez pas d'inconvénient, répliqua-t-il dans un ricanement amer.

– Mais bien sûr. Pardonnez-moi, Laurence, si j'ai soulevé une question épineuse. Il n'était pas dans mes intentions de vous blesser, fit Xaviera, embarrassée par la souffrance qui marquait le visage de son beau-frère.

– Ne vous en faites pas. Vous ne pouviez pas savoir. Maintenant, changeons de sujet.

– Parfait. Alors, parlez-moi de vous.

– Je suis un sujet de conversation bien peu intéressant.

– Laurence, ne soyez pas modeste. J'aimerais vraiment vous connaître.

– Vraiment? demanda-t-il, sceptique.

– Je vous l'assure. Allons, ne vous faites pas prier.

– Eh bien! puisque vous me le demandez si gentiment! Mais je vous avertis, si vous tombez endormie avant que j'aie terminé, je ne me tiens pas pour responsable.

Amusée par l'humour grinçant du jeune homme, Xaviera ramena ses jambes sous elle, s'installant dans sa position préférée, prête à l'écouter des heures durant, pourvu qu'il ne la laisse pas à sa solitude.

– Racontez-moi votre enfance à Milton Manor.

– Marcus a déjà dû vous expliquer quel genre de parents étaient les nôtres.

Passant sous silence que c'était Lady Gilberte qui l'avait mise au courant de leur jeunesse malheureuse auprès de parents mal assortis, Xaviera acquiesça.

– Ma mère était une forte femme. C'était elle qui décidait de tout: ce que nous devions manger, de quelle façon nous devions nous habiller, ce que nos précepteurs devaient nous enseigner, avec qui nous pouvions jouer. Enfin, elle dirigeait la vie de tous ceux qui gravitaient dans son entourage. Elle avait une emprise terrible sur nous tous. C'était une femme au cœur sec, ne donnant que parcimonieusement son affection, et seulement quand cela s'avérait vraiment nécessaire.

«Quant à mon père, c'était un homme faible, à la conscience torturée par je ne sais quel horrible souvenir. Il se laissait amoindrir continuellement. Ma mère le harcelait sans relâche. Elle voulait plus d'argent, plus de bijoux, plus de robes. Toujours plus! Des cris, des récriminations, des jérémiades incessantes résonnaient dans le manoir, ou alors, et c'était pire, un silence tendu et haineux qui nous glaçait le sang. Marcus et moi avons grandi dans cette atmosphère.

«Plus âgé, mon frère s'en sortait mieux que moi. J'étais timide, peureux, sans défense, tandis que Marcus, lui, était volontaire, entêté et possédait une force de caractère inattaquable. Il faisait front et provoquait ma mère, même quand il n'avait que onze ou douze ans. À quatorze ans, il s'est embarqué sur un bateau, clamant son indépendance, disant qu'il voulait voir le monde et apprendre. Je lui en ai terriblement voulu de me laisser seul. J'aurais aimé qu'il m'emmène avec lui, tout en sachant que c'était impossible. J'étais alors âgé de sept ans et... infirme.»

Xaviera, vivement intéressée, écoutait dans un silence presque religieux, n'osant bouger, de peur d'interrompre Laurence.

– Quand mon frère quitta la maison, mère en rejeta la responsabilité sur moi, je ne sais pour quelle raison. Peut-être même n'y en avait-il aucune? Il lui fallait trouver un bouc émissaire à ce sentiment d'abandon qu'elle ressentait. À sa manière, mère adorait Marcus. C'était son préféré. Moi, et elle me le répétait sans cesse sur un ton qui ne laissait pas de doute quant à l'ampleur de son mépris, je ressemblais trop à mon père.

«Pour combler le vide que l'absence de Marcus creusait dans mon existence, je me suis lancé dans l'écriture. Je noircissais des pages et des pages, en cachette de mes parents, libérant les sentiments qui m'étouffaient et donnant le nom pompeux de poésie à mes ouvrages. Étant incapable de pratiquer quelque sport que ce soit, c'était le plus puissant exutoire à ma solitude.

«Depuis lors, je continue de gribouiller quelques vers. Je ne sais s'ils valent quelque chose, mais ils me soulagent. Quand j'eus vieilli, je me suis découvert une autre passion: la lecture. J'avais soif d'apprendre, de tout découvrir. Je me disais que puisque je serais incapable de m'imposer par ma force physique, il me fallait éblouir les gens par mon savoir. C'est le seul moyen que j'ai trouvé pour égaler mon vénéré grand frère.»

Gênée par cette admiration mêlée d'envie qui passait dans la voix de Laurence, Xaviera s'agita sur sa chaise, cherchant à balayer son embarras.

– Eh bien! petite sœur, vous n'êtes pas encore endormie? se moqua le jeune homme.

– Au contraire. Votre histoire m'intéresse vraiment. Pourquoi n'avez-vous jamais tenté de faire publier vos poèmes?

– Vous voulez rire? Ils n'ont pas été écrits dans ce but. Si je publiais ces recueils, j'aurais l'impression d'étaler ma vie au grand jour. Quelle indécence!

– Laurence, ne me dites pas que l'opinion des gens vous importe! demanda la jeune femme, surprise.

– Pourquoi non? Ce n'est pas parce que je m'habille d'une façon... disons, un peu spéciale, que je n'attache aucune importance aux jugements de ceux qui m'entourent, répliqua Laurence, visiblement blessé.

– Ce n'est pas du tout ce que j'ai voulu dire, se défendit la jeune femme. Je pensais simplement que le point de vue de vos semblables vous indifférait parce que vous croyez en ce que vous faites.

– Peut-être. Mais j'aurais vraiment l'impression d'être mis à nu sur la place publique si de purs étrangers lisaient ce que j'ai composé. Ce serait comme si j'étais dépossédé de tout ce qui me tient à cœur.

– Puisque c'est ainsi, n'en parlons plus. Mais dites-moi encore une chose. Pourquoi restez-vous continuellement dans l'ombre de Marcus?

La question avait quelque chose d'une innocente cruauté. Xaviera n'avait jamais su prendre de détours quand elle voulait savoir.

Laurence, contrarié, répondit d'un ton sec:

– De quelle façon serait-il possible de faire autrement, avec un frère comme Marcus? Il a tout: la beauté, un physique plus qu'agréable, la richesse, les honneurs. Comment pourrais-je seulement imaginer pouvoir prendre sa place? Il a même eu la chance de naître le premier. Tout ce que vous voyez, touchez, mangez, lui appartient. Moi, je n'ai rien. Absolument rien!

Bouleversée par la violence contenue des propos de son beau-frère, Xaviera bredouilla des excuses et se retira précipitamment, soulagée de se soustraire au malaise qui avait assombri sa joie de n'être plus seule.

♦ ♦ ♦

Cinq jours avaient passé depuis cette conversation qui s'était terminée de manière regrettable. Cet après-midi-là, comme ils l'avaient fait tous les jours depuis le départ de Marcus, Xaviera parcourait le domaine avec un Laurence d'humeur joyeuse et primesautière.

La jeune femme était flattée des attentions dont elle était l'objet. Elle allait même parfois jusqu'à croire que Laurence était amoureux d'elle. Ce sentiment, sans pour autant la transporter de joie, ne lui déplaisait pas. C'était une expérience nouvelle pour elle que d'être courtisée, bien que le jeune homme le fît très discrètement, presque timidement.

La veille, il lui avait confié lui réserver une surprise. Malgré les assauts répétés de Xaviera, il n'avait rien voulu révéler, ne fût-ce que le plus infime indice, plaquant sur ses lèvres muettes un sourire mystérieux. Le matin même, au petit déjeuner, il avait laissé entendre qu'elle trouverait sa surprise au retour de leur promenade.

Excitée et impatiente, Xaviera l'avait entraîné dans une marche rapide et essoufflante, pressée de revenir. Le jeune homme, incapable de suivre ce rythme effréné, s'était rendu en riant, permettant à la jeune femme de rentrer sans lui.

Afin de s'assurer que Laurence ne changerait pas d'idée, elle s'était aussitôt enfuie en courant à perdre haleine, ses cheveux, savamment coiffés à son réveil, se déroulant en mèches folles sur ses épaules.

Se souciant peu des commentaires réprobateurs qu'elle susciterait sur son passage, la jeune femme grimpa les marches de l'escalier quatre à quatre, se dirigeant instinctivement vers sa chambre. Elle ouvrit la porte à toute volée pour découvrir Polly donnant la becquée à un petit chiot grouillant de vie.

Folle de joie, elle arracha la boule de poils beiges des mains de la jeune fille interdite, et, blottissant le petit chien contre son cou, elle s'élança dans une danse endiablée autour de la pièce, s'exclamant sur sa beauté, sa fourrure douce et soyeuse, son petit museau noir, la petite touffe de poils blancs hérissée sur le dessus de sa tête ronde, tout en bombardant sa femme de chambre de questions quant à sa race, à son sexe, aux soins qu'elle devrait lui prodiguer.

Étourdie, essoufflée, Xaviera se laissa tomber sur son lit, serrant toujours contre elle le petit chiot satisfait, inconsciente du regard ahuri que Polly posait sur elle.

– Mademoiselle Xaviera, pas si fort. Vous allez l'étouffer.

– Mais non, Polly. Vois comme elle est bien.

De fait, la petite levrette, repue, apaisée, se cachait frileusement dans les bras de sa nouvelle maîtresse, tout en soupirant de bien-être.

– N'est-elle pas fantastique, Polly?

– Si vous le dites, mademoiselle. Après tout, ce n'est qu'un chien.

– Ah! mais ce n'est pas un chien ordinaire! C'est le mien, exulta-t-elle, embrassant d'un geste possessif la petite truffe noire.

Ne comprenant rien aux débordements de Xaviera qu'elle jugeait par trop excessifs, Polly s'apprêtait à sortir lorsque sa maîtresse la rappela.

– Aide-moi, Polly. Nous devons lui trouver un nom.

– Ben, je ne sais pas trop, mademoiselle Xaviera. Quand je l'ai vue, avec sa fourrure beige, elle m'a rappelé les biscuits que ma mère cuisait quand j'étais toute petite.

– C'est cela. Je vais l'appeler Biskett. Ça lui va bien, n'est-ce pas?

– Si vous le dites, mademoiselle.

Impatientée par le peu d'enthousiasme que manifestait sa femme de chambre, Xaviera l'envoya chercher un panier, une couverture et une autre soucoupe de lait crémeux.

– Oh! non, mademoiselle Xaviera. Monsieur Pierre va encore m'apostropher en roulant des yeux mauvais et se lancer dans un discours interminable sur le gaspillage qui se fait dans cette maison.

– Très bien. Charge-toi du panier et de la couverture pendant que j'affronterai les foudres de notre terrible chef, plaisanta-t-elle, bien décidée à ne laisser ternir sa joie par personne, même si cela signifiait subir un des sermons pompeux de l'irascible Français.

Tenant toujours la petite chienne endormie dans ses bras, Xaviera descendit précautionneusement l'escalier, évitant les mouvements brusques, de peur de troubler le sommeil de sa protégée.

Elle allait se diriger vers les cuisines lorsqu'elle entendit du bruit dans le petit salon bleu. Heureuse de constater que Laurence était de retour, elle porta ses pas dans cette direction, pressée d'aller le remercier.

Avant d'avoir atteint le seuil de la pièce, elle s'écria:

– Laurence, vous êtes un amour! Quel présent merveilleux! Vous...

Pétrifiée de stupeur devant l'homme qui se tournait lentement vers elle, Xaviera ravala la fin de sa phrase, puisant du réconfort dans le petit corps chaud qu'elle caressait doucement.

– Désolé de vous décevoir, ma chère femme! Eh oui! ce n'est que moi. Qu'est cela? demanda-t-il en pointant un doigt accusateur vers Biskett.

Arrogante, la jeune femme répliqua:

– C'est un chien. J'aurais cru à l'évidence de la chose!

– Ne jouez pas sur les mots. Je suis parfaitement capable de reconnaître un chien quand j'en vois un. Ce que je veux savoir, c'est ce qu'il fait ici.

– Laurence m'en a fait cadeau.

– Cher petit frère! Toujours le même! Il sait pertinemment que je ne veux pas d'animaux dans la maison. Ces bestioles font des saletés partout, grimpent sur les meubles, se font les crocs sur tout ce qui passe, aboient et hurlent tout le long du jour et de la nuit et, pour comble, elles sont infestées de vermine. Débarrassez-vous-en.

– Il n'en est pas question! Biskett est à moi et je la garderai.

– Biskett? Quel nom ridicule! se moqua Marcus, un sourire mauvais au coin des lèvres. Sous aucun prétexte, ce chien ne restera sous le même toit que moi.

– Eh bien! dans ce cas, retournez à Londres!

La réplique avait fusé sans que Xaviera ait pu la retenir.

Réalisant après coup l'énormité de ce qu'elle venait de dire, elle se réfugia prudemment dans un silence buté.

– Écoutez-moi bien, petite peste! Milton Manor m'appartient. C'est moi qui donne les ordres et j'exige que ce chien disparaisse, reprit Marcus, d'une voix dangereusement calme.

– Vous n'êtes qu'un sauvage! J'aime ce chien et je le garderai. S'il le faut, je l'installerai dans ma chambre où il ne pourra vous nuire, mais il restera avec moi. De toute façon, vous n'êtes jamais ici, alors qu'est-ce que cela change pour vous?

– Est-ce là un reproche? Vous seriez-vous ennuyée de votre petit mari? s'enquit Marcus, sarcastique. Ma personne vous aurait-elle manqué à ce point?

Hors d'elle, Xaviera sortit à grands pas, criant à tue-tête qu'il devrait la tuer pour se débarrasser de Biskett.

♦ ♦ ♦

Dans la grande salle à manger, l'atmosphère était lourde et tendue, ce soir-là. Les deux frères, occupant chacun une extrémité de la longue table, ainsi que Xaviera, assise en son milieu, à égale distance des deux hommes, picoraient dans leur assiette, au grand désespoir de Pierre, qui voyait revenir dans les cuisines les plats à peine entamés.

Au moment où le valet apportait le porto, Xaviera jaillit de dessus sa chaise comme si on l'avait piquée, prétextant une grande fatigue et demanda la permission de se retirer dans sa chambre. Soucieux de la rassurer, Laurence lui envoya un clin d'œil complice auquel elle répondit par un petit sourire contraint.

Elle monta hâtivement à sa chambre et, faisant jouer dans la serrure la clé qu'elle avait cachée dans son corsage, ouvrit la porte, certaine de retrouver sa petite levrette saine et sauve.

Attendrie, Xaviera contemplait Biskett, roulée en boule dans son panier, son corps dodu se soulevant au rythme de sa respiration précipitée.

«Si tu savais comme ta présence me fait du bien! Fais-moi confiance, je te protégerai contre les machinations de cet ogre. Tu resteras avec moi», songea la jeune femme, prête à entreprendre un nouveau combat.

Faisant une toilette rapide, Xaviera enfila une chemise de nuit diaphane et se glissa sous les couvertures, fatiguée par cette journée riche en émotions.

Un peu plus tard, elle fut réveillée par les piaillements que poussait la levrette. Elle étouffa un cri de frayeur quand elle vit son mari, assis sur une chaise à la tête de son lit.

– Que faites-vous dans ma chambre? Sortez immédiatement! siffla-t-elle entre ses dents.

– Pourquoi partirais-je? Vous êtes ma femme et j'ai le droit de venir vous regarder dormir si l'envie m'en prend.

La jeune femme réalisa soudain que son mari n'était pas dans son état normal. Se maîtrisant, elle entreprit de le raisonner avec toute la douceur dont elle était capable.

– Marcus, vous êtes ivre. Vous feriez beaucoup mieux d'aller vous coucher. Si vous voulez, je peux aller chercher Adderly. Il vous aidera à vous mettre au lit.

– Premièrement, je ne suis pas ivre et deuxièmement, je ne veux pas d'Adderly. Je te veux, toi.

La gorge serrée dans un étau d'angoisse irrépressible, Xaviera ne savait plus que dire ou faire.

– Ton corps a hanté toutes mes nuits, petite peste! J'ai rêvé de te posséder jour après jour. Je suis incapable de supporter cette torture plus longtemps. Je dois y mettre un terme maintenant, ou je deviendrai fou. Tu m'as fait perdre mon équilibre et la seule façon de le retrouver, c'est de te prendre pour que je puisse enfin t'oublier.

Jugeant que les réflexes de Marcus devaient être plus lents que d'habitude, ses membres étant alourdis par l'alcool qu'il avait absorbé, la jeune femme, affolée, tenta de s'échapper.

Elle poussa un hurlement de terreur quand la main de son mari s'abattit brusquement sur son poignet, la tirant d'un coup sec vers lui et la forçant à s'asseoir sur ses genoux.

Enfouissant son visage dans la chevelure opulente de sa femme, Marcus murmura d'une voix rauque à son oreille:

– Laisse-moi t'aimer, Xera. Libère-moi de cette obsession cruelle.

Trop stupéfaite pour pouvoir bouger, Xaviera se laissait ensorceler malgré elle par cette voix qu'elle ne reconnaissait pas. Le désir lui donnait des accents vibrants, sensuels et presque suppliants qui engourdissaient la rébellion de la jeune femme

Poussant son avantage, Marcus posa ses lèvres avides à la base de son cou découvert par le décolleté plongeant de la chemise de nuit, là où le pouls rapide soulevait la douce peau dorée. Empoignant à pleines mains son épaisse toison de jais, il fit ployer sa tête vers l'arrière, afin de pouvoir mieux goûter le parfum de ce corps affolant. Passionné, Marcus faisait courir ses lèvres sur la gorge de Xaviera, la troublant par son souffle chaud.

Détachant ses doigts crispés dans ses cheveux, il prit son visage entre ses mains, quêtant de ses yeux étranges et brûlant d'un désir sauvage l'accord de Xaviera. Celle-ci, envahie par des émotions dont elle ignorait tout, baissa involontairement les yeux vers les lèvres pleines de son mari, incapable de réagir. Répondant à l'invite, Marcus rapprocha lentement son visage de celui de sa femme, la faisant languir cruellement.

Il baisa légèrement ses lèvres frémissantes, les effleurant à peine. Du bout de la langue, il traça le contour de sa bouche, l'affolant par cette caresse subtile. Faisant enfin cesser cette torture délicieuse, il posa ses lèvres sur celles de Xaviera et l'embrassa fougueusement, se forçant un passage entre ses dents serrées. Quand sa langue toucha la sienne, Xaviera ne put retenir un gémissement de plaisir. Il explora lentement, habilement, sa bouche chaude, l'amenant à répondre fiévreusement à ses baisers envahissants.

Émue, haletante, Xaviera essayait en vain de lutter contre cette sensation de plaisir indicible qui prenait possession de son corps, la laissant sans défense. Marcus libéra son visage de son étreinte et traça de ses doigts agiles des arabesques de feu sur ses épaules frissonnantes. Sans toucher à ses seins pointant sous sa chemise, il provoquait sa jeune femme en la poussant par un jeu d'attouchements légers tout autour de cette zone sensible, à désirer des caresses plus précises.

Honteuse de son anéantissement, mais incapable de repousser son mari, Xaviera s'accrochait à son torse puissant, enfonçant convulsivement ses doigts dans le tissu épais de son habit. Voyant que sa femme s'abandonnait, il la souleva dans ses bras et l'étendit sur les couvertures, pantelante, celle-ci se haïssant pour cette faiblesse qu'elle n'avait plus envie de combattre. Se dévêtant rapidement, Marcus la rejoignit, soustrayant à sa vue son sexe dressé fièrement.

Laissant libre cours à sa passion, il entreprit d'amener Xaviera à le vouloir aussi fort qu'il la voulait, elle. Déchirant d'un geste féroce le fin tissu de sa chemise, il put enfin contempler ce corps magnifique, source de ses tourments. Du bout des doigts, il dessina des cercles sur son ventre plat, remontant tranquillement vers ses seins fermes qu'il emprisonna doucement entre ses mains, en taquinant les aréoles brunes jusqu'à ce qu'elles se gonflent de plaisir. Habilement, il continua d'affoler la jeune femme, lui arrachant un cri de plaisir, alors que sa bouche prenait le bout de ses seins et que ses mains poursuivaient leur exploration.

Quand ses doigts s'aventurèrent dans son doux duvet noir, elle le repoussa violemment. Avec une tendresse obstinée, presque amoureuse, il détacha les mains de Xaviera crispées sur les siennes, redoublant d'ardeur à lui faire accepter toutes ses caresses, aussi intimes fussent-elles. Ses doigts descendirent le long de ses jambes fuselées, pour remonter à l'intérieur de ses cuisses dorées, dans une autre tentative pour atteindre son temple secret. Cette fois, Xaviera ne résista pas.

Prise d'un vertige exaltant, elle laissa les mains de Marcus, puis sa bouche, découvrir le goût doux-amer de son absinthe. Transportée par un plaisir d'une violence aiguë, la jeune femme roulait sa tête sur l'oreiller, mordant ses lèvres jusqu'au sang pour retenir les cris qui montaient dans sa gorge. Cambrant les reins, elle appelait instinctivement son mari à sa rencontre, pour qu'il la délivre de cette souffrance sourde et enivrante qui lui tordait les entrailles.

Comprenant que la jeune femme était au bout de sa résistance, Marcus s'allongea sur elle, pénétrant doucement sa chair vierge. Xaviera poussa un cri déchirant et chercha à repousser ce membre dur et rigide qui se frayait un chemin en elle. L'apaisant par des paroles consolatrices, Marcus s'immobilisa, attendant qu'elle reprenne d'elle-même le mouvement qui les mènerait vers cet accomplissement libérateur auquel aspirent tous les amants du monde.

La jeune femme, surprise, ne ressentait plus cette douleur cuisante qui l'avait traversée, tel un poignard cisaillant sa chair fragile. Seule une certaine brûlure la gênait encore tandis qu'elle ondulait sous son mari, cherchant une position plus confortable. Croyant que Xaviera était prête, Marcus bougea doucement en elle, dans un lent va-et-vient, en quête de l'apaisement de ses sens.

Incapable d'interpréter ce chatouillement allant s'intensifiant entre ses jambes, la jeune femme se laissa emporter par cette vague voluptueuse qui la rejeta à demi inconsciente, le souffle court, mais étrangement heureuse et satisfaite.

Reprenant difficilement contact avec la réalité, Xaviera, horrifiée, vit son mari qui la contemplait, appuyé nonchalamment sur son coude replié.

– Que faites-vous là? demanda-t-elle, l'esprit encore engourdi par cette expérience unique, presque magique qu'elle venait de vivre.

Puis, ouvrant grands les yeux, elle se précipita hors du lit, offrant à son mari un spectacle plus qu'agréable.

– C'était vous?

– Bien sûr que c'était moi. Qu'avez-vous imaginé? Que le Prince Charmant s'était glissé silencieusement dans votre chambre pour vous faire l'amour?

– Sortez de cette chambre! Sortez! hurla-t-elle, hors d'elle, retenant à grand-peine les sanglots de désespoir et d'horreur qui étreignaient sa gorge.

Ouvrant la porte, Xaviera jeta rageusement les vêtements de son mari dans le couloir.

– Sortez d'ici. Partez avant que je vous tue!

Passant devant elle, de cette démarche assurée qui le caractérisait, Marcus lui lança un regard ironique.

– J'aimerais bien savoir ce qui vous met dans une telle rage. Que j'aie été le premier à posséder votre corps ou que je vous aie donné du plaisir?

Lui claquant la porte au nez, Xaviera courut vers le lit ravagé et enfouit son visage brûlant de honte dans son oreiller, de lourds sanglots secouant son corps.

♦ ♦ ♦

Le lendemain matin, Xaviera était dans un état pitoyable. D'une main amorphe, elle tira sur le cordonnet de soie or, appelant Polly auprès d'elle.

La jeune fille apparut quelques minutes plus tard, portant un plateau bien garni, et contenant une soucoupe de bon lait frais pour Biskett.

– Vous avez bien dormi, mademoiselle? s'enquit Polly, visiblement d'humeur joyeuse.

«Si elle émet ce gloussement idiot que m'a valu ma prétendue nuit de noces, je l'assomme», grogna la jeune femme, posant un regard sombre sur sa femme de chambre.

«À la moindre allusion, aussi subtile soit-elle, faisant référence à une nuit agitée, je lui mets la tête sous l'eau et l'y maintiens jusqu'à ce que mort s'ensuive!»

Sentant que sa maîtresse s'était levée de mauvais poil, Polly demanda si mademoiselle désirait qu'on lui fasse chauffer de l'eau pour prendre un bain.

Xaviera acquiesça puis elle interrogea la jeune fille d'une voix innocente:

– Polly, est-ce que tu as vu mon mari ce matin?

– Adderly m'a informée de son départ, tout à l'heure. Vous n'étiez pas au courant?

– Oui, oui, mentit-elle. J'avais tout simplement oublié.

– Bon. Si vous voulez, mademoiselle, je vous laisse à votre petit déjeuner et m'en vais m'occuper de ce pas de votre eau chaude.

– C'est bien, Polly. Avant de sortir, donne-moi Biskett, veux-tu?

La jeune servante se pencha sur le panier, tendant les mains vers la petite levrette dont la queue frétillait joyeusement.

– Pouah! Tu es dégoûtante! Je crains que vous ne puissiez la prendre pour le moment, mademoiselle. Ce dont elle a besoin, c'est d'un bon bain, elle aussi. Elle s'est toute barbouillée de...

– Ça va! ça va! l'interrompit sa maîtresse, peu désireuse de s'entendre confirmer la nature de la substance dans laquelle Biskett avait probablement passé la nuit. Sors cette petite malpropre de ma chambre et ne me la ramène que lorsque je pourrai supporter son odeur.

Plissant son petit nez d'un air écœuré, Polly prit le panier du bout des doigts et, le tenant à distance respectable de son corps, s'éloigna avec son fardeau: une Biskett visiblement inconsciente du dégoût qu'elle inspirait aux deux femmes.

Lorsque Xaviera fut seule, elle hocha frénétiquement la tête de droite à gauche, voulant à tout prix chasser les pensées importunes qui hantaient son esprit. Des images plus que suggestives défilaient devant ses yeux.

Elle se revoyait dans cette pose honteusement abandonnée, les mains et la bouche de Marcus traçant des sillons de feu sur son corps consentant, et elle revivait les mêmes émotions troublantes. Impatientée, elle repoussa brusquement les couvertures, jeta les jambes hors du lit et se leva dans un bond qui lui arracha un cri de douleur.

Un terrible élancement labourait le bas de son ventre et l'intérieur de ses cuisses, rappel cuisant de cette nuit qu'elle s'efforçait d'oublier.

Trépignant de rage, elle voua son mari à tous les diables, soulagée qu'il ait eu la décence de quitter Milton Manor avant son réveil.

Elle accueillit le retour de Polly comme un condamné à mort apprenant qu'il vient d'obtenir sa grâce.

– Votre bain sera bientôt prêt, mademoiselle Xaviera.

Laissant sa femme de chambre couler l'eau à la température qu'elle aimait, la jeune femme jeta un regard féroce vers le lit ravagé et se pétrifia sur place.

Une tache de sang séché, qu'elle n'avait jusque-là pas remarquée, maculait la blancheur des draps, symbole intemporel de la pureté qu'on lui avait volée. Paralysée, Xaviera était incapable d'émettre le moindre son.

Polly, inquiète de ce que sa maîtresse ne vînt pas la rejoindre dans le petit cabinet, malgré ses appels répétés, la trouva plantée devant le grand lit, les bras ballants, les traits figés dans une expression d'hébétude.

Intriguée par ce comportement inhabituel, la jeune fille s'approcha, l'appelant doucement. Quand elle fut à ses côtés, elle suivit la direction de son regard puis poussa un Oh! de surprise. Cette exclamation eut pour effet de sortir la jeune femme de sa torpeur.

Se tournant d'un bloc vers la domestique, elle dit d'une voix blanche:

– Enlève-moi ces draps et brûle-les.

– Mais…

– Fais ce que je te dis. Brûle-les!

Impressionnée par le visage dur de sa maîtresse, Polly s'empressa d'exécuter ses ordres, tout en pensant par-devers elle que «mademoiselle était une bonne maîtresse, quoiqu'un peu bizarre».

♦ ♦ ♦

– Petite sœur, qu'avez-vous? Vous n'êtes pas attentive et vous semblez préoccupée.

– Pardonnez-moi, Laurence. Je me sens un peu souffrante aujourd'hui.

– Est-ce que l'absence de grand frère aurait quelque chose à voir avec cette humeur morose? interrogea le jeune homme, inquiet.

– Non, non, votre frère n'y est pour rien, mentit-elle effrontément.

– Ah!... Xaviera, j'aimerais vous poser une question un peu délicate, mais je crains de vous offusquer.

Sur un signe de tête de la jeune femme, il reprit:

– Petite sœur, qu'y a-t-il entre vous et Marcus? Je veux dire qu'hier soir, au dîner, l'atmosphère était tellement tendue qu'on aurait pu la couper au couteau. Et puis, ce départ soudain...

Fourrageant d'une main nerveuse dans la fourrure épaisse de Biskett installée confortablement sur ses genoux, Xaviera réfléchit quelques instants avant de répondre.

– Autant vous dire toute la vérité. De toute façon, vous finiriez par l'apprendre. Ce n'est pas un mariage d'amour que le nôtre, Laurence.

Secrètement ravi, le jeune homme dissimula sa joie sous une habile expression d'apitoiement.

– Désirez-vous m'en parler?

– Non, Laurence, je n'en ai aucune envie. Peut-être une autre fois.

Satisfait de ce qu'il lui restât une chance de gagner le cœur de sa jeune belle-sœur, le jeune homme n'insista pas.

CHAPITRE XIII

Une semaine passa, pendant laquelle Laurence fit une cour de plus en plus pressante à Xaviera.

Au début, elle trouva cela amusant, un peu comme une distraction qui l'empêchait de tomber dans de sombres pensées. Mais voyant que le jeune homme était sérieux, qu'il était sincèrement amoureux d'elle, Xaviera décida d'y mettre un terme.

Elle s'en voulait d'avoir laissé les choses aller si loin. Laurence était gentil, bien qu'un peu exalté parfois, mais il ne méritait pas qu'on se moquât de lui.

Allongée sur un confortable sofa, dans le petit salon bleu, la jeune femme l'attendait. Elle avait demandé qu'il vienne la rejoindre, disant qu'elle devait lui parler.

Laurence entra, vêtu, comme à l'accoutumée, de façon voyante et apprêtée.

Xaviera se redressa, puis ramena ses jambes sous elle dans sa position préférée. Elle tapota un coussin à côté d'elle, invitant le jeune homme à s'y installer.

– Vous désirez me voir, petite sœur? s'enquit Laurence, le cœur battant d'espoir.

– Oui. C'est un peu... difficile. Écoutez, Laurence, je ne crois pas me tromper en pensant que je vous inspire de tendres sentiments. Mais vous ne devez pas m'aimer. Je suis mariée et... je ne vous aime pas, enfin pas de la façon dont vous le voudriez.

Ne se laissant pas abattre, le jeune homme, les yeux brillants, plaida sa cause avec chaleur.

– Petite sœur, ce n'est pas important. Je vous aime suffisamment pour deux. Non, laissez-moi terminer. Vous apprendrez à m'aimer, j'en suis certain. Si cela doit prendre des mois, des années, j'attendrai le temps qu'il faudra, prêt à répondre au moindre de vos signes.

«Xaviera, vous êtes ma lumière, la source de mon inspiration, le joyau de ma vie, ma muse. J'adore jusqu'à la plus innocente de vos paroles, votre rire cristallin, votre humour, vos gestes gracieux. Vous êtes ma raison de vivre. Vous m'avez redonné l'espoir. Vous m'avez donné l'envie de m'accrocher à mes rêves.

La jeune femme tentait inutilement d'endiguer ce flot de compliments emphatiques. Un peu effrayée par la passion débridée qui étouffait la voix de Laurence, elle cherchait désespérément un moyen de le calmer.

– Mais, Laurence, il serait vainement douloureux de nous aimer. Je suis mariée et, à cela, vous ne changerez rien.

– Foutaises, mon amour! Nous nous enfuirons, la pressa-t-il, malaxant la main délicate de Xaviera entre les siennes.

– Qu'allez-vous imaginer? Contrairement à vous, j'ai vécu de longues années dans la pauvreté et la misère. J'ai connu une vie médiocre jusqu'à ce que j'épouse votre frère et je n'ai pas l'intention de renoncer à tout ce que je possède aujourd'hui pour aller vagabonder avec vous, même si je vous aimais par-dessus tout, lança-t-elle étourdiment, inconsciente de la blessure cruelle qu'elle lui infligeait.

– Vos paroles ne reflètent pas le fond de votre pensée, j'en suis sûr. Il n'y a rien de plus précieux qu'un grand amour partagé. Avec vous, je trouverais le courage de sortir de l'ombre de Marcus.

La jeune femme, légèrement agacée par l'insistance de Laurence qu'elle jugeait déplacée, retint à grand-peine un soupir excédé.

– Mais enfin, vous ne comprenez pas. Je ne vous aime pas et ne vous aimerai jamais, quoi que vous fassiez. Je n'irai nulle part avec vous, ni aujourd'hui, ni demain. Jamais!

Faisant leur chemin dans l'esprit torturé de Laurence, les protestations franchement brusques de Xaviera l'assommèrent plus efficacement qu'un coup de massue.

Furieux d'être éconduit, le jeune homme lança des accusations justifiées, bien qu'exagérées:

– Ainsi, vous vous êtes moquée de moi? Je n'étais donc qu'un passe-temps agréable pour vous? Vous m'avez utilisé, vous vous êtes jouée de mes sentiments, les foulant aux pieds sans aucun égard, sans aucune tendresse. Je vous croyais différente des autres, mais je me suis trompé. Vous n'êtes qu'une petite garce tentatrice.

Effrayée par la soudaine transformation de Laurence qui, de doux et timide était devenu violent et agressif, Xaviera tenta d'apaiser cette fureur grondante.

– Mais non, Laurence. C'est faux. Je ne me suis pas servi de vous...

L'interrompant brutalement, une lueur folle brillant dans ses yeux, il l'agrippa aux épaules en hurlant:

– Taisez-vous. Je ne veux plus rien entendre qui sorte de votre bouche menteuse. Je suis le pauvre infirme dont on a pitié, n'est-ce pas? Je suis le pauvre petit garçon insignifiant, effacé par la puissante présence de grand frère, n'est-ce-pas? Je suis incapable d'avoir ce que possède grand frère, n'est-ce-pas? Eh bien! c'est ce que nous allons voir.

Surprise par la sauvagerie de l'attaque, Biskett s'enfuit de sur les genoux de sa maîtresse en glapissant, pendant que Laurence se jetait sur Xaviera, lui maintenant les poignets à l'aide d'une seule main à laquelle la rage donnait une force insoupçonnée.

– Alors, petite sœur, comment te sens-tu? As-tu encore pitié du pauvre estropié? Non? C'est bien, parce que quand j'en aurai fini avec toi, c'est toi qui attireras la pitié.

Paniquée, Xaviera se débattait furieusement, réalisant trop tard à quel point elle avait sous-estimé le supplice d'un homme bafoué.

Laurence ricanait, une lueur inquiétante dansant dans ses yeux, savourant ce sentiment de pouvoir nouvellement acquis.

– Sais-tu ce que je vais te faire, petite garce? Je vais te prendre, là, les jupes relevées, comme la putain que tu es le mérite. De toute façon, je n'ai pas à m'inquiéter de te faire mal. Je ne doute pas que mon frère ait fait son chemin avant moi, comme toujours. Mais ça, ce sera ma plus belle victoire. Culbuter sa femme, son bien. Ha! Ha! Grand frère, je te hais!

Terrifiée par cet inconnu monstrueux qu'elle découvrait, et convaincue qu'il mettrait ses menaces de viol à exécution, Xaviera lança des coups de pieds à l'aveuglette, essayant de le griffer, redoublant d'ardeur à défendre sa peau.

– Tu vas aimer ça, petite sœur. Je te promets que tu garderas un souvenir indélébile de notre après-midi, grogna Laurence en déchirant le corsage de la jeune femme de sa main libre.

La vue des seins dorés jaillissant impudiquement du corset lui arracha un cri de triomphe. Il se jeta goulûment sur cette chair frémissante, la mordant, la léchant dans des caresses maladroites et douloureuses.

Dans son délire incontrôlable, il interprétait les gémissements de rage et de souffrance de la jeune femme comme des cris de plaisir.

– Tu aimes ça, hein, petite garce? Avoue, avoue-le donc. Allez, dis-le.

Dans une ultime tentative, désespérant de pouvoir se défaire de cette étreinte qui la remplissait de dégoût et de panique angoissée, Xaviera dit d'une voix suppliante:

– Laurence, ne faites pas ça. En souvenir de notre amitié, ne commettez pas cet acte ignoble. Vous le regretteriez, j'en suis certaine. Et Marcus ne vous le pardonnerait pas...

Ces derniers mots lui avaient échappé avant même qu'elle ne les ait formulés concrètement. Voyant une haine féroce affluer dans les yeux du jeune homme, elle sut qu'elle avait trop parlé.

– Grand frère? Je me moque de son absolution. J'aurais dû me débarrasser de lui depuis longtemps. Milton Manor serait à moi aujourd'hui ainsi que toute sa fortune. Mais, pour l'instant, je vais me contenter de prendre sa femme.

Farfouillant fébrilement dans ses nombreux jupons, Laurence pétrissait ses cuisses, pinçant méchamment leur peau sensible.

Xaviera, désespérée, certaine de sortir vaincue de ce combat injuste, cessa de se débattre, songeant que son indifférence ramènerait peut-être son beau-frère à la raison.

– Tu te rends enfin! Tu ne joues plus à l'effarouchée, c'est bien. Dis-moi que tu me désires, dis-moi que tu me veux, putain!

Tout à sa besogne, Laurence n'entendit pas l'exclamation empreinte de soulagement que poussa Xaviera en voyant la porte s'entrouvrir lentement.

«Enfin quelqu'un qui vient à mon secours avant que l'irréparable soit commis!» se dit Xaviera.

Quand elle reconnut son mari, elle souhaita mourir à l'instant. Le visage défait, ravagé par quelque souffrance intérieure et connue de lui seul, Marcus ne les avait pas encore aperçus.

Puis, sans comprendre ce qui l'aiguillonnait à agir ainsi, ni même les implications profondes de cet acte absurde et spontané qu'elle commettait, elle enlaça Laurence, plaquant sur son visage une expression de contentement qu'elle espérait crédible et émit de petits soupirs de plaisir, attirant l'attention de son mari sur eux.

Surveillant Marcus à travers ses cils, elle éprouva une joie soudaine et féroce devant ses traits durcis. Un rictus de dégoût mêlé de haine déformait son visage. Tournant les talons, il sortit de la pièce tranquillement.

Laurence, quant à lui, était resté inconscient de la scène qui se déroulait silencieusement derrière son dos. Satisfait de l'attitude soudainement soumise de la jeune femme, il s'acharna sur les derniers morceaux de tissu qui l'empêchaient d'accéder à son temple secret.

Xaviera, profitant du fait qu'il n'était plus aussi vigilant, le repoussa de toutes ses forces, bondit hors du sofa et, attrapant Biskett au passage, s'enfuit à la barbe du jeune homme, celui-ci trop ahuri pour réagir.

♦ ♦ ♦

La jeune femme ayant demandé à Polly d'avertir son mari qu'elle ne descendrait pas dîner, fut surprise de la voir remonter sans son plateau.

– Eh bien! quoi? As-tu l'intention de me laisser mourir de faim? l'interpella-t-elle d'un ton brusque.

Polly, qui avait été rabrouée tout l'après-midi par sa maîtresse, sans comprendre pourquoi elle lui cherchait querelle, soupira, prête à voir le ciel lui tomber sur la tête.

– C'est que... Lord Milton espère votre compagnie. Je dirais même qu'il l'ordonne.

– Et de quel droit me donne-t-il des ordres? s'écria la jeune femme, furieuse.

– Ben, je ne sais pas. Mais il a exigé que vous et monsieur Laurence soyez présents au dîner. Il a ajouté qu'il viendrait vous chercher lui-même si vous ne lui obéissiez pas.

Xaviera était paniquée. Elle n'avait aucune envie d'affronter son mari et Laurence.

Elle avait réalisé après coup que son attitude stupide et irréfléchie de l'après-midi n'avait été inspirée que par un besoin terrible et latent de vengeance. Inconsciemment, elle avait souhaité, voulu même, que Marcus paie pour cette nuit où, contre son gré, il lui avait fait connaître des sensations magiques qui la tourmentaient sans cesse depuis, la laissant languissante sur les draps défaits, son corps vibrant de désirs inassouvis.

S'avouant enfin qu'elle s'était précipitée d'elle-même, tête baissée, dans cette situation lamentable, elle ressentait une honte cuisante face à ses agissements légers et inconséquents.

Sans avoir ouvertement encouragé Laurence à la courtiser, elle ne l'en avait tout de même pas dissuadé, trouvant cette nouvelle expérience amusante et flatteuse. Sans s'inquiéter outre mesure de la jalousie maladive que le jeune homme avait manifestée à plusieurs reprises à l'égard de Marcus, elle l'avait laissé la convoiter et brûler du désir de la posséder au point qu'il avait cru qu'elle lui céderait.

Elle avait beau essayer de se convaincre que Marcus était le principal responsable de cet état de choses, elle n'y parvenait pas. Habituée à s'analyser avec une grande franchise, elle admettait que sa soif de vengeance l'avait poussée involontairement à attiser le désir de Laurence, à exacerber la haine occulte qu'il ressentait pour son frère et qu'elle avait perdu toute influence sur lui.

Elle avait manqué de vigilance. Elle aurait dû avoir la finesse de s'apercevoir que, sous ses vernis d'homme policé, Laurence cachait une nature déséquilibrée, envieuse, et même diabolique. Poussé à bout par son refus de l'aimer et de s'enfuir avec lui, le jeune homme avait lâché la bride à sa folie dévastatrice.

Xaviera se serait battue. C'était elle la responsable de ce misérable gâchis. Par sa faute, Laurence la détestait et Marcus, quant à lui, se chargerait sûrement de lui faire payer cet affront. Si, au moins, elle pouvait lui dire que son jeune frère n'était pas son amant. Mais l'aurait-il seulement crue, après la scène à laquelle il avait en partie assisté dans l'après-midi, alors qu'elle feignait de s'abandonner avec joie aux caresses de Laurence? Et puis, c'était faire couler son beau-frère avec elle, car elle aurait été obligée de l'accuser d'avoir voulu la violer.

«Que faire? Je dois trouver un moyen de tout réparer. Même si la vraie nature de Laurence est abjecte, je ne peux le laisser tomber. Mon Dieu, donnez-moi le courage et la force de faire face.»

Xaviera descendit l'escalier comme un condamné montant à

l'échafaud et se rendit à la salle à manger. Il y régnait un silence pesant.

Les deux hommes, déjà installés, l'attendaient. Sans les regarder, elle s'assit à sa place, contemplant son potage comme si c'était la seule chose qui existait. Elle trempa ses lèvres dans la crème riche et onctueuse et sentit son cœur se soulever. Même si on lui avait dit que sa vie en dépendait, elle n'aurait pu en avaler une seule bouchée.

Rompant brusquement le silence, la voix grave de Marcus la fit sursauter.

– Avez-vous passé une bonne journée, Xaviera? s'enquit-il, dangereusement poli.

Incapable de répondre, elle hocha la tête, pitoyable.

– Et toi, Laurence? ajouta-t-il en se tournant vers son frère cadet.

– Merveilleuse! dit ce dernier, inconscient du fait que Marcus savait très bien à quoi il avait occupé son après-midi.

– Bien. J'en suis content pour vous, lança-t-il en les fixant tour à tour de son regard étrange. En ce qui me concerne, et puisque vous me le demandez tous deux si gentiment, cette journée a été très instructive.

Laissant échapper un ricanement sinistre, il fit signe au valet chargé du service de les laisser seuls.

– Vous entendez-vous bien, Xaviera et toi?

Jetant un coup d'œil furtif à la jeune femme, Laurence assura:

– Mais bien sûr, grand frère. Nous avons beaucoup de points communs.

– Je n'en doute pas, répliqua Marcus, d'un ton doucereux.

Ne pouvant supporter plus longtemps ce jeu du chat et de la souris, Xaviera explosa.

– Venez-en donc au fait. Cessez ces circonlocutions

oiseuses qui ne servent qu'à endormir notre méfiance, vous permettant de frapper plus fort par la suite.

Surpris par cette déclaration orageuse à laquelle il ne comprenait goutte, Laurence la regarda d'un air réprobateur.

– Très bien, Xaviera. Puisque vous m'en priez, j'irai droit au but.

Se tournant vers son frère, il ajouta d'une voix dure, métallique:

– Je t'attendrai demain matin, au lever du jour, dans la clairière qui longe les limites de notre domaine.

Laurence, le visage marqué par l'incrédulité, demanda:

– Mais pourquoi irais-je donc te rejoindre dans cet endroit maudit?

– Tu connais l'histoire de cette clairière. On la prétend hantée par tous ceux qui y ont laissé leur vie en se battant en duel. Demain matin, l'âme de l'un de nous s'ajoutera au nombre de ces esprits errants, et j'ai l'impression que ce sera la tienne, jeta Marcus, cynique.

Xaviera étouffa un gémissement pendant que Laurence, interloqué, regardait son frère aîné.

– Mais que dis-tu? Je crois que je ne comprends pas très bien. Tu veux que nous nous battions en duel, toi et moi? Mais pourquoi, nom de Dieu?

– Tu as commis bien des erreurs dans ta vie, cher frère. Mais il y en a une que je ne peux te pardonner: celle d'avoir cru possible de faire de ma femme ta maîtresse.

Catastrophé, le jeune homme fixait Marcus d'un air hagard, cherchant désespérément une issue.

– Mais que vas-tu t'imaginer là? Xaviera n'est pas ma maîtresse, c'est ma petite sœur. Il ne me serait même jamais venu à l'idée de...

Marcus le coupa sèchement.

– Ne me raconte pas d'histoires. Cette fois-ci, tu devras faire face. Je vous ai surpris, ma femme et toi, dans une étreinte plus qu'édifiante, cet après-midi.

Xaviera serrait convulsivement ses mains l'une contre l'autre.

«Mon Dieu, ce n'est pas vrai! Ça ne peut pas être vrai. Pas un duel, pas ça!» pensait-elle, anéantie.

Prenant son courage à deux mains, elle affronta son mari.

– Vous n'avez pas le droit, Marcus!

– Vous, taisez-vous! Ceci nous regarde, Laurence et moi. Je réglerai votre compte plus tard, l'apostropha-t-il brutalement, sifflant les mots entre ses dents.

Il se leva et laissa tomber platement, en quittant la pièce:

– Je t'attends à l'aube, Laurence. Pour une fois, j'espère que tu ne te défileras pas devant les conséquences de tes actes. Je te laisse le choix des armes.

Un silence mortel s'abattit sur la salle à manger.

Secoué de spasmes nerveux, les traits défigurés par un horrible rictus haineux, Laurence pivota vers la jeune femme et gronda:

– Tout cela est votre faute, putain! Je me suis laissé prendre à vos airs de pureté et d'innocence. Mais, sous vos apparences de femme fragile et sans défense, vous cachez une nature égoïste et rouée. Vous n'êtes qu'une aguicheuse et une fautrice de troubles.

Xaviera supporta l'attaque sans broncher.

Tendant la main vers le jeune homme qui avait été son ami pendant une brève période, elle dit doucement:

– Je sais que vous m'en voulez, Laurence. Mais je ne suis pas telle que vous me décrivez. Je suis peut-être parfois inconsciente et impulsive, mais pas égoïste, ni rouée. Vous verrez, j'arrangerai toute cette sombre histoire avec votre frère. Je trouverai le moyen d'empêcher ce combat fratricide. Je ne le laisserai pas vous faire de mal.

Perdant toute maîtrise, Laurence hurla d'une voix aiguë :

– Parce que vous ne doutez pas un seul instant de l'identité du vainqueur? Il a un énorme avantage sur moi, n'est-ce-pas? Pauvre infirme que je suis! J'aurais dû le tuer quand j'en avais la chance. Ce jour-là, je le tenais en mon pouvoir. J'aurais pu m'en débarrasser si ce satané cheval n'avait pas rué et piétiné ma jambe après m'avoir désarçonné. J'avais l'intention de le tuer et il le savait. Mais c'est lui qui m'a sauvé la vie. Au risque de se faire rompre le cou par ce cheval fou, il est venu soustraire mon corps aux coups de sabot mortels. Cher grand frère, brave et courageux! Je ne l'en ai détesté que plus ardemment. Pourquoi n'est-il pas mort ce jour-là?

Dévoré par une vague de démence qui avait grandi en lui allant jusqu'à le submerger, Laurence, tout à ses souvenirs, avait complètement oublié qu'il se trouvait en présence de sa belle-sœur.

Xaviera se mordait nerveusement les lèvres, horrifiée par ce qu'elle comprenait de ce récit aux phrases hachées.

«Cet homme que je croyais doux et timide, cet homme en qui je voyais un ami n'est autre qu'un monstre. Jusqu'à mon arrivée, il gardait un certain contrôle sur cette folie qui le grugeait depuis longtemps. Mais les digues se sont rompues au moment où il a décidé qu'il me posséderait. Je suis doublement responsable de cette situation macabre. Je dois faire quelque chose.»

Elle posa une main tremblante sur le bras du jeune homme et sursauta quand il la repoussa d'un geste brusque en crachant sa haine:

– Ne me touchez pas, putain! Je vous hais, entendez-vous? Vous m'écœurez, vous et toutes vos semblables. Les femmes! Toutes des putains, des ribaudes lascives, courant après le plaisir comme des chiennes en chaleur! Est-ce que ça vous excite de penser que deux hommes vont se battre à cause de vous? Allez-vous vous empresser d'ouvrir votre lit au vainqueur, garce?

Choquée par cette vulgarité inutile, la jeune femme se détourna.

– C'est ça! faites la dégoûtée, ricana Laurence, hystérique. Demain, vous aurez toutes les raisons d'être dégoûtée de vous-même: vous aurez une mort sur la conscience. Si jamais je m'en sortais vivant, je vous promets une chose: vous aurez à pâtir de ma survie. Je me vengerai pour ce que vous avez fait de moi. Je me vengerai, entendez-vous? Je vous hais. Du plus profond de mon cœur, je vous hais et vous paierez chèrement, croyez-moi.

♦ ♦ ♦

Sous l'œil attentif de Biskett, Xaviera tournait en rond dans sa chambre, tel un ours en cage, cherchant fébrilement un moyen d'empêcher le massacre.

«Mais que faire? Que puis-je dire ou faire qui fléchira la volonté de mon mari? Où trouverai-je le courage de lui demander grâce? Mary avait raison en disant que ce mariage ne m'apporterait que le malheur.

«Je ne me reconnais plus depuis que j'ai épousé Marcus. J'ai terriblement changé, et pas pour le mieux. Je n'ai plus de ressort. J'éprouve d'énormes difficultés à me défendre, à combattre. Je ne sais pas ce qui m'arrive. J'ai l'impression d'être entraînée à la dérive par un courant violent qui me mène là où il le veut, sans que je puisse lui opposer la moindre résistance. Les événements s'enchaînent et se bousculent, me privant de toute mes forces.

«Je dois tenir bon ou je me détruirai. Ma propre vie échappe à mon pouvoir. Je ne dois pas sombrer. Je dois absolument réagir.»

Sa décision étant prise, Xaviera, le cœur battant, les mains moites, se dirigea vers les appartements de son mari où ce dernier s'était retiré.

Frappant doucement à la porte, elle attendit que Marcus l'autorise à entrer. Elle ouvrit lentement le battant, saisie par une brusque envie de fuir.

– La grande visite que voilà! lança-t-il, sarcastique. Que me vaut l'honneur de votre présence dans mes appartements?

– Je voudrais avoir une conversation avec vous, dit la jeune femme en affermissant sa voix, surprise que son mari ne la jette pas dehors.

– De quoi voulez-vous que nous parlions? De votre bassesse d'âme? Du choix plus que discutable de votre amant? Il y aurait trop à dire et je n'en ai pas envie.

– Je ne suis pas venue ici pour me faire insulter, siffla-t-elle, les yeux brillant de colère.

– À quoi vous attendiez-vous donc? dit Marcus d'une voix dangereusement calme.

– Je croyais qu'il serait possible de discuter raisonnablement. Mais je constate que vous n'êtes pas disposé à m'entendre.

– Très bien. Vous voulez parler, alors parlons. Par la faute d'une petite idiote égoïste et sans cœur, je me battrai en duel avec mon propre frère. Cela est dit et reste dit. Peu importent les arguments que vous avancerez, je ne changerai pas d'idée.

– Vous êtes inhumain, se rebiffa Xaviera, hors d'elle. Vous savez que ce combat est inutile et injuste. N'oubliez pas que Laurence est infirme. Vous n'avez pas le droit de faire cela, surtout pour...

– Surtout à cause de vous? demanda Marcus, la coupant brutalement. Vous sentiriez-vous coupable, ma chère femme? Réaliseriez-vous enfin que vous êtes responsable de cette situation?

– J'ai des torts et je l'admets volontiers, répondit-elle, farouche. Mais je ferai n'importe quoi pour empêcher ce meurtre, dussé-je vous ficeler tous deux sur vos lits.

– Cela ne ferait que retarder l'inévitable! Vous venez de dire que vous feriez n'importe quoi pour sauver la vie de votre amant. Êtes-vous sérieuse? interrogea Marcus d'une voix doucereuse.

– Oui. Je suis prête à vous supplier, à me jeter à vos genoux si c'est ce que vous désirez. Je ne demande rien pour moi. Je veux seulement que vous épargniez Laurence, fit bravement la jeune femme, résignée.

– Eh bien! il y a peut-être une solution. Elle aurait tout au moins l'effet de soulager votre conscience.

– Il n'est pas question ici de soulager ma conscience, mais de sauver une vie.

– Si vous voulez. Voilà ce que je vous propose. Je renonce à croiser le fer avec mon frère si vous passez la nuit qui vient avec moi, soumise et prête à satisfaire tous mes désirs.

Le souffle coupé, incrédule, Xaviera regardait son mari.

– Vous êtes fou! cria-t-elle. Jamais plus vous ne mettrez la main sur moi! Vous êtes monstrueux! Vous me dégoûtez!

– Estimez-vous votre corps trop précieux pour en faire le don, même dans un but purement héroïque et salvateur? Vous m'en voyez profondément désolé. Mais telles sont mes conditions. Tout ce que vous direz ou ferez n'y changera rien. Votre corps contre la vie de Laurence. C'est cela ou rien.

Xaviera le fixait d'un regard affolé.

– Allons, ma chère femme. Seriez-vous nerveuse? Pourtant, vous n'avez pas dû manquer de pratique pendant mon absence. Une fois de plus ou de moins, où est la différence pour vous? dit Marcus, dédaigneux.

– Vous m'écœurez... Je vous hais, cracha la jeune femme. Je vous hais plus que n'importe quoi sur cette terre.

– Dois-je en déduire que ces douces paroles scellent notre accord? lança-t-il, moqueur, en regardant sa femme quitter sa chambre précipitamment.

♦ ♦ ♦

Tourmentée, Xaviera achevait de déchiqueter un de ses petits mouchoirs de soie.

Depuis sa conversation avec son mari, elle se sentait comme une boule de nerfs, sursautant au moindre bruit, s'attendant à voir Marcus pénétrer dans ses appartements à tout instant. Elle était assaillie par un cortège d'émotions contradictoires: la haine, la peur, la culpabilité, la révolte, et un sentiment étrangement troublant sur lequel elle ne voulait pas mettre de nom.

«J'ai réussi à sauver Laurence d'une mort certaine, c'est tout ce qui compte. Le reste n'a pas d'importance», se répétait la jeune femme, agacée par cette petite voix qui lui soufflait de prendre garde, qu'elle avait affaire à un adversaire féroce et qui lui rappelait sans vergogne les moments de plaisir intense qu'elle avait connus une seule fois entre les bras de son mari.

Ces instants magiques, son corps torturé les réclamait inlassablement, la laissant insatisfaite et languissante, nuit après nuit.

Chassant ces pensées inopportunes d'un claquement de langue impatient, Xaviera retint soudainement son souffle en voyant sa porte s'entrouvrir.

Se cachant derrière le rempart fragile que lui procuraient ses couvertures, la jeune femme regarda la longue silhouette de son mari s'approcher.

Ce dernier, arrachant brutalement les draps de ses mains crispées, jeta d'une voix rogue:

– J'ai exigé de retrouver une femme soumise et prête à satisfaire tous mes désirs. Pas une fillette effarouchée se camouflant sous des morceaux de tissu.

– Vous ne vous attendiez tout de même pas à ce que je vous reçoive complètement nue et les bras ouverts, non? répliqua-t-elle, le défiant courageusement.

– Si, justement! dit Marcus en empoignant sans douceur la fine chemise qui recouvrait le corps de Xaviera, essayant de la déchirer.

– Mais lâchez-moi, sale brute! Vous me faites mal! cria-t-elle.

Saisissant sa femme par les cheveux, il lui tira violemment la tête en arrière et la gifla à toute volée.

– Arrêtez de vous débattre de cette façon, sinon je vous attacherai les mains et les pieds aux montants du lit, dans une position que vous ne priserez guère, gronda Marcus, menaçant.

Xaviera, des larmes plein les yeux, frottait sa joue cuisante, trop choquée pour riposter.

– Voilà, c'est beaucoup mieux. Je n'aime pas les femmes rétives. Tu devrais pourtant le savoir, n'est-ce pas, Xera? dit-il. Réponds quand je te parle, ajouta-t-il en tirant plus fort sur ses longs cheveux. Tu sais que je n'aime pas les femmes rétives, hein?

Murmurant un oui à peine audible, Xaviera, morte de peur, fixait l'homme qui lui faisait face.

Malgré les occasions peu nombreuses lors desquelles elle l'avait côtoyé, jamais son mari ne lui avait paru plus effrayant qu'en ce moment. Ses yeux surprenants brillaient d'un éclat de colère démoniaque. Ses lèvres généreuses s'incurvaient dans un sourire cruel, témoignant du plaisir qu'il ressentait à la tenir sous sa coupe.

– Pourquoi me regardes-tu ainsi? Tu as peur de moi, Xera? Réponds!

– Non, je n'ai pas peur de vous, mentit-elle.

– Parfait. Puisque je ne t'effraie pas, nous allons enfin pouvoir nous amuser un peu. Dis que tu as envie de t'amuser avec moi, la pressa-t-il.

– Non, je n'en ai pas envie.

Une autre gifle vint raviver la douleur de la première.

– Tu dois dire oui à tout ce que je te demande. Tu as compris?

– Oui, répondit la jeune femme, se prêtant à son jeu sadique, certaine qu'il la défigurerait si elle ne lui obéissait pas.

– Bien. J'adore t'entendre dire oui. C'est si rare! ricana Marcus, possédé par le désir de la faire souffrir. Dis que tu as envie de moi, allez, dis-le!

Xaviera était au supplice. Cette situation était plus qu'humiliante.

Un coup sec tiré sur ses cheveux la rappela à l'ordre.

– J'ai envie de vous, dit-elle du bout des lèvres.

– Plus fort. Et tâche d'y mettre un peu plus de sentiment! Je veux sentir à quel point tu me désires, exigea-t-il.

La jeune femme se révolta soudain et répliqua d'une voix forte:

– Je vous hais et je n'ai pas envie de vous. Vous me dégoûtez!

– On se rebelle, Xaviera? dit Marcus en s'emparant de ses poignets et en les ramenant avec rudesse au-dessus de la tête de sa femme. Sais-tu ce que je fais des juments rebelles? Je les mâte. Quand elles ont goûté de ma cravache, elles deviennent douces et soumises, comme je les aime.

– Je ne suis pas une jument! cria la jeune femme, offensée par cette comparaison.

– Oh! si. Devine un peu pourquoi, Xera? Parce qu'une jument accepte de se faire monter par n'importe quel étalon, tout comme toi tu te donnes à n'importe qui, même à mon frère.

Écœurée de ce que son mari versât dans la vulgarité, chose dont elle l'avait cru incapable, elle s'enferma dans un silence glacial.

– Eh bien! Xaviera, tu ne protestes pas? Ton petit cerveau tortueux et pervers n'a donc préparé aucune défense? attaqua Marcus, mis en rage par ce stoïcisme auquel il ne s'attendait pas. Réponds! Je t'ordonne de me répondre.

Bien décidée à ne plus réagir, la jeune femme tourna la tête de côté, soustrayant son regard à celui de son mari.

– Regarde-moi. Ne me défie pas, Xaviera, cela te coûterait cher. J'ai dit: regarde-moi.

Têtue, elle gardait les yeux obstinément fermés.

Maintenant ses poignets à l'aide d'une seule main, Marcus emprisonna le visage de sa femme dans son autre main, l'obligeant à se tourner vers lui.

– Ne résiste pas. Ce serait inutilement douloureux, la menaça-t-il.

– Vous me faites mal! souffla Xaviera entre ses mâchoires serrées.

– Tu le mérites bien! répliqua Marcus, tout en relâchant son étreinte. Je te rends à présent l'usage de l'une de tes mains pour que tu me déshabilles.

– Jamais! cria la jeune femme, outrée.

– Tu ferais bien de te soumettre, dit-il en tordant sauvagement ses poignets.

Réprimant un cri de douleur, Xaviera fit signe qu'elle était prête à obéir, bien décidée à tirer profit de la moindre occasion qui lui permettrait de s'échapper.

– Bien. Tu deviens raisonnable, approuva Marcus, libérant un de ses poignets. Mais attention! pas de coup fourré. Je veux que tu me déshabilles lentement et en entier, comme si j'étais l'un de tes amants.

Faussement docile, la jeune femme commença de déboutonner la chemise de soie, sous le regard attentif de son mari. L'ayant dépouillé de son vêtement, elle laissa retomber sa main le long de son corps, attendant la suite, craintive.

– Eh bien! Xaviera, ne t'arrête pas en si bon chemin. Tu es très habile, même avec une seule main. Ce doit être l'habitude, n'est-ce pas? Enlève-moi mes chaussures et mes bas. Ensuite, tu t'occuperas de ma culotte, dit Marcus dans un sourire qui ne laissait aucun doute quant au plaisir qu'il prenait à l'humilier.

Les lèvres serrées, elle s'agenouilla à ses pieds afin de retirer ses chaussures et ses bas. Se relevant, elle le regarda, mettant dans ses yeux toute la haine dont elle était capable. Elle s'attaqua ensuite à sa culotte.

– Doucement, Xera. En d'autres temps, ta maladresse réussirait presque à me faire croire que c'est la toute première fois que tu dénudes un homme, dit Marcus de sa voix grave, le souffle coupé par une coulée de désir qui l'envahissait malgré lui.

– Je n'y arrive pas avec une seule main, mentit la jeune femme, en espérant que son mari libérerait son autre poignet.

– Me prends-tu pour un idiot? Allez, fais ce que je te demande. Enlève-moi ma culotte.

Xaviera aurait souhaité disparaître. Cette situation avilissante lui donnait envie de vomir.

Une torsion accentuée sur son poignet prisonnier la força à s'exécuter. Malade de honte, elle retira la culotte de son mari avec difficulté et se trouva brusquement confrontée à l'expression évidente de sa virilité.

Se mordant les lèvres, de peur de se mettre à hurler, la jeune femme détourna le regard de ce membre dressé fièrement et fixa le torse de Marcus avec obstination.

– Serais-tu embarrassée par ma nudité, Xera? Ce serait trop drôle. Ma petite perverse de femme rougissant devant le corps de son mari! s'esclaffa-t-il méchamment.

Puis, l'attirant à lui d'un geste soudain, il murmura d'une voix troublée:

– Maintenant, je veux que tu me caresses. Je veux que tu fasses courir tes petites mains sur mon corps. Je veux que tu me montres à quel point tu me désires, Xera.

Voyant là une occasion inespérée de s'échapper, la jeune femme baissa vivement la tête afin de cacher à son mari la lueur de satisfaction qui brillait dans ses yeux.

Docile, elle caressa doucement le torse puissant de ses mains légères, secrètement ravie par les frissons qui raidissaient le corps de Marcus. Endormant sa méfiance par son attitude soumise, Xaviera le surveillait attentivement, cherchant fiévreusement un moyen infaillible de mettre un terme à cette scène grotesque.

Marcus poussa soudain un cri de douleur lorsque les ongles de sa femme s'enfoncèrent dans son dos, le griffant sauvagement.

Profitant de l'effet de surprise, elle détala à toutes jambes, priant le ciel de pouvoir atteindre la porte avant que son mari ne la rattrape. Mais c'était compter sans la rapidité de Marcus. En quelques enjambées, il l'avait rejointe et, furieux, il la souleva dans ses bras puis la jeta sans douceur sur le lit défait.

– Petite garce! tu vas me payer cela!

Grimpant sur le lit à son tour, il lui ramena les bras le long du corps et, sans plus de manières, il s'assit sur son ventre, l'empêchant de bouger.

– Tu vas le regretter, petite peste! siffla Marcus entre ses dents, haletant de colère contenue. Tu me supplieras bientôt de te prendre.

– Jamais! cracha Xaviera, effrayée.

Maintenant fermement la jeune femme entre ses genoux serrés, il la caressa et l'embrassa, d'abord avec rage et brutalité. Puis, peu à peu, il se prit à son propre jeu et devint passionné, attentif au plaisir qui tordait le corps de sa femme.

Xaviera, honteuse d'être ainsi trahie par ses sens, ravalait les gémissements de désir qui montaient dans sa gorge.

«Que suis-je donc pour accepter qu'il me traite de la sorte?» pensa-t-elle avant de se laisser emporter par la vague de passion qui brûlait ses reins.

Les mains de Marcus étaient partout, magiques, habiles, allumant sur leur passage un incendie de sensations grisantes et dévorantes. Ses lèvres gourmandes, insatiables, buvaient à la source de vie de Xaviera, l'affolant par leurs caresses enivrantes. Inconsciente de ce que Marcus ne la retenait plus prisonnière, la jeune femme repoussait et cherchait tout à la fois les doigts qui pinçaient doucement la pointe de ses seins.

Impatiente, incapable d'attendre plus longtemps cet assouvissement qui la délivrerait, Xaviera essaya d'attirer son mari en elle. Celui-ci, la mettant au supplice, se redressa lentement, s'agenouilla entre ses jambes, superbe statue de bronze, et murmura d'une voix persuasive:

– Xera, dis-moi à quel point tu me désires. Dis-moi combien

tu as envie de sentir ma force en toi. Je t'en prie, Xera, j'ai tant besoin de te l'entendre dire.

– Oh! oui, je veux te sentir en moi, souffla-t-elle d'une voix mourante. Je t'en supplie, ne me fais plus attendre.

Un éclat de rire mauvais la tira brusquement de sa torpeur hypnotique.

– Ne l'avais-je pas prédit, Xera? Mais oui, souviens-toi: les juments rebelles, je les mâte et elles viennent à moi, douces et soumises. Tu serais prête à faire n'importe quoi pour que j'apaise tes sens qui te brûlent, n'est-ce pas?

La jeune femme, les joues rougissant de rage et de honte, son corps rendu douloureux par le désir frustré, hurla:

– Je vous déteste! Oh! Comme je vous hais! Vous n'êtes qu'une brute. Vous n'avez donc aucun respect pour personne?

– Ne me fais pas rire, Xaviera. Du respect? Pour toi? Et pour quelles raisons te rendrais-je hommage? À peine avais-je le dos tourné que tu entreprenais de séduire mon frère. Et, il y a de cela quelques secondes, tu mourais d'envie que je te possède. Quelle sorte de femme es-tu donc?

Aveuglée par la colère et la douleur, Xaviera lui cria la vérité qu'elle s'était juré de taire.

– Laurence n'a jamais été mon amant. Le seul tort dont vous puissiez m'accabler dans cette histoire, c'est de l'avoir laissé m'aimer. Au moment où j'ai refusé de m'enfuir avec lui, il est devenu fou et il m'a agressée, essayant de me violer. Voilà la scène que vous avez surprise cet après-midi.

– Bravo, Xaviera! se moqua Marcus en mimant des applaudissements. Vous retombez vite sur vos pieds. Votre imagination vous fait honneur. Mais vous semblez oublier une chose. Lorsque je vous ai aperçue, cet après-midi, vous aviez l'air de prendre un plaisir immense aux prétendus assauts de Laurence. Seriez-vous de ce genre de femme qui aime être violentée?

Sachant qu'elle avait trop parlé et qu'elle ne pouvait plus

poursuivre ses explications sans avouer que c'était par vengeance qu'elle avait feint d'apprécier les attentions de son beau-frère, Xaviera hocha tristement la tête, vaincue.

– Eh bien! ma chère femme, comme vous voilà muette! N'avez-vous plus d'histoires rocambolesques à inventer? Mon frère, vous violer? Vous poussez tout de même la roublardise un peu loin. Laurence a toujours eu un tempérament exalté et mal équilibré, mais de là à l'accuser de viol...

Retrouvant l'usage de la parole, Xaviera lança, blessante:

– Pourtant, n'a-t-il pas déjà tenté de vous tuer?

– Que dites-vous?

– Parfaitement. C'est votre frère lui-même qui me l'a confié. Je ne pourrais vous dire quand, exactement, cela s'est produit, mais je sais que ce jour-là, il avait la ferme intention de vous rayer de son existence. Malheureusement, le cheval qu'il montait s'est emballé et l'a désarçonné, lui piétinant la jambe. C'est vous qui lui avez sauvé la vie. Cela vous rappelle-t-il quelque chose, Marcus? demanda perfidement Xaviera, satisfaite de voir blêmir son mari.

– Cette histoire ne vous concerne pas, jeta-t-il d'une voix orageuse, sans toutefois nier la véracité des faits. Ne cherchez pas à cacher votre caractère abject derrière la faible personnalité de mon frère. Vous me répugnez, Xaviera. Vous n'êtes qu'une pauvre fille!

La jeune femme sursauta sous la violence de l'insulte et regarda s'éloigner son mari, hébétée.

Superbe dans sa nudité sculpturale, il se retourna vers elle, une main sur la poignée de la porte, dans une attitude orgueilleuse:

– Oh! j'oubliais de vous dire. L'idée de me battre en duel avec mon frère n'avait rien de sérieux. Je m'en suis servi dans le seul but de l'effrayer. Je voulais simplement lui donner une bonne leçon. Il le méritait. Depuis quelque temps, Laurence avait tendance à se croire tout permis. Aujourd'hui, il a dépassé les limites en imaginant possible de posséder ma femme. Je lui ai demandé de quitter Milton Manor demain, à la première heure. Ça le dégourdira peut-être d'avoir à se débrouiller seul. Mais ne vous inquiétez pas pour lui. Il continuera à jouir de ma fortune et de presque tous les avantages auxquels il était habitué.

«Quant à vous, vous méritiez aussi une bonne leçon. Vous apprendrez peut-être, dans le futur, à choisir vos amants plus judicieusement. La famille, en dépit des rancunes et des haines qui s'y cachent, reste la famille. Et en bafouer l'honneur comme vous l'avez fait, cela se paie chèrement, Xaviera.»

Marcus sortit lentement, laissant la jeune femme, anéantie, se couvrir le visage de ses mains et éclater en sanglots.

CHAPITRE XIV

Depuis qu'il avait quitté le manoir, Laurence fréquentait assidûment les quartiers mal famés de Londres. Laissant libre cours à sa vraie nature, il s'adonnait à tous les vices et s'était acoquiné avec ce qu'il considérait auparavant comme la lie de la société. Voleurs, putains, ex-bagnards étaient devenus ses amis.

Le mois qui s'était écoulé depuis son départ l'avait changé. Du Laurence outrageusement soigné, à la mise un peu efféminée, il ne restait plus rien. Désireux de se faire accepter entièrement par ses nouveaux compagnons, il avait adopté leur déguisement.

Une vulgaire culotte de drap épais, des bas de laine et une chemise de coton grossier lui servaient de parure. Sa longue chevelure bouclée, dont il était si fier par le passé, s'était transformée en une tignasse broussailleuse et hirsute, témoignant de ce qu'elle n'avait pas vu l'ombre d'un peigne depuis longtemps. Une barbe de quelques semaines barbouillait ses joues pâles, relevant l'éclat fiévreux de ses yeux.

Malgré la bourse bien remplie qui alourdissait sa taille, Laurence, qui avait décidé de mener le même style de vie que ses nouvelles fréquentations, dormait sous les ponts ou dans les écuries plutôt que dans des auberges luxueuses, et il se contentait de repas frugaux dans des échoppes minables, plutôt que de mets gastronomiques dans des établissements réputés. L'argent qu'il possédait, il le réservait pour un tout autre usage.

Dévoré par un désir de vengeance obsédant, il était prêt à payer le prix fort pour anéantir les deux êtres qu'il exécrait pardessus tout.

Affalé sur une chaise inconfortable, devant un verre à moitié vidé d'un vin sirupeux, Laurence surveillait constamment la porte d'entrée de l'auberge minable dans laquelle il se trouvait.

Un sourire mauvais étira ses lèvres minces lorsqu'il vit arriver un homme de taille imposante et à la mine patibulaire, qui entraînait à sa suite une petite femme entièrement recouverte d'une grande cape noire.

– La v'là, la Yasmine! dit John à Laurence, d'une voix gutturale. J'crois qu'a peut t'aider, l'ami.

Les laissant tous deux face à face, l'homme s'éloigna d'un pas pesant en criant à l'aubergiste de lui servir une bière.

Intrigué par cette petite forme noire qui se tenait immobile devant lui et dont il sentait qu'elle le fixait d'un regard scrutateur derrière l'ombre de son grand capuchon, Laurence l'invita à s'asseoir.

– On m'a dit que vous pourriez m'aider, Yasmine.

– Cela dépend de ce que vous attendez de moi, répondit la femme, d'une voix étouffée.

– Avant d'entreprendre cette conversation, me permettez-vous de vous offrir quelque chose à boire? demanda Laurence, désireux de s'attirer les bonnes grâces de cette femme mystérieuse, dont les talents pourraient s'avérer précieux.

– Je prendrais bien un cognac.

Faisant signe à l'aubergiste de venir s'enquérir de leur commande, le jeune homme, agacé de parler à quelqu'un qui masquait ses traits pour quelque obscure raison, demanda:

– Vous serait-il possible de rabaisser ce capuchon encombrant? J'aimerais bien voir à qui j'ai affaire.

Dans un ricanement moqueur, la femme s'exécuta.

Laurence fut incapable de retenir un mouvement de recul devant ce spectacle repoussant. La femme, bien qu'il soit impossible de lui donner un âge exact, devait avoir entre quarante et soixante ans. Des mèches de cheveux grisâtres pendaient lamentablement autour de son visage complètement défiguré.

Des cicatrices boursouflées rampaient sur ses joues, plissant la peau mince et brune, sur les vestiges de ce qui avait été un nez. La bouche, déformée, se crispait sur le côté droit du visage, laissant apparaître des dents rares et gâtées. Le seul élément intact de cette figure torturée se limitait aux yeux d'un noir de jais, brillant d'un éclat malin et cupide.

– Êtes-vous satisfait?

– Euh!... oui... non, bafouilla Laurence, pitoyable. Que vous est-il arrivé?

– Ça ne vous regarde pas, dit la vieille femme, la voix dure. Parlons plutôt de ce qui vous a amené à faire appel à moi.

– Bien. Je veux me venger de deux personnes qui m'ont bassement humilié, et on m'a dit que vous pouviez m'aider. Je veux qu'elles souffrent. Pis, je veux qu'elles meurent.

– Qui sont-elles?

– Mon frère et ma belle-sœur.

– Mais encore?

– Ma belle-sœur a épousé mon frère aîné pour améliorer sa condition sociale. Il n'était pas question d'amour entre eux. Pour passer le temps, elle s'est amusée à me séduire pour ensuite me repousser, tel un indésirable. Ayant eu connaissance de notre aventure avortée, mon frère m'a chassé de la maison sans procès. Je veux qu'ils payent tous deux pour le mal qu'ils m'ont fait.

– Donnez-moi leur nom.

– Pourquoi? demanda Laurence, surpris par cette requête dans un monde où chacun exigeait l'anonymat afin de se protéger.

– Parce que, sans cela, il me sera impossible de faire ce que vous demandez. Pour ... disons, certaines de mes actions, j'ai besoin de connaître l'identité des personnes concernées. Si cela ne vous plaît pas...

– Très bien, très bien. Mon frère s'appelle Lord Marcus Milton et ma belle-sœur, Xaviera. Je crois que son nom de jeune fille était Newcomen ou quelque chose comme ça.

Voyant un éclair d'étonnement mêlé à un sentiment indéfinissable illuminer le regard de Yasmine, Laurence l'interrogea.

– Qu'y a-t-il? Vous les connaissez?

– Non, non, se reprit rapidement la vieille femme. Mais une femme est venue chez moi la semaine dernière, alors qu'elle se trouvait de passage à Londres, et elle m'a parlé, elle aussi, d'une certaine Xaviera qu'elle voulait éliminer.

– Qui est cette femme?

– Je ne révèle jamais le nom de mes clients, répliqua Yasmine, le prenant de haut.

– Ce n'est pas simple curiosité de ma part, plaida Laurence. Mais si cette femme désire se venger de ma belle-sœur, nous pourrions unir nos efforts.

– Nous verrons. Pour l'instant, nous devons établir un plan. Je tiens à vous préciser que c'est moi qui mène le jeu. Vous devrez m'obéir aveuglément, me laisser libre d'agir à ma guise, quand et comment je le jugerai bon.

– Je ferai ce que vous voudrez, pour autant que le résultat soit celui auquel j'aspire, dit Laurence, sans chercher à discuter cette volonté qui s'imposait à lui.

– Bien. Alors, voilà ce que je vous propose.

Le visage couturé de Yasmine s'anima pendant qu'elle exposait ses sombres projets.

«Pauvre idiot! tu ne te rends pas compte que tu es l'instrument de ma vengeance. Le moment est enfin venu!» songea la vieille femme, tout en continuant à expliquer à Laurence la façon dont ils allaient procéder.

♦ ♦ ♦

– Tu avais raison, ma bonne. Ce mariage ne m'apporte rien de bon.

Biskett blottie sur ses genoux, Xaviera regardait Mary préparer ses potions, ses baumes, ses crèmes, assise dans une petite pièce attenante aux cuisines, mise à l'entière disposition de la vieille femme. Il y flottait une odeur particulière, légèrement acidulée, que seules les herbes et les fleurs fraîchement cueillies peuvent dégager.

Sur toute la longueur d'un des trois murs, du plafond au plancher, pendaient de nombreuses ficelles sur lesquelles étaient accrochés d'innombrables bouquets de sauge, de verveine, de roses, de pervenches, de gui, de jusquiame, de mandragore et combien d'autres encore que Mary avait mis à sécher. Appuyées contre les murs demeurés libres, deux tables de grandeur moyenne ployaient sous le poids d'une quantité incroyable de pots de toutes formes et de toutes grosseurs, remplis de graines, de feuilles et de poudres de toutes les couleurs.

Xaviera aimait à se réfugier dans ce lieu qui embaumait, qui respirait la tranquillité et la bonhomie et qui reflétait la chaleureuse personnalité enrobée d'un soupçon de mystère de sa vieille amie.

La jeune femme soupira à fendre l'âme.

Mary lui jeta un coup d'œil à la dérobée et reporta son attention sur les racines qu'elle broyait consciencieusement dans un mortier, attendant patiemment que sa protégée se confie à elle.

– Toi, au moins, tu as quelque chose à faire. Tandis que moi, je m'ennuie à mourir. Personne n'a besoin de moi dans cette maison. Hormis Biskett... C'est vrai, Mary. Je vis dans une prison dorée.

– Xaviera, ma chatte, que t'arrive-t-il? Je ne te reconnais plus. Depuis plus d'un mois, tu tournes en rond dans le manoir, sans presque jamais mettre le nez dehors.

– Je n'ai plus envie de sortir. De toute façon, chaque fois que je fais mine d'aller me promener, j'ai l'ombre d'Adderly sur les talons, tempêta-t-elle. Mon mari me fait suivre par son valet, du moment que je pose le pied à l'extérieur de Milton Manor!

Xaviera, amère, revivait les longues semaines ennuyeuses qui avaient passé depuis le départ de Laurence.

Contrairement à ce qu'elle avait pensé, Marcus n'était pas reparti pour Londres après la scène humiliante qui avait eu lieu. Jour après jour, il lui imposait sa présence imperturbable, ne ratant jamais l'occasion de l'embêter et de la blesser, alors que lui-même conservait un sang-froid incroyable.

Poussant la jeune femme au comble de l'exaspération, il lui avait assigné, en la personne d'Adderly, un chien de garde très efficace. À chacune de ses rares sorties, elle avait senti derrière elle la présence discrète et effacée du valet de chambre.

Indignée, elle avait fait part de ses griefs à son mari. Celui-ci, moqueur, lui avait répondu qu'Adderly n'était là que pour la protéger d'éventuelles mauvaises rencontres. L'affrontement avait été violent, comme chaque fois qu'ils mesuraient leurs volontés, mais Xaviera avait dû s'avouer vaincue.

Minée par l'inaction, elle errait sans but à travers la grande maison, n'accordant son attention qu'à Mary et à Biskett, sa petite levrette adorée.

– Ma chatte, tu ne m'écoutes pas, lui reprocha gentiment Mary.

– Pardonne-moi, ma bonne. Que disais-tu?

– Je disais que tu avais besoin de te dépenser physiquement. Tu finiras par paralyser si tu persistes à rester assise sur cette chaise, à caresser ton chien et à ressasser de sombres pensées!

– Mais que veux-tu que je fasse? s'impatienta la jeune femme. De la broderie? Ah! non, très peu pour moi.

– Tu pourrais réaliser ton rêve, répondit la bonne vieille, sachant qu'elle éveillerait enfin son intérêt.

– De quoi parles-tu?

– Tu ne te rappelles pas, quand tu étais toute petite, à quel point tu nous cassais les oreilles en hurlant à cor et à cri que tu voulais un cheval? Eh bien! ce n'est pas ce qui manque ici. Les écuries de Lord Milton regorgent des plus beaux chevaux de la région, si ce n'est du pays.

– Mais je ne sais pas monter! protesta Xaviera, boudeuse.

– Tu apprendras! Mais qu'est-ce que tu as? Je n'aurais jamais cru que ce diable d'homme te changerait à ce point. Tu me déçois, ma chatte. Toi, si combative, si entreprenante, si désireuse de tout posséder, tu es devenue une pauvre lady pleurnicheuse, craintive et ennuyante, lança la bonne Mary, en surveillant du coin de l'œil la réaction de Xaviera.

L'orgueil fouetté par ce tableau peu flatteur de ce qu'elle était devenue en si peu de temps, la jeune femme, les yeux brillants, réagit violemment:

– Pleurnicheuse, moi? Tu ne manques pas de culot! Je te montrerai que je ne suis pas celle que tu décris. Dans deux semaines, je saurai monter aussi bien qu'un homme.

Satisfaite, la vieille femme dissimula un sourire en voyant Xaviera s'éloigner d'un pas décidé, le menton pointé vers l'avant.

«Enfin, elle est sortie de cette hébétude qui la transformait en poupée de chiffon. Ce suppôt de Satan n'aura pas le dessus sur ma chatte, c'est moi qui le dis!»

♦ ♦ ♦

Quelques jours plus tard, au retour d'une leçon d'équitation, Xaviera, courbaturée, montait péniblement l'escalier, rêvant de plonger son corps endolori dans un bain délicieusement bouillant.

En ouvrant la porte de sa chambre, elle fut accueillie par les aboiements joyeux de Biskett. Tout en caressant la petite boule de poils frétillante, la jeune femme entreprit de se défaire de sa culotte. Amusée, elle repensait à l'air choqué qu'avait arboré le garçon d'écurie en voyant sa maîtresse se présenter à lui habillée comme un homme. Xaviera, en effet, jugeant les jupes et les jupons trop encombrants, avait emprunté à Laurence une tenue d'équitation, probablement oubliée dans les préparatifs de son départ précipité.

Le jeune homme étant sensiblement de la même taille qu'elle, Xaviera avait fait faire quelques retouches par Polly et s'était trouvée entièrement satisfaite de sa nouvelle tenue. Ainsi vêtue, elle pouvait apprendre à monter comme un homme et goûter la liberté fugitive que lui procuraient ces moments exaltants.

Tirant énergiquement sur le cordonnet doré, elle appela sa femme de chambre.

De son pas vif, celle-ci entra en annonçant qu'elle avait déjà demandé qu'on apporte de l'eau chaude.

Tendant une enveloppe à sa maîtresse, elle ajouta:

– On a livré ceci pour vous, mademoiselle Xaviera. Le messager a insisté pour vous la remettre en main propre mais, comme vous étiez absente, Soams m'a fait appeler. L'homme m'a dit que vous deviez prendre connaissance du contenu de cette lettre le plus tôt possible. Si vous voulez bien, je vais vous laisser à votre courrier et aller presser ces bonniches stupides de monter votre eau.

Sur un geste de Xaviera, Polly se retira.

Intriguée, la jeune femme retourna l'enveloppe dans tous les sens avant de l'ouvrir lentement. Un mauvais pressentiment lui griffait le cœur.

Sur un papier d'une qualité et d'une propreté douteuses, elle put lire:

«Xaviera, je dois absolument vous voir. Je suis désolé de toutes les énormités que j'ai proférées à votre encontre. Je n'en pensais pas un mot. Je me suis laissé emporter par la colère. Mais je suis tellement malheureux. Si vous ressentez encore quelque sentiment d'amitié pour moi, ne refusez pas de me rencontrer. Je vous attendrai, ce soir, à huit heures, dans les souterrains. Pour vous y rendre, vous emprunterez l'escalier qui mène au cellier. Au fond de la pièce, vous trouverez une porte à moitié cachée par des caisses de bois. Derrière cette porte se trouvent les souterrains. Je vous y rejoindrai par une entrée secrète.

«Je vous en supplie, petite sœur, venez. J'ai tellement besoin de votre pardon... Brûlez cette lettre afin qu'elle ne tombe pas entre les mains de Marcus. Je vous ai causé assez d'ennuis comme cela. Je vous attendrai jusqu'à neuf heures. Si, à cette heure-là, vous n'êtes pas venue, je saurai que vous ne m'avez pas pardonné et ne vous embêterai plus. Votre dévoué Laurence»

Serrant la lettre entre ses mains, Xaviera, pensive, arpentait sa chambre de long en large.

«Que dois-je faire? Vais-je accepter de le revoir, de pardonner sa conduite brutale? Il est vrai que je suis en partie responsable de ce qui est arrivé. Mais j'ai peur. Si jamais il m'attaquait dans ces souterrains, personne n'en aurait connaissance. Mais pourquoi voudrait-il me faire du mal? Il a l'air sincèrement désolé. Je dois lui donner sa chance. Si je rétablissais une bonne entente entre nous, peut-être réussirais-je à convaincre Marcus de le laisser revenir vivre avec nous à Milton Manor!»

Tout à ses pensées, la jeune femme ne remarqua pas l'acharnement avec lequel Biskett malmenait la culotte qu'elle avait laissé tomber sur le sol.

Indignée par l'indifférence dont sa maîtresse faisait soudainement preuve à son égard, la petite chienne cherchait par tous les moyens à attirer son attention. Voyant que Xaviera ne réagissait pas à ce tumultueux massacre, elle sauta sur le lit, gratta les couvertures afin de se ménager un confortable oreiller et s'allongea sur ce nid douillet, boudeuse, soupirant à fendre l'âme.

Le brusque silence régnant dans la pièce tira Xaviera de ses interrogations. Cherchant la petite levrette, elle éclata de rire quand elle la vit princièrement installée sur les couvertures roulées en boule.

– Petite coquine, que fais-tu là?

Marquant son indignation, Biskett détourna la tête dans un grognement mécontent, peu encline à se laisser attendrir si facilement.

– Mais tu boudes, Biskett! s'exclama la jeune femme. Allons, viens. Ne fais pas ta mauvaise tête. J'ai besoin de tes conseils éclairés!

À force de flatteries et de cajoleries, la levrette daigna enfin s'approcher de sa maîtresse et posa son petit museau humide sur sa main, quémandant ses caresses.

– Qu'en penses-tu, Biskett? Devrais-je aller voir Laurence?

Un jappement aigu lui répondit.

– Eh bien! c'est décidé. J'irai à sa rencontre ce soir.

♦ ♦ ♦

Ayant prétexté une migraine, Xaviera s'était fait monter un plateau dans sa chambre. Elle en partageait le contenu avec une Biskett gourmande, tout en attendant anxieusement l'heure de son rendez-vous.

Le plus difficile serait de se rendre au rez-de-chaussée sans se faire remarquer.

Lorsque les aiguilles de sa petite horloge marquèrent huit heures, elle se dirigea vers le palier à pas de loup, veillant à ne pas faire craquer les lames du parquet. Elle descendit précautionneusement l'escalier, Biskett sur ses talons puis, prenant la direction des cuisines, elle avança lentement, intimant à la petite chienne d'exprimer moins bruyamment sa joie devant ce qu'elle croyait être un nouveau jeu.

Ouvrant la lourde porte de bois, elle s'empara du chandelier posé sur la première marche et descendit dans le cellier. Dégageant la petite ouverture cachée derrière les caisses de bois, Xaviera ordonna à Biskett de l'attendre.

– Tu restes ici. Je ne veux pas que tu te salisses. Ces souterrains doivent être poussiéreux à souhait et pleins de fils d'araignée. Si tu me suis, tu devras prendre un bain à notre retour.

Reconnaissant le mot qui, pour elle, annonçait mille tortures,

Biskett se coucha sagement, prête à patienter des heures durant sans bouger, pour éviter le contact détestable de l'eau.

– Je reviendrai bientôt. Sois sage.

Refermant la porte derrière elle, la jeune femme suivit le couloir, dégoûtée par l'atmosphère irrespirable, chargée de relents de vin et de particules de poussière.

Butant parfois sur le sol inégal, elle continuait son chemin dans ce dédale de corridors humides et sombres. La flamme des chandelles jetait une lumière parcimonieuse sur les murs, dessinant des ombres inquiétantes, guidant bien pauvrement les pas hésitants de la jeune femme. Angoissée, elle tendait l'oreille, guettant l'arrivée de Laurence.

«Comment me retrouvera-t-il dans ce labyrinthe? Il aurait dû me dire où, exactement, il souhaitait me rencontrer», songea Xaviera, le cœur étreint par la nervosité et un malaise sournois.

Depuis qu'elle était entrée dans ces longs tunnels noirs, elle avait la désagréable impression d'être suivie. Se retournant fréquemment, elle ne voyait que la pénombre qui se refermait sur elle. Frissonnante, elle s'encourageait mentalement à poursuivre, quand elle aperçut devant elle la façade d'une porte de bois vermoulu. Ce devait être là l'entrée secrète dont lui avait parlé Laurence dans sa lettre. Peut-être était-il en retard?

Posant son chandelier sur le sol froid, elle s'acharna sur le loquet rouillé. Il céda brusquement, le bruit sec la faisant sursauter. Tirant la porte vers elle dans un grincement sinistre, elle jeta un coup d'œil rapide. S'attendant à se trouver à l'extérieur du manoir, elle fut étonnée de déboucher dans une pièce minuscule, qui dégageait une odeur pestilentielle.

Xaviera recula de quelques pas afin de reprendre son chandelier, quand elle fut brutalement poussée par une main invisible. La porte se referma sur elle, la laissant seule et sans lumière dans cet espace étroit et nauséabond. Refusant de céder à la panique, elle chercha la poignée lui permettant de recouvrer sa liberté. Elle fut saisie par une terrible nausée quand elle découvrit que la porte se fermait et s'ouvrait uniquement de l'extérieur.

Terrifiée, elle tambourina de ses poings serrés sur le panneau de bois, sommant son agresseur de la laisser sortir.

– Laurence! Laurence! Ouvrez-moi. Pourquoi faites-vous cela?

Un éclat de rire à la consonance étrangement féminine lui répondit.

– Laurence, je vous en conjure! Ne m'abandonnez pas ici toute seule, hurla la jeune femme, désespérée.

«Un piège! Je suis tombée dans un piège, pensa-t-elle, affolée. Je me suis fait avoir. Maudit sois-tu, Laurence Milton!»

Se laissant glisser sur le sol humide, la jeune femme sombra dans le désespoir le plus profond. Personne ne la retrouverait ici. Elle était condamnée à mourir lentement de faim et de soif, si elle ne devenait pas folle.

«Mon Dieu, aidez-moi supplia-t-elle. Cela ne peut être Votre volonté de permettre que je périsse dans ce caveau puant.»

Enterrée vivante! La fin la plus horrible qui soit! S'enfonçant dans un accablement morbide, la jeune femme se remémorait les événements et les gens qui avaient marqué sa courte vie.

Son enfance passée dans une pauvreté sordide, ignorée par un père indigne, souffrant de l'absence d'une mère qu'elle n'avait jamais connue, protégée par la bonne Mary. La vente aux enchères, son humiliation, son désespoir, puis sa révolte, le suicide de son père, le chantage exercé sur Lord Milton, sa rencontre avec la bonne Lady Gilberte, son mariage, la conversation surprise entre Marcus et Lady Durham, la faute qu'elle avait commise en encourageant Laurence à la courtiser.

Tous ces souvenirs se bousculaient en elle, lui laissant un goût de cendre dans la bouche. Sa vie n'était que souffrance, combat, rébellion, haine. N'aurait-elle pas eu droit à sa part de bonheur avant de mourir de cette façon ignoble?

«Mon Dieu! si Vous existez, Vous ne pouvez laisser cette action s'accomplir. On me tue à petit feu depuis que je suis née. Ne méritais-je pas autre chose que cette existence torturée? Qui êtes-Vous donc pour regarder Vos protégés souffrir ainsi? N'avez-Vous donc pas de cœur? Allez-Vous laisser s'éteindre ma vie sans lever le petit doigt, sans foudroyer de Votre juste colère celui qui essaie de se débarrasser de moi? Mais qui êtes-Vous donc, celui que l'on appelle Notre Père?» criait silencieusement Xaviera.

Martelant le sol de ses poings, la jeune femme s'abandonna aux sanglots qui oppressaient sa poitrine. Des torrents de larmes inondaient son visage, libérant l'angoisse qui lui tiraillait les tripes.

Un couinement plaintif déchira le silence qui était tombé sur la petite pièce noire, les larmes de Xaviera se tarissant peu à peu. Apeurée, elle redressa la tête et poussa un cri d'horreur devant les deux petits yeux brillants qui la fixaient méchamment.

«Des rats! Oh! non, des rats! Ce n'est pas vrai. Pas cela!»

Elle sentait déjà leurs petites pattes froides griffer son corps, leurs petites dents pointues s'enfoncer voracement dans sa chair. Se levant d'un bond, elle secoua ses jupes violemment pour leur faire lâcher prise. Terrifiée presque jusqu'à l'hystérie, Xaviera hurlait, le cœur au bord des lèvres. Des dizaines de paires d'yeux la regardaient, lui confirmant la mort horrible qu'elle allait connaître.

«Dévorée par des rats! Oh! non, pas cela. Dieu, que Vous ai-je donc fait pour que Vous me haïssiez à ce point?»

Déjà, le plus gros des rongeurs s'avançait vers elle, prêt à l'attaque, ses crocs faisant une tache blanche dans la pénombre. Donnant le signal, il lança un cri perçant et se jeta sur Xaviera, suivi de près par les autres.

La jeune femme poussa un hurlement, maudissant celui qui l'avait condamnée à cette mort atroce.

♦ ♦ ♦

– Adderly, va voir où est ce damné chien et fais-le taire,

ordonna Marcus, fortement agacé par les aboiements aigus et paniqués de Biskett.

Obéissant avec célérité, le valet de chambre entreprit des recherches dans toute la maison. En approchant des cuisines, il vit la petite chienne qui sautillait devant la porte du cellier, grattant frénétiquement le sol de ses pattes. De peur d'effaroucher la levrette et de la faire fuir, Adderly s'agenouilla et l'appela doucement.

Biskett, trop heureuse que quelqu'un ait enfin répondu à ses appels désespérés, se jeta sur lui en aboyant de plus belle.

Adderly poussa une exclamation de surprise quand il vit que les pattes de la petite chienne étaient tout ensanglantées. La prenant délicatement dans ses bras, il partit au pas de course vers la chambre de son maître.

– J'ai trouvé la chienne, Votre Grâce. Elle fait pitié à voir.

– Où était-elle? demanda Marcus, peu intéressé par l'état de santé de la petite boule de poils qui avait troublé sa paix une bonne partie de la soirée.

– Devant le cellier, milord.

Levant un sourcil étonné sur son valet de chambre, il dit:

– Drôle d'endroit! Normalement, elle se trouve dans les appartements de ma femme. Enfin! Va l'y reconduire, Adderly, et veille à ce qu'elle ne m'embête plus.

– Très bien, Votre Grâce.

Le valet de chambre déambula jusqu'au bout du couloir et frappa discrètement à la porte de la chambre de Xaviera, retenant tant bien que mal la petite chienne qui se débattait et gémissait.

Ne recevant pas de réponse, il rebroussa chemin et informa son maître de l'absence de Lady Milton.

Impatienté, Marcus grogna:

– Va trouver Polly, sa femme de chambre, et remets-lui le chien. Enfin, débrouille-toi!

Obtempérant sans discuter, Adderly repartit, se dirigeant cette fois vers les combles, où se situait la chambre de Polly.

Cette dernière ouvrait la porte au moment où le valet de chambre levait la main pour y frapper quelques coups.

– Que fais-tu là? demanda la jeune fille, étonnée.

Puis, remarquant enfin la petite chienne gémissante, elle l'accusa:

– Que fais-tu avec le chien de mademoiselle Xaviera? Pauvre bête! quels traitements cruels lui as-tu infligés? Elle est couverte de sang.

– Je n'ai pas touché à cette bestiole, riposta Adderly, hautain. Je l'ai retrouvée, telle que tu la vois, devant la porte du cellier, et je cherchais Lady Milton afin de la lui remettre. Comme milady n'était pas dans sa chambre, je te la ramène.

Ce disant, il lui fourra la levrette dans les bras et s'éloigna sans rien ajouter.

– Attends, Adderly! s'écria Polly, courant pour le rattraper. Mademoiselle Xaviera n'est pas dans sa chambre, dis-tu? Mais... Je lui ai apporté un plateau pour le dîner parce qu'elle était souffrante. Et puis, ce n'est pas dans ses habitudes de laisser Biskett se promener dans la maison. Elle doit être très malade. Viens avec moi.

Ennuyé, Adderly se laissa entraîner par une Polly alarmée.

Elle pénétra sans frapper dans les appartements de Lady Milton et demeura surprise devant le lit défait mais vide. Déposant Biskett sur le plancher, elle se dirigea vers le cabinet de toilette et appela sa maîtresse à voix basse.

La petite levrette, enfin libre, se sauva aussitôt, passant entre les jambes d'Adderly.

– Ce sale chien s'enfuit, cria-t-il.

Alertée par le comportement inhabituel de Biskett et par l'absence de Xaviera, Polly s'écria, paniquée:

– Il est arrivé quelque chose à mademoiselle Xaviera.

Se ruant dans le couloir, elle se heurta à Lord Milton.

– Que se passe-t-il dans cette maison? demanda-t-il, retenant brusquement la femme de chambre.

– Mademoiselle Xaviera n'est pas dans sa chambre, Votre Seigneurie. Je suis très inquiète, je l'avoue.

– Je ne vois là aucune raison de s'affoler.

– Vous ne comprenez pas. Jamais mademoiselle Xaviera ne laisserait Biskett errer seule dans la maison. Elle sait que cela vous déplaît. La chienne s'est blessée je ne sais où, et quand je l'ai déposée par terre, elle s'est enfuie aussitôt.

Agacé par ces explications embrouillées, Marcus soupira:

– Allons donc à la recherche de cette satanée boule de poils. Peut-être découvrirons-nous par la même occasion où se cache ma femme.

De concert, ils empruntèrent le même chemin qu'Adderly avait suivi quelques minutes plus tôt.

Ils retrouvèrent Biskett qui se trémoussait et se lamentait devant la porte du cellier. Se munissant d'un chandelier, ils entrèrent dans la pièce, le petit chien les devançant en aboyant rageusement, s'immobilisant soudain devant les caisses de bois.

– Mais c'est la porte qui conduit aux souterrains! Qu'est-ce que ma femme pourrait bien y faire?

Ordonnant aux deux domestiques de rester là où ils étaient et de garder le chien avec eux, Marcus entreprit de parcourir les couloirs sombres et humides, se demandant quelles nouvelles bêtises sa femme avait bien pu inventer.

Il emprunta souvent le mauvais chemin, se trouvant soudain devant un mur de pierres qui l'empêchait d'aller de l'avant. Après maintes recherches et tentatives infructueuses, il rencontra la porte de bois vermoulu derrière laquelle des gémissements assourdis se faisaient entendre.

Tirant le panneau vers lui, il poussa une exclamation d'horreur à la vue du spectacle qui se présentait à ses yeux.

Xaviera, les cheveux en bataille, se couvrait le visage de ses mains ensanglantées, n'offrant que peu de résistance à l'assaut de dizaines de rats énormes. Marcus entra dans la petite cave et frappa de ses mains nues les rongeurs qui s'accrochaient aux jupes de sa femme. La prenant dans ses bras, il la sortit de cette pièce de cauchemar et l'assit dans le couloir, à même le sol.

Saisissant ses mains glacées, il les frotta entre les siennes, cherchant à communiquer sa chaleur à Xaviera, visiblement en état de choc.

Tremblante, la jeune femme prononçait des phrases incompréhensibles d'une voix à peine audible, levant des yeux hagards sur son mari, qu'elle ne semblait pas reconnaître.

– Xaviera, dit celui-ci doucement. Xaviera, tout va bien, maintenant. Vous êtes en sécurité. Il n'y a plus de danger.

Retenant avec peine les questions qui se bousculaient sur ses lèvres, Marcus examina rapidement sa femme. Ses jambes, ses bras et son cou portaient la marque de nombreuses morsures. Il fallait s'occuper d'elle immédiatement, sinon elle mourrait empoisonnée.

– Où est Laurence? articula la jeune femme avec difficulté.

– Laurence? s'étonna Marcus. Vous délirez, Xaviera. Laurence n'habite plus ici depuis fort longtemps.

– Non. Il est là, protesta-t-elle faiblement, peu convaincante.

– Nous en reparlerons plus tard. Pour l'instant, il m'apparaît urgent de vous donner des soins.

Il installa sa femme sur son épaule comme le font les paysans avec leurs sacs de grains, saisit le chandelier de sa main libre et se dirigea à grands pas hâtifs vers la sortie, souhaitant ardemment ne pas se tromper de chemin. La vie de sa femme dépendait de la rapidité avec laquelle elle recevrait un traitement approprié.

Les aboiements joyeux de Biskett se transformèrent en hurlements tragiques quand elle vit sa maîtresse inconsciente, enterrant les exclamations effarées de Polly.

– Mon Dieu! Mademoiselle Xaviera. Que s'est-il passé?

– L'heure n'est pas aux questions inutiles, Polly. Allez chercher Mary et dites-lui d'apporter dans la chambre de Lady Milton tout ce qu'il faut pour soigner des morsures de rats.

– Des morsures de rats? s'écria la femme de chambre, les yeux dilatés d'horreur. Mais...

– Allez, Polly, la coupa Marcus. Et dépêchez-vous!

Pendant que la jeune fille courait à la recherche de Mary, Lord Milton, suivi par un Adderly impressionné, monta Xaviera à l'étage. Chassant d'un pied impatient Biskett qui sautillait autour de lui, il l'étendit doucement sur son lit.

Puis, se tournant vers le valet qui se dandinait d'un pied sur l'autre, indécis, il dit:

– Va aux cuisines et demande qu'on fasse chauffer de l'eau. Et puis rapporte des couvertures. Elle est transie. Elle va mourir de froid. Allez, presse-toi.

Occupé à débarrasser sa femme de ses vêtements déchirés, il n'entendit pas entrer Mary.

– Dieu tout-puissant! Qu'avez-vous fait à ma chatte? l'apostropha-t-elle, les yeux brillant de colère.

Oubliant la peur que lui inspirait cet homme au regard étrange, elle l'affrontait, les poings crispés sur ses hanches rebondies.

– Mary, laissez tomber, voulez-vous? Occupez-vous plutôt d'elle, elle en a besoin.

Laissant la vieille femme entonner une litanie de jérémiades alors qu'elle se mettait à la tâche, Marcus sortit de la chambre en se demandant ce que Xaviera avait voulu dire par «Où est Laurence ?».

♦ ♦ ♦

– Avez-vous bien dormi, mademoiselle Xaviera? s'enquit Polly d'une voix pressante.

– Pas vraiment. J'ai fait d'horribles cauchemars. Où est Mary?

– Elle vous a veillée toute la nuit. À l'aube, j'ai réussi à la convaincre de prendre un peu de repos. Elle était épuisée, la pauvre!

– Bonne Mary, murmura Xaviera d'une voix faible. Viens m'aider, Polly. Je voudrais me rafraîchir un peu. Je me sens toute poisseuse.

– Ce doit être le baume à base d'écorce de frêne que Mary a appliqué sur vos blessures pour empêcher la fièvre de vous emporter. Même s'il est visqueux, il est bien efficace, puisque vous voilà mieux ce matin, babilla Polly, réjouie de voir sa maîtresse saine et sauve.

– Tu me fatigues, Polly, avec tes bavardages, dit Xaviera doucement. Viens plutôt m'aider à me lever. Pendant que je ferai ma toilette, tu me raconteras comment vous m'avez retrouvée.

Accédant sans se faire prier à la requête de la jeune femme, Polly se lança dans un récit détaillé des événements de la veille, mettant l'accent sur l'indescriptible inquiétude de Lord Milton face à la disparition de sa femme, et enjolivant les faits à l'extrême.

– On peut dire que vous nous avez causé une belle frousse, mademoiselle Xaviera! acheva la femme de chambre, reprenant son souffle.

Frissonnant de peur rétrospective, Xaviera pensa pour elle-même que personne n'avait pu être plus effrayé qu'elle.

– Où est Biskett? demanda-t-elle, désireuse d'éloigner ses pensées de ce cauchemar atroce.

– Elle est avec Lynn, dans la petite pièce où Mary prépare ses potions. À l'heure qu'il est, elle doit se régaler d'un plat de rognons rôtis, après avoir été baignée et pansée. Vous lui devez une fière chandelle, mademoiselle Xaviera! Sans elle, vous seriez probablement encore dans ce trou à rats!

– Je t'en prie, Polly. Cesse de me rappeler cette horrible expérience.

– Pardon, mademoiselle... je ne voulais pas... euh!..., bredouilla la servante, penaude.

– Ça va! ça va! Oublions tout cela. Aide-moi plutôt à m'asseoir sur cette chaise, et ensuite tu t'occuperas de changer mes draps. Je ne me sens pas très forte et je ne me ferai pas prier pour réintégrer le confort de mon lit. J'ai les jambes comme de la guenille.

– Ce doit être la potion de mandragore que vous a fait boire Mary. Elle avait bien dit que vous vous sentiriez toute chose, ce matin.

Jetant un froid sur cette atmosphère tranquille et agréable, Lord Milton entra sans s'annoncer, le visage fermé, les yeux sévères.

«Ça augure bien! pensa Xaviera, peu désireuse de faire face à son mari. Il a l'air aussi engageant qu'un bouledogue qui vient d'attraper la rage!»

Faisant signe à la femme de chambre de les laisser seuls, Marcus s'avança de son pas assuré et dit:

– Vous sentez-vous assez bien pour que nous ayons une petite conversation?

Encore choquée par l'accident de la veille, bien qu'elle essayât de l'oublier avec ferveur, Xaviera hésitait, se sachant vulnérable.

– Si vous pensez pouvoir discuter calmement, je n'y vois pas d'objections, répondit-elle, faisant contre mauvaise fortune bon cœur.

S'asseyant sans façon sur le bord du lit, il commença à l'interroger.

– Que faisiez-vous dans les souterrains? Ils sont condamnés depuis des années.

Réalisant que la partie serait dure, Xaviera décida de jouer franc-jeu.

– J'avais un rendez-vous avec Laurence.

– Et pour quels motifs deviez-vous rencontrer mon frère en cachette? demanda-t-il, les traits durcis.

– Il m'a envoyé un message disant qu'il avait besoin de me voir de toute urgence, qu'il désirait que je lui pardonne toutes les méchancetés qu'il m'avait dites sous le coup de la colère.

– La belle histoire que voilà! ricana Marcus. Je constate que votre imagination est toujours intacte.

– Que voulez-vous dire? s'indigna-t-elle, les yeux fulgurants.

– Que vous aviez un rendez-vous galant, tout simplement.

– Comment osez-vous? Si nous avions eu un rendez-vous galant, commme vous dites, nous aurions choisi un lieu plus romantique que ces catacombes sinistres.

– Plus rien ne m'étonne, venant de vous! Peut-être que l'idée de rencontrer mon frère dans ces souterrains secrets vous excitait-elle?

– Vous êtes odieux! De quel droit vous permettez-vous de douter de ma parole?

– Eh bien! disons que, jusqu'à aujourd'hui, vous ne m'avez guère donné d'occasions d'avoir confiance en vous. Pour vous croire, j'ai besoin d'une preuve.

– Quelle preuve? Nommez-la, je vous la donnerai sur-le-champ, répondit Xaviera, décidée à forcer son incrédulité.

– Très bien! Montrez-moi le message de Laurence.

– Mais... je ne l'ai plus. Il me demandait de le brûler aussitôt après avoir pris connaissance de son contenu. Il avait peur que vous ne mettiez la main dessus et que cela me cause des problèmes.

– Admirable! railla Marcus, sardonique. Vous arriveriez presque à me faire croire en votre sincérité, si je ne connaissais mieux votre esprit tortueux.

– Je vous interdis...

– Vous êtes bien mal placée pour interdire quoi que ce soit à qui que ce soit, la coupa-t-il d'un ton sec. Je vous demande une simple preuve de ce que vous avancez et vous êtes dans l'impossibilité de me la fournir. Cela me confirme donc dans ma première impression. Vous alliez rejoindre votre amant, lui donnant généreusement quelques heures à la sauvette.

– Vous n'êtes qu'un butor! cria-t-elle, enragée. Premièrement, Laurence n'a jamais été mon amant. Deuxièmement, vous pouvez vérifier avec Soams et Polly qu'un messager est venu livrer une lettre pour moi, hier, en fin d'après-midi.

– Est-ce que Soams ou Polly aurait lu cette lettre?

– Non, mais...

– Alors, qu'est-ce que cela prouve?

– Mais vous êtes incroyable! Comment expliquez-vous le fait que je me sois retrouvée enfermée dans cette cave à rats, alors? Je suis tombée dans un piège.

– Un piège? C'est la meilleure! Vraiment, Xaviera, vous m'épatez. Et qui serait l'instigateur de cette sombre machination? demanda Marcus, moqueur.

– Je ne sais pas. Peut-être est-ce Laurence lui-même. Peu importe l'identité de la personne, toujours est-il que quelqu'un m'a poussée dans cette pièce dans l'intention de m'y laisser mourir.

– Quel mélodrame! Xaviera, vous êtes imbattable!

Folle de rage, elle se mit à hurler.

– Comment croyez-vous que j'aie pu être prisonnière dans cette cave, sinon par la volonté de quelqu'un d'autre, puisque le loquet de la porte ne s'actionne que de l'extérieur? Comment expliquez-vous le fait que les caisses de bois aient été replacées devant la porte des souterrains après que je l'aie dégagée? Comment expliquez-vous que Biskett ait été retrouvée à l'extérieur du cellier, alors que je l'avais laissée à l'intérieur lui intimant de m'attendre? Je suis un être de chair et de sang, je ne peux traverser murs et portes à volonté! Puisque ce n'est pas moi qui ai effacé les traces de mon passage, c'est forcément quelqu'un d'autre. Et ça? compléta-t-elle en lui brandissant ses bras sous le nez. Ces morsures de rats, qu'en faites-vous? Ah! mais j'oubliais! Selon vous, je suis une petite personne machiavélique. Naturellement, c'est moi qui ai incité ces bestioles à m'attaquer par pur plaisir, n'est-ce pas?

– Dieu tout-puissant! Qu'êtes-vous en train de lui faire? demanda Mary, indignée, qui venait d'entrer. Ne voyez-vous pas qu'elle est au bord de la syncope? Allez-vous-en. Sortez d'ici immédiatement. Je ne veux rien entendre. Sortez ou je me chargerai moi-même de vous faire quitter cette pièce.

Telle une louve qui défend farouchement ses petits, Mary, les yeux flamboyant de colère, campée dans une attitude de combat, attendait que Lord Milton se plie à sa volonté.

Tout en s'éloignant, il lança:

– Vous avez manqué votre vocation, Xaviera. Vous auriez dû devenir actrice. Vous feriez pleurer les pierres.

– Dehors! cria Mary, outrée.

Se laissant submerger par la nervosité et la faiblesse qu'elle avait combattue tout au long de leur affrontement, Xaviera riait aux éclats, le visage blême, inondé de larmes qu'elle versait inconsciemment.

– Dieu tout-puissant! Ma pauvre chatte. Que t'a-t-il encore fait, ce suppôt de Satan? Laisse, laisse. Tu me raconteras plus tard. Pour l'instant, tu dois te reposer. Je resterai à tes côtés jusqu'à ce que tu te réveilles. Crois-moi, il ne reviendra pas t'embêter de sitôt.

CHAPITRE XV

Quelques jours plus tard, Xaviera, complètement remise de cette malencontreuse histoire, reprenait ses leçons d'équitation.

Désireuse de rattraper le temps perdu, elle redoubla d'ardeur, se dépensant sans compter, au point d'être épuisée. Cette fatigue du corps l'engloutissait dans un sommeil de plomb lui apportant l'oubli des tortures morales qui l'assaillaient sans cesse.

L'idée que quelqu'un, peut-être même Laurence, voulait sa perte, la faisait sombrer dans un abîme sans fond. Elle devait rassembler toutes ses forces, toute son énergie pour repousser cette pensée horrible, inquiétante.

Grimpant les marches de l'imposant escalier à la course, elle rentrait cet après-midi-là d'une randonnée échevelée qui l'avait libérée de toute sa tension. D'humeur joyeuse, elle pénétra dans sa chambre en coup de vent, accueillie par les aboiements intempestifs de Biskett, qui manifestait bruyamment sa joie de voir revenir cette maîtresse qu'elle adorait.

Tout en cajolant la petite levrette qui lui avait sauvé la vie, Xaviera s'approcha de son lit, où elle désirait s'étendre un peu avant de se plonger dans son bain.

S'arrêtant net, elle contempla son lit avec stupeur.

Puis la peur lui étreignit le cœur, ramenant en elle le flot d'émotions qu'elle s'efforçait en vain de faire taire depuis quelques jours.

Une petite effigie de cire tout habillée de noir et allongée dans un cercueil en bois la narguait, bien en vue sur ses couvertures.

Une note, laissée à côté de l'objet répugnant, disait: «Ton heure approche».

Xaviera était incapable du moindre mouvement, comme paralysée.

C'est ainsi que la trouva Polly, venue voir si sa maîtresse avait besoin d'aide.

Ayant frappé à plusieurs reprises sans recevoir de réponse, elle était entrée, découvrant Xaviera dans cette attitude de contemplation.

– Vous ne vous sentez pas bien, mademoiselle Xaviera?

– Oui... non..., balbutia-t-elle, cherchant à reprendre ses esprits.

Pointant du doigt la poupée, elle demanda d'une voix éteinte:

– Est-ce toi qui as mis cette chose sur mon lit?

Curieuse, Polly s'approcha à son tour et se signa rapidement.

– Mon Dieu non, mademoiselle Xaviera! Je n'aurais jamais fait une chose pareille. J'espère que vous me croyez?

– Oui, je te crois, Polly. Va immédiatement chercher Mary, sans dire un mot de tout cela à personne.

Quand la femme de chambre revint, accompagnée de Mary, Xaviera avait retrouvé un semblant de calme, combattant de toutes ses forces la vague de panique qui menaçait de l'emporter.

– Mary, regarde cette chose et dis-moi ce que c'est vraiment.

– Dieu tout-puissant! C'est un voult, souffla la bonne vieille, la main crispée sur la croix qui nichait sur son ample poitrine.

– Qu'est-ce qu'un voult?

– C'est une poupée qui sert à des fins d'envoûtement, expliqua Mary, terrifiée. On la façonne à l'image de celle ou celui que l'on désire avoir en son pouvoir.

– Est-ce que, normalement, on les couche dans un cercueil?

– Non, répondit Mary, brièvement, souhaitant que Xaviera ne pousse pas ses questions plus loin, peu désireuse d'inquiéter la jeune femme.

– Alors? Qu'est-ce que cela veut dire? s'impatienta-t-elle, angoissée.

– Eh bien!... euh!... Dieu tout-puissant! je ne peux y croire.

– Mary! Réponds-moi.

– Si je m'en réfère aux rudiments de magie noire que j'ai en ma possession, cette poupée n'est plus d'aucune utilité pour celui ou celle qui l'a fabriquée puisqu'on te l'a envoyée. C'est un avertissement.

– De quel ordre?

– Je crois que la note qu'on t'a laissée est très explicite. On te veut du mal.

– Mais encore? insista Xaviera.

– On souhaite ta mort, dit Mary, à la torture.

Bien que la jeune femme se défendît de toutes ses forces d'entrevoir cette éventualité, les paroles de la bonne vieille confirmaient ses doutes, lui causant un choc.

– Qui? Qui à Milton Manor a pu avoir l'audace et la méchanceté d'apporter cela dans ma chambre sans que quiconque en ait connaissance?

Polly, qui s'était tenue coite depuis l'arrivée de Mary, dit:

– Franchement, mademoiselle Xaviera, je n'en ai aucune idée! Je connais tous les domestiques de la maison et je ne les crois pas capables de faire une chose pareille.

– Pour de l'argent, n'importe qui ferait n'importe quoi,

même le serviteur le plus fidèle, répliqua la jeune femme, désabusée. Polly, Mary, vous allez me rendre un service. Essayez, avec beaucoup de discrétion et sans trop d'insistance, d'interroger le personnel. Peut-être mettrons-nous la main sur le coupable.

Rappelant les deux femmes qui s'éloignaient déjà, pressées de mener leur enquête, Xaviera ajouta d'une voix dure:

– Et pas un mot de tout cela à mon mari! S'il était mis au courant de cet incident, je vous en tiendrais pour responsables. C'est compris?

Sur un hochement de tête affirmatif, Polly et Mary quittèrent leur maîtresse, la laissant à ses pensées.

«Marcus doit rester dans l'ignorance de ce qui m'est arrivé. Dans l'état d'esprit où il se trouve, il pourrait bien m'accuser d'avoir moi-même fabriqué cette poupée afin d'étayer mon hypothèse selon laquelle quelqu'un m'aurait volontairement enfermée dans les souterrains, dans le but de m'y laisser mourir!»

♦ ♦ ♦

Le soir même, les deux femmes vinrent faire leur rapport.

À la vue de leurs visages sombres, Xaviera comprit aussitôt qu'elles avaient échoué.

– Nous avons fait tout ce qui était en notre pouvoir, mademoiselle Xaviera, mais personne n'est au courant de rien, dit Polly.

– Il fallait s'y attendre. Je vous remercie toutes les deux. Mais n'oubliez pas la consigne. Sous aucun prétexte, Marcus ne doit être informé de cet… événement.

– Mais...

– Non, Mary. J'y tiens.

– Bien, si c'est ce que tu désires. Mais je ne suis pas d'accord. Ton mari serait peut-être en mesure de t'aider, s'il savait ce qui se trame sous son toit.

– N'insiste pas! s'entêta la jeune femme. Maintenant, laissez-moi, je suis fatiguée.

Restée seule, Xaviera s'allongea sur son lit, tentant d'endiguer le flot d'émotions qui se déversait en elle. S'astreignant au calme, elle essayait de réfléchir froidement.

Qui avait intérêt à la menacer, à la voir disparaître? Laurence? Peut-être avait-il des motifs suffisants pour vouloir se venger si on suivait le chemin tortueux de sa folie. Mais sa soif de représailles atteignait-elle un si haut sommet qu'il désirât la tuer? Si oui, en avait-il le pouvoir?

Depuis bientôt deux mois, il avait quitté Milton Manor sans donner signe de vie, abstraction faite du message qu'elle avait reçu quelques jours auparavant. Mais était-ce bien Laurence l'expéditeur de cette missive? Sinon, c'était quelqu'un qui les connaissait tous assez bien pour être au courant de la terrible scène qui avait eu lieu entre eux. Qui d'autre pouvait souhaiter son anéantissement?

Alice Durham? Xaviera se rappelait l'avoir entendu dire qu'elle la tuerait si elle lui ravissait l'amour de Marcus. Mais ces paroles n'étaient-elles pas uniquement l'expression d'une absurde et maladive jalousie? Devait-elle y attacher de l'importance? De plus, les liens qui les unissaient, Laurence et elle, étaient-ils intimes au point que le jeune homme ait confié à la maîtresse de son frère l'humiliation dont il avait été l'objet? À la lumière de ce qu'elle savait, la jeune femme ne le croyait pas. Mais alors? Qui restait-il? Marcus?

Depuis quelque temps, cette idée obsédante s'était sournoisement glissée dans son esprit, la torturant sans relâche. Son mari était probablement l'être humain le plus susceptible de vouloir sa mort. Il la détestait pour lui avoir volé sa liberté sous la menace de révéler sa liaison scandaleuse avec Lady Durham. Mais était-ce une raison valable pour désirer se débarrasser d'elle?

Naturellement, si l'on ajoutait à cela l'aventure qu'il croyait exister entre elle et Laurence, le compte y était. De plus, Marcus vivait sous le même toit qu'elle. Il avait donc la possibilité de mettre ses projets à exécution.

Xaviera, malgré tous les griefs qu'elle retenait à l'encontre de son mari, ne pouvait croire qu'il s'abandonnerait à cette extrémité. C'était tout de même lui qui était venu à son secours dans les souterrains. Mais, d'un autre côté, peut-être y avait-il été obligé afin de sauver la face devant Polly et Adderly?

Impatientée par cette ronde de questions qui tournaient constamment dans sa tête et qui demeuraient sans réponse, la jeune femme s'enfouit sous les couvertures, en dépit de l'air chaud et humide qui pénétrait par la fenêtre ouverte, bien décidée à trouver le repos.

♦ ♦ ♦

Couverte de sueur, assise au milieu des draps ravagés par un sommeil agité, Xaviera ouvrait de grands yeux affolés.

La peur grandissait en elle tandis qu'elle scrutait l'obscurité. Elle avait senti une présence, voilà ce qui l'avait réveillée.

Paniquée, elle regarda autour d'elle, cherchant à percer l'épaisseur de la nuit.

– Qui est là? murmura-t-elle.

En entendant un bruissement près de la porte qui donnait sur le couloir, elle fut certaine de n'avoir pas rêvé. N'osant bouger, de peur que son visiteur ne lui tombe dessus, elle retint son souffle, ravalant les hurlements de frayeur qui ne demandaient qu'à franchir ses lèvres.

Après ce qui lui parut une éternité, ne percevant plus le moindre bruit, elle se décida enfin à se lever. Elle alluma fébrilement les chandelles et leur lumière éclaira la pièce d'un halo rassurant. Elle respira enfin plus librement.

Son regard tomba sur Biskett, roulée en boule dans son panier, dormant du sommeil du juste, paisible.

«Pourquoi n'a-t-elle pas aboyé? Je n'ai pas rêvé. Il y avait quelqu'un dans ma chambre. Alors, pourquoi ne m'a-t-elle pas avertie? À moins qu'elle ne connaisse mon visiteur?» songea la jeune femme, angoissée.

Faisant le tour de ses appartements, elle mit le pied sur un bout de papier. Le cœur battant, elle se pencha et le ramassa.

Hésitante, elle le déplia et lut:

«Comment vous sentez-vous? Les rats n'ont pas eu raison de vous, mais ce n'est pas grave. Que pensez-vous de la poupée? Elle est jolie, bien allongée dans son cercueil, n'est-ce-pas? Bientôt, ce sera vous!»

Folle de terreur, Xaviera se précipita sur son lit et s'enroula dans ses couvertures, puisant à leur contact un maigre réconfort. Le souffle court, elle luttait contre la nausée qui lui soulevait le cœur.

«Mon Dieu! que vais-je faire? Je ne peux rester ici à attendre qu'on m'assassine!»

Les questions tourbillonnèrent de plus belle dans sa tête, toujours sans lui apporter de réponses.

♦ ♦ ♦

– Mais que faites-vous, mademoiselle Xaviera? Seriez-vous malade? demanda Polly, étonnée de voir sa maîtresse, les yeux cernés et hagards, les couvertures ramenées sous le menton.

– Physiquement, ça peut aller. Mais, moralement, c'est autre chose, répondit-elle d'une voix faible, en regardant sa femme de chambre ramasser les bouts de chandelle qu'elle avait laissés se consumer toute la nuit.

– Qu'avez-vous, mademoiselle Xaviera?

– Lis cela, dit cette dernière, en lui tendant le papier qu'elle avait trouvé.

Polly poussa une exclamation d'indignation.

– Mais qu'est-ce que ça veut dire?

– On veut se débarrasser de moi. C'est clair, il me semble.

– Allons, allons. C'est impossible. Qui donc pourrait vous haïr à ce point?

– En tout cas, une chose est certaine, on essaie de m'effrayer.

– Voulez-vous que je vous dise? Vous n'avez qu'à laisser circuler le bruit que celui ou celle qui vous joue ces ignobles tours sera renvoyé. Je vous jure que tout ce cirque s'arrêtera instantanément. Je crois qu'on cherche seulement à s'amuser à vos dépens.

– Drôle de façon de se divertir. Je n'apprécie pas ce genre d'humour, rétorqua la jeune femme avec humeur.

L'attitude insouciante de Polly l'agaçait et la rassurait tout à la fois. Peut-être avait-elle monté en épingle ce qui se voulait être une simple farce?

«Que je ne tombe pas sur celui qui se permet de me mettre les nerfs en pelote, simplement par besoin de distraction. Les oreilles lui chaufferont pour l'éternité.»

Rassérénée par cette hypothèse qui, quoique présentant un aspect d'humour sadique, avait le pouvoir de balayer ses craintes les plus folles, la jeune femme sauta hors du lit, prête à attaquer cette nouvelle journée.

♦ ♦ ♦

Xaviera ramena les rênes vers elle et ralentit l'allure de sa jument. Le cœur débordant de la joie sauvage que lui procuraient toujours ces galops effrénés, elle riait aux éclats, flattant l'encolure de Shakespeare.

La jument, les flancs couverts d'écume, était épuisée par le train d'enfer que lui avait imposé sa cavalière. Sautant d'un bond léger sur le sol desséché, Xaviera lui parla, l'apaisant de sa voix douce.

– Tu es une bonne fille, Shakespeare. Tu as bien mérité de te reposer. Viens, je vais te mener jusqu'à la rivière. Tu pourras boire jusqu'à plus soif. Et de retour à l'écurie, je demanderai qu'on te donne double ration d'avoine.

Comme si elle avait compris, la jument lui poussa l'épaule en hennissant.

– Quel charmant spectacle! dit une voix moqueuse, faisant sursauter la jeune femme.

Se tournant tout d'un bloc, ses yeux s'agrandirent de surprise devant l'homme qui lui faisait face.

De grande taille, vêtu de noir, il montait un superbe étalon à la robe couleur de jais. Le visage dissimulé sous une cagoule noire, tel l'ange de la mort, il pointait un revolver sur la jeune femme, ne laissant guère de doute quant à son identité et ses intentions.

«Un voleur de grand chemin, pensa Xaviera. Voilà bien ma veine !»

– Que voulez-vous? demanda-t-elle, plus en colère qu'apeurée.

– Vous le savez bien, ma belle. Tout ce que vous pourrez m'offrir.

– Quel dommage! Mais je n'ai aucun objet de valeur sur moi. Comme il vous est facile de le constater, je ne possède rien de ce que vous recherchez habituellement chez vos riches victimes.

– Cela dépend du point de vue, répondit-il, goguenard, en descendant de sa monture. Savez-vous que vous avez une drôle de façon de vous habiller? ajouta-t-il. Votre mari aurait le droit de vous battre s'il apprenait que vous osez vous promener vêtue comme un homme. Vous êtes bien mariée, n'est-ce pas?

– Oui. Mais je ne vois pas en quoi cela vous intéresse.

Voyant qu'elle tentait une retraite vers Shakespeare qui s'était éloignée, l'homme l'arrêta d'un ton sec:

– Ne vous sauvez pas, ma belle! Je n'hésiterai pas à tirer si vous faites le moindre mouvement brusque. Je n'en ai pas fini avec vous.

– Puisque je vous ai dit n'avoir ni bijoux ni argent sur moi.

– Qui vous parle de ces babioles? Vous avez d'autres attraits... assez plaisants, ma foi...

Réalisant enfin où il voulait en venir, Xaviera rougit de colère.

– Si vous pensez pouvoir me violer sans que je me défende, détrompez-vous.

– Allons, allons. Je ne vois personne, ici, animé de telles intentions. Je veux seulement... un gage. Un baiser de vous serait le plus beau des trésors.

– Oh! Vous semblez oublier que je suis mariée, monsieur, lança Xaviera, tout en sachant que c'était là une pauvre défense.

– Et puis? Seriez-vous fidèle à votre époux au point de ne pas me donner un baiser, même si vous risquiez d'y perdre la vie? Vous m'étonnez.

– J'aime mon mari et je lui suis fidèle, affirma-t-elle avec aplomb, espérant le convaincre de la laisser partir.

– Voilà qui est intéressant. J'avais entendu dire que vous trompiez Lord Milton sans vergogne.

– Comment savez-vous qui je suis?

– Je sais tout, ma belle. Pour exercer un métier comme le mien, c'est nécessaire, je dirais même vital.

– Peu importe, on vous a mal renseigné. Je n'ai jamais trompé mon mari.

– Je suis heureux de l'apprendre. Mais je ne vous crois pas. Une belle femme comme vous doit avoir tous les hommes de sept à quatre-vingt-sept ans étendus à ses pieds, dit-il en s'avançant tranquillement.

– N'approchez pas! Ne me touchez pas! cria la jeune femme, cédant à la panique.

– Du calme, ma belle! Je ne veux qu'un baiser. Je vous en donne ma parole. Je n'ai pas le tempérament d'un violeur, chuchota-t-il, la saisissant doucement par les épaules.

Que pouvait-elle faire d'autre? Mieux valait un baiser volé qu'une balle dans la peau.

Elle ne put voir le sourire moqueur qui étirait les lèvres de l'homme à travers l'ouverture pratiquée dans l'étoffe noire, à la hauteur de la bouche. Il fondit sur elle et l'embrassa sauvagement, passionnément.

La jeune femme, ses belles résolutions envolées, se débattit comme un diable. Profitant de ce que la vigilance de son assaillant s'était relâchée, elle réussit à agripper sa cagoule et tira d'un coup sec.

– Vous? souffla-t-elle, les jambes coupées sous le choc.

Marcus souriait de toutes ses dents, visiblement peu embarrassé qu'elle l'ait ainsi démasqué.

– Vous! répéta-t-elle, folle de rage. Pourquoi toute cette comédie?

– Pour le simple plaisir de vous faire enrager, répondit-il, narquois, un éclair de satisfaction brillant dans ses yeux étranges. Je ne regrette pas ce que j'ai fait, d'autant plus que vous m'avez appris des choses fort intéressantes. Par exemple, votre brûlant amour à mon égard.

À court de répliques, estomaquée par tant d'arrogance et d'outrecuidance, Xaviera enfourcha Shakespeare et s'éloigna au grand galop, sous le salut ironique de son mari.

♦ ♦ ♦

Elle pénétra dans sa chambre à la vitesse d'une tornade et claqua violemment la porte, faisant trembler les murs.

«Quel culot! Me faire ça à moi! M'humilier de la sorte. Oh! je le hais. Je le hais! Si je pouvais le réduire en poussière. Quel plaisir! Quelle délivrance! Sale individu!»

Furieuse, elle arpentait sa chambre à grands pas, repoussant avec brusquerie la petite levrette qui tournoyait autour d'elle, quémandant une caresse.

Se dirigeant vers son cabinet de toilette, désireuse d'asperger d'eau fraîche son visage enflammé et d'y effacer la trace des baisers de Marcus, elle poussa un hurlement, mélange de crainte et de colère, en butant sur un coq noir qui baignait dans une mare de sang, la gorge tranchée.

Elle se précipita sur le cordonnet qui pendait à la tête de son lit et le tira avec tant de rage qu'il lui resta entre les mains.

Lançant à bout de bras l'objet désormais inutilisable, elle attendit Polly de pied ferme.

À peine cette dernière eut-elle ouvert la porte qu'elle fut assaillie par la mauvaise humeur de sa maîtresse.

– Qui? Qui a déposé cette chose écœurante dans ma chambre? hurla Xaviera, hors d'elle, pointant un doigt accusateur vers le cadavre du volatile.

Réprimant un sursaut de dégoût, Polly répondit:

– Mais je ne sais pas, mademoiselle Xaviera. Je n'ai rien vu, je vous le jure.

– C'est tout de même incroyable qu'un fou furieux se balade dans cette maison, les bras chargés de toutes sortes d'objets macabres, sans que personne le voie jamais. Nous ne sommes pas dans un moulin à vent, bon sang! explosa la jeune femme. Va me chercher Adderly, ajouta-t-elle, une idée lui ayant soudainement traversé l'esprit.

– Adderly? répéta Polly, interloquée.

– Oui. Tu sais quand même de qui je veux parler, non? tonna-t-elle, déchargeant sa colère sur la femme de chambre.

– Bien sûr!

– Alors, va me le chercher. Et ramène-le-moi par la peau du cou, si c'est nécessaire.

Quelques instants plus tard, Polly revint, accompagnée du valet de chambre.

– Laisse-nous, ordonna sa maîtresse.

Puis, se tournant vers Adderly, les yeux flamboyants:

– Pourquoi avez-vous mis cette chose dans ma chambre?

– Je vous demande pardon, milady? fit le valet, surpris.

– Ce coq égorgé, c'est bien vous qui l'avez déposé ici, n'est-ce pas?

– Non, milady.

– Ah! ne niez pas. Vous me talonnez depuis des semaines, aussitôt que je franchis la porte de Milton Manor. Vous rôdez autour des écuries quand je prends mes leçons. Il n'y a que lorsque je suis en promenade que vous me laissez en paix, l'accusa-t-elle.

– Je ne comprends pas ce que milady veut dire.

– Ne faites surtout pas l'idiot avec moi. Sur l'ordre de votre maître, vous surveillez constamment mes déplacements. De là à me suivre dans les souterrains et à m'y enfermer dans le but de me laisser mourir de terreur, il n'y a qu'un pas à franchir. Est-ce votre maître qui vous a ordonné de vous débarrasser de moi ou le faites-vous de votre propre chef? J'exige la vérité.

– Mais je ne sais pas de quoi vous parlez, milady, se défendit Adderly, de plus en plus étonné.

Franchissant la distance qui les séparait, elle se planta devant lui, belliqueuse, et siffla entre ses dents:

– Faites attention! Ne jouez pas avec moi, vous y perdriez. Si je rencontre un seul de ces instruments de sorcellerie dans ma chambre, si je vous retrouve encore une fois sur mon chemin, je vous ferai fouetter jusqu'au sang et vous renverrai sans gages et sans références, en dépit du fait que vous êtes le valet attitré de mon mari. Avertissez Lord Milton que j'ai mis à jour son complot et que je n'ai pas l'intention de me laisser assassiner. Vous avez compris? Bien, sortez maintenant. Et que je ne revoie plus votre détestable petite personne avant longtemps.

Sans demander son reste, Adderly quitta ses appartements, certain que Lady Milton avait complètement perdu la raison.

CHAPITRE XVI

Xaviera se tournait et se retournait dans son lit, en proie à l'insomnie. Le corps secoué de tremblements de rage, elle ne parvenait pas à retrouver son calme.

Impatiente, elle se leva, enfila son déshabillé puis sortit de sa chambre. Elle descendit l'escalier et prit la direction des cuisines, dans l'intention de se faire chauffer du lait. Peut-être cela lui apporterait-il le sommeil.

Voyant de la lumière briller dans ce qu'elle appelait secrètement «le temple de l'alchimiste», elle entra dans la petite pièce où Mary préparait ses potions.

La vieille femme ronflait, la bouche ouverte, confortablement installée dans une bergère, une bouteille de whisky à moitié vide trônant sur la grande table.

– Mary, Mary, réveille-toi, la pressa la jeune femme.

– Mmmmmmhhh? Quoi? Qu'est-ce qu'il y a? Ah! c'est toi, ma chatte? Que fais-tu ici à cette heure de la nuit?

– C'est plutôt à toi que je devrais poser cette question. Est-ce que ton cœur fait encore des siennes? demanda-t-elle, moqueuse, en désignant la bouteille d'alcool.

– Justement. Depuis que tu as disparu dans ces affreux souterrains, événement auquel j'ai bien failli succomber, j'ai des palpitations. Mon pauvre cœur est bien usé.

– Et tu crois que c'est en t'imbibant d'alcool que tu vas régler ton problème? Ma bonne Mary, tu cours à ta perte.

– Si tu m'expliquais la raison de ta présence! insista la vieille femme, peu désireuse de voir Xaviera s'éterniser sur ses mauvaises habitudes.

– Je n'arrive pas à dormir. Je venais me faire chauffer du lait. Mais, puisque tu es là, peut-être pourrais-tu me donner quelque chose de plus efficace?

– Bien sûr, ma chatte. Je te prépare cela tout de suite.

Mary s'empara d'une boîte de métal et en retira une plante dont les racines ressemblaient à s'y méprendre à un corps humain.

– Qu'est-ce que c'est? demanda Xaviera, intriguée.

– De la mandragore.

– C'est cette chose que tu m'as fait ingurgiter la dernière fois? Ah! non, je n'en veux pas. Je me rappelle que lorsque je me suis réveillée, je me sentais nonchalante, aussi faible qu'un nouveau-né.

– C'est uniquement parce que j'avais forcé la dose. Je n'ai qu'à diminuer la quantité.

– Très bien. Je te fais confiance. De toute façon, j'ai besoin de dormir.

Tout en parlant, Mary mélangeait des ingrédients qu'elle puisait dans plusieurs petites boîtes et les faisait infuser.

Quand la potion fut prête, elle la tendit à Xaviera, lui ordonnant de tout boire.

– Et maintenant, monte vite te mettre au lit. Tu vas dormir comme un ange.

♦ ♦ ♦

La jeune femme déambulait dans une maison abandonnée qui sentait le renfermé et dont les murs suintaient d'humidité et de moisissure. Lui rappelant soudainement pourquoi elle s'était réfugiée dans cette bicoque, un rire sardonique résonna dans son dos.

Prenant ses jambes à son cou, elle s'enfuit, le souffle court, le cœur battant ses tempes au rythme effréné de sa course. Plus elle avançait, plus le couloir semblait s'allonger à perte de vue, à l'infini.

Terrifiée, elle ouvrit une porte et poussa un cri d'horreur devant l'énorme rat qui se dressait sur ses pattes de derrière et la fixait de ses petits yeux rusés. Il se ramassa sur lui-même en couinant et, dans un bond incroyable, sauta au visage de la jeune femme, s'agrippant à ses cheveux. Elle pouvait sentir l'haleine fétide du rongeur qui soufflait sur sa peau. Ses dents, énormes et pointues, se plantèrent dans sa joue, la faisant hurler de douleur.

Folle d'épouvante, elle empoigna le corps gras et velu et tenta de lui faire lâcher prise. De toutes ses forces, elle lança l'énorme rongeur sur un mur et vit, horrifiée, que c'était le corps de Biskett qui gisait sans vie sur le sol poussiéreux, le crâne brisé. Xaviera, aveuglée par les larmes, se retourna pour échapper à ce spectacle consternant et percuta Marcus de plein fouet.

Ses yeux étranges brillant d'une lueur folle, celui-ci la fixait en disant dans un sourire mauvais: «Tu vas mourir, Xera. Tu vas mourir.»

Sauvagement, il la poignarda en plein ventre.

Xaviera s'éveilla en hurlant, Biskett confortablement allongée sur son abdomen.

«Mon Dieu! quel affreux cauchemar! Je penserai à remercier Mary pour le sommeil d'ange qu'elle m'avait promis.»

La porte de sa chambre s'ouvrait lentement. Affolée, elle regarda autour d'elle, cherchant désespérément une arme pour se défendre, le cas échéant.

– Que se passe-t-il, Xaviera? demanda Marcus à voix basse.

Soulagée, la jeune femme soupira, pour se crisper aussitôt en réalisant que c'était ce même homme faussement inquiet qui cherchait à se débarrasser d'elle.

– Xaviera, vous vous sentez bien? insista-t-il.

– Oui. J'ai fait un cauchemar. Vous pouvez partir maintenant, dit-elle d'un ton sec.

– Êtes-vous certaine que tout va bien? J'ai cru qu'on vous écorchait vive.

Laissant échapper un petit rire nerveux, elle lança:

– Désolée de vous décevoir, mais je suis toujours en vie. Ce sera pour une autre fois.

– Mais qu'est-ce que vous dites?

– Rien. Rien que la vérité. Sortez maintenant, ou j'appelle.

– Qu'avez-vous? Vous êtes blanche comme un drap, dit Marcus en s'avançant.

Se faisant toute petite, une expression de panique peinte sur son visage, elle hurla, perdant toute maîtrise:

– Partez! Sortez d'ici immédiatement ou je dis à tout le monde que vous essayez de me tuer.

– Ma parole! Mais vous êtes folle. Taisez-vous, vous allez ameuter toute la maison.

– Je crierai encore plus fort si vous ne quittez pas ma chambre sur-le-champ.

– Mais, nom de Dieu! calmez-vous! Je ne vous connaissais pas ce penchant à l'hystérie. Très bien, je m'en vais mais nous aurons une petite conversation dès demain.

– Dehors.

Les nerfs hérissés, Xaviera se laissa tomber sur ses oreillers, haletante, des sanglots douloureux gonflant sa gorge.

♦ ♦ ♦

– Rappelle-moi de ne plus jamais te demander quelque chose pour dormir, dit la jeune femme en apostrophant Mary d'un ton brusque.

– Dieu tout-puissant! je ne t'avais pas entendue. Mais qu'as-tu donc? Tu es toute pâle, tu as les yeux cernés et le teint brouillé.

– Merci. Pour ta gouverne, je me suis déjà regardée dans une glace. Je sais parfaitement de quoi j'ai l'air. Si tu ne m'avais pas donné ce poison, je n'aurais pas fait cet atroce cauchemar. J'ai marché le reste de la nuit, de peur de me rendormir. Tu t'attends peut-être à ce que je sois rayonnante de santé? aboya la jeune femme, soulageant injustement sa colère sur sa vieille amie.

Mary, les lèvres pincées, la laissa terminer sa tirade et dit d'un air digne:

– J'ai simplement voulu t'être utile.

Calmée par l'attitude blessée de la bonne femme, Xaviera fit amende honorable.

– Pardonne-moi, Mary. Je me sens comme une pelote d'épingles, ces temps-ci.

– Ce n'est pas une raison pour me tomber dessus à bras raccourcis, dit-elle, réservée.

– Tu as entièrement raison. Là, tu es contente? demanda la jeune femme, avant d'embrasser sa bonne amie.

– Ça va, ça va, grommela cette dernière. C'est bien dans tes habitudes de piquer une crise pour ensuite reconnaître tes torts. Si tu m'expliquais la raison de ton humeur charmante?

– C'est ta potion qui en est la cause. Ou tu perds la main, ou l'alcool t'avait brouillé les esprits à tel point que tu as mélangé des ingrédients incompatibles sans en avoir conscience.

– Ne te gêne surtout pas! Dieu tout-puissant! après tous les sacrifices que j'ai faits pour toi, je n'accepterai pas de me faire insulter comme… comme…

– Calme-toi, Mary, la raisonna Xaviera. Je ne t'accuse de rien. Je dis simplement que ce que tu m'as donné hier m'a procuré les rêves les plus horribles de ma vie, plutôt que de m'assurer un sommeil d'ange.

– Mais c'est impossible! se défendit-elle en s'empressant de vérifier le contenu de ses boîtes. De la mandragore, de la verveine, de la sauge et un peu de gui. Il n'y a là absolument rien qui puisse provoquer des cauchemars. Je te l'assure.

– Peut-être y es-tu allée trop généreusement avec la mandragore?

– Mais non, je fais toujours très attention aux quantités que j'utilise. Cette plante est mortelle.

Intriguée, la vieille femme cherchait à comprendre quelle erreur elle avait pu commettre. Sachant que la verveine, la sauge et le gui étaient inoffensifs, pouvant tout au plus causer une indisposition passagère si on en abusait, elle s'attarda sur la petite boîte contenant la mandragore.

Elle prit les plantes entre ses mains, les tourna et les retourna en tous sens, et remarqua enfin une tache bizarre sur l'une des feuilles.

«Tiens, on dirait du sang!» pensa-t-elle.

La portant à sa bouche, elle la goûta prudemment du bout de la langue.

Poussant un cri de surprise, elle laissa tomber la plante sur le sol.

– Qu'y a-t-il? demanda Xaviera, alertée.

– Quelqu'un a trafiqué ma mandragore, répondit Mary d'une voix blanche.

Une crainte sourde serra le cœur de la jeune femme.

– Trafiqué? De quelle manière?

– Je n'en suis pas absolument certaine mais, dans la pratique de la magie noire, on fabrique un mélange à base de sang de bouc, bouilli dans du vinaigre et du verre pilé finement. Ce mélange a pour effet de provoquer des visions horribles. Personnellement, je ne l'ai jamais essayé, mais ma mère disait que ça fonctionnait.

– Tu crois que quelqu'un a versé cette mixture sur la mandragore dans l'espoir que j'y aurais recours?

– J'ai bien peur que oui.

– Mais qui? Qui pouvait prévoir que je descendrais me faire chauffer du lait et que je changerais d'idée à la dernière minute pour prendre une boisson que tu as préparée devant moi?

– Je ne crois pas que cette personne projetait de te voir absorber ce breuvage infect à un moment précis. Elle souhaitait probablement que cela arrive une fois, par hasard.

– Oui, mais n'importe qui aurait pu te demander de lui donner quelque chose pour dormir, réfuta la jeune femme, angoissée.

– Sois logique, Xaviera. Qui d'autre que toi peut user de mes services? Lord Milton? Les domestiques? Allons, ils me prennent tous pour une vieille folle.

– Oui, mais j'aurais très bien pu prendre autre chose que de la mandragore, insista-t-elle, désirant croire à un simple caprice du hasard.

– Ne te leurre pas, ma chatte. La mandragore a été trafiquée dans un but bien précis. Je vais vérifier toutes mes boîtes, il y en a sûrement quelques autres qui ont été manipulées par cette personne.

– Mais qui est-elle?

– Je ne sais pas, ma chatte. Mais c'est quelqu'un de très fort. Quelqu'un qui a des connaissances précises en matière de sorcellerie. Tu dois faire très attention. Être constamment sur tes gardes.

– C'est rassurant! Peux-tu m'aider, Mary?

– Je ne crois pas. La magie noire est beaucoup plus puissante que la blanche. Ceux qui la pratiquent sont des âmes damnées, vivant sous la protection de Satan et de ses démons. Je ne peux rien contre eux.

Xaviera s'éloigna, certaine désormais d'avoir affaire à un ennemi machiavélique. Marcus? Elle en doutait. Selon ce qu'elle connaissait de son tempérament, il était plutôt le genre d'homme à lui trancher la gorge dans un accès de colère. Elle ne le croyait pas capable de la soumettre à cette torture constante des nerfs, raffinée et diabolique.

Alors qui? Cette incertitude angoissante devenait insupportable.

♦ ♦ ♦

Assise dans le petit salon bleu, Xaviera tentait, en vain, de fixer son attention sur un livre pourtant fort intéressant, dont elle lisait et relisait les paragraphes. Nerveuse, elle sursautait au moindre bruit.

La porte qui s'ouvrit brutalement lui arracha un cri étouffé.

Marcus, visiblement d'humeur peu engageante, l'observa quelques instants avant de s'avancer lentement et de s'asseoir face à elle.

– Qu'est-ce que c'est que cette histoire abracadabrante qu'Adderly m'a racontée? attaqua-t-il, féroce.

Sur la défensive, Xaviera répondit sur le même ton:

– Cela ne vous regarde pas.

– Oh! que si! Vous accusez mon valet de chambre de vouloir vous tuer et, comme si cela ne suffisait pas, vous me soupçonnez, moi, d'en avoir après vous!

La jeune femme s'enferma dans un silence prudent et détourna les yeux, incapable de soutenir le regard flamboyant de son mari.

– J'exige des explications! la somma-t-il d'une voix forte.

– Je ne vous dois rien.

– Oh! vous ne vous en sortirez pas comme ça! Cessez donc un peu de jouer à l'intéressante. Cela devient lassant.

– Jouer à l'intéressante, moi? s'indigna-t-elle, les joues en feu.

– Tout à fait!

– Recevoir des messages m'annonçant une mort prochaine; découvrir une poupée façonnée à mon image, couchée dans un cercueil et un coq égorgé baignant dans son sang, c'est cela que vous appelez jouer à l'intéressante? lança-t-elle d'une voix stridente. Je constate, une fois de plus, que nous ne donnons pas la même définition aux mots dont nous nous servons.

– Qui, mieux que vous, aurait eu la possibilité de déposer ces objets et ces messages dans votre chambre? Ces incidents n'ont jamais eu de témoins qu'après coup. Ne niez pas, j'ai interrogé votre femme de chambre ce matin.

– Comment osez-vous? s'enflamma Xaviera. Comment pouvez-vous m'accuser d'une telle machination?

– De la même façon que vous nous avez chargés, mon valet et moi, d'intentions criminelles.

– Il est vrai que j'ai cru que c'était vous et Adderly qui vouliez me détruire. Et c'est entièrement votre faute. Vous n'aviez qu'à ne pas lâcher votre domestique à mes trousses chaque fois que je sortais de la maison. Mais je sais maintenant que c'est impossible. Vous êtes beaucoup trop brutal et violent pour me regarder mourir à petit feu. Vous m'enfonceriez probablement un poignard en plein cœur. Cela correspond plus à votre nature bestiale.

– Vous avez parfaitement raison! Si l'envie me prenait de vous rayer de mon existence, je ne m'embarrasserais pas de chichis. Ce serait vite fait et bien fait. Mais laissez-moi vous prévenir. Ne lancez plus jamais d'accusations pareilles à mon endroit ou à celui de mon personnel, que ce soit une simple fille de cuisine ou mon valet de chambre. La prochaine fois, je serai moins tolérant. Si votre vie manque de piquant au point que vous ayez besoin de monter toute cette comédie, mettez-vous à la broderie ou à ce que vous voulez, mais ne nous ennuyez plus.

– Vous pensez vraiment que j'ai tout inventé?

– Oui, laissa-t-il tomber platement, en sortant de la pièce tranquillement.

Xaviera, horrifiée, n'en croyait pas ses oreilles.

«Il me retrouverait inanimée, un poignard enfoncé jusqu'à la garde en plein cœur et il continuerait de clamer que je suis l'instigatrice de ma propre mort. Bon sang, quel culot! Comme je le hais!»

♦ ♦ ♦

– Entre, Polly.

La porte s'ouvrit lentement, laissant apparaître un visage à l'expression craintive, entouré d'un petit bonnet blanc. La jeune fille referma derrière elle et demeura sur place, la tête baissée dans une attitude de soumission.

– Qui es-tu? demanda Xaviera, surprise.

– Ann, milady, répondit-elle en s'effondrant dans une révérence maladroite. Je travaille aux cuisines, milady.

– Que me veux-tu?

– Je voudrais parler à milady, si elle le permet, fit Ann, visiblement de plus en plus mal à l'aise.

– Eh bien! je t'écoute. Allez, parle.

– Milady, je... je ne me sens pas très bien. Si j'osais... je demanderais à milady d'avoir la gentillesse de me laisser m'asseoir, bredouilla la jeune bonne, le visage exsangue. J'ai l'impression que... je...

– En effet, tu sembles bien pâle tout à coup. Assieds-toi, là, près de moi. Et cesse de m'appeler milady et de me parler à la troisième personne. Je ne suis pas la reine d'Angleterre.

– Merci, milady. Milady est bien bonne.

Xaviera soupira, désespérant de faire comprendre à cette petite qu'elle pouvait s'adresser à elle normalement.

Elle détestait ce langage ampoulé qu'exigeait sa position sociale et auquel elle ne s'était toujours pas habituée.

– Si tu me disais maintenant pour quelle raison tu désires me parler.

– C'est un peu difficile, milady. J'ai peur de vous causer un grand chagrin.

– Dis toujours, s'impatienta Xaviera, qui trouvait l'entrée en matière un peu longue.

– Je suis enceinte, milady, chuchota Ann d'une petite voix.

– Je ne vois rien là qui puisse me peiner! Si cela t'empêche d'effectuer ton travail normalement, tu dois régler cette question avec Pierre. Je sais que notre chef est plutôt terrifiant, mais il tient obstinément à s'occuper lui-même de ses aides. Je crains de ne pouvoir t'être d'un grand secours, dit la jeune femme, surprise qu'on vienne la déranger pour un insignifiant problème d'ordre domestique.

– C'est que milady ne comprend pas. Je suis enceinte, répéta Ann, un accent de désespoir dans la voix.

– Mais si. J'ai compris! s'écria-t-elle, exaspérée. Tu es enceinte. Mais qu'y puis-je?

– Le père, milady… Le père, c'est… Lord Milton.

– Quoi? Lord Milton? Mon mari? s'étrangla-t-elle, scandalisée.

– Oui, milady. Que milady me pardonne, mais je devais le lui dire.

Xaviera, choquée par ces révélations rien moins que surprenantes, s'exhorta au calme.

– Raconte-moi toute l'histoire.

– Voilà, milady. C'est très difficile, milady. Un soir que j'étais restée aux cuisines pour mettre de l'ordre, Lord Milton est arrivé brusquement derrière moi. J'ai mis quelques instants à comprendre qu'il avait bu. Il s'est avancé vers moi avec un drôle de sourire, en murmurant qu'il me trouvait jolie. J'étais innocente, milady. Je ne me suis pas doutée qu'il était animé d'intentions malveillantes.

«Il m'a dit que si j'étais gentille avec lui, il me donnerait de l'argent. Vous savez, milady, ma famille est très pauvre. Je pensais que s'il m'était possible de gagner quelques livres supplémentaires, je pourrais les envoyer à ma mère et qu'elle veillerait à ce que mes frères et sœurs mangent à leur faim. Alors j'ai demandé à Lord Milton ce que je devais faire pour lui être agréable. Il a éclaté de rire et s'est jeté sauvagement sur moi.

«Il... il m'a violée, milady. Et c'est ce jour-là que l'enfant est venu en moi», termina la jeune fille, pathétique, les yeux remplis de larmes.

Xaviera, folle de rage et d'humiliation, n'en croyait pas ses oreilles.

– Quand cela est-il arrivé? demanda-t-elle d'un ton bref.

– Après votre mariage, milady. Que milady me pardonne si je la fais souffrir, mais je ne pouvais taire la vérité plus longtemps.

– Oui, oui. Bon, d'accord. Maintenant, laisse-moi. Je n'aurai de cesse que cette faute soit réparée.

– Merci, milady. Milady est bien bonne, dit la jeune fille, le visage rayonnant de soulagement, baisant avec ferveur la main de Xaviera.

Celle-ci, gênée par ce geste de reconnaissance servile, retira sèchement sa main.

– Va. Je te ferai appeler lorsque cette affaire sera réglée.

Ann se retira, esquissant révérence sur révérence.

Rageuse, Xaviera sortit du lit. Sans même perdre de temps à sonner Polly, elle s'habilla à la hâte.

«Le mufle! Le vaurien! Le mécréant! Bon sang! je vais le tuer. Me faire ça à moi. Engrosser une petite bonne de rien du tout. Oh! Et puis, peu importe qu'Ann soit une servante ou non! Le fait est que mon cher mari va être l'heureux père d'un bâtard. Oh! la brute! Je m'en vais le décapiter, et pas plus tard que maintenant.»

Arrachant presque la porte de ses gonds, Xaviera se dirigea vers les appartements de Marcus, ses mâchoires serrées présageant une lutte acharnée et sans merci.

Sans même s'annoncer, elle pénétra dans sa chambre, les yeux enflammés.

En le voyant nu, assis nonchalamment sur le bord du lit, elle ne se tint plus de rage et se précipita sur lui, toutes griffes dehors.

– Espèce de monstre! Je vous tuerai.

Surpris par cette attaque virulente, Marcus, qui s'apprêtait à se lever au moment où sa femme s'était jetée sur lui, se trouva déséquilibré et il l'entraîna dans sa chute, la retenant contre lui.

– Lâchez-moi, sale vicieux! Lâchez-moi immédiatement, hurla-t-elle, au bord de la crise de nerfs.

– Mais qu'est-ce qui vous prend? s'enquit Marcus, plus amusé que choqué.

– Qu'est-ce que j'ai? Je vais vous le dire, moi, ce que j'ai, ou plutôt ce que je n'ai pas. Ou plutôt ce qu'elle a, elle.

– Serait-ce trop vous demander que d'être plus claire?

– Couvrez-vous pour commencer, jeta la jeune femme, furieuse.

– Pourquoi? Ma nudité vous embarrasserait-elle? se moqua Marcus, tout en tirant un drap sur lui.

– Pas du tout! nia-t-elle. Mais je me sens incapable de tuer un homme nu.

– Que me vaut l'honneur de ces envies meurtrières?

– Ann, fulmina-t-elle, le souffle court.

– Ann? répéta-t-il, étonné. Qui est-ce?

– Ne faites pas l'innocent! cria-telle. Vous savez très bien de qui il s'agit.

– Si vous le dites. Et que suis-je censé avoir fait ou pas fait avec… Ann, c'est bien ça?

– Puisqu'il faut tout vous dire, c'est cette jeune bonne qui travaille aux cuisines et que vous avez violée et engrossée, lança Xaviera, satisfaite de voir son mari perdre enfin son sourire.

– Que dites-vous? gronda-t-il, l'air menaçant. J'aurais pris de force une fillette de seize ans et l'aurais mise enceinte?

– Ah! triompha la jeune femme. Ah! vous admettez enfin la connaître. Espèce de sale hypocrite! Vous pensiez vous en sortir en contestant jusqu'au moindre détail, n'est-ce pas? Vous...

– Ne m'attribuez pas vos propres comportements. Si je connais cette petite, c'est parce qu'elle travaille pour moi depuis deux ans. Si je ne me suis pas rappelé tout de suite à qui vous faisiez référence, c'est uniquement parce que...

– Parce que vous ne vouliez pas avouer avoir commis cet acte répugnant.

– Je vous interdis de m'insulter, rugit-il, hors de lui. Je suis un homme d'honneur. Je n'ai jamais pris une femme contre son gré, encore moins une enfant.

– Un homme d'honneur, vous? Vous ignorez totalement le sens de ce mot. Vous êtes moralisateur, accusateur, arrogant, médisant, méprisant, mais pas un homme d'honneur. Ça non! le fustigea-t-elle violemment.

– Petite peste! siffla Marcus entre ses dents. Vous m'embêterez jusqu'à la fin de vos jours.

– Si vous persistez dans vos manigances démoniaques avec le même acharnement qui vous a poussé jusqu'à maintenant, vous serez libéré de ma présence à très court terme.

– Ah! non, ne me déballez pas encore cette histoire hallucinante. Vous avez dit vous-même que si je voulais me débarrasser de vous un jour, j'emprunterais une méthode plus expéditive.

– C'est ce dont je m'étais convaincue. Mais si vous êtes déséquilibré au point de violer une innocente enfant, je vous crois capable de tout.

Le visage blanc de colère, Marcus la saisit brutalement aux épaules et enfonça ses doigts dans la chair tendre, en disant d'une voix contenue:

– Cessez immédiatement ces élucubrations insensées. Je ne vous ai rien fait et je n'ai jamais touché à cette Ann.

– C'est vous qui le dites. Mais je n'accorde aucun crédit à vos protestations. Je veux que vous alliez voir cette pauvre fille et que vous lui promettiez que vous vous chargerez entièrement de son installation lorsque le moment sera venu, pour elle, de nous quitter. Vous veillerez à ce qu'elle ne manque de rien et à ce que son enfant recoive l'éducation à laquelle il a droit, ordonna Xaviera, ravalant avec difficulté l'humiliation que cette situation pénible faisait monter en elle.

– Mais vous êtes folle! Je n'ai même jamais effleuré la main de cette Ann et je n'endosserai pas la responsabilité de cette paternité. Ce doit être une quelconque petite intrigante qui cherche à tirer profit de ma position privilégiée. Mais je ne lui verserai pas un penny.

– C'est ce que nous verrons. Selon vous, toutes les femmes sont de vulgaires arrivistes qui n'en veulent qu'à votre argent? Mais...

– Je peux affirmer, sans l'ombre d'un doute, que vous en êtes une! l'attaqua Marcus, sardonique.

Feignant de ne pas avoir entendu cette remarque blessante, elle continua sur sa lancée:

– Vous ferez ce que je dis, sans discuter. Ou j'irai voir Sa Majesté pour lui rendre compte de votre conduite inqualifiable.

Étouffant un juron, Marcus répondit, exaspéré:

– Vous n'obtiendrez rien de moi! Que vous menaciez, hurliez, trépigniez, le résultat sera le même.

– L'avenir nous le dira, claironna Xaviera, anticipant sa victoire.

CHAPITRE XVII

Étendue dans le noir de la nuit, la jeune femme cherchait vainement l'apaisement que lui apporterait le sommeil. Elle évoquait, amère, cette journée fertile en émotions.

Tout d'abord, sa conversation instructive avec Ann, ensuite son affrontement violent avec Marcus. Se tournant et se retournant dans son lit, la moiteur de cette nuit d'été recouvrant son corps d'une fine pellicule de sueur, elle s'agitait, en proie à des pensées torturantes.

Les deux dernières semaines avaient été éprouvantes. Cette menace qui pesait constamment sur elle la minait jour après jour. Elle en était rendue à souhaiter que l'obscurité ne vienne plus jamais. Seule dans sa chambre, elle se sentait démunie et sans défense, proie facile pour celui ou celle qui lui voulait du mal.

«Est-ce vraiment Marcus qui cherche à me tuer? Oh! ce doute, sournois et envahissant! Qu'est-ce que cette douleur qui me prend à la gorge chaque fois que je pense à lui? Qu'est-ce que ce sentiment qui me pousse à me dresser continuellement contre lui, sinon la haine? Une haine qu'il nourrit par ses machinations, ses mensonges, sa mauvaise foi. Si j'avais la certitude que c'est bien lui qui veut m'assassiner, je m'enfuirais sur-le-champ. Mais voilà, je ne sais pas.

«C'est comme s'il y avait deux personnes en moi, l'une croyant à son innocence, l'autre l'accusant implacablement. Et cette fille, cette Ann! Comment puis-je l'oublier? Pourquoi m'aurait-elle menti, tout en sachant que dans quelques mois, son état démontrera soit la vérité, soit le mensonge? Si elle n'avait été sûre de ce qu'elle avançait, pourquoi aurait-elle fait appel à moi? Il me faut donc la croire, et par conséquent, incriminer Marcus. Oh! ma tête! Ma pauvre tête! Si je pouvais arrêter de penser!»

Un éclair déchirant le ciel la fit sursauter. Soulagée, elle bénit la venue de cet orage bienfaiteur. Peut-être cela allégerait-il l'atmosphère brûlante et lourde qui pesait sur la campagne anglaise depuis le début de l'été et qui mettait à dure épreuve les nerfs de tous les habitants de Milton Manor?

Se tournant vers la fenêtre où elle pouvait suivre les arabesques incandescentes que dessinaient les éclairs, Xaviera appela sa mère.

Surprise elle-même de penser à cette femme qu'elle n'avait jamais connue, alors que depuis des mois elle n'avait plus invoqué sa présence, la jeune femme la pria de venir à son secours.

«Maman, ma pauvre maman, aidez-moi. Peut-être est-ce vous qui vous manifestez par cet orage. Peut-être voulez-vous me faire part de votre mécontentement à l'effet que je vous ai presque oubliée. Ne m'en veuillez pas, je vous en prie. Je suis si malheureuse, si seule. Il s'est passé tant de choses ces derniers mois. Si vous saviez comme j'ai peur! J'ai besoin de vous. Je vous en supplie, croyez-moi.

«J'ai tant besoin de votre réconfort. Oh! si vous étiez là, je suis certaine que vous sauriez quoi faire. Moi, je ne sais plus, maman. Venez à mon secours. Si cela est en votre pouvoir, empêchez mon ennemi d'arriver à ses fins. Je ne veux pas mourir. Pas comme ça. Je veux connaître l'amour, la joie, avant de quitter cette terre. Je ne veux pas mourir le cœur sec, désabusée et seule. Aidez-moi, mère. Je ne sais si vous avez été heureuse, mais montrez-moi la voie.»

Xaviera s'endormit enfin, épuisée et apaisée, des larmes séchant sur ses joues.

♦ ♦ ♦

Elle se réveilla en sursaut, le cœur battant. Instinctivement, elle sentait une présence dans sa chambre.

L'aube pointait une lueur blafarde à travers la fenêtre. Entrouvrant les yeux, Xaviera se tourna lentement vers le mur qui faisait face à la fenêtre, feignant le sommeil, désireuse de voir qui pénétrait dans sa chambre alors qu'elle était endormie et malgré le fait qu'elle se barricadait tous les soirs.

Elle n'eut que le temps d'apercevoir une forme, toute petite et entièrement recouverte d'une longue cape noire, avant qu'elle se retire furtivement. Sautant du lit en vitesse, Xaviera se précipita vers la porte et scruta le couloir rempli d'ombres menaçantes. Personne! Envolé, le visiteur!

«C'est incroyable! Comment a-t-il pu disparaître aussi rapidement?»

Xaviera réintégra la sécurité précaire de sa chambre, songeuse. Elle tomba en arrêt devant un bout de papier déposé bien en vue sur sa coiffeuse. Aux prises avec l'angoisse, elle tendit la main et s'en empara.

Des nausées lui soulevèrent l'estomac lorsqu'elle lut:

«Alors, Lady Milton, est-ce qu'on a la frousse? Tu ne sembles pas trop apeurée puisque tu dors à poings fermés. Mais bientôt, tu passeras des nuits blanches. Tu souhaiteras désespérément que le jour vienne. Tu seras dans un tel état qu'il sera aussi facile de te tuer qu'un nouveau-né. Ha! Ha! Prépare-toi, le grand jour arrive.»

Elle déchiqueta rageusement le message. Elle était bien décidée à ce que personne, même pas Mary, ne soit mis au courant de cette visite nocturne.

«Pas plus tard qu'aujourd'hui, je vais inspecter les murs du couloir. Il doit sûrement exister un passage secret. Je ne prendrai pas de repos jusqu'à ce que je l'aie découvert, dussé-je dormir debout. Si je parviens à bloquer cette issue, personne ne pourra plus venir hanter ni ma chambre, ni mon sommeil. Je vendrai chèrement ma peau. Si jamais il réussissait à me tuer, je me serais au moins défendue.»

♦ ♦ ♦

Quelques semaines plus tard, Xaviera était complètement transformée. Amaigrie, pâle, les yeux cernés, elle errait à travers les pièces de Milton Manor, fantôme de ce qu'elle avait été.

Malgré ses recherches assidues, elle n'avait pu trouver le passage secret. On continuait à déposer des messages dans sa chambre. Elle ne comptait plus les cadavres d'animaux ensanglantés qu'elle retrouvait à tout instant dans ses appartements. Constamment sur le qui-vive, elle ne dormait plus, faisant le guet dans son lit, s'attendant à voir apparaître l'ange de la mort, brandissant une épée qu'il lui enfoncerait dans le cœur, la délivrant enfin de cet enfer qu'était devenue sa vie.

Ne sachant ni comment ni quand on allait l'attaquer, elle rasait les murs, jetant des regards affolés autour d'elle, sursautant au moindre bruit. La folie la guettait, prenant lentement possession de son esprit, la laissant hagarde, sans ressort.

Impuissante, Mary la regardait dépérir peu à peu.

– Ma pauvre chatte, tu dois réagir, la supplia-t-elle, un jour où la jeune femme était venue lui rendre visite.

– Que veux-tu que je fasse? demanda Xaviera, d'une voix atone. Je n'ai plus envie de me battre. Qu'on me délivre de cette torture, c'est tout ce que je souhaite. Qu'on en finisse!

– Même si tu dois trouver cette délivrance dans la mort?

– Oui. De toute manière, je suis déjà morte.

– Tu me déçois beaucoup, ma chatte. Je te pensais bien plus forte, lança Mary en ayant l'air de ne pas y toucher, espérant fouetter l'orgueil de sa protégée.

– Moi aussi, je me croyais forte, Mary. Mais c'était une erreur. Ce n'était qu'une façade qui s'effrite lentement.

– Tu as traversé tant d'épreuves la tête haute, sans fléchir, courageusement. Comment peux-tu accepter de te laisser détruire de cette façon indigne?

Sans répondre, la jeune femme se leva en hochant la tête tristement et s'éloigna de son pas vacillant.

«Je dois faire quelque chose. Je dois trouver un moyen pour l'empêcher de se laisser aller ainsi. Cela ne lui ressemble pas. J'ai bien peur que ce diable d'homme n'ait capturé son cœur sans qu'elle le sache. C'est lui, ce disciple de Satan, ce Lord Milton de malheur qui la prive de toutes ses forces! Je vais y voir. Je ne le laisserai pas détruire ma chatte sans lever le petit doigt», marmonna la vieille Mary, déterminée à défendre sa jeune amie, quitte à y laisser sa propre vie.

♦ ♦ ♦

– On a fait porter cela pour vous, mademoiselle Xaviera, dit Polly d'une voix douce.

Allongée sur son lit, Xaviera soupira en levant un œil indifférent sur l'enveloppe que lui tendait sa femme de chambre.

– Je t'avais dit de ne me déranger sous aucun prétexte.

– On m'a dit que c'était très urgent, insista Polly, désireuse de sortir sa maîtresse de son apathie.

– C'est la formule de circonstance qui précède habituellement les mauvaises nouvelles.

Incapable de rester muette plus longtemps devant l'attitude de Xaviera, Polly explosa.

– Vous êtes en train de vous laisser mourir. Vous ne mangez plus, vous ne sortez plus, vous ne vous occupez même plus de Biskett, qui bâille d'ennui. Que voulez-vous donc? Vous enterrer vivante?

Xaviera fondit en larmes, au grand embarras de la servante.

– Je vous demande pardon, mademoiselle Xaviera. Je ne voulais pas être si brutale, mais vous m'inquiétez. On ne vous entend plus rire, ni même crier. Vous avez l'air d'une revenante. Vous êtes pâle comme la mort.

Voyant que ses paroles demeuraient sans effet, la femme de chambre sortit en silence, laissant sa maîtresse se noyer dans ses larmes.

Après un long moment, Xaviera passa une main tremblante sur son visage, repoussant les mèches de cheveux ternes qui l'aveuglaient.

Ce faisant, elle remarqua la petite enveloppe que Polly avait déposée sur le lit.

La prenant, elle l'ouvrit, le cœur étreint par une angoisse sourde à l'idée qu'il s'agissait encore d'un message macabre.

Parcourant rapidement la lettre, sa bouche s'arrondit de surprise. Elle reprit sa lecture au début, laissant à son esprit le temps de déchiffrer la signification des mots qui dansaient devant ses yeux.

«J'espère que milady me pardonnera. J'ai été trompée, et par amour, je vous ai causé beaucoup de chagrin. Je souhaite que milady ait la bonté de me lire jusqu'à la fin. Elle pourra ainsi comprendre la bêtise que j'ai commise.

«Je n'ai pas été violée comme je l'ai confié à milady. J'étais amoureuse et l'enfant que je porte a été conçu dans l'amour. En tout cas, je le croyais, milady. Mais j'ai été trompée. Ce que j'avais pris pour de l'amour n'était en fait qu'une passade pour lui. Je n'étais qu'une distraction agréable. Il m'avait promis le mariage, milady et, folle que j'étais, j'y ai cru. Je me suis donnée à lui, confiante et soumise.

«Quand j'ai réalisé que j'étais enceinte, j'étais inondée de bonheur, milady. Je me suis empressée de lui annoncer la nouvelle, pensant le combler de joie. Mais il a réagi drôlement. Sur le coup, milady me comprendra, j'ai pensé que la surprise lui coupait les jambes. Mais, plus tard, j'ai bien vu qu'il m'évitait et qu'il commençait à tourner autour de milady, sauf votre respect. Je sais que ce que je vous écris est affreux, mais j'aurais voulu vous arracher les yeux. Vous êtes tellement belle, milady.

«Puis, peu à peu, il est revenu vers moi, m'assurant de son amour. Trop heureuse de ce changement d'attitude, je l'ai cru, milady. Puis il est parti subitement, sans avertir. Il m'a envoyé une lettre de Londres me disant qu'il s'était brouillé avec son frère, mais qu'il viendrait me chercher bientôt et que nous nous marierions.

«Vous avez sûrement compris, milady, que l'homme dont je parle, c'est monsieur Laurence. Pas Lord Milton. Il est difficile pour moi de vous expliquer tout cela. Mais je le dois, milady. Je ne veux pas mourir avec le poids de ce mensonge sur la conscience.

«Quelques semaines après sa première lettre, j'en ai reçu une autre, dans laquelle il me demandait de lui rendre un service qui lui prouverait combien je l'aimais et qu'ensuite il m'épouserait. Je devais vous faire croire, pardonnez-moi milady, que l'enfant qui grandissait en moi était celui de votre mari. Monsieur Laurence disait qu'il désirait se venger de Lord Milton. C'était là la raison de ce mensonge.

«Mais moi, pauvre pécheresse, je me suis laissée entraîner, milady, et je vous ai fait du mal ainsi qu'à votre mari. Je m'en veux terriblement et je comprendrais que vous ne puissiez me pardonner. Mais ce que j'ai fait, je l'ai fait dans l'aveuglement de l'amour, milady. J'ai compris plus tard, trop tard, que monsieur Laurence ne m'épouserait jamais.

«J'ai donc quitté votre maison, et je puis vous assurer que je ne vous embarrasserai plus jamais, milady. Je ne peux supporter de vivre avec la honte de mettre au monde un bâtard qui sera la risée de tous. Il ne me reste donc qu'une solution, milady. La mort ne me fait pas peur. Pardonnez-moi si vous le pouvez, milady. Je vous en supplie, pardonnez à une brebis égarée.

«Au moment où vous recevrez cette lettre, je serai déjà morte, milady. Je vous demanderais seulement de ne parler de cette histoire à personne. Je sais que je n'ai rien à espérer et je ne le fais pas pour moi, milady, mais pour ma famille. Ils n'ont pas mérité d'être couverts d'opprobre. Ayez pitié! Ann»

Xaviera était anéantie. Tant de méchanceté, tant de perversité de la part de Laurence la blessait cruellement.

«Il avait promis de se venger et il a réussi. Mais en sacrifiant deux innocents. Mon Dieu! si cette petite m'avait raconté la vérité, j'aurais pu l'aider. Quel massacre inutile!»

Une peine sincère l'envahit, traversant le rempart d'indifférence et de léthargie qui l'entourait depuis quelques semaines.

«Pauvre petite! comme tu as dû souffrir! Sois sans crainte, je ne dévoilerai ton secret à personne. Nul ne connaîtra la vérité, sauf Marcus. J'espère que tu reposes dans la paix de Dieu.»

Elle passa de l'eau fraîche sur son visage et, après un dernier coup d'œil à l'image que lui renvoyait la psyché, elle respira profondément, se préparant mentalement à la scène qui allait suivre.

«Tu dois garder ton calme, s'admonesta-t-elle, tout en se dirigeant vers les appartements de son mari. Pour une fois, essaie de discuter normalement, sans t'emporter, même s'il t'injurie.»

Devant la porte de la chambre de Marcus, elle marqua une hésitation. Puis, rassemblant le peu de courage qu'il lui restait, elle frappa trois coups énergiques.

– Entrez.

– Que faites-vous? demanda-t-elle, sans prendre la peine de s'astreindre aux civilités d'usage, surprise de voir la chambre de son mari sens dessus dessous.

– Comme vous le voyez, je fais mes bagages, répondit Marcus en congédiant d'un signe de la main Adderly qui pliait soigneusement les chemises de son maître.

– Où allez-vous?

– En voyage, fit Marcus, laconique.

Oubliant ses belles résolutions, Xaviera s'emporta.

– Je sais très bien que si vous préparez vos bagages, c'est pour partir en voyage. Ce que je veux connaître, c'est votre destination.

– Marrakech[1].

– Qu'allez-vous y faire?

– Si vous êtes venue ici dans l'intention de me faire subir un interrogatoire, vous perdez votre temps.

La voix de Lord Milton avait claqué sèchement.

– Je voulais vous montrer ceci, dit Xaviera en lui tendant la lettre d'Ann.

– Qu'est-ce que c'est?

– Lisez. Vous comprendrez.

La jeune femme observait le visage de son mari sur lequel se peignirent simultanément l'incompréhension, la surprise et enfin la colère.

Tapant du pied, elle attendait un commentaire, quand Marcus laissa tomber la lettre sur le sol.

– Eh bien?

– Eh bien! quoi? Vous détenez enfin la preuve de mon innocence. Qu'attendez-vous de moi? Que je condamne la conduite de mon frère?

– Non. Des excuses!

– Des… ? Ma parole! vous êtes vraiment folle! Si quelqu'un est en droit d'exiger des excuses, c'est bien moi. Ou alors, c'est moi qui deviens fou et qui ne comprends goutte à votre raisonnement.

– C'est simple. Cette lettre est la preuve que je n'ai pas menti.

– Je ne comprends toujours pas.

– Je vais vous expliquer. Le jour où je vous ai accusé d'avoir violé cette petite et de l'avoir mise enceinte, vous vous êtes défendu ardemment, n'est-ce pas?

---

1. Ville du Maroc.

– Naturellement, puisque je n'étais pas coupable, répondit Marcus, ne voyant toujours pas où sa femme voulait en venir.

– Mais avant que cette lettre me parvienne, vous vous trouviez dans l'impossibilité de démontrer votre innocence. N'est-ce pas vrai?

– Oui, oui, dit Marcus, impatient.

– Vous ne comprenez pas? C'est la même chose pour moi. Quand je vous ai dit qu'on cherchait à me tuer, allant même jusqu'à vous soupçonner, vous ne m'avez pas crue. Vous pensiez que c'était moi qui inventais toute cette histoire pour me rendre intéressante. J'ai eu beau tenter de me disculper, vous n'avez jamais voulu prêter sérieusement l'oreille à mes explications. Comme je l'ai fait pour vous, à propos d'Ann. Mais la lettre change tout. Je suis bien obligée de me rendre à l'évidence. Vous n'êtes pas coupable.

– Et? interrogea Marcus, le sourcil froncé.

– Puisque, à mon grand regret, je dois croire à votre innocence, pourquoi ne feriez-vous pas de même à mon égard?

– Le chemin que suit votre logique est effarant! Cette lettre me blanchit, moi, pas vous.

– Ça revient au même, s'entêta la jeune femme. Puisque j'admets mes torts, vous pourriez en faire autant.

– Je n'ai pas de preuve vous lavant de tout soupçon.

– Vous en faut-il vraiment une? Vous ne pouvez faire confiance à la parole des gens?

– Des gens, oui. Mais la vôtre, non,

– Vous êtes incroyable! Regardez-moi.

– Eh bien?

– Que voyez-vous?

– Je préfère m'abstenir de répondre. Je risquerais d'être déplaisant, dit Marcus, sarcastique.

– Vous ne voyez pas que j'ai maigri, que je suis fatiguée, cernée, éreintée? Est-ce aussi de la comédie?

– Pourquoi pas? demanda-t-il, conscient de sa mauvaise foi et remarquant soudain comme sa femme avait changé depuis peu.

À sa grande honte, Xaviera éclata en sanglots.

– Ah! non, il ne manquait plus que ça. Les grandes eaux!

– Ne pourriez-vous cesser de voir en moi une femme diabolique, juste pour quelques instants? hoqueta-t-elle, tentant désespérément d'endiguer ce flot de larmes.

Marcus ne répondit pas, refusant de s'attendrir.

– On essaie vraiment de me tuer, Marcus, dit-elle. Je n'ai plus de repos. Tous les jours, je découvre dans ma chambre des messages ou des animaux écorchés vifs. Me croyez-vous vraiment capable d'une telle abjection?

– Honnêtement, je ne sais pas, Xaviera, fit-il, radouci. Depuis que je vous connais, je n'ai vu en vous que fourberie, tromperie, mensonges.

– Je sais, soupira-t-elle. Mais je vous supplie de me croire.

– Très bien, Xaviera. Calmez-vous, je vous crois.

– Vraiment? souffla-t-elle, une faible lueur d'espoir vacillant dans ses yeux.

– Vraiment. Que puis-je faire pour vous aider?

– Emmenez-moi. Emmenez-moi à Marrakech avec vous.

– Vous n'y pensez pas! s'écria Marcus, médusé.

– Si vous m'abandonnez ici, vous serez responsable de ma mort, aussi sûrement que si vous me plantiez un poignard dans le dos.

– N'exagérons rien. De toute façon, il m'est impossible de mettre une cabine à votre disposition, puisqu'il n'y en a que deux sur le bateau, la mienne et celle de mon second. Et puis, c'est loin d'être un voyage d'agrément.

– Je me ferai toute petite, le supplia-t-elle, les mains tendues. Vous ne vous apercevrez même pas de ma présence.

– Marrakech est un endroit dangereux. Il y a les Berbères, constamment en révolte, et les bédouins, qui ne valent guère mieux. Nous risquons à tout moment de nous faire égorger.

– Cela n'a pas d'importance. Je ne crains pas la mort quand elle attaque franchement et que je la vois venir.

– Vous vivrez de longues semaines enfermée dans ma cabine, sans pouvoir sortir. Mon équipage se compose d'hommes durs, peu habitués à résister à leurs instincts. Ils ne devront jamais vous voir, sinon cela déclencherait une mutinerie, l'avertit Marcus, tout en prenant conscience qu'il venait d'accepter de l'emmener.

– Je pars avec vous? demanda-t-elle, son petit visage reprenant des couleurs sous le coup de l'émotion.

– Oui. Soyez prête dans deux jours. Nous quitterons Milton Manor à l'aube. Veillez à ne prendre que le strict nécessaire et des vêtements pratiques.

– Oh! merci, merci. Vous êtes merveilleux. Je vous promets que vous n'aurez pas à regretter votre décision.

– Je n'en suis pas si sûr, marmonna-t-il, d'une voix inaudible. Je le regrette déjà.

En sortant de la chambre d'un pas allègre, Xaviera surprit une servante qui s'éloignait rapidement.

– Eh! toi, là-bas. Qui es-tu? l'interpella-t-elle avec brusquerie.

– Elizabeth, madame. À votre service, madame, répondit la jeune fille, le regard fuyant. Je remplace Ann aux cuisines.

– Que fais-tu à cet étage?

– Je me suis perdue, madame.

– Depuis combien de temps travailles-tu ici?

– Six jours, madame.

– Et après tout ce temps, tu essaies de me faire croire que tu te perds encore dans Milton Manor?

– Ben… oui, madame.

– Tu mens, l'accusa Xaviera. Que faisais-tu ici?

– Je vous l'ai dit, madame. Je me suis perdue, dit la petite bonne, en fixant sa maîtresse avec aplomb et un soupçon d'effronterie.

– Que je ne te reprenne plus à fureter dans les étages, ou tu seras congédiée! Me suis-je bien fait comprendre?

– Oui, madame. Puis-je retourner à mes occupations, madame?

– Va, et n'oublie pas mon avertissement.

Tout à la joie que lui procurait son prochain départ, la jeune femme chassa rapidement cet incident fâcheux de son esprit.

CHAPITRE XVIII

Ce soir-là, à une demi-lieue de Milton Manor, se tenait une réunion particulière et secrète.

Profitant de l'absence de Lord Durham, Alice avait envoyé un laquais digne de confiance chercher Yasmine. Cette dernière était arrivée depuis peu en compagnie de Laurence. Sirotant un verre d'alcool, elle assistait en silence à la discussion orageuse qui opposait Lady Durham et le jeune homme.

– De quel droit vous mêlez-vous de mes affaires? C'est moi qui ai eu recours aux services de Yasmine en tout premier. Je ne veux pas que vous fassiez échouer nos plans.

– Je vous défends de me parler sur ce ton, aboya Laurence. Si Yasmine m'a emmené, ce soir, c'est dans le seul but d'unir nos forces. Nous poursuivons les mêmes desseins, Alice: anéantir cette petite garce de Xaviera, ajouta-t-il d'un ton persuasif, tout en passant sous silence le fait qu'il avait bien l'intention, par la même occasion, de se débarrasser de son frère pour hériter du titre.

– Peut-être avez-vous raison! concéda-t-elle, boudeuse.

– Certainement. De toute façon, vous me devez déjà beaucoup. C'est grâce à moi que…

– Taisez-vous, ordonna Yasmine d'une voix coupante.

Stupéfaits, les deux antagonistes se tournèrent d'un même mouvement vers la vieille femme dont ils avaient complètement oublié la présence.

– Cette scène est parfaitement ridicule et nous perdons un temps précieux. Vous voulez tous deux la même chose. Chacun de vous, à sa manière, peut être utile à l'autre. Maintenant, asseyez-vous et faisons le point.

Subjugués par l'autorité qui émanait de cette petite femme, Laurence et Alice obtempérèrent sans plus discuter.

– Je sais que cette fille est désormais au bord de la folie, dit Yasmine, un sourire mauvais étirant ses lèvres déformées.

– Comment savez-vous cela? Et pourquoi ne m'en avez-vous pas informée? demanda Lady Durham, frustrée.

– Comment? J'ai le don de double vue et je vous l'apprends maintenant.

– Mais pour quelles raisons serait-elle près de plonger dans un abîme de démence? insista Alice, sa fureur décuplée en constatant que Laurence ne semblait guère surpris par cette nouvelle.

– Disons que quelques accidents se sont chargés de l'ébranler.

– Des accidents? Mais lesquels? Et qui les a provoqués?

Lady Durham, folle de rage, se sentait flouée.

Depuis leur arrivée, d'infimes indices la portaient à croire que Yasmine, probablement avec l'aide de Laurence, avait déjà engagé la bataille en omettant de lui en faire part. Elle en était désormais certaine.

– Vous posez trop de questions. Moins vous en saurez, mieux cela vaudra. Étant l'épouse de l'un de nos ministres les plus célèbres, vous devez être protégée, dit Yasmine, faussement rassurante.

– Je n'aime pas qu'on se moque de moi, se buta Alice, flattée malgré elle de voir qu'on s'inquiétait de sa sécurité.

– Personne ne se moque de vous. Quand cette histoire sera terminée, je vous raconterai tout, dans les moindres détails. Pour le moment, ce serait trop dangereux. Laurence, lui, ne risque rien en participant ouvertement à l'exécution de notre plan. Il a déjà tout perdu. Mais, en ce qui vous concerne, les enchères sont beaucoup trop importantes, expliqua Yasmine, tout en pensant par-devers elle que moins cette femme connaîtrait ses agissements, mieux ce serait pour sa propre sécurité.

Elle ne craignait pas Laurence. Ce n'était qu'un pauvre crétin qui fonçait tête baissée, aveuglément, sans se poser de questions. Mais Lady Durham, c'était autre chose. Elle était assez fine mouche pour deviner que Yasmine avait des raisons toutes personnelles de souhaiter la mort de Xaviera. Elle devrait se montrer très prudente, ne rien laisser paraître de ses sentiments et de ses désirs.

– Je disais donc que la fille n'a plus toute sa raison. Elle semble prête à être cueillie, mais elle est forte et j'ai peur qu'elle ne résiste encore.

– Pourquoi ne pas l'empoisonner, tout simplement? demanda Alice.

– Voilà bien l'idée d'une femme. Le poison! se moqua Laurence, dédaigneux.

– Mais, milady, qu'allez-vous donc penser? J'ai dû mal mesurer l'ampleur de votre haine à l'égard de cette peste. J'avais cru que vous prendriez plaisir à la voir s'étioler lentement, que vous savoureriez l'idée de la savoir soumise à une torture de tous les instants. Une vengeance se prépare savamment et patiemment. Vous me décevez.

– Vous avez tout à fait raison, Yasmine. Je me suis laissée emporter par ma trop grande hâte à récupérer Marcus. Il y a des mois que je suis sans nouvelles de lui, s'écria Alice d'une voix plaintive.

– Prenez patience. Vous le reverrez bientôt, votre bel amant, la rassura la vieille femme en lançant un rapide coup d'œil vers Laurence, l'avertissant silencieusement de ne rien dire.

– Très bien. Je vous fais confiance, Yasmine. Que proposez-vous donc?

– Voilà. J'ai imaginé un plan qui vous apportera certainement satisfaction à tous deux...

La vieille femme se tut, interrompue par le bruit que faisait quelqu'un tambourinant à la porte d'entrée.

– Attendiez-vous des visiteurs, Alice? s'enquit Laurence, inquiet.

– Non, non. Mais je vais aller répondre moi-même avant que James ne le fasse. Je ne veux surtout pas qu'il vous découvre ici, dit Alice en s'éloignant précipitamment.

Restés seuls, Laurence et Yasmine échangèrent un regard complice.

– Noubliez pas. Vous ne devez rien lui dire. Elle ne doit même jamais soupçonner le fait que vous voulez vous débarrasser de votre frère. Et il faudra toujours la tenir dans l'ignorance de nos réels projets. Je n'ai guère confiance en elle. C'est une femme amoureuse, et ce sentiment pousse parfois à commettre de graves erreurs.

– Je suivrai vos conseils, Yasmine. Puisque j'ai l'assurance de devenir Lord Milton sous peu, le reste n'a pas d'importance, dit le jeune homme, un éclair de cupidité traversant ses yeux bleus.

«Pauvre imbécile! Je me contrefiche de ton frère. Tout ce que je veux, c'est la fille. Toi et la Durham êtes mes instruments. Et combien faciles à manipuler!» pensait la vieille femme, se réjouissant en silence d'avoir rencontré ces deux bonnes poires qui lui avaient offert sa vengeance sur un plateau d'argent.

– Laurence, il y a quelqu'un qui demande à vous voir, annonça Alice en pénétrant dans la pièce.

– Moi? Qui est-ce?

– Je ne sais pas. Mais ça semble très urgent. Allez-y vite.

Profitant de son tête-à-tête avec Yasmine, Alice demanda:

– Dans combien de temps cette petite peste sera-t-elle morte?

– Bientôt, bientôt.

– Si vous saviez comme j'ai hâte de piétiner sa tombe! lança Lady Durham, sa voix vibrant de haine. Mais Laurence ne risque-t-il pas de tout faire rater?

– Non, non. Je ne crois pas. Il nous sera très utile. Mais faites tout de même attention. Je ne lui fais pas entièrement confiance. Il est un peu déséquilibré et son désir de se venger de cette fille tourne lentement à l'obsession. Ce sentiment pousse parfois à commettre des erreurs et ce garçon pourrait représenter un danger pour votre sécurité, dit Yasmine, répétant presque mot pour mot ce qu'elle avait dit à Laurence un peu plus tôt, soucieuse de garder la maîtrise totale de la situation, en maintenant ses deux comparses à distance respectable.

– Je serai sur mes gardes, Yasmine. Je ne tiens à être impliquée d'aucune manière. La position de mon mari ne me permet pas d'écart de conduite.

– Nous devrons changer nos plans, dit Laurence de retour dans la pièce, interrompant leur conciliabule. Xaviera s'embarque pour Marrakech dans deux jours.

– Marrakech? Mais que va-t-elle faire dans ce pays perdu? s'écria Alice qui, tout à sa surprise, ne remarqua point le visage soudainement blême de Yasmine.

– Je ne sais pas, mais elle part avec Marcus, ajouta Laurence, tirant une satisfaction sadique à voir Lady Durham suffoquer de rage.

– Avec Marcus? Oh! la garce! la petite intrigante! Nous devons l'en empêcher.

– Et comment, ma chère Alice? En la ligotant sur son lit, peut-être?

Réalisant soudain que Yasmine se cantonnait dans un silence inhabituel, Laurence se tourna vers elle.

– Eh bien! qu'avez-vous? Vous ne dites rien.

– Je réfléchissais, mentit-elle, en essayant désespérément de cacher son air catastrophé.

Des souvenirs, qu'elle s'acharnait en vain à refouler, remontaient à la surface, apportant avec eux le parfum exotique de son pays natal. Marrakech!

– Nous pourrions attendre qu'ils soient de retour, proposa Laurence.

– Ah! non, il n'en est pas question! protesta Alice, choquée. Elle aurait suffisamment le temps de refermer ses griffes sur Marcus pendant le voyage. Depuis votre départ de Milton Manor, il ne l'a pas quittée une seule fois. Il n'est plus retourné à Londres, fêter avec ses amis comme il en avait l'habitude. Si nous la laissons sur ce bateau, seule avec lui pendant des mois, j'ai bien peur qu'après il ne soit trop tard. Nous devons la tuer maintenant.

– Nous ne pouvons pas. C'est bien trop rapide. Cela ne nous laisse que deux jours.

– Vous avez tous deux raison, trancha Yasmine. D'un côté, nous sommes pris de court par le temps. Deux jours ne sont pas suffisants. De l'autre côté, si nous la laissons partir en voyage, elle reprendra des forces et oubliera les semaines horribles qu'elle vient de vivre. Tout sera à recommencer quand elle reviendra. C'est très embêtant!

Un silence tendu tomba sur la pièce. Fébrilement, ils cherchaient tous trois une solution.

– Mais oui! Quel idiot! Comment n'y ai-je pas pensé plus tôt? s'écria Laurence, en se tapant sur le front, enchanté. J'ai trouvé. Cela entraînera des coûts élevés, tout en comportant certains risques, mais c'est faisable. Écoutez bien.

Les deux femmes tendirent l'oreille, attentives.

Peu à peu, leurs visages s'éclairèrent, marquant leur vive satisfaction. Elles hochèrent la tête, en signe d'approbation.

La veille de son départ, Xaviera fit appeler Mary dans sa chambre.

– Dieu tout-puissant! Mais qu'est-ce que c'est que ce fouillis? s'exclama la vieille femme, les bras ballants devant le désordre qui envahissait la pièce.

– Je pars! dit Xaviera, les yeux brillant d'excitation.

– Tu pars? Mais où? Quand? Avec qui?

– À Marrakech, demain matin, avec mon mari, répondit-elle avec assurance.

– Marrakech? Mais tu vas te faire tailler en pièces à peine auras-tu posé le pied à terre. Il n'y a là que des barbares, de vulgaires païens.

– Allons, ma bonne, calme-toi. Préférerais-tu que je reste ici à attendre qu'on m'assassine? Là-bas, je serai en sécurité. Oui, oui, en sécurité. Malgré les barbares.

– Alors, je pars avec toi, annonça Mary d'une voix forte.

– Mais...Tu n'es pas un peu folle? Y as-tu pensé sérieusement? C'est un voyage long et fatigant. Et ton pauvre cœur? Est-il en état d'affronter les tempêtes, le mal de mer, le rationnement en eau douce et en vivres, et la chaleur écrasante qui pèse sur ce pays? demanda Xaviera, espérant que cette énumération des dangers auxquels ils risquaient de se heurter suffirait à la faire changer d'avis.

– Malgré tous ces arguments, je t'accompagne, rétorqua la bonne femme, contre toute attente. Je ne te laisserai pas seule avec ce sauvage.

– Quel sauvage? Marcus? Mais c'est mon mari, ma bonne.

– J'en étais sûre, marmonna-t-elle dans un soupir.

– Qu'est-ce que tu dis?

– J'en étais sûre, répéta-t-elle. C'était inévitable.

– Mais de quoi parles-tu? s'impatienta la jeune femme.

– Ma pauvre chatte... Ce diable d'homme t'a vaincue et tu ne le sais même pas.

– Mais vas-tu t'expliquer à la fin?

– Tu l'aimes, n'est-ce-pas? s'enquit Mary, résignée.

– Qui? Marcus? Bon sang! mais tu délires, s'insurgea-t-elle, indignée. J'exècre cet homme plus que je n'ai haï mon propre père, ce qui n'est pas peu dire.

– Mais tu as tout de même couru vers lui pour lui demander de l'aide, maugréa Mary, vexée d'avoir été reléguée à l'arrière-plan.

– C'est faux. J'ai appris par hasard qu'il partait en voyage et j'ai vu là une merveilleuse occasion d'échapper aux calculs de mon ennemi. Je lui ai demandé de m'emmener et il a accepté. Voilà tout. Ne va pas t'imaginer des choses.

– Peu importe, je n'en démordrai pas. Je pars avec toi.

– C'est hors de question. De toute manière, il n'y a pas de place pour un autre passager. Si je demandais à Marcus de te prendre avec nous, il s'empresserait de revenir sur sa décision et m'abandonnerait ici.

Mary se résigna finalement au fait que Xaviera ne changerait pas d'idée et, puisqu'elle se trouvait dans l'impossibilité de la suivre, elle fit une ultime tentative pour la retenir.

– Et si tu étais enceinte? Ce serait dangereux pour le bébé que tu parcoures mers et mondes à l'aventure.

– Pareille éventualité ne me viendrait même pas à l'esprit, répliqua Xaviera, amusée.

– Tu veux dire que...? s'étonna la vieille femme.

– Oui.

– Jamais?

– Si. Une fois, admit Xaviera, rougissante, revivant malgré elle la nuit où Marcus l'avait faite sienne et chassant volontairement de ses pensées la scène humiliante qui avait eu lieu entre elle et son mari, la veille du départ de Laurence.

– Eh bien! pour une surprise, c'en est toute une, souffla Mary, estomaquée. Je pensais... enfin, j'aurais cru...

– Je sais, je sais, la coupa la jeune femme, pressée de mettre un terme à cette conversation embarrassante. Et maintenant, passons aux choses sérieuses. Si je t'ai fait appeler, c'est parce que j'ai besoin de tes talents. Nous allons naviguer pendant quelques mois et ce voyage ne se passera sûrement pas sans que survienne quelque incident désagréable. Je voudrais que tu me prépares une provision d'herbes afin de pouvoir parer au plus pressé, le cas échéant.

– Avec plaisir, ma chatte. Tu ne changes donc pas d'idée?

– Non, ma bonne. C'est impossible.

– Très bien, renonça la vieille femme. Alors, suis-moi. Je vais te donner des fleurs de souci et de l'écorce de saule. Toutes deux ont la propriété de faire tomber la fièvre. Si les premières n'obtiennent pas les résultats voulus, tu essaieras la seconde. Et puis aussi des feuilles de tilleul, pour soulager les attaques douloureuses de rhumatismes et calmer les estomacs sensibles. Ah! j'allais oublier! Je te préparerai une petite fiole de vinaigre dont tu devras prendre grand soin. Si jamais l'un de ces affreux marins attrapait une maladie contagieuse et que tu sois dans l'obligation de l'approcher, tu te laveras la bouche, les narines et les mains avec le vinaigre. Cela te protégera. Si, par hasard, tu venais à en manquer, prends n'importe quelle boisson alcoolisée, elle aura le même effet, quoique l'utilisation du vinaigre soit préférable. J'ai aussi quelques fruits sauvages séchés qui pourraient t'être utiles, si jamais vous étiez à court de fruits frais.

«Et de la mandragore, de la jusquiame, de la belladone que tu devras faire infuser en très petites quantités, au cas où quelqu'un souffrirait trop pour trouver le sommeil. On ne sait jamais. Mieux vaut prendre ses précautions. Des pommades pour calmer la brûlure d'une blessure et éviter qu'elle ne s'infecte. De la charpie, des linges propres et un couteau bien aiguisé.»

– Mais, ma bonne, Marcus va me tuer si j'apporte tout cela, dit Xaviera, inquiétée par la liste de médicaments qui s'allongeait à une allure folle.

– Mais c'est le strict nécessaire! protesta Mary. Il faudrait être complètement idiot ou totalement irresponsable pour entreprendre un si long voyage sans avoir sous la main tout ce dont on a besoin pour soigner un blessé ou un malade. Quoique cet état de choses ne me surprendrait pas de la part de ton mari, ajouta-t-elle, perfide.

– Mary, la gronda la jeune femme, plutôt amusée par l'animosité de sa vieille amie.

– D'accord, d'accord. Ne perdons plus de temps. Munis-toi vite d'une plume et d'une feuille de papier. Tu vas prendre en note toutes les indications indispensables afin de n'empoisonner personne. Bien que dans le cas de ton mari...

– Mary! l'interrompit Xaviera, retenant avec peine un sourire.

– Ça va, ça va. J'ai compris, dit la vieille femme, faussement contrite. Je ne toucherai pas à un seul cheveu de ton diable d'homme de mari. N'empêche que je te rendrais un fier service. Dieu tout-puissant! a-t-on idée...

Incapable d'en supporter davantage, la jeune femme fila en douce, laissant Mary tempêter et entonner un de ses sempiternels discours, généreusement ponctué de «Dieu tout-puissant!».

DEUXIÈME PARTIE

CHAPITRE I

Plantée sur le quai, là où Marcus l'avait abandonnée, Xaviera combattait de son mieux le vent rageur de cette mi-septembre. Furieuse, elle repensait aux heures interminables qu'ils avaient passées ensemble depuis leur départ de Milton Manor, dans l'intimité pesante de la voiture.

En effet, leur périple avait mal commencé. Le regard sombre, son mari lui avait tout d'abord reproché, d'une voix dure, de n'avoir pas suivi ses directives lorsqu'il avait trébuché sur les nombreuses malles qui trônaient dans le hall. Sans même lui laisser la chance de placer un mot, il lui avait ordonné de s'en défaire de plus de la moitié. Haussant la voix, elle avait enfin réussi à se faire entendre et à lui expliquer que la plupart des bagages ne contenaient pas des vêtements, mais des médicaments. Refusant de se rendre à ses arguments, Marcus en avait lui-même fait le tri, ne gardant que ce qu'il jugeait indispensable.

Folle de rage, Xaviera avait tapé du pied, blessée par cette attitude relevant de la plus pure mauvaise foi. Alors même qu'elle s'apprêtait à lui servir une verte mercuriale, il s'était attaqué directement à elle, critiquant la robe qu'elle portait, l'accusant injustement d'être totalement inconsciente.

«Vous n'allez pas au bal, ma chère. Retirez-moi cette robe immédiatement et passez-en une qui convienne à un voyage en mer», avait-il dit d'un ton rogue.

Le traitant de mufle, elle avait refusé de se changer, alléguant le fait qu'elle avait revêtu sa robe la plus simple et la plus pratique, allant même jusqu'à découdre les ornements de dentelle qui bordaient les manches ainsi que le décolleté. S'en était suivie une de leurs habituelles querelles, chacun s'entêtant à rester sur ses positions.

Comme pour la punir de s'être dressée contre sa volonté en présence de témoins, Marcus l'avait presque arrachée à l'étreinte possessive de Mary et empêchée de dire adieu à Polly et à Soams, venus tous trois assister à leur départ. Xaviera avait à peine eu la possibilité de caresser une dernière fois la petite tête de Biskett qui, les yeux humides, lui adressait une prière muette et émouvante.

Le voyage s'était déroulé dans un silence pénible. Xaviera s'était blottie dans un coin de la voiture, fixant d'un regard obstiné le paysage qu'elle voyait défiler par la petite fenêtre. Marcus, le visage crispé, dardait sur elle ses yeux étranges, brillant d'un éclat de rage contenue.

Elle avait été infiniment soulagée au moment où la voiture s'était immobilisée sur les quais balayés par une pluie d'embruns aux effluves marins.

Telle une statue, enroulée dans la longue cape noire que son mari lui avait jetée sur les épaules avant de la quitter, hargneux, elle attendait qu'il daigne revenir la chercher.

Apercevant enfin la haute silhouette qui s'avançait vers elle, Xaviera ravala une remarque acerbe de peur que son mari ne la laissât sur le quai.

– Venez! aboya-t-il d'une voix qui ne permettait aucun doute quant à la qualité de son humeur. Et tâchez de ne pas vous faire remarquer.

– Vous souhaiteriez peut-être que je disparaisse? riposta-t-elle, venimeuse.

– Et comment! siffla-t-il entre ses dents, en l'entraînant à grands pas vers un trois-mâts de taille imposante.

Construit en chêne anglais, le voilier, à la structure particulièrement robuste, s'étendait sur près de trente mètres de long pour dix de large. À la proue, un nom était peint en lettres d'or: «Reine des mers».

Impressionnée, Xaviera admirait en silence le bâtiment dont le bon fonctionnement nécessitait plus de soixante hommes d'équipage.

– Vous en êtes le propriétaire, n'est-ce-pas?

– Oui. Et le capitaine, ne vous en déplaise, marmonna Marcus, apparemment peu disposé à entretenir une conversation.

Il la tira sans douceur par le bras et l'emmena devant l'étroite passerelle.

– Passez devant moi et faites attention où vous mettez les pieds. Je n'ai pas la moindre envie d'aller vous repêcher au fond de l'eau. J'ai en horreur les bains glacés.

Faisant taire sa crainte, Xaviera escalada la passerelle, la tête haute. Elle retint un soupir de soulagement lorsque le petit homme au visage glabre qui l'avait saisie à bras-le-corps la redéposa par terre avec brusquerie.

– Bienvenue à bord, milady, dit-il d'une voix grave dont le ton désagréable exprimait clairement les sentiments réels. À votre service, milady.

Marcus, qui venait d'arriver, fit les présentations.

– Xaviera, voici mon second, Jim O'Malley. C'est un Irlandais pure laine et un navigateur chevronné. O'Malley, voici ma femme, Lady Milton.

Considérant qu'il avait consacré assez de temps aux politesses d'usage, le second, sans plus de manières, se tourna vers Marcus et dit, soucieux:

– Capitaine, je ne sais si nous aurons suffisamment de fruits et de légumes frais. Avec une bouche en plus…

– Nous nous arrangerons, O'Malley. Ne vous inquiétez pas.

Xaviera qui, sans peine, avait saisi l'allusion, répliqua, hautaine:

– Ne vous faites aucun souci, Monsieur O'Malley. Je me contenterai de ma ration, comme vous tous. Je ne vous enlèverai pas le pain de la bouche.

Faisant mine de ne pas l'avoir entendue, le second salua son capitaine et, petite silhouette nerveuse, s'éloigna en fourrageant d'une main impatiente dans ses cheveux rares, d'un roux étonnant.

«Ça s'annonce bien! pensa la jeune femme. Entre cet homme qui désapprouve visiblement ma présence et mon mari qui ne se départit pas de son humeur de dogue, le voyage promet d'être follement divertissant.»

– Cet homme est charmant! dit-elle, ironique.

– Je vous interdis de critiquer Jim. Il mérite le respect, beaucoup plus que certaines personnes de ma connaissance.

Sentant que l'attaque était dirigée contre elle, Xaviera s'enferma dans un mutisme offensé.

– Venez, je vais vous montrer votre cabine. Notre cabine, se reprit-il, une expression indéchiffrable voilant son regard.

L'entraînant à sa suite, il descendit une minuscule échelle de corde menant au pont inférieur et se dirigea vers le château arrière qui abritait la cabine du capitaine, celle du second, l'office où se prenaient les repas ainsi que la cambuse servant à l'approvisionnement quotidien. Tout à l'extrémité du château arrière se trouvait le système de gouvernail.

Marcus ouvrit la porte de la cabine et s'effaça, laissant entrer sa femme. La pièce, quoique de dimensions restreintes, était luxueusement décorée et semblait offrir le maximum de confort. Tout l'ameublement était en chêne massif, à la riche couleur dorée. Les accessoires étaient tous solidement arrimés pour éviter qu'ils ne s'écrasent sur les murs par gros temps.

Xaviera, enchantée, en oublia sa mauvaise humeur.

– C'est magnifique! Je ne croyais pas qu'un bateau pouvait recéler de telles surprises.

– Très heureux que cela vous plaise! Cette cabine se trouve être votre unique territoire. Sous aucun prétexte, vous ne devrez la quitter. En cela, j'entends être obéi aveuglément.

– Autrement dit, je suis prisonnière, se révolta la jeune femme.

– Si vous tenez absolument à le prendre de cette façon, oui. Vous avez été prévenue avant notre départ. Si mon équipage voit traîner un jupon sur le pont, je ne jure plus de rien. Pour la plupart, ce sont des hommes rudes et sans manières, privés de femmes plusieurs mois par année. Si vous vous pavaniez devant eux, cela déclencherait assurément une mutinerie, chose que je veux éviter par-dessus tout. Avez-vous compris?

– C'est on ne peut plus clair, décréta-t-elle, d'un ton sec.

– Je vous laisse vous installer. Je dois surveiller le chargement.

– Attendez, Marcus. Où allez-vous dormir? demanda la jeune femme, embarrassée.

– Mais... dans mon lit, répondit-il, surpris.

– Ah! Et moi, où vais-je dormir?

– Dans mon lit, répéta-t-il, secrètement ravi de la voir pâlir.

– Mais...

– À quoi vous attendiez-vous donc? Que je vous laisse la couchette à vous toute seule et que je dorme par terre, au risque d'être réduit en bouillie si nous venions à essuyer une tempête? Désolé de vous décevoir, mais je ne suis pas galant à ce point.

– Mufle, cria-t-elle tandis qu'il refermait la porte derrière lui.

♦ ♦ ♦

Quand Marcus revint dans la cabine, la nuit était tombée depuis longtemps. Il trouva Xaviera profondément endormie, allongée au beau milieu du lit.

Il la secoua rudement.

– Réveillez-vous! ordonna-t-il à voix basse.

– Mmmhh? Quoi? dit Xaviera, ensommeillée.

– Poussez-vous. Je suis épuisé et je voudrais bien prendre un repos mérité.

– Qu'est-ce que vous voulez? s'écria la jeune femme, à présent parfaitement réveillée, en resserrant sa fine chemise de nuit sur sa poitrine.

– Je veux me coucher. Vous prenez toute la place.

– Il n'en est pas question! siffla-t-elle, choquée.

– Je vous donne le choix, dit-il d'une voix peu avenante. Ou vous me laissez une place ou je vous jette en bas du lit. Et je vous jure que le fait que vous soyez une femme ne m'arrêtera pas.

– Cela ne me surprendrait pas, grogna-t-elle, certaine qu'il n'hésiterait pas à mettre ses menaces à exécution.

Elle se poussa vers le mur, éprouvant un malin plaisir à lui céder le côté de la couchette duquel il pouvait tomber sur le plancher à tout moment.

«Je te souhaite de te casser la figure, espèce de brute», pensa-t-elle.

– Ce n'est pas trop tôt, lança Marcus en se déshabillant.

Les yeux ronds, Xaviera le regarda commencer à retirer sa culotte.

– Vous n'allez tout de même pas dormir nu?

– Si. Pourquoi?

– Parce que... parce que..., balbutia-t-elle, les joues brûlantes.

– Cela vous gêne? Eh bien! retournez-vous. Je ne me coucherai pas tout habillé simplement pour vous faire plaisir.

Voyant qu'elle s'apprêtait à protester, il leva la main, lui faisant signe de se taire.

– Cessez d'agir comme une enfant. J'ai besoin de sommeil. Nous levons l'ancre à l'aube et la journée a été longue. Je voudrais m'étendre quelques heures en paix. J'ai l'habitude de dormir nu. Si cela vous déplaît, je n'y peux rien. Pensez ce que vous voulez. Faites ce que vous voulez. Mais surtout, taisez-vous!

♦ ♦ ♦

Lorsque Xaviera ouvrit les yeux, le soleil était déjà haut dans le ciel. Perdue, elle se demanda pourquoi son lit bougeait de la sorte. Puis, les souvenirs affluant à son esprit à mesure que son cerveau combattait les brumes du sommeil, elle rougit puis pâlit à l'idée qu'elle avait partagé sa couche avec son mari.

Elle se rappela s'être réveillée un peu avant l'aube, blottie entre les bras de Marcus. Probablement avait-elle cherché à se réchauffer. Mais, quelle que fût la raison de cette conduite éhontée, elle souhaitait de tout son cœur que son mari n'en ait pas été conscient.

– Vous avez bien dormi? demanda celui-ci, la faisant sursauter.

Elle ne l'avait pas entendu entrer.

– Oui, merci, répondit-elle d'une voix étouffée.

– Avez-vous eu assez chaud?

«Il sait! Oh! mon Dieu, il sait. Quelle horreur! Que faire? Feindre. Il ne peut pas deviner que je sais m'être éveillée dans ses bras», pensa-t-elle fébrilement.

– Justement, non! Si c'était possible, j'aimerais avoir une autre couverture. J'ai frissonné toute la nuit, mentit-elle avec aplomb.

Pas un instant, il ne fut dupe de son attitude mensongère.

Magnanime, il dit:

– Je demanderai à O'Malley qu'il vous en apporte une, en même temps que votre petit déjeuner. Désirez-vous autre chose?

– Oh! oui. J'adorerais me plonger dans un bain bouillant, fit-elle en louchant avec envie vers le baquet de cuivre.

– C'est hors de question, répliqua-t-il d'un ton sec.

– Décidément, vous êtes résolu à me refuser le moindre plaisir.

– La provision d'eau douce ne sera utilisée qu'aux fins de la cuisine. Si vous désirez prendre un bain, j'en informerai Jim qui vous fera chauffer de l'eau de mer.

– De l'eau de mer? Pouah! Vous n'y pensez pas.

– C'est cela ou rien. Vous n'êtes plus à Milton Manor, Xaviera. Il vous faudra apprendre à vous contenter.

Elle lui tira la langue dès qu'il eut le dos tourné, puis se renfrogna.

«Je vois d'ici le spectacle dégoûtant que je vais offrir aux habitants de Marrakech si je ne peux me laver une seule fois», pensa-t-elle, pestant contre son mari.

Deux coups brefs frappés à la porte l'arrachèrent à ses sombres pensées.

– Entrez!

La tête rouge du second apparut dans l'embrasure.

– Voici votre petit déjeuner, milady.

– Merci, monsieur O'Malley. Posez-le sur la table.

– Avez-vous besoin d'autre chose? demanda-t-il de mauvaise grâce.

– Si. Une couverture bien chaude et bien épaisse. Ah! monsieur O'Malley, pourriez-vous me dire l'heure qu'il est?

– Onze heures, milady.

– Où sommes-nous?

– Nous avons quitté Plymouth il y a déjà longtemps. Nous naviguons en plein océan Atlantique.

– La mer est bonne? demanda Xaviera, désireuse de ne pas rester seule, même si, pour cela, elle devait entretenir une conversation avec cet homme au caractère bourru.

– Oui, milady, répondit-il du bout des lèvres, cachant mal son exaspération. Puis-je faire autre chose pour vous?

Plaquant un sourire avenant sur sa bouche, Xaviera demanda d'une voix douce:

– Pourriez-vous me faire chauffer de l'eau? Je meurs d'envie de prendre un bain.

– Désolé. Le capitaine a donné des ordres. L'eau douce doit être rationnée, répliqua le second d'un ton désagréable, le visage durci.

– Bien, merci. Laissez-moi, le congédia-t-elle, consciente de ce qu'elle venait de commettre un impair.

Résignée, elle alla s'asseoir à la table et attaqua son petit déjeuner.

Elle sirotait tranquillement son thé quand deux coups secs furent frappés à la porte.

– Entrez!

Le battant demeurant obstinément fermé, elle cria d'une voix forte:

– Entrez, monsieur O'Malley.

Impatientée, elle se demandait à quel jeu jouait le second. Elle se leva, alla tourner la poignée et tira brusquement la porte vers elle.

– Mais où est-il passé?

Tout en cherchant l'Irlandais, elle baissa les yeux et vit un paquet mal ficelé, enveloppé d'un papier grossier. Curieuse, elle se pencha pour le ramasser et remarqua qu'il était d'une saleté repoussante. Rentrant dans la cabine, elle entreprit de défaire la ficelle, mettant de côté l'enveloppe qui accompagnait le paquet.

Elle poussa un cri d'horreur quand se dégagea du papier une poule encore toute chaude, la gorge tranchée. Le cœur battant la chamade, de petits points noirs dansant devant ses yeux, elle se sentait au bord de l'évanouissement.

«Non, c'est impossible. Pas ici! Il ne peut pas m'avoir suivie, ici. Ce ne peut être qu'une coïncidence. Ce doit être cela», pensa-t-elle en refoulant la vague de panique qui montait en elle.

D'une main tremblante, elle déchira l'enveloppe et lut le court message.

«Surprise, lady? Tu ne peux t'échapper. Peu importe où tu iras, la mort te pourchassera. Tu te pensais peut-être en sécurité? Dommage... Surveille-toi bien.»

Xaviera, effondrée, s'étrangla dans un sanglot. En larmes, elle sortit précipitamment de la cabine, peu préoccupée par le fait que les hommes d'équipage pouvaient la voir dans cette tenue négligée et suggestive.

Folle de terreur, elle fonça droit devant elle et s'abattit dans les bras d'O'Malley.

– Qu'avez-vous, milady?

– Mon mari... je veux le voir... maintenant. Je vous en prie, hoqueta-t-elle.

– Venez avec moi. Je vais vous ramener à votre cabine. J'irai ensuite chercher le capitaine. Allons, venez, la persuada-t-il, certain que la femme de son patron avait perdu la raison.

Il l'installa sur le bord de la couchette et dénoua avec difficulté ses mains qu'elle avait crispées sur les revers de son habit.

– Ne me quittez pas, le supplia-t-elle, terrorisée.

– Seulement quelques minutes, milady. Je dois aller chercher le capitaine, dit-il doucement, la prenant en pitié malgré lui.

– Faites vite, alors. Je vous en conjure.

– Je ferai le plus vite possible.

Quelques instants plus tard, il était de retour, accompagné d'un Marcus à l'humeur massacrante.

– Laissez-nous, Jim. Pouvez-vous me dire ce qui vous a pris de vous jeter, telle une furie, dans les bras de mon second? Je vous avais pourtant ordonné de ne sortir de cette cabine sous aucun prétexte. Mais non, têtue comme vous l'êtes, voilà que vous vous précipitez sur le pont à moitié nue, à peine ai-je le dos tourné, explosa-t-il, hors de lui.

Encore sous le choc, incapable de prononcer un mot, Xaviera pointa un doigt tremblant vers la table.

Franchissant en quelques enjambées la distance qui le séparait de l'objet indiqué, Marcus jeta un regard dégoûté à la poule ensanglantée et lut rapidement les quelques lignes écrites sur le feuillet.

– Qu'est-ce que cela signifie? demanda-t-il durement.

Xaviera, la voix rauque, répondit lentement:

– Mon ennemi me poursuit. Il est à bord et il s'est arrangé pour me le faire savoir.

– Ma pauvre Xaviera! vous divaguez. Si un intrus s'était glissé parmi mes hommes, j'aurais été le premier à m'en apercevoir. Je les connais tous personnellement, et certains même depuis de nombreuses années. Ils me sont tous entièrement dévoués. Ils iraient jusqu'à donner leur vie pour moi. Je ne vous permettrai pas de leur faire porter le poids de cette abjection.

– Mais alors qui?

– Je ne vois qu'une seule explication. Désirant à tout prix que je croie en votre innocence, vous avez concocté ce plan tortueux, cette comédie machiavélique, dans le but méprisable de matérialiser votre invisible ennemi. Vous êtes forte, Xaviera. Mais vous devrez trouver autre chose pour me convaincre.

Blessée, la jeune femme ouvrait des yeux incrédules.

– Mais... je ne comprends pas. L'autre jour, à Milton

Manor, vous sembliez pourtant m'accorder toute votre confiance. Vous avez dit...

– Je vous ai menti, pour que vous vous calmiez. Vous étiez au bord de l'hystérie. Mais je ne pensais pas un seul mot de ce que je disais, lança-t-il, brutal. Une chose est sûre, cependant. Je ne vous laisserai pas massacrer toutes nos provisions par simple caprice. À partir de maintenant, je posterai quelqu'un dans les cales. Il veillera sur le bétail et, si vous ne voulez pas avoir une mort sur la conscience, vous feriez bien de ne pas toucher à un seul de ces animaux.

– Que voulez-vous dire?

– Si jamais je découvrais une autre de ces dépouilles macabres, le gardien serait pendu haut et court.

– Mais vous êtes fou? Comment pouvez-vous être aussi cruel? se révolta-t-elle.

– Vous êtes avertie. Lui aussi sera prévenu du sort qui l'attend. S'il échoue, c'est à-dire si vous réussissez à déjouer sa vigilance, il sera pendu au mât de misaine jusqu'à ce que mort s'ensuive.

– Vous êtes monstrueux. Qui êtes-vous donc pour vous arroger le droit de vie ou de mort sur de pauvres innocents?

– À bord, je suis maître après Dieu. Mon équipage me doit une obéissance aveugle. Il n'en tient donc qu'à vous que l'homme que j'élèverai à ce poste vive jusqu'à cent ans.

– Sadique! Démon! Sortez d'ici, hurla Xaviera, à bout de nerfs. Vous êtes malade!

– Pas plus que vous, ma chère, lança-t-il avant de la quitter.

La jeune femme, horrifiée, bourra le matelas de coups de poing, imaginant à plaisir que c'était le visage de son mari qu'elle martelait de toutes ses forces.

♦ ♦ ♦

Les jours passaient, longs, ennuyeux, solitaires.

Confinée dans la petite cabine d'où elle n'était sortie qu'à deux reprises, pour aller dîner à l'office en compagnie de son mari et de Jim O'Malley, Xaviera tournait en rond, n'ayant que ses pensées pour la distraire. Depuis leur premier jour de navigation, aucun incident bizarre n'était venu troubler la tranquillité des heures qui s'écoulaient paisiblement.

«À croire que celui qui m'en veut tient absolument à donner raison à Marcus! Aucun autre animal n'a disparu depuis que j'ai découvert la poule égorgée. Mon cher mari doit maintenant être certain que j'ai cessé mes activités sinistres afin d'épargner la vie d'un innocent. Quelle ironie!» pensa-t-elle, désabusée.

Par tous les moyens, elle s'efforçait de chasser de son esprit l'idée que son ennemi la talonnait. Elle s'était même mise à la lecture mais, comme elle n'avait reçu qu'une éducation rudimentaire, elle éprouvait d'énormes difficultés à saisir le sens des termes scientifiques qui jalonnaient les livres terriblement sérieux dont était bourrée la bibliothèque de son mari.

Ce matin-là, impatientée, elle jeta contre la cloison le volume sur lequel elle s'escrimait depuis des heures. D'un pas rageur, elle arpenta la petite cabine, pestant contre Marcus qui la retenait prisonnière.

Deux coups secs frappés à la porte annoncèrent l'arrivée de l'Irlandais, porteur du plateau du déjeuner.

– Bonjour, milady. Voilà votre repas, dit le second d'une voix douce.

Depuis qu'il avait assisté à la crise d'hystérie de la jeune femme, le jour de leur départ, il s'adressait à elle comme à une enfant attardée.

– Merci, monsieur O'Malley. Posez le plateau sur la table. Pourriez-vous aller chercher mon mari, je vous prie? J'aurais à l'entretenir d'une affaire urgente.

– Bien, milady. J'y vais de ce pas.

Quelques instants plus tard, Marcus pénétra dans la cabine, remplissant le petit espace de sa haute silhouette. Xaviera remarqua que sa peau, initialement dorée, avait pris une chaude teinte cuivrée, soulignant encore plus le contraste entre les deux iris, l'un bleu, l'autre noir, qui fixaient leur regard sur elle.

– Que voulez-vous?

– J'aimerais que vous me permettiez de prendre quelques bouffées d'air. Je vais mourir si je reste enfermée plus longtemps dans ce réduit.

– C'est impossible. Je vous l'ai pourtant répété plusieurs fois.

– Seulement quelques minutes, quand la nuit sera tombée. Vos hommes ne verront qu'une ombre noire si je m'enroule dans ma cape, s'obstina la jeune femme.

– Non.

La réponse avait fusé sèchement.

– Vous êtes volontairement désagréable. Je ne vous demande pas la fin du monde. Je veux seulement respirer un peu d'air frais, dit-elle en haussant le ton. Et puis, vous semblez oublier que je suis déjà sortie deux fois pour aller dîner à l'office en votre compagnie.

– C'etait différent, fit-il, laconique.

– Pouvez-vous m'expliquer en quoi, je vous prie?

– Je n'ai pas à vous fournir d'explications.

– Mais, bon sang! vous ne voulez vraiment rien comprendre. J'ai besoin de prendre l'air. Regardez-moi, je suis toute pâle, explosa-t-elle.

– Oui, vous êtes pâle, constata-t-il d'un ton froid, indifférent.

– C'est un cadavre qui débarquera à Marrakech, si vous persistez à vous entêter.

– Grand bien m'en fasse, répliqua-t-il, sardonique, en la quittant.

– Sale brute! cria-t-elle derrière son dos, voulant à tout prix avoir le dernier mot.

♦ ♦ ♦

Xaviera faisait sa toilette et s'apprêtait à se mettre au lit, rêveuse. Plus ils approchaient des mers du Sud, plus le vent se réchauffait, apportant dans son sillage des odeurs de soleil qui taquinaient son imagination.

La jeune femme brossait lentement ses cheveux, perdue dans ses pensées, quand son mari entra.

– Mettez ça, dit-il, laconique, en lui lançant la lourde cape de laine noire. Emmitouflez-vous dedans jusqu'à ce qu'on ne voie que le bout de votre nez.

– Où allons-nous? demanda-t-elle, le cœur rempli d'un espoir timide.

– Venez, dit-il en guise de réponse.

L'agrippant vigoureusement par un bras, il lui fit grimper l'échelle par laquelle on accédait à la dunette. Il l'entraîna sur une petite plate-forme surmontant le château arrière, retraite discrète pour qui désirait être invisible.

– Je viendrai vous chercher dans dix minutes, jeta-t-il avant de disparaître, happé par l'épaisseur de la nuit.

«Quel ours! Il pourrait se forcer à sourire un peu», pensa-t-elle, tout en s'abandonnant à cette liberté nouvelle.

Elle aspirait l'air tiède avec délice, grisée par le vent chargé du parfum de la mer qui caressait son visage. Son corps vibrait, envahi par une joie sauvage. Telle la *Reine des mers*, elle laissait les flots la bercer et l'envelopper dans une douce rêverie. Elle se représentait une contrée gorgée de lumière dorée, des dunes de sable à perte de vue, des fleurs exotiques aux essences enivrantes.

«Marrakech! Comme j'ai hâte d'être là-bas!» songea-t-elle, chassant enfin de son esprit l'inquiétude qui la rongeait depuis de longues semaines.

Tirant sur sa cape, elle dégagea sa longue chevelure de jais, la laissant flotter librement au gré de la brise.

Sur le pont inférieur, quelque part dans l'obscurité, un marin jouait de la flûte, tirant de son instrument des notes vibrantes et nostalgiques, presque tragiques, probablement quelque triste mélopée dédiée à un amour lointain, tandis que certains de ses compagnons disputaient une partie de cartes, à grand renfort de cris joyeux et de moqueries amicales. Chacun profitait pleinement et à sa façon des heures de repos qui lui étaient allouées, sachant que bientôt il devrait retourner à ses occupations respectives.

Ces bruits étouffés, témoignant de la vie simple qui se déroulait à bord du bateau, parvenaient à Xaviera, l'enveloppant dans un charme apaisant et, tout à la fois, profondément émouvant.

«Qu'il est donc facile de comprendre ces hommes qui ne jurent que par la mer! Quelle exaltation! Seuls, perdus dans l'immensité de l'océan, ils doivent vivre quelque chose d'unique, d'envoûtant, de presque violent. Comme je les envie! Comme je voudrais pouvoir m'évader, moi aussi!»

– Venez. Je vous ramène à votre cabine.

– Déjà? murmura-t-elle, luttant de toutes ses forces contre ce dur rappel à la réalité.

– Les dix minutes sont écoulées, répondit Marcus d'une voix au timbre métallique.

Aiguillonnée par un démon tentateur, elle demanda, moqueuse:

– Vous arrive-t-il parfois de sourire? D'aller même jusqu'à être agréable?

– Remettez votre capuchon et suivez-moi, éluda-t-il, visiblement mécontent.

– Vous n'avez pas répondu, insista-t-elle, insatisfaite.

– Cela n'a pas d'importance. Allons, venez.

– Je voudrais rester encore un peu, pria-t-elle d'une voix angélique.

– Suivez-moi ou je ne réponds plus de mes actes, gronda-t-il, l'air menaçant.

– Quelle humeur de dogue que la vôtre! lança-t-elle en le devançant, la tête fièrement levée. Même un dragon crachant le feu m'apparaîtrait plus sociable que vous!

Marcus la raccompagna jusqu'à sa cabine et lui annonça qu'il était prêt à la laisser sortir tous les soirs à la même heure, si la température se montrait clémente.

– À quoi dois-je cet accès de générosité? ironisa-t-elle.

La saluant d'une brève inclination de la poitrine, il s'éloigna à grands pas comme s'il avait été poursuivi par une horde de bêtes sauvages.

Amusée par ce départ précipité qui ressemblait presque à une fuite, Xaviera retira sa lourde cape et s'étendit sur l'étroite couchette, cédant bientôt à un sommeil réparateur, s'enfonçant dans l'ignorance bienheureuse du lendemain, qui lui réservait une surprise cauchemardesque.

♦ ♦ ♦

Xaviera s'éveilla reposée et affamée. D'humeur joyeuse, elle procéda à ses ablutions matinales, savourant le bien-être que lui procurait l'eau fraîche préparée à son intention par le second.

Deux coups secs frappés à sa porte la précipitèrent derrière un paravent aux motifs chinois.

– Laissez le plateau à la porte, monsieur O'Malley. Je ne suis pas prête! cria-t-elle d'une voix forte, remplie d'anxiété à l'idée que le second pouvait entrer et la surprendre dans le plus simple appareil.

Elle s'habilla en hâte, se dirigea ensuite vers le panneau de chêne travaillé en chantonnant et tourna la poignée, tirant la porte vers elle. Elle étouffa un cri et sentit le sang se retirer brusquement de ses veines. Un paquet, semblable à celui qu'elle avait trouvé quelque temps auparavant, était posé sur le sol, la narguant dans toute son horreur.

D'une main tremblante, elle s'en empara, jetant un coup d'œil inquiet aux alentours, souhaitant de toutes ses forces qu'on ne la voie pas. Sachant déjà ce qu'elle allait trouver à l'intérieur du papier grossier, elle ne prit même pas la peine de l'ouvrir. Son regard se porta plutôt sur l'enveloppe qui accompagnait le paquet et elle la déchira rapidement, en proie à la panique. Elle déplia le feuillet et déchiffra l'écriture qu'elle aurait reconnue n'importe où.

«Tu pensais avoir été oubliée, lady? Tu te sentais peut-être délaissée? Rassure-toi, tu n'es pas seule. La mort t'accompagne. Elle te fera signe très bientôt. Profite bien des jours qui viennent, ce sont les derniers. À la prochaine, lady!»

Xaviera haletait, le cœur pétri par une peur sans nom. Elle cherchait désespérément son souffle, regardant, impuissante, la pièce tournoyer, un bourdonnement remplissant sa tête. S'exhortant au calme, elle respira lentement, tentant vainement de faire le vide dans son esprit.

Elle n'entendit pas la porte qui s'ouvrait derrière elle, trop occupée à lutter contre l'évanouissement, son être tout entier aspirant à l'oubli que lui procurerait l'inconscience.

– Que faites-vous?

Le visage blafard, la jeune femme se retourna en poussant un cri de terreur.

– Qu'avez-vous, Xaviera? demanda Marcus, inquiet malgré lui.

– Rien, rien. Laissez-moi, souffla-t-elle d'une voix éteinte. C'est un banal étourdissement, un simple malaise passager.

– Je peux vous envoyer O'Malley. Il peut se transformer en un excellent médecin quand cela s'avère nécessaire et si vous ne souffrez pas d'une maladie qui dépasse ses connaissances ou ses compétences.

– Non, je n'ai besoin de rien ni de personne. Ça va déjà beaucoup mieux. Je veux seulement rester seule, dit-elle en raffermissant sa voix, priant pour que son mari parte au plus vite, de peur qu'il ne découvre le paquet macabre qu'elle dissimulait maladroitement derrière son dos.

– Bien, après tout, c'est vous qui le savez. Je ne vous dérangerai pas longtemps. Je venais chercher mes lunettes d'approche. Je crois les avoir oubliées sur ma table, dit-il en s'approchant de la jeune femme.

Cette dernière, folle d'angoisse, voyait arriver le moment où son mari tomberait sur le colis qu'elle voulait désespérément lui cacher. Incapable de réagir, transformée en bloc de glace, elle regardait Marcus s'avancer, suppliant Dieu de la foudroyer à l'instant.

Un juron lui fit comprendre que Marcus venait d'apercevoir le papier maculé qui recouvrait le cadavre d'une autre pauvre victime.

– Qu'est-ce? demanda-t-il d'une voix incisive.

Incapable de répondre, Xaviera hocha la tête, tout à l'horreur de ce qui allait suivre.

Allant à l'encontre de ce à quoi elle s'attendait, Marcus n'ajouta qu'une phrase brève:

– Venez me rejoindre sur le pont supérieur dans dix minutes. Et couvrez-vous.

Il sortit, claquant brutalement la porte derrière lui.

Xaviera, folle d'inquiétude et d'angoisse, se rongeait les sangs. Elle repoussait de toutes ses forces la petite voix sournoise qui chuchotait à son oreille qu'elle allait assister sous peu à la mise à mort d'un innocent. Les menaces qu'avait proférées son mari lors du premier incident et qu'elle s'était efforcée d'oublier, remontaient à la surface dans une réalité effarante.

«Il ne peut être si cruel. Il ne peut faire pendre cet homme de sang-froid. Oh! Mon Dieu! aidez-moi! Donnez-moi le courage d'empêcher ce meurtre inutile et combien injuste!»

Le visage exsangue, crispant ses mains spasmodiquement l'une contre l'autre, la jeune femme sortit de la cabine et se dirigea vers le beaupré, où s'enracinait le mât de misaine.

Un attroupement de marins silencieux et hostiles se referma

sur elle alors qu'elle se frayait difficilement un chemin pour rejoindre son mari. Celui-ci l'attendait, les traits sévères, un jeune homme se tenant à ses côtés.

– Xaviera, voici Percy, un excellent matelot. Ce garçon jeune et en bonne santé est à mon service depuis quelques années. Il me donnait entièrement satisfaction. Malheureusement, il a failli à la tâche que je lui avais confiée. Par votre faute, à cause de votre nature perverse et tortueuse, je me vois dans l'obligation de l'exécuter.

Xaviera, transformée en statue de pierre, fixait sur Percy un regard halluciné. Ce dernier, la tête fièrement levée, la dévisageait avec intensité, sans qu'on puisse lire la plus infime trace d'animosité sur ses traits encore enfantins.

– N'avez-vous rien à dire pour sauver cette jeune vie? demanda Marcus, le torse raidi dans une attitude accusatrice.

La jeune femme ouvrit la bouche sans émettre le moindre son.

Voyant cela, Marcus serra la main de Percy et lui ordonna de grimper jusqu'au sommet du mât auquel on avait préalablement suspendu une corde qui balançait au gré du vent son nœud coulant, symbole de mort.

Révoltée par tant d'obéissance servile et aveugle, Xaviera cria d'une voix rauque:

– Arrêtez! Vous n'avez pas le droit de faire cela. Vous êtes inhumain, totalement monstrueux.

– C'est vous qui êtes monstrueuse, Xaviera. N'interviendrez-vous pas pour empêcher que cet homme périsse à cause de votre égoïsme, de votre machiavélisme? Avouez vos machinations sordides et je lui ordonne de redescendre.

Levant les yeux, Xaviera vit que le jeune homme avait déjà escaladé le mât de misaine ainsi que le petit mât de hune et, son pied droit quittant la surface lisse du petit mât de perroquet, s'apprêtait à entreprendre l'ascension du petit mât de cacatois, dernière étape qui le condamnerait à une mort atroce.

Extrêmement tendue, au bord de la syncope, elle regarda son mari et lui demanda d'une voix blanche:

– Dites-moi ce que je dois faire.

– Avouez que vous avez réussi à pénétrer dans les cales en déjouant la vigilance de Percy avec une habileté démoniaque, pour vous emparer d'une poule que vous avez ensuite égorgée et empaquetée, pour finalement la déposer devant votre porte, comme la première fois, exigea Marcus, brutal, se souciant peu de ce que l'équipage tout entier entende ce qu'il disait.

– Mais c'est faux! Je vous l'ai répété maintes fois, se révolta-t-elle, retrouvant un peu de vigueur.

– Petite peste intrigante, siffla Marcus entre ses dents, blanc de rage.

Sur un signe de son capitaine, Percy attrapa la corde et la passa autour de son cou.

– Non! hurla la jeune femme d'une voix stridente. Arrêtez!

– Avouez, Xaviera. C'est votre dernière chance de lui sauver la vie.

Torturée, elle leva les yeux et regarda Percy qui se balançait dans un équilibre précaire, la corde enroulée autour du cou. Le jeune homme témoignait d'un courage exemplaire qui forçait l'admiration.

Il était au-dessus de ses forces de laisser ce garçon se sacrifier pour elle. Même si elle n'était pas coupable de ces actes ignobles dont son mari la blâmait, même si c'était elle la véritable victime, la responsabilité lui incombait de faire libérer Percy, en dépit de la douleur qu'elle ressentait à s'accuser de tous ces méfaits.

– Très bien. J'avoue, murmura-t-elle.

– Plus fort, ordonna son mari, bien décidé à lui faire subir cette humiliation injustifiée jusqu'au bout.

– J'avoue, cria-t-elle avant de sombrer dans l'inconscience.

Par chance, elle ne put voir les regards lourds de dédain et de dégoût que lui jetaient les marins en s'éloignant. Les commentaires désobligeants pleuvaient. Tous plaignaient le capitaine d'être affublé d'une telle mégère.

Un sifflement aigu déchira les voiles bienfaisants de l'inconscience derrière lesquels se réfugiait Xaviera. Ouvrant un œil, elle regarda autour d'elle, cherchant à identifier la source de ce bruit. Elle était seule. Relevant la tête, elle poussa un hurlement et roula sur le côté.

Un boulet de petit calibre s'écrasa à peu de distance de son visage. Comprimant de ses mains les battements de son cœur emballé, elle scruta les hauteurs des trois mâts, aspirant à découvrir l'identité de celui qui avait lancé le boulet, dans l'intention indiscutable de la tuer. C'était peine perdue. Personne!

Elle se releva péniblement et se dirigea en titubant vers le havre de sécurité que représentait sa cabine. Ses jambes flageolantes supportaient avec peine le poids de sa souffrance.

Elle fouilla dans ses bagages, à la recherche des herbes préparées par Mary. Elle trouva enfin le petit sachet contenant la poudre de jusquiame, en versa une dose généreuse dans une tasse et y ajouta de l'eau fraîche. Elle mélangea le tout avec l'énergie du désespoir et avala la boisson rapidement, souhaitant presque que la quantité de drogue qu'elle ingurgitait dépasse de beaucoup celle permise.

Elle ne voulait que dormir, et tant mieux si c'était pour l'éternité.

CHAPITRE II

Vingt-quatre heures plus tard, Xaviera fut réveillée en étant projetée brutalement hors de sa couchette et s'aplatit, face la première, sur le sol. Elle tenta en vain de se relever, mais le voilier tanguait obstinément en émettant des craquements sinistres, comme si quelque génie malfaisant l'éventrait à coups de hache.

Reprenant contact avec la réalité, Xaviera entendit des pas de course au-dessus de sa tête et des voix qui criaient et donnaient des ordres.

– Amenez les voiles! Vérifiez la mâture. Toi, toi et toi, allez dans les cales. Sauvez ce qui peut encore l'être et emportez le tout dans les cabines.

Xaviera reconnut la voix grave de son mari. En tant que capitaine, c'était en effet à lui que revenait la direction des manœuvres.

Rampant sur le plancher, elle parvint à atteindre sa cape. Se retenant d'une main à la table, elle s'enroula tant bien que mal dans la chaude étoffe. Le corps cambré, elle se dirigea à pas comptés vers la porte de la cabine et reçut un paquet d'embruns en plein visage quand elle l'ouvrit. Suffoquée, la jeune femme crachota et passa une main sur ses yeux brûlés par l'eau de mer. S'agrippant au chambranle, elle jeta un coup d'œil à l'extérieur.

Une agitation fébrile régnait sur le voilier malmené par les flots. Affairés, les hommes couraient en tous sens, glissant et trébuchant. Xaviera était confrontée à un spectacle apocalyptique. Alors qu'il devait être midi tout au plus, la nuit les enveloppait dans ses ténèbres. Des lames d'une extrême violence balayaient le pont, entraînant par-dessus bord, dans une valse échevelée, plusieurs hommes de même que tous les objets qui n'étaient pas solidement arrimés. Le bateau soubresautait dans des embardées imprévisibles, se couchant complètement sur le côté. Le rugissement du vent ajoutait une intensité dramatique à cette véritable vision d'enfer.

«Mon Dieu! nous allons couler!» pensa la jeune femme, affolée.

Le trois-mâts se redressa lentement, sa structure gémissant de toutes parts, pour se recoucher aussitôt sur le flanc, emporté par la fureur d'une vague déferlante. Trempée jusqu'aux os, Xaviera se hasarda sur le pont et se plaqua contre la cloison, de peur d'être jetée par-dessus bord.

Elle fut happée par des bras forts qui encerclèrent brusquement sa taille.

– Regagnez immédiatement votre cabine! hurla Marcus pour couvrir le bruit du vent.

– Mais...

– Ne discutez pas. J'ai trop à faire pour argumenter avec vous. Obéissez pour une fois!

Sans plus s'occuper d'elle, il s'éloigna à grands pas, solide, comme s'il n'était pas importuné par la tourmente.

Faisant fi de son avertissement, Xaviera s'enhardit et avança prudemment sur le pont glissant. Elle attrapa la rambarde et s'y agrippa fermement, offrant son visage à la colère du vent.

Les éléments étaient déchaînés. Il était impossible de distinguer quoi que ce soit dans cette obscurité opaque. Le ciel et la mer se confondaient, s'unissant dans un ensemble parfait pour décharger leur ire[1] sur le frêle bâtiment. Xaviera, inconsciente du réel danger qu'elle courait à se dresser là, cible fragile, subissait avec joie les assauts de la tempête.

Soudainement, elle ne fut plus seule. Son instinct l'en avertissait. Quelqu'un était tout près d'elle. Des mains nerveuses la saisirent à bras-le-corps, comme si elles cherchaient à la jeter par-dessus la rambarde. Affolée, perdant pied, la jeune femme se débattit de toutes ses forces.

Le combat, silencieux, en était un de vie ou de mort. Sortant ses griffes, elle lança sa main vers ce qu'elle pensait être le visage de son agresseur. Elle ne parvint pas à l'atteindre, mais le coup brusque qu'elle avait donné pour libérer son bras avait déséquilibré son ennemi. Sans prendre le temps de s'assurer s'il avait basculé ou non dans les flots bouillonnants, elle se mit à genoux et se traîna jusqu'à sa cabine, le cœur battant, les tempes serrées dans un étau de peur panique.

«Une fois de plus, on a voulu attenter à mes jours», pensa-t-elle en entrant dans la petite pièce qui lui parut très accueillante, malgré les coffres et les malles qui l'encombraient.

Deux matelots qui transportaient une lourde caisse de bois la heurtèrent sans même s'excuser. Obéissant aux ordres de leur capitaine, ils récupéraient tout ce qu'ils pouvaient dans les cales inondées et montaient la cargaison dans les cabines de Marcus et du second.

Quand elle les vit revenir d'un de leurs nombreux voyages, tirant et poussant une grosse truie qui manifestait bruyamment son mécontentement, elle s'étrangla d'indignation.

– Vous n'allez tout de même pas installer cet animal ici!

– Désolé, m'dame. Ordre du cap'taine! dit un des hommes.

«C'est un comble! Il pousse la plaisanterie un peu trop loin. S'il croit que je vais partager le peu d'espace qu'il me reste avec

---

1. Synonyme ancien, à caractère poétique, de colère.

ce porc dégoûtant, eh bien! il se trompe», pensa-t-elle, la colère chassant les mauvais souvenirs que lui avait laissés l'attaque dont elle venait d'être victime.

Poursuivant leur va-et-vient hasardeux, les marins remontèrent une vingtaine de poules caquetantes qui roulaient des yeux effarés et secouaient leurs plumes ruisselantes d'eau de mer.

– Mais ça suffit! Nous ne sommes par sur l'arche de Noé, cria Xaviera d'une voix forte pour couvrir le bruit assourdissant du vent et des vagues qui s'acharnaient sur la coque fragile.

– Désolé, m'dame...

– Oui, je sais. Ordre du cap'taine. Allez, faites ce qu'on vous a ordonné, se résigna-t-elle enfin, tout en soupçonnant son mari de vouloir la faire enrager.

À peine une demi-heure plus tard, la tempête cessa aussi brusquement qu'elle s'était déclenchée, faisant régner au cœur du voilier un silence presque hallucinant.

Marcus entra dans la cabine, les traits tirés, trempé jusqu'à la moelle. S'affalant sur la chaise qu'il avait auparavant remise sur ses pattes, il soupira, jetant un regard surpris sur sa cabine qui s'était transformée en un véritable capharnaüm.

Un sourire fatigué joua sur ses lèvres.

– Eh bien! Xaviera, vous n'aurez plus à vous plaindre de votre solitude. Maintenant que vous avez avoué être responsable du massacre de deux de nos poules, je n'ai plus à craindre pour la vie de celles qui ont échappé à votre folie meurtrière. Vous ne pousseriez sûrement pas la bêtise jusqu'à les assassiner sous mes yeux.

Xaviera se cantonna dans un mutisme rageur. Il ne servait à rien de se défendre ou de révéler à son mari que quelqu'un avait profité de la tempête pour essayer de la faire disparaître. Comme Marcus était convaincu de la véracité des aveux de culpabilité qu'il lui avait arrachés, elle ne ferait que se ridiculiser.

– Que vous êtes silencieuse! Cela me change de vos éternelles récriminations, fit-il, moqueur, en essayant de provoquer un éclat de colère chez sa femme.

Refusant de lui accorder ce plaisir, cette dernière se tourna vers le mur, ravalant avec peine les répliques cinglantes qui lui montaient aux lèvres.

Deux coups secs frappés à la porte annoncèrent la venue de Jim O'Malley.

– Milady, capitaine, les salua-t-il. Il y a moins de dommages que ce qu'on avait cru au premier abord. Une ou deux voiles ont été déchirées, le mât d'artimon a été malmené mais il tient bon. Les pertes humaines sont beaucoup plus considérables. Dix hommes sont morts, engloutis dans les flots. Une bonne partie des provisions est irrécupérable. Il faudra réduire sévèrement les rations jusqu'à ce que nous atteignions le cap Saint-Vincent[1]. Cela m'inquiète énormément.

– Moi aussi. Mais nous ne pouvons rien faire, dit Marcus, les sourcils froncés. Quelle quantité d'eau potable reste-t-il?

– Seulement quatre barils, capitaine. Tous les autres ont volé en éclats.

– Nom de Dieu! Ce sera insuffisant. L'escale prévue au cap est encore bien loin. De plus, cette tempête nous a sûrement fait dévier de notre trajectoire. Peut-être réussirons-nous à toucher le cap sans trop de dégâts, si le vent nous est favorable? Je le souhaite, Jim.

– Moi aussi, capitaine. Moi aussi, renchérit le second, d'une voix lugubre.

♦ ♦ ♦

Les semaines qui suivirent furent angoissantes. Le vent était capricieux. Il soufflait violemment, gonflant soudainement les voiles, pour ensuite les laisser s'affaler brusquement, inertes.

Pour l'équipage, c'était un véritable martyre. Ne sachant

1. Cap du Portugal, situé à l'extrémité sud-ouest de la péninsule ibérique.

comment occuper les moments de liberté que leur imposait la température, ils flânaient sous les rayons ardents du soleil et se cherchaient querelle pour des vétilles.

Les réserves d'eau baissaient dangereusement. Les fruits et les légumes qui avaient été récupérés de justesse lors de l'inondation pourrissaient, ne supportant pas la chaleur qui sévissait depuis plusieurs jours.

Seule dans sa cabine, qui avait repris son apparence initiale depuis qu'on avait ramené les animaux dans les cales, Xaviera s'éventait à l'aide d'un livre ouvert. Ce voyage, qu'elle avait jugé excitant au départ, se transformait en un périple cauchemardesque.

Les événements s'étaient enchaînés à une vitesse effarante, échappant totalement à son pouvoir. Son ennemi invisible qui la pourchassait où qu'elle aille, la torturant avec un diabolisme raffiné; les aveux qu'elle avait dû faire à son mari pour éviter l'exécution d'un innocent; la tempête qui avait donné lieu à une nouvelle tentative pour la supprimer, et maintenant, cette inaction pesante. Tout cela concourait à lui mettre les nerfs en boule. Elle avait hâte d'aborder les côtes du continent africain. Peut-être là-bas pourrait-elle échapper plus facilement à son adversaire.

Son mari entra dans la cabine, la tirant de ses pensées moroses.

– Suivez-moi. Un de mes hommes demande à vous voir.

Surprise, Xaviera ouvrit la bouche pour protester, mais Marcus ne lui laissa pas le temps de placer un mot.

– Ne discutez pas. Il est mourant et il réclame votre présence. Plusieurs hommes, alors qu'ils sont au seuil de la mort, aspirent à la caresse d'une main féminine sur leur front fiévreux. Étant la seule femme à bord, je n'ai guère le choix de m'adresser à vous et de vous prier de satisfaire ses désirs.

– Bien. Je vous suis.

Elle pénétra dans la cabine d'O'Malley à la suite de son mari. C'est là qu'on avait installé le moribond, car l'entrepont où logeaient normalement les hommes d'équipage dégageait une chaleur de fournaise, insupportable pour un homme dans cet état.

S'asseyant sur la chaise préparée à son intention à côté de la couchette, Xaviera demanda à son mari:

– Quel est son nom?

– David.

– De quoi souffre-t-il? s'enquit-elle, intriguée par les ecchymoses bleuâtres qui zébraient la peau du jeune homme.

– Je ne sais pas, mentit-il, souhaitant se tromper quant à la nature du mal qui était en train d'emporter le matelot.

– David, David, l'appela doucement Xaviera. Je suis là. Vous avez demandé à me voir? Que puis-je faire pour vous?

Il ouvrit lentement les yeux et passa une langue épaisse sur ses lèvres desséchées.

– Soif... soif..., souffla-t-il d'une voix éteinte.

– Donnez-moi de l'eau, ordonna la jeune femme au second.

Voyant qu'il hésitait, elle dit d'un ton contenu:

– Vous ne refuserez tout de même pas un verre d'eau à un mourant?

Accédant enfin à sa demande, O'Malley lui tendit une tasse remplie à ras bord. Soulevant la tête du jeune homme, elle le fit boire à petites gorgées.

– Voilà! vous avez assez bu pour l'instant. Je vous en redonnerai un peu plus tard.

– Pardon... pardon, madame, articula David d'une voix plus audible.

– Vous me demandez pardon?

– Oui. Je vous ai fait du mal... beaucoup de mal... J'ai tellement honte!

Pensant que le jeune homme délirait, Xaviera, apitoyée, le rassura.

– Mais non, David. Vous ne m'avez fait aucun mal. Je ne vous connais même pas.

– Les poules… le boulet… la tempête, c'était moi, avoua-t-il dans un souffle.

– Vous? s'écria Xaviera en sursautant comme si on l'avait piquée. Mais pourquoi?

– On m'a payé pour vous effrayer… Je devais seulement vous faire peur. Pas vous tuer.

– Qui? Qui vous a payé? le pressa la jeune femme, dans l'espoir de connaître enfin l'identité de son ennemi.

– Je ne peux pas le dire… On m'a défendu de parler, même si je me faisais prendre… Mais je voulais vous avertir. On m'avait dit que vous étiez une femme méchante… Mais j'ai réalisé que j'avais été trompé quand vous avez menti pour sauver Percy… Vous êtes bonne. Je le sais maintenant. C'est pour cela que je vous mets en garde. Vous avez un ennemi puissant. Il vous poursuivra jusqu'à ce que vous mouriez. Soyez prudente.

Épuisé par cet effort soutenu, David perdit conscience.

Xaviera, troublée par ces révélations inattendues, ne bougeait pas, réalisant peu à peu que, pour quelque temps du moins, elle n'aurait plus à craindre pour sa vie. L'exécuteur de basses œuvres que lui avait envoyé son ennemi était hors de combat.

– Xaviera, retournez à la cabine. Je vous y rejoins dans quelques instants.

La jeune femme s'éloigna sans protester, avançant comme dans un rêve.

– Jim, appela Marcus, invitant le second à se rapprocher de lui. Faites distribuer un verre d'alcool à chacun des hommes. Qu'ils s'en frottent généreusement les gencives avant de l'avaler. Pas un mot sur la maladie de David. Je ne tiens pas à ce que l'équipage s'affole.

– Alors, vous pensez que…

– J'en suis sûr, affirma Marcus, le visage sombre. Mais,

pour le moment, j'ai d'autres chats à fouetter. Il me faut faire amende honorable auprès de ma femme. Je l'ai accusée injustement et je devrai probablement subir sa colère, justifiée il faut bien l'admettre.

– Bonne chance, capitaine, sourit O'Malley.

♦ ♦ ♦

En entrant dans la cabine, Marcus toussota pour attirer l'attention de Xaviera.

– Ah! c'est vous, constata-t-elle doucement, le visage serein.

– Je crois que je vous dois des excuses, murmura-t-il, désemparé par cette attitude tranquille.

Il s'était attendu à des cris de triomphe, à des reproches glaciaux dénonçant son comportement inqualifiable, mais pas à cette impassibilité détachée.

– En effet.

– Eh bien, voilà! Je vous demande de bien vouloir me pardonner, dit Marcus, les mots franchissant ses lèvres avec difficulté.

– Me croyez-vous maintenant? demanda-t-elle, attendant sa réponse avec anxiété.

– Je n'ai guère d'autre choix. Je suis sincèrement désolé de vous avoir accusée avec autant d'acharnement. Mais vous conviendrez que cette histoire d'ennemi qui vous poursuit dans le but bien précis de vous assassiner était quand même difficile à avaler.

– Vous auriez dû me faire confiance, répliqua Xaviera, furieuse de voir qu'il cherchait malgré tout à lui faire partager les torts.

– Vous faire confiance, à vous? Alors que depuis que je vous connais, vous tempêtez, envahissez mon existence et menacez sans vergogne? Ne me faites pas rire. Depuis le jour où vous êtes entrée dans ma vie, vous ne m'avez apporté que problèmes et désordre.

– Vous êtes d'une telle mauvaise foi! cria-t-elle, son calme envolé. Ne pourriez-vous oublier, une fois pour toutes, que je vous ai un peu forcé la main pour m'épouser et vous attarder sur mes ennuis présents?

– Un peu forcé la main? s'étrangla Marcus, haussant la voix à son tour. Vous auriez appuyé un pistolet au beau milieu de ma poitrine que cela n'aurait pu être pire.

– Il est absolument impossible de discuter avec vous! hurla Xaviera, à présent folle de rage. Vous vous arrangez toujours pour retourner la situation à votre avantage. Vous n'êtes qu'un sombre imbécile bouffi d'orgueil! Et je vous hais!

– Heureux de constater que mes propres sentiments éveillent la réciproque chez vous! rugit-il en quittant la pièce.

♦ ♦ ♦

Deux jours plus tard, on jetait à la mer le corps de David.

Xaviera était tiraillée par des sentiments mitigés. Un intense soulagement se mêlait à de la pitié. Soulagement à l'effet que, tant que durerait le voyage, elle ne risquerait plus de faire de découvertes macabres ou d'être sournoisement attaquée. Pitié pour ce jeune homme qui avait été abusé et qui avait expié ses fautes dans le pire des châtiments: la mort.

Mais qui? Qui avait donné à David une assez forte somme d'argent pour le persuader de faillir à ses engagements envers Marcus? Laurence? Lady Durham? Mais alors, comment avaient-ils pu être informés de leur départ pour Marrakech? Et, dans ce cas, comment avaient-ils pu prendre contact avec David?

Ces questions qui demeuraient sans réponse l'obsédaient, la ramenant sans cesse au point de départ: Marcus. Lui seul savait à quel moment ils allaient quitter Milton Manor. Lui seul avait eu la possibilité de soudoyer David, en le manipulant sournoisement et en jouant sur son indéfectible dévouement.

Mais si son mari était coupable, aurait-il poussé la comédie de l'homme courroucé au point de faire pendre un de ses matelots, le jeune Percy? Et puis, à quoi rimait tout ce cirque? S'il voulait se débarrasser d'elle, pourquoi ne pas la tuer tout simplement, plutôt que de s'adonner à ce jeu du chat et de la souris?

Pénétrant en catastrophe dans la cabine, Jim O'Malley interrompit le cours de ses réflexions. Il était suivi de deux hommes, portant le corps inanimé de Marcus.

– Il est mort? demanda-t-elle, envahie par un désespoir dont elle ne comprenait pas la cause et qui la prenait par surprise.

– Non, répondit le second. Mais malade, très malade.

– Qu'est-ce qu'il a?

– Je ne sais pas, dit-il en évitant de la regarder, faisant signe aux deux hommes de déposer le capitaine sur la couchette.

Lorsqu'ils furent sortis, le second s'approcha de la jeune femme et chuchota:

– Personne ne doit connaître la nature du mal qui le ronge.

– Vous savez donc de quoi il souffre? fit Xaviera, soulagée.

– C'est le scorbut, le pire ennemi de tous les marins, énonça-t-il, lugubre.

– Le scorbut? s'exclama-t-elle, horrifiée. C'est impossible. Comment en êtes-vous si sûr?

– Il en présente tous les symptômes. Des douleurs musculaires et articulaires, des plaies purulentes ainsi que des ecchymoses regroupées sur les jambes et les bras. Les gencives commencent à saigner et à se fendiller. Je ne peux me tromper. J'ai vu trop de cas semblables dans ma vie. D'autres hommes présentent aussi les mêmes troubles. C'est normal, nous n'avons plus de fruits et de légumes frais, mais nous devons essayer de limiter les dégâts.

– C'est donc de cela qu'est mort David?

– Oui. Les plus faibles n'en réchappent pas. Mais le capitaine est robuste. J'ai confiance. Je le laisse à vos bons soins.

– Comment? Il n'en est pas question. Si vous pensez que je vais passer mes journées à dorloter ce malotru, vous vous trompez royalement.

Traversant la pièce en trois enjambées, il attrapa la jeune femme par les épaules et la secoua sans douceur.

– Tant que le capitaine est malade, c'est moi qui commande ici. Le fait que vous vous appeliez Lady Milton ne m'impressionne pas. Si votre mari est malade, c'est à cause de vous. Vous étiez probablement trop occupée à pleurnicher sur votre sort pour vous apercevoir qu'il vous donnait sa ration de fruits et de légumes. Parfaitement! De toute façon, depuis que vous avez mis le pied sur ce bateau, vous ne nous avez apporté que des ennuis. Ce n'est que justice que vous preniez soin de votre mari. C'est un ordre!

La relâchant brusquement, il sortit en jurant, pestant contre ces créatures en jupons que Dieu avait mises sur la terre dans le seul but de les embêter, eux, les hommes.

♦ ♦ ♦

Xaviera, restée seule avec son mari inconscient, le détaillait de la tête aux pieds. Son visage, de cuivré qu'il était, tournait maintenant à une inquiétante couleur blanchâtre. Sa peau s'étirait sur ses traits marqués, leur donnant un aspect cireux. Son corps, raidi par la douleur, s'agitait en longs tremblements convulsifs.

En proie à un grand désarroi, la jeune femme ne savait que faire. Cet homme qu'elle avait toujours vu resplendissant de santé, arrogant et combatif, gisait devant elle, faible, luttant contre une maladie sournoise qui pouvait l'emporter en quelques jours. Elle avait beau se raisonner, se répéter que Marcus était fort et qu'il survivrait, l'inquiétude la taraudait.

S'il venait à mourir, Jim O'Malley l'accuserait-il de l'avoir laissé s'éteindre en négligeant de tout mettre en œuvre pour le sauver?

Elle en était là dans ses pensées quand le second revint, penaud.

– Je vous prie d'excuser mon éclat de tout à l'heure, milady. Je me suis laissé emporter, je n'avais aucun droit de décharger mes humeurs sur vous. Vous savez, le capitaine, pour nous, c'est le bon Dieu personnifié. Il est bon, généreux, compréhensif. Contrairement à d'autres capitaines qui ne dédaignent pas de se servir du fouet, Lord Milton n'a jamais levé la main sur aucun de ses hommes. Personnellement, je lui dois beaucoup. Il m'a sauvé la vie au risque d'y laisser la sienne et, s'il a la moindre chance de survivre, je ne peux la laisser passer. Vous comprenez, milady?

Xaviera acquiesça, hochant silencieusement la tête. La surprise que lui causait cette description presque lyrique proclamée par le second lui coupait la parole. Elle éprouvait d'énormes difficultés à croire qu'ils parlaient tous deux du même homme.

– Si vous le voulez bien, je pourrais vous aider à le déshabiller et à l'installer sous les draps, proposa Jim.

– Bien sûr, accepta la jeune femme, dissimulant son malaise en s'affairant autour de son mari.

O'Malley n'aurait pas compris qu'elle se sente embarrassée à l'idée de dévêtir Marcus.

Celui-ci, gémissant des phrases sans suite dans son délire, n'opposa pas de résistance, telle une poupée de chiffon pesant le triple de son poids. Xaviera ferma pudiquement les yeux lorsqu'elle lui retira sa culotte et remonta vivement le drap sur son corps dénudé.

Elle regarda ensuite le second d'un air éperdu, quémandant de l'aide.

– Avez-vous des médicaments? demanda celui-ci.

– Oui, répondit-elle en se dirigeant vers ses bagages.

Elle sortit les petits pots contenant les fleurs de souci, l'écorce de saule et la mandragore ainsi que la petite fiole de vinaigre. Elle frotta généreusement de ce liquide ses gencives, ses narines et ses mains et tendit le contenant à O'Malley, l'encourageant à suivre son exemple.

– Qu'est-ce que c'est? s'enquit le second, circonspect.

– Du vinaigre. Cela protège de la contagion.

– Mais le scorbut ne s'attrape pas!

– Qu'en savez-vous? Mon mari est terrassé par la fièvre. Qui dit fièvre dit infection, et qui dit infection, dit danger pour ceux qui s'occupent du malade. Ne discutez pas. Cela ne peut vous faire de mal.

S'exécutant contre son gré, le second s'oignit la bouche, le nez et les mains, plissant de dégoût son front dégarni.

– Mettez de l'eau à bouillir. Je dois faire infuser ces plantes. Elles lui procureront un sommeil bienfaiteur et feront baisser la fièvre. Enfin, souhaitons-le.

L'Irlandais sortit, la laissant à nouveau seule avec son mari. Elle lui tamponna le visage et le cou à l'aide d'un de ses petits mouchoirs imbibé d'eau fraîche, tout en pensant à ce que lui avait confié O'Malley au sujet de Marcus: «Il est bon, généreux et compréhensif.»

Comment une seule et même personne pouvait-elle offrir deux aspects de son caractère si diamétralement opposés? Scrutant le visage de son mari, Xaviera essayait en vain de l'imaginer souriant, une étincelle d'humour illuminant ses yeux étranges, les traits détendus par la joie de vivre.

«Décidément, O'Malley doit délirer. Je ne vois rien en lui de bon ou de généreux. Ce serait plutôt tout le contraire. Il est vindicatif, orgueilleux, arrogant et cynique», pensa-t-elle, refoulant fermement le sentiment de pitié qui menaçait de l'envahir si elle s'attardait plus longuement à contempler les traits tirés de Marcus.

Réalisant soudain qu'elle suffoquait de chaleur dans l'étroite cabine, elle alla ouvrir la porte toute grande. Une brise douce, apaisante, pénétra dans la pièce, caressant le corps brûlant de fièvre de son mari.

– Mais à quoi pensez-vous? Vous allez lui faire attraper la

mort, s'exclama le second, déposant sa chaudière d'eau bouillante sur le sol pour refermer le battant. On doit couvrir les personnes fiévreuses et les faire transpirer sous d'épaisses couvertures.

– Seriez-vous médecin, monsieur O'Malley? demanda Xaviera d'une voix abrupte.

– Non, mais...

– Alors, ne vous avisez surtout pas de vous mêler de la façon dont j'entends soigner mon mari, coupa-t-elle. Si je dois rester dans cette cabine jour et nuit, je tiens à ce que l'air y soit respirable. Est-ce clair?

Sans lui répondre, l'Irlandais rouvrit la porte, maudissant en silence cette femme-enfant qui lui donnait des ordres alors qu'elle aurait dû se trouver chez elle, assise au coin du feu, occupée à broder.

Il regarda Xaviera préparer une potion qu'elle força ensuite Marcus à avaler, le liquide se frayant un passage difficile entre ses dents serrées.

– Voilà! dit-elle d'un ton satisfait. Y a-t-il d'autres malades, monsieur O'Malley?

– Si. Trois hommes sont inconscients depuis ce matin. Si vous voulez bien me donner un peu de cette mixture, je leur en ferai boire quelques gouttes.

– C'est hors de question. Je les soignerai moi-même. Si vous passez votre temps à courir au chevet de vos hommes, qui donc se chargera de diriger la *Reine des mers*? Je tiens à arriver à bon port et en un seul morceau.

– Très bien, milady, répondit le second, admirant malgré lui la volonté de cette femme à s'occuper elle-même de tous ces inconnus qui l'avaient rejetée et condamnée injustement le jour où ils avaient assisté à ses aveux de culpabilité.

♦ ♦ ♦

Les jours qui suivirent furent horribles.

Marcus délirait sans cesse, refusant de boire les infusions calmantes que lui préparait Xaviera. Cette dernière, inquiète, souhaitait ardemment la présence de Mary. La vieille femme aurait su bien mieux qu'elle ce qu'il convenait de faire en pareil cas.Trois hommes étaient déjà morts. D'autres allaient sûrement suivre le même chemin, malgré les soins attentifs qu'elle leur prodiguait. Sans relâche, elle se partageait entre son mari et les marins. Elle ne prenait presque pas de repos, alléguant l'urgence de la situation.

«Si, au moins, il pouvait avaler la potion à base de baies séchées, peut-être cela lui redonnerait-il des forces?» se dit-elle en regardant le corps amaigri de son mari, entièrement recouvert d'une pommade verdâtre qui protégeait ses plaies de l'infection.

La jeune femme était au bord de l'épuisement. Depuis plusieurs jours, elle se dépensait sans compter, répondant aux appels incessants de ses malades. Plusieurs discussions orageuses l'avaient opposée à O'Malley. Ce dernier insistait pour qu'elle se repose, sans succès. À chacune de ses tentatives, il se heurtait à la même obstination butée, Xaviera se défendant avec opiniâtreté.

Elle-même ne parvenait pas à identifier la nature de ce sentiment qui la poussait à aller ainsi au-delà de ses forces. Si on lui avait dit, quelques mois auparavant, qu'elle prendrait soin de plusieurs hommes à la fois, dont son mari, elle aurait éclaté de rire.

Un changement marqué s'était opéré en elle depuis peu. Peut-être était-ce dû aux épreuves qu'elle venait de traverser alors qu'elle avait subi les assauts d'un ennemi invisible? Mais, peu importait la raison qui l'aiguillonnait, elle avait la conviction profonde et intime qu'elle devait tout faire pour sauver son mari.

– Soif…

La voix croassante de Marcus la surprit. Elle attendait cet instant depuis si longtemps!

S'empressant de répondre à sa requête, elle lui fit boire quelques gorgées d'eau.

– Edith? C'est vous? demanda-t-il d'une voix faible avant de retomber dans un sommeil lourd et agité.

♦ ♦ ♦

Le jour où la *Reine des mers* accosta au cap Saint-Vincent, l'ensemble de l'équipage se résumait à trente hommes. Les réserves d'eau potable, que l'on avait chichement distribuée aux malades, étaient épuisées. Les marins, faibles et fatigués, accablés par le décès de nombre de leurs compagnons, manifestèrent une joie mitigée à la vue du port achalandé, tableau de couleurs vives et chatoyantes.

Xaviera demeura dans sa cabine, assise au chevet de son mari, sans même lever la tête au bruit assourdissant des salutations enjouées des habitants du cap.

Le trois-mâts resta en rade quatre jours. Les hommes, à mesure que les cales se remplissaient de denrées fraîches, reprenaient espoir. Dans toute la baie, on entendait résonner leurs éclats de rire et leurs cris. Quant à O'Malley, il effectuait de nombreux va-et-vient entre le cap et le bateau, supervisant tout à la fois le chargement et l'embauche de nouveaux marins.

Xaviera, elle, ne quittait pas son mari, refusant les invitations répétées du second qui insistait pour l'emmener à terre. Pour le calmer et éviter qu'il ne la traîne de force hors de la cabine, elle lui fit part de son désir le plus cher: celui de prendre un bain tandis qu'ils avaient la possibilité de se procurer de l'eau douce en quantité inépuisable.

Trop heureux de satisfaire l'envie bien légitime de cette femme qu'il admirait pour son dévouement et son acharnement à sauver ses hommes, il s'empressa de lui faire chauffer de l'eau et y saupoudra un sachet de fleurs sauvages séchées qu'il avait expressément acheté pour elle.

Xaviera se plongea avec délice dans cette eau parfumée, y laissant reposer tranquillement son corps harassé, se libérant des tensions accumulées. Elle lava ses cheveux à plusieurs reprises, désireuse de leur redonner le lustre qu'ils avaient perdu au cours de ces longues semaines. Elle se sentait transportée au paradis. Si seulement Marcus pouvait guérir!

Cette pensée importune lui gâcha tout le plaisir que lui procurait ce bain divin. Elle se hâta de sortir et épongea son corps gracieux, rejetant sa longue chevelure humide dans son dos.

– Merveilleuse...

Poussant un cri de surprise, elle s'enroula vivement dans son drap de bain, dérobant ses formes généreuses au regard brillant de son mari.

– Êtes-vous réveillé depuis longtemps? demanda-t-elle d'une voix froide.

– Assez, murmura faiblement Marcus.

– Vous auriez pu me prévenir!

– Pas la force.

– Hmmmph!

Se cachant derrière les minces cloisons du paravent chinois, elle s'habilla rapidement, retrouvant toute son assurance à mesure qu'elle enfilait ses vêtements. Elle s'apprêtait à servir à son mari une harangue à sa façon, quand elle vit qu'il s'était endormi, le visage détendu, un sourire rêveur dansant sur ses lèvres.

«Il se sent mieux, se réjouit la jeune femme, balayant la flambée de colère qui l'avait brûlée quelques instants plus tôt. Enfin, il est sauvé.»

♦ ♦ ♦

À partir de cet instant, Marcus récupéra à une vitesse incroyable. Xaviera le gavait de bouillons et de fruits frais, surveillant attentivement ses progrès. Son visage reprenait des couleurs, les cernes qui bleuissaient ses joues disparaissaient lentement et son corps amaigri, presque décharné, s'étoffait à vue d'œil. Marcus se laissait dorloter, secrètement ravi de toute cette attention dont il était l'objet.

O'Malley venait lui présenter un rapport journalier, profitant de cette occasion pour s'enquérir de sa santé, trop orgueilleux pour admettre qu'il s'était fait un sang d'encre et ne serait satisfait que lorsqu'il retrouverait son capitaine à la barre.

Quelques jours plus tard, alors que Marcus dévorait un plantureux repas après avoir fait quelques pas hasardeux dans la cabine, le second vint lui tenir compagnie comme à son habitude.

– Vous pouvez remercier votre dame si vous êtes encore en vie, capitaine. Elle ne vous a pas quitté une seconde, me jetant dehors à grands cris lorsque j'insistais pour la remplacer. Vous avez de la chance, croyez-moi!

– Eh bien! O'Malley, je constate que ma femme a su faire votre conquête, répondit Marcus en lançant un regard indéchiffrable à Xaviera, rougissante. Pourtant, n'étiez-vous pas contre l'idée qu'elle entreprenne ce voyage avec nous? ajouta-t-il, éprouvant un malin plaisir à embarrasser l'Irlandais.

– Ben... c'était avant... de la connaître, bredouilla-t-il.

– Êtes-vous certain de la si bien connaître, Jim? demanda Marcus, levant un sourcil moqueur.

– Pour sûr, capitaine! Elle s'est dévouée corps et âme, refusant de se reposer, courant de la cabine à l'entrepont pour soigner les hommes, vous laissant seul le moins longtemps possible, au risque de tomber elle-même malade, s'écria Jim, soudainement transformé en défenseur acharné, intrigué par l'attitude caustique de son capitaine.

– Je suis très heureux d'apprendre cela! dit Marcus d'un ton sec, mécontenté par l'ardeur qu'employait O'Malley à encenser sa femme. Laissez-nous, maintenant.

Vexé, le second se retira en marmonnant.

– Eh bien! Xaviera, vous vous êtes fait un ami. O'Malley a pourtant la réputation d'être un mysogine incorruptible. Cet exploit mérite des félicitations, n'est-ce pas?

Blessée par les paroles inutilement mesquines de son mari, la jeune femme se mura dans un silence indigné.

– Ainsi, vous avez pris soin de moi pendant tout ce temps, comme se le doit une fidèle et aimante épouse? Je vous en remercie chaudement.

Le ton sur lequel Marcus avait prononcé ces mots laissait aisément entendre qu'il n'en pensait rien moins que le contraire.

– Quoique je sois surpris que vous n'ayez pas saisi cette occasion rêvée pour m'empoisonner. Cela vous ressemblerait assez!

– Êtes-vous donc incapable de gentillesse? demanda la jeune femme, outrée.

– Avec vous? Je n'en vois pas l'utilité. Si vous m'avez dispensé tous ces soins attentionnés, ce ne pouvait être que dans l'intention de satisfaire un intérêt secret. Lequel? Je le découvrirai sûrement un jour. Mais par expérience, j'ai appris que vous ne faisiez rien gratuitement.

– Vous n'avez pas changé! cria-t-elle, cruellement atteinte. J'aurais dû vous laisser crever comme le rat que vous êtes. Je vous hais, Marcus Milton. Je ne le répéterai jamais assez. Soyez assuré que si cette situation se présentait à nouveau, je ne lèverais pas le petit doigt pour vous sauver. Je me frotterais les mains en riant de plaisir et vous regarderais agoniser lentement, comptant les jours me séparant de la liberté. Je serais bien débarrassée.

Elle sortit en claquant la porte derrière elle, folle de rage et de douleur, le cœur étreint par une irrépressible envie de tuer.

Resté seul, Marcus regretta amèrement d'avoir ainsi tourmenté sa jeune femme. Ils auraient peut-être pu profiter de cette occasion pour signer une trêve. Mais il était trop tard maintenant et il était bien obligé d'admettre, quoi qu'il lui en coûtât, que les torts lui revenaient.

L'idée que Xaviera ait pu passer tout ce temps à son chevet le remplissait d'une joie sourde, tout en éveillant en lui un certain malaise.

Des jours pendant lesquels il avait déliré, il ne se rappelait que de brefs instants. Mais, depuis qu'il était revenu à lui, il avait été étonné par la douceur et la gentillesse de sa femme. Bien qu'il détestât cet état de faiblesse, lui qui ne s'était jamais appuyé sur personne et qui n'avait jamais dépendu de qui que ce soit d'autre que de lui-même, il avait goûté ces jours où, comme un enfant confiant, il s'était abandonné aux soins de Xaviera. Il avait apprécié l'entente paisible qui s'était installée tacitement entre eux.

Mais, à présent, le doute s'insinuait en lui. Avait-elle changé à ce point, ou bien préparait-elle un de ces tours qui avaient le don de le mettre dans une rage folle et qui faisaient naître en lui l'envie irrésistible de tordre son joli cou?

Et puis, si le tempérament de Xaviera s'était adouci, quelle en était la motivation réelle? Les épreuves qu'elle avait subies dernièrement? Ou... lui, Marcus?

CHAPITRE III

Le vingt décembre, soit un peu plus de trois mois après leur départ de Plymouth, ils firent leur entrée dans le port de Safi[1].

Cette fois-ci, Xaviera se tenait sur le pont supérieur, découvrant avec joie cette contrée lointaine à la beauté sauvage. Les quais étaient bondés d'une foule de gens venus les accueillir, vêtus de longues robes blanches, rouges, jaunes, noires, tirant et poussant sur des mules ou des chameaux lourdement chargés, offrant un spectacle surprenant.

Au loin, à travers un brouillard de chaleur, on apercevait les cimes escarpées du Moyen Atlas[2] protégeant dans leur sein les villes de Fès[3] et de Meknès[4], citadelles ennemies.

Xaviera était comblée. Cette vision enchanteresse d'un pays inconnu, aux mœurs si différentes, la faisait vibrer d'un bonheur intense.

Scrutant la foule bigarrée, elle s'étonna de voir des femmes

---

1. Safi, ou Asfi, en arabe. Port du Maroc sur l'Atlantique.
2. Atlas: ensemble montagneux de l'Afrique du Nord, formé de plusieurs chaînes. Au Maroc, on retrouve le Haut Atlas ou Grand Atlas, la partie la plus élevée, qui est séparé du Moyen Atlas, au nord, par la Moulouya, et de l'Anti-Atlas, au sud, par l'oued Sous.
3. Fès ou Fez: ville du Maroc entourée de murailles percées de portes monumentales.
4. Ville du Maroc située au sud-ouest de Fès, rivalisant avec cette dernière par la beauté de ses murailles.

voilées suivre à quelques pas de distance, la tête baissée, des hommes barbus qui devaient être leurs maris. Son regard fut ensuite attiré par de hautes silhouettes à moitié nues, à la peau d'un noir profond.

– Que regardez-vous ainsi?

– Ces hommes, dit Xaviera à son mari, pointant du doigt les longs corps couleur d'ébène. Je me demandais à l'aide de quelle substance ils se sont entièrement enduit la peau pour lui donner cette teinte si foncée?

– Mais, Xaviera, ce sont des Noirs, répondit-il dans un éclat de rire. Leur épiderme est de cette riche couleur de chocolat dès leur naissance. Pour la plupart, ce sont des esclaves. Vous en rencontrerez beaucoup ici.

Se décidant enfin à tirer un trait sur les relations froides et distantes qu'ils avaient entretenues ces dernières semaines, Xaviera s'enquit avec curiosité de leur destination.

– Nous allons à Fès. Derrière les grandes murailles qui l'encerclent, vous découvrirez une ville magnifique, d'une richesse presque condamnable. Je dois y retrouver un ami. Mais, avant que nous descendions à terre, je voudrais vous faire quelques recommandations. La façon dont les habitants vivent ici diffère presque en totalité de ce que nous connaissons en Angleterre. Les Arabes sont de nature soupçonneuse et ils s'avèrent difficiles d'approche. Certains sont même terriblement farouches. Mais, si on sait s'y prendre, ils peuvent se départir de tous leurs biens pour vous en faire cadeau. C'est un peuple bourré de contrastes. Autant ils sont froids avec les étrangers, autant ils sont chaleureux et accueillants avec leurs amis. Aujourd'hui ils vous aiment et demain, pour une vétille, ils vous haïront au point de vous trancher la gorge. C'est pourquoi je tiens à ce que vous soyez prudente.

«Les femmes, dans ce pays, ne parlent que lorsqu'on leur adresse directement la parole. Elles sont soumises et fidèles, et elles vouent à leur mari un amour aveugle et sans borne. Elles sont presque toujours voilées et gardent constamment les yeux baissés. Vous devrez donc copier leur comportement, bien que j'imagine que cela vous sera odieusement pénible, pour éviter que mes relations avec Abdel Mepphat ne soient compromises. C'est un homme dur, impitoyable, dont je désapprouve parfois les agissements, mais j'ai besoin de lui.»

– Qui est donc cet Abdel Mepphat? demanda Xaviera, faisant taire la colère qui grondait en elle, révoltée par ces hommes qui traitaient leur femme comme des objets.

– C'est le sultan de la ville de Fès. Il est immensément riche et puissant. Il possède des dizaines d'armées remplies d'hommes qui donneraient volontiers leur vie pour leur seigneur et maître, des centaines d'esclaves noirs et un harem abritant cinq cents des plus belles femmes du monde entier. C'est grâce à lui que j'ai pu étendre mon commerce jusqu'ici. Il m'est fort utile, mais je n'oublie jamais qu'il peut se montrer féroce, voire cruel. C'est pourquoi...

– Un harem? le coupa la jeune femme qui, de ce long discours, n'avait retenu que ce mot magique. Comme c'est excitant! Ce doit être merveilleux de faire partie d'un harem, d'être choyée, admirée, élue.

– Vous ne voyez que le côté agréable des choses, releva Marcus, légèrement amusé. L'envers de la médaille est beaucoup moins reluisant. Plusieurs de ces femmes ont été arrachées à l'amour de leur famille alors qu'elles n'avaient que douze ou treize ans, pour satisfaire les caprices du sultan. Les autres, celles qui sont ici de leur plein gré, bataillent et complotent pour parvenir au rang de favorites. En majorité, elles sont jalouses, mesquines, machiavéliques. Rien ne les arrête. Elles inventeraient n'importe quoi pour s'attirer les faveurs d'Abdel Mepphat. Certaines vont même jusqu'à s'entretuer pour empêcher leurs rivales de réussir là où elles ont échoué.

– Vous noircissez les faits à plaisir, j'en suis certaine. Vous ne me ferez pas changer d'avis. Ce doit être terriblement amusant de vivre dans un harem. De toute façon, ce ne peut être pire que de partager votre existence, lança la jeune femme avec perfidie, ne ratant pas l'occasion d'agacer son mari.

– Vous aimeriez ce genre de vie?

– Certainement.

– Il y a peut-être moyen de satisfaire vos désirs, dit Marcus, mystérieux.

– De quelle façon? Dites-moi, le pressa-t-elle.

– Eh bien! après avoir présenté mes respects au sultan et pris un peu de repos, je dois rebrousser chemin jusqu'à Marrakech. J'avoue ne pas être enchanté à l'idée d'avoir à vous emmener. La route est longue et difficile. De plus, les attaques sournoises des Berbères rebelles ajoutent au danger. Ils sont constamment en révolte et refusent de se plier à l'autorité d'Abdel Mepphat. Mais puisque vous manifestez l'envie de goûter à la vie du sérail, le problème ne se pose plus. Je demanderai donc au sultan de vous garder chez lui. Cela vous convient-il?

– Absolument! acquiesça la jeune femme avec enthousiasme, ravie et soulagée que son mari ne cherchât pas à lui imposer sa présence.

♦ ♦ ♦

Le lendemain, ils atteignaient sans encombre la ville de Fès. L'homme qui se tenait sur la tour de guet reconnut instantanément Marcus et donna l'alerte. Il ouvrit les lourdes portes, tout en repoussant la foule de femmes et d'enfants qui s'était agglutinée devant l'entrée et empêchait les visiteurs de pénétrer dans la citadelle.

Grimpée sur une mule, Xaviera luttait pour conserver son équilibre, tiraillée par des dizaines de mains qui s'agrippaient à ses jupes. Marcus cria un mot bref, dans une langue incompréhensible pour elle, et la foule se calma soudainement. Au même moment, un gros homme au teint foncé et à la barbe frisée se précipita vers eux, les bras largement ouverts.

– Mon ami Marcus! Quel plaisir de te revoir! dit Abdel Mepphat, d'une voix de stentor. Baraka llâhu fîk![1]

---

1. Expression arabe signifiant, selon le cas: que Dieu te bénisse; je vous en prie; merci ou s'il vous plaît.

– Je te salue, sultan. Le plaisir que tu éprouves n'est en rien comparable à celui que je ressens en te retrouvant en si grande forme, répondit Marcus, usant généreusement du langage fleuri qui plaisait tant à l'Arabe. Comment vas-tu?

– Je me sens fort comme un lion, el-hamdu llâh![1]

– J'en suis heureux pour toi. Abdel Mepphat, j'ai une faveur à te demander. Nul n'ignore en ce monde combien tu fais preuve d'une grande générosité et d'une immense bonté. Voilà pourquoi je m'adresse à toi. Acceptes-tu de nous ouvrir pour quelque temps, à ma femme et à moi, les portes de ton merveilleux palais et de trouver à loger les hommes qui m'accompagnent?

– Mais bien sûr! Quelle question! Tfaddel, tfaddel[2].

– Baraka llâhu fîk![3] dit-il, sachant faire plaisir à son ami en utilisant sa langue maternelle.

Tandis qu'un serviteur s'occupait des compagnons de Marcus, le sultan, sans même jeter un regard sur Xaviera, les pressa de le suivre. Il les entraîna dans son sillage, les faisant pénétrer à l'intérieur même de la forteresse.

Si l'aspect extérieur de la citadelle pouvait sembler quelconque, il n'en était rien quand on avait franchi la voûte qui séparait le palais de la ville. Des jardins regorgeant d'arbres et de fleurs dont Xaviera ignorait le nom entouraient une longue pièce d'eau où flottait une myriade de pétales de roses. La fraîcheur que dégageaient ces jardins intérieurs était apaisante après la chaleur torride qui sévissait sous les rayons du soleil écrasant.

Le sultan babillait sans arrêt de sa grosse voix à l'accent prononcé, en agitant ses petites mains aux doigts chargés de bagues. Mêlant l'anglais et l'arabe, il étourdissait ses invités, tout en les précédant dans un dédale de pièces plus somptueuses les unes que les autres.

---

1. Expression arabe utilisée pour accueillir toute bonne nouvelle ou répondre aux demandes sur votre santé ou encore pour rendre grâce après les repas.
2. Entrez, entrez.
3. Merci.

Des planchers de marbre rose ou vert, des murs entièrement recouverts de mosaïques surchargées de pierres précieuses qui aveuglaient par leur éclat scintillant, de l'or, de l'argent, des soieries, du brocart, des sculptures de jade en pied. Toutes les richesses du monde semblaient avoir été réunies dans ce palais surprenant.

Arrivé devant une imposante porte de merisier travaillé, le sultan s'arrêta brusquement.

– Voici tes appartements. J'espère que cette simple chambre satisfera un homme de goût tel que toi, Marcus. Je te laisse t'installer. Viens me rejoindre sur la terrasse, lança-t-il, sans même se soucier de ce que son invité désirât peut-être se désaltérer ou se restaurer après ce long voyage.

Marcus poussa la porte et s'effaça pour laisser entrer Xaviera, littéralement furieuse d'avoir été ainsi dédaignée. Depuis qu'ils avaient pénétré à l'intérieur de ce monde fermé, elle avait l'impression d'être invisible. Le sultan n'avait même pas eu la décence de se présenter, ou du moins, de la regarder. Ses yeux noirs l'avaient traversée une seule fois, lui donnant le sentiment qu'elle n'existait pas!

Elle attendit que la porte se referme sur eux puis elle explosa, sans prendre la peine d'accorder ne serait-ce qu'un rapide coup d'œil à la pièce luxueuse que le sultan avait qualifiée de simple chambre.

– Quel gros ballon bouffi d'orgueil! Pour qui se prend-il? cria-t-elle, frustrée.

Marcus se précipita sur elle et plaqua ses mains sur sa bouche avant qu'elle ait eu le temps de poursuivre son inventaire de qualificatifs.

– Vous êtes folle! Vous tenez absolument à nous faire tuer? Connaissant Abdel Mepphat, il a dû envoyer un de ses serviteurs pour nous espionner, en le chargeant de lui rapporter toutes nos paroles. Si jamais ce que vous venez de dire parvenait à ses oreilles, il nous trancherait la gorge proprement et sans procès. Alors, maîtrisez-vous, nom de Dieu! C'est un ordre.

Les cheveux en bataille, au bord de l'asphyxie, Xaviera réussit à se libérer de la poigne solide de Marcus.

– Vous exagérez! souffla-t-elle à voix basse. Vous profitez seulement de ce que les mœurs de ces sauvages sont différentes des nôtres pour donner libre cours à votre véritable nature et me traiter comme une chose, comme si je n'existais pas. Cela vous arrange, avouez-le.

– Vous ne savez pas ce que vous dites, gronda Marcus, l'œil mauvais. J'ai déjà vu le sultan trancher d'un coup de sabre la tête d'un de ses gardes, pour la simple raison que ce dernier ne l'avait pas salué avec toute la déférence qu'il exige de ses serviteurs. Je vous ai pourtant prévenue de la cruauté de cet homme.

– Je maintiens ce que j'ai dit. C'est un barbare inculte, imbu de sa petite personne, s'entêta la jeune femme, refusant de se rendre aux arguments de son mari.

Marcus poussa un soupir d'exaspération et, sans même se changer alors que ses habits étaient couverts de poussière, il sortit de la chambre, désireux de ne pas faire attendre le sultan et de ne pas le mécontenter.

Arrivé sur la terrasse, il s'immobilisa un instant, admirant la ville et les montagnes qui s'étendaient à ses pieds. Ce pays sauvage, habité par des hommes à la rigidité incroyable et à l'emportement facile, exerçait sur lui une fascination relevant presque de l'envoûtement.

– Ah! te voilà, Marcus! dit le sultan en apercevant son ami. Viens t'asseoir et raconte-moi tout. Depuis quand es-tu marié? Où as-tu déniché cette perle noire? Elle est divinement belle.

– Je l'ai épousée il y a quelques mois. Et, pour être tout à fait franc, c'est elle qui m'a choisi. Quant à sa beauté, tu es bien meilleur juge que moi, Abdel Mepphat.

Flatté par ce compliment bien tourné, le sultan éclata d'un gros rire satisfait.

– Mon cher Marcus, bien que tu sois un infidèle[1], tu me plais énormément. Mais ne me fais pas languir. Dis-moi, comment est-elle?

– Agaçante, coléreuse, menteuse et diabolique, répondit-il d'une voix sinistre. En résumé, elle m'empoisonne l'existence.

– Tu es à plaindre, mon pauvre ami. Comme je suis heureux que nos femmes musulmanes soient douces et soumises! Quoique Maraïcha, la sultane, me mène la vie dure ces derniers temps. Elle a peur que je ne me choisisse une autre épouse et elle rouspète tout au long du jour. Elle ne comprend pas que son comportement inadmissible me pousse inévitablement à chercher d'autres satisfactions. Je m'ennuie, Marcus. Terriblement! dit le gros Arabe d'une voix plaintive.

Pour empêcher son ami de se complaire dans des doléances interminables, Marcus reprit:

– J'ai un service à te demander, Abdel Mepphat. D'ici deux ou trois jours, je devrai rebrousser chemin et prendre la route qui mène à Marrakech. Je t'avoue sans fausse honte que je n'ai guère envie de m'encombrer de la présence de Xaviera. J'aimerais te la confier, si tu n'y vois pas d'inconvénients, bien entendu. Elle-même éprouve le goût irrépressible de prendre place dans ton harem.

– Vraiment? s'écria le sultan, surpris et ravi. Mais j'accepte avec grand plaisir. C'est une excellente idée. Cela me distraira.

– Doucement, mon ami. Rappelle-toi que Xaviera est ma femme, pas une esclave ou une de tes favorites. Je te la laisse parce que je suis sûr que tu n'oserais jamais toucher un seul de ses cheveux.

En effet, pour un Arabe, qu'il soit riche ou pauvre, la femme d'un ami était chose sacrée.

Mais Marcus connaissait suffisamment le sultan pour savoir

1. Utilisé par un musulman, le mot «infidèle» ne fait en rien référence à l'inconduite amoureuse des gens, mais plutôt à la dimension religieuse de leur vie. En effet, pour un musulman, celui qui n'épousait pas les dogmes et préceptes du Coran était considéré comme un infidèle.

que celui-ci obéissait à ses propres lois, lois qui s'éloignaient de beaucoup de celles du Coran[1].

– Mais que vas-tu imaginer? Je veillerai sur ta femme comme sur la prunelle de mes yeux, protesta Abdel Mepphat, tout en pensant par-devers lui qu'il pourrait bien profiter de l'absence du mari pour s'amuser un peu avec la perle noire de l'Occident qui l'avait tant troublé.

– Je suis heureux de te l'entendre dire. Je n'en espérais pas moins venant de toi, répliqua Marcus, sans remarquer l'éclair de concupiscence qui avait traversé rapidement les yeux de jais de son ami. Et maintenant, passons à des choses plus agréables. À l'heure qu'il est, les cadeaux qui te sont destinés doivent t'attendre dans la chambre que tu as mise à notre disposition. Si tu veux te donner la peine de m'accompagner...

– Des cadeaux? s'exclama l'Arabe, feignant la surprise.

En fait, il espérait secrètement cet instant depuis l'arrivée de ses invités.

– Hâtons-nous, par Allah!

Amusé par cette réaction enfantine, Marcus suivit le sultan, qui trottinait avec empressement sur ses jambes courtes et grassouillettes.

♦ ♦ ♦

Le soir même, Xaviera et Marcus furent conviés à une fête de bienvenue. Le sultan, inondé de joie par les magnifiques présents dont son ami l'avait comblé, s'était surpassé. Il avait fait porter à Xaviera une longue chaîne d'or ciselé, au bout de laquelle pendait une énorme perle noire. La jeune femme, impressionnée par ce cadeau d'une grande valeur, avait enfin pardonné à l'Arabe son attitude dédaigneuse.

---

1. Coran ou Koran: livre sacré des musulmans. Il est écrit en arabe et se compose d'une centaine de chapitres. Il est le fondement même de la civilisation musulmane, source du droit et des préceptes moraux.

Sa main reposant sur le bras de son mari, elle se dirigeait vers la salle à manger où les attendait un plantureux repas. Elle était vêtue d'une simple robe blanche et, avec l'aide d'une servante, elle avait relevé son épaisse chevelure au sommet de sa tête, dégageant sa nuque gracile. À chacun de ses mouvements scintillait la chaîne d'or entrelacée dans ses cheveux. L'énorme perle noire reposait sur son front, avivant l'éclat de son teint. Consciente de sa beauté, elle entra dans la salle à manger telle une reine qui descend de son trône pour se mêler à ses sujets, attisant sans le savoir la convoitise de leur hôte, qui la fixait avidement. Marcus la conduisit aux côtés de son ami et l'aida à s'asseoir sur les gros coussins.

Xaviera était flattée de l'honneur qui lui était fait. Elle était la seule femme admise à la table du sultan. Même Maraïcha, la sultane, était reléguée à l'arrière-plan, en compagnie des autres femmes. Au Moyen-Orient, c'était chose courante que de voir les femmes se tenir à l'écart lors des repas. Elles regardaient, impassibles, leurs époux s'empiffrer jusqu'à plus faim et se restauraient ensuite, grignotant les restes sans sourciller, habituées dès leur naissance à céder la meilleure part aux hommes. Xaviera sourit au sultan qui lui tendait une assiette d'amandes grillées, ignorant qu'elle venait de se faire une ennemie mortelle en la personne de Maraïcha.

Des esclaves noirs entrèrent, portant des plateaux chargés de victuailles. Présentées en raviers, des salades de betteraves rouges et d'aubergines copieusement assaisonnées d'huile et d'ail précédèrent les entrées constituées d'omelettes, de cigares au fromage et d'artichauts farcis aux légumes. Suivirent les plats principaux: poulet aux olives ou à l'ananas, coquelets rôtis, pigeons aux amandes et le traditionnel couscous.

Xaviera, plus que rassasiée, se vit offrir un plateau croulant sous les sucreries: nougatines aux amandes, beignets à l'orange, dattes fourrées, gâteaux secs aux noix, confitures de fleurs d'oranger et figues confites. Craignant d'indisposer son hôte si elle négligeait de se servir, Xaviera engouffra une importante quantité de pâtisseries, faisant passer le tout à l'aide d'un thé à la menthe horriblement sucré.

– El-hamdu llâh! dit le sultan, rendant grâce à Allah pour ce repas pantagruélique, tout en essuyant ses petits doigts courts poissés de sucre.

Il tapa une fois dans ses mains, permettant aux femmes de s'approcher et de manger à leur tour.

Se penchant vers Xaviera en humectant ses grosses lèvres charnues, il demanda:

– Vous plairait-il d'assister à un spectacle que je réserve toujours à mes hôtes de qualité?

– J'en serais enchantée, sultan! répondit Xaviera, ne sachant si elle devait l'appeler Abdel Mepphat, Monsieur, ou encore Votre Altesse. Votre générosité m'honore.

– Vous me plaisez, ma perle, chuchota l'Arabe en s'inclinant sur le décolleté de sa voisine, à un point tel qu'il manqua tomber à la renverse.

Puis il ajouta à voix haute:

– Ce que vous allez voir vous comblera, je l'espère.

En réponse aux deux coups frappés dans ses mains, huit jeunes filles s'avancèrent gracieusement, vêtues de nombreux voiles superposés, le visage dissimulé sous une épaisse étoffe opaque, ne laissant apparaître que les yeux copieusement soulignés de khôl.

Une musique qui venait on ne sait d'où se fit entendre, plaintive. Répondant à cet appel attirant, les jeunes filles commencèrent à onduler, retirant leurs voiles un à un, sous les yeux incrédules de Xaviera. La mélodie s'amplifia, jusqu'à devenir lancinante, exprimant un mélange de douleur, de violence et de passion, faisant tournoyer les danseuses, leur ventre dénudé semblant prendre vie sous leurs déhanchements lascifs.

Xaviera, embarrassée par cette danse à caractère franchement sexuel, détourna le regard. Son mari, amusé, fixait sur elle ses yeux étranges, prenant un malin plaisir à la voir si mal à l'aise.

Les danseuses se retirèrent sous les applaudissements chaleureux du sultan et de ses compagnons pour laisser la place aux fakirs, charmeurs de serpents, avaleurs de sabres, cracheurs de feu et acrobates.

♦ ♦ ♦

Pendant qu'au palais d'Abdel Mepphat on s'abandonnait à toutes sortes de réjouissances, un voilier accostait clandestinement à Safi. Ses occupants descendirent furtivement, soucieux de ne pas être vus. Non pas qu'ils avaient quelque chose à cacher, mais ils souhaitaient que leur venue soit ignorée d'une certaine personne.

– Où croyez-vous qu'elle puisse être? demanda Yasmine à Laurence.

– Nous nous renseignerons discrètement demain. Elle ne pourra nous échapper encore longtemps.

– Soyez patient. Nous touchons presque au but, dit Yasmine, calmant l'impétuosité du jeune homme. Mais, pour l'instant, je voudrais bien me reposer. Le voyage a été long et fatigant.

En effet, la traversée avait été plutôt tumultueuse. Ils avaient quitté Plymouth sur le bateau de Laurence, deux jours exactement après le départ de Marcus et de Xaviera, laissant sur les quais Alice, qui trépignait de dépit de ne pouvoir les accompagner.

Pressés d'embarquer, Laurence et Yasmine n'avaient pas pris le temps de préparer soigneusement leur expédition. Ils avaient navigué dans le sillage du trois-mâts, essuyant la queue de la tempête qui avait malmené la *Reine des mers*, aux prises avec la faim et la soif, leur décision précipitée de partir à la poursuite de leur victime ne leur ayant pas permis de faire provision d'eau potable et de nourriture en quantité suffisante.

À présent, heureux de se retrouver sur la terre ferme, ils aspiraient à prendre un repas digne de ce nom et à se reposer dans un lit moelleux qui aurait le bon goût d'être stationnaire. Leurs recherches pouvaient bien attendre jusqu'au lendemain.

♦ ♦ ♦

– Allâh ihennî-k![1], dit le sultan en guise de salut, regardant Marcus s'éloigner à dos de cheval.

Se tournant vers Xaviera, qui se tenait silencieuse à ses côtés, il demanda:

– Pas trop triste d'être séparée de votre mari pendant quelques semaines?

– Mais bien sûr que non! Comment pourrais-je être triste alors que j'ai la chance de me trouver en si charmante compagnie? répondit Xaviera, qui se familiarisait lentement avec la flatterie mièvre qui plaisait tant au sultan.

– Venez, je vais vous mener moi-même à votre nouvelle demeure. Votre beauté illuminera la pâleur de mon harem, tbak Allâh![2]

– Vous êtes trop gentil.

– Pas du tout, pas du tout. Je suis franc. Vous êtes belle et désirable. Pourquoi le tairais-je? Dans mon pays, il est naturel d'adresser des compliments aux gens que nous aimons. Nous ne sommes pas comme vous, Occidentaux infidèles, qui vous réfugiez continuellement sous une fausse pudeur, jeta le sultan, dédaigneux.

Se retenant de toutes ses forces pour ne pas le remettre à sa place, Xaviera lui retourna un large sourire hypocrite et le suivit à travers le palais, excitée à l'idée de découvrir enfin le harem, lieu secret sur lequel veille jalousement tout sultan qui se respecte.

Une immense grille, gardée par deux eunuques[3] au corps

---

1. Que Dieu te garde en paix.
2. Dieu soit béni (utilisé après tout éloge que l'on fait à quelqu'un, pour conjurer le mauvais sort).
3. Homme castré, généralement de race noire, préposé à la garde du sérail.

d'ébène armés de longs sabres menaçants, rendait impossible l'accès au sérail. On pouvait entendre au loin des éclats de rire joyeux, des voix haut perchées qui s'interpellaient dans plusieurs langues. Faisant signe à l'un des gardiens d'ouvrir la porte, le sultan entraîna Xaviera à l'intérieur du jardin mystérieux. Le clapotis cristallin des fontaines chatouillait agréablement l'oreille, alors que les yeux étaient charmés par les rayons de soleil qui pénétraient les vitraux aux coloris chatoyants du plafond avant de se refléter dans l'eau. Des dalles de marbre rose gigantesques résonnaient sous les pas des deux visiteurs.

Un immense Noir apparut devant eux, impressionnant, roulant des yeux mauvais. Lorsqu'il reconnut son seigneur et maître, il s'aplatit dans un salut respectueux.

– Bienvenue à vous, ô Maître, ô Suprême, ô...

Interrompant sans façon la litanie ennuyeuse de son Grand Eunuque[1], le sultan dit:

– Je t'emmène une nouvelle pensionnaire. Traite-la bien, car cette femme n'est pas une esclave, mais une invitée à laquelle je permets de partager la vie de mes concubines. Donne-lui un appartement privé, et veille à ce qu'elle ne manque de rien, et surtout, qu'elle ne soit pas embêtée. Je vous laisse, ma chère. Je viendrai vous rendre visite quand vous serez installée. À bientôt.

– Baraka llâhu fîk! le remercia Xaviera en arabe, sachant qu'elle lui ferait plaisir.

Au bras d'Ophal, le Grand Eunuque, elle fit son entrée dans le harem, récoltant sur son passage un silence hostile. Le grand Noir prononça quelques mots brefs et, comme par enchantement,

---

1. Homme castré d'un certain âge, généralement de race noire, d'un rang supérieur aux simples eunuques. Il avait la responsabilité de veiller sur les femmes peuplant le harem ainsi que sur les jeunes esclaves femelles qui les servaient. Il devait également superviser la préparation et l'enseignement prodigué aux jeunes filles qui étaient offertes au sultan pour la toute première fois afin qu'elles puissent combler tous ses désirs sans commettre d'impair. En fait, le bon fonctionnement du harem reposait sur les épaules du Grand Eunuque. Il devait rendre des comptes directement au sultan ou, à l'occasion, à la sultane.

les jeunes femmes changèrent d'attitude. Elles avaient compris que Xaviera n'était pas menaçante, qu'elle ne s'incarnait pas en rivale, prête à leur ravir les attentions de leur seigneur.

Riant et bavardant, elles se précipitèrent vers la jeune femme, s'adressant à elle en russe, en anglais, en français, en allemand et en italien.

Ophal les repoussa doucement mais fermement.

– Quel est ton nom?

– Xaviera.

– Xaviera, tu es ici chez toi. Contrairement à la plupart de tes nouvelles compagnes, tu peux te promener où bon te semble et faire tout ce dont tu as envie. Si tu as besoin de quoi que ce soit, je suis à ta disposition.

Il s'apprêtait à s'éloigner quand une idée le frappa.

– Désires-tu garder tes vêtements ou adopter la tenue des femmes qui vivent ici?

– J'aimerais bien m'habiller comme elles, répondit Xaviera, excitée et désireuse de s'intégrer.

– Bien. Je t'envoie Leila immédiatement. C'est une des servantes du harem. Elle sera à ton service le temps que durera ton séjour parmi nous.

La jeune femme, émerveillée, découvrait un autre monde. Cet endroit ressemblait à coup sûr au paradis terrestre.

Des arbres, des fleurs, des oiseaux, des femmes superbes parées de bijoux scintillants, parfumées et vêtues légèrement, des plateaux de fruits et de sucreries préparés à leur intention, des servantes qui se précipitaient au moindre geste. Que désirer de plus?

Une jeune fille à la somptueuse chevelure blonde et au corps légèrement potelé s'avança vers elle, d'une démarche sensuelle et étudiée.

– Bienvenue à toi! dit-elle d'une voix rauque, dans un anglais hésitant. Je m'appelle Louise et je suis Française. Que viens-tu faire dans ce trou perdu?

– Je voulais savoir ce qu'était la vie de harem. Mon mari a consenti à me laisser ici le temps qu'il s'occupe de ses affaires.

– Tu dois être un peu folle! s'exclama la Française, éberluée. Personne ne se jette consciemment dans la gueule du loup. Cet endroit n'a rien d'enchanteur. C'est l'enfer.

– Pourquoi dis-tu cela?

– Quand tu auras passé quelques semaines ici, tu comprendras.

CHAPITRE IV

Pour Xaviera, le temps s'écoulait agréablement.

Débarrassée de la présence agaçante de son mari, oubliant les soucis qui l'avaient pratiquement menée à la folie et qui l'avaient poussée à quitter Milton Manor, elle se laissait bercer par une douce béatitude. Les journées passaient lentement entre les bains parfumés, les repas copieux, les visites fréquentes du sultan et les conversations agréables avec Louise. La jeune femme avait accepté d'emblée l'amitié que lui témoignait la jeune Française, charmée par son caractère enjoué et ses remarques acides envers leurs compagnes.

Xaviera s'était totalement assimilée à sa nouvelle vie, se parant de voiles diaphanes aux riches couleurs, entourant ses poignets et ses chevilles de nombreux bracelets et chaussant les originales babouches filigranées d'or et de vermeil. Les yeux soulignés de khôl noir, les lèvres largement carminées, les mains et les pieds teints au henné, on la confondait facilement avec les plus belles odalisques du harem. Elle était d'une beauté époustouflante, avec un petit quelque chose de sauvage et de passionné.

– Tu te plais ici? demanda Louise, la tirant de sa douce rêverie.

– Mais oui. Pourquoi en irait-il autrement?

– Il est vrai que tu es ici de ton plein gré, répondit la Française d'une voix amère. Tu n'as pas été enlevée par ces barbares, arrachée à ta famille à l'âge de quatorze ans, dans le but de satisfaire les désirs de notre charmant sultan. Si tu savais à quel point je hais ce gros porc bedonnant à la peau huileuse. Chaque fois que je me glisse dans son lit, j'ai envie de vomir.

– Louise! s'exclama Xaviera, choquée par tant de franchise.

– Quoi? Tu es mariée, tu sais de quoi je parle. Au fait, comment est-il, ton mari?

– Détestable, arrogant, orgueilleux, pompeux...

– Assez, assez, l'interrompit la jeune fille en riant. Je parlais de son apparence physique, pas de son caractère.

– Il est plutôt bel homme, répondit Xaviera, laconique.

– Mais encore?

– Il est beau, grand, et bien musclé. Il a les cheveux noirs et les yeux vairons. Tu es satisfaite, maintenant? demanda la jeune femme, impatientée.

– Ça va. Ne te mets pas en colère. Comment est-il dans l'intimité? voulut savoir la Française, choisissant ses mots pour ne pas offusquer sa compagne.

Sans répondre, Xaviera lui lança un regard noir.

– Je vois que tu n'as pas l'intention de t'étendre sur la description détaillée de vos ébats amoureux. Dis-moi au moins s'il est riche?

– Très.

– Veinarde! Ne me le présente jamais, ou je te le vole, dit Louise, ne plaisantant qu'à demi.

– Je te l'abandonnerais volontiers.

– Comment êtes-vous venus jusqu'ici?

– Mais… en bateau, répondit-elle, surprise par ce brusque changement de propos.

– Xaviera, tu dois m'aider, la pressa la Française en chuchotant. Il faut absolument que je sorte d'ici ou bien je me tue. Ça fait cinq ans que je comble les appétits de ce gros Arabe poilu. Je veux connaître autre chose. Promets-moi que tu m'emmèneras. Promets-le-moi. Tu es ma seule chance.

– Mais, je ne sais pas, hésita la jeune femme, touchée malgré elle par l'accent de désespoir qui perçait dans la voix rauque de sa jeune amie. Marcus ne se laissera pas facilement convaincre d'enlever une des favorites d'Abdel Mepphat. Il tient beaucoup à son amitié.

– Promets-moi d'essayer! Je ne te demande que ça.

– D'accord. J'essaierai, mais ne compte pas trop sur ma réussite.

♦ ♦ ♦

– Que fais-tu ici? s'écria la sultane, le visage révulsé par la peur. Comment es-tu entrée? Il y a des gardes dans tous les coins du palais.

– Peu importe. J'ai besoin de te parler.

– Je n'ai rien à te dire. Je regrette amèrement ce qui s'est passé il y a trente ans. J'étais jeune et j'aimais le sultan. Je ne voulais pas vraiment te faire de mal.

– C'est ce que tu appelles ne pas vouloir me faire de mal? ricana Yasmine, en découvrant son visage défiguré. Enfin… comme tu l'as dit, c'est le passé tout cela. Tu es sultane, maintenant. Tu dois être heureuse.

– Pas autant que tu le crois, confia Maraïcha, soulagée de constater que Yasmine n'était pas animée d'intentions belliqueuses. Mon mari me délaisse depuis quelque temps. Je crains qu'il ne m'éloigne afin de prendre une femme plus jeune et plus belle, mais surtout, qui lui donnera un héritier.

Yasmine, qui était venue demander l'aide de la sultane, vit là l'occasion rêvée d'exercer sa vengeance, sans pour autant lui dévoiler ses projets.

– J'ai entendu parler d'une nouvelle esclave que ton mari aurait installée dans son harem, insinua-t-elle, perfide. On la dit d'une incroyable beauté. C'est une Occidentale, je crois?

– Ah! celle-là! Xaviera n'est pas une esclave. Elle est mariée et désire séjourner dans le harem par pur caprice. C'est une fantaisie comme une autre!

– Mariée? Pas du tout, mentit effrontément Yasmine. C'est ce qu'elle fait croire à tous, mais elle n'est que la concubine de l'homme qu'elle accompagne.

– Comment le sais-tu? demanda Maraïcha, sceptique.

– As-tu oublié que j'ai hérité du don de double vue? Je sais tout de cette fille. Elle est sans âme et sans cœur. Son seul désir est de posséder toutes les richesses du monde et d'accéder au pouvoir, poursuivit-elle. En définition, tout ce que pourrait lui offrir ton mari, ajouta Yasmine, distillant son poison à petites doses dans l'esprit de Maraïcha.

– Pourquoi me dis-tu tout cela? demanda cette dernière, ébranlée par les remarques venimeuses de la vieille femme.

– Parce que je sais qu'elle veut te voler ton mari.

– Mais c'est impossible, puisqu'elle est mariée!

– Je t'ai déjà dit que c'était faux! jeta rageusement Yasmine, impatiente. Elle ne s'appelle pas plus Lady Milton, que moi, la reine d'Angleterre.

– Comment as-tu appris son nom?

– J'ai eu des visions, expliqua Yasmine, tentant bien pauvrement de rattraper sa bévue.

– Les visions ne sont pas précises au point de fournir le nom de ceux qui y apparaissent, releva Maraïcha d'un ton sec.

– Tu as raison. Je la connais. Un peu, concéda Yasmine.

– Je ne comprends pas.Que cherches-tu? Que me veux-tu?

– Rien que du bien. Je suis venue te prévenir du danger qui

plane sur ton mariage. Si cette fille reste ici plus longtemps, elle te ravira le sultan.

– Je ne crois pas à ta générosité. Pas après ce que je t'ai fait. Et puis, tu n'as pas entrepris ce long voyage pour me divulguer ces informations. Tu es venue dans un but bien précis, et ce n'est pas pour m'aider. Tu poursuis cette fille? Tu lui en veux?

– Peut-être. Ce n'est pas important. Mais si tu désires garder ton titre de sultane, tu dois m'écouter. Peut-être ensuite aurai-je besoin de ton aide?

– Ah! nous y voilà! triompha Maraïcha, qui avait mis en doute la bonne foi de Yasmine depuis qu'elle était apparue dans ses appartements. Qu'attends-tu de moi? Je te donnerai tout ce que je possède si tu m'aides à conserver l'amour de mon mari.

– Je n'en demande pas tant.

♦ ♦ ♦

– Qu'as-tu, Xaviera? demanda Louise.

– Je ne sais pas, répondit-elle d'une voix éteinte. J'ai l'impression que je vais mourir. J'ai horriblement mal au ventre.

– Prends un peu d'eau fraîche, cela te fera du bien, proposa la Française, inquiétée par le teint verdâtre de son amie et la grimace de souffrance qui plissait spasmodiquement son visage.

– Je ne pourrais rien avaler, souffla la jeune femme, luttant contre la nausée. J'ai mal. Terriblement mal.

– Tu ne peux rester ainsi. Ne bouge pas. Je vais aller voir Ophal. Il saura quoi faire.

Enfin seule, Xaviera se roula en boule sur son lit, cette position ayant pour effet de soulager quelque peu la douleur qui lui labourait les côtes.

Une nausée plus forte que les autres la souleva de son lit et elle vomit sur le plancher. Elle se rejeta contre ses oreillers, pâle, des gouttelettes de sueur perlant sur son front glacé.

– Qu'est-ce qui ne va pas, jeune femme?

Se tournant dans la direction d'où venait cette voix douce, Xaviera profita du répit que lui laissait son estomac pour examiner avec curiosité le petit vieillard qui se tenait dans l'embrasure de la porte.

Sa silhouette voûtée disparaissait sous une ample robe cramoisie, lui donnant l'allure de quelqu'un qui aurait emprunté des vêtements appartenant à un géant. Un drôle de long chapeau pointu était posé sur sa minuscule tête ronde. Des cheveux gris et bouclés entouraient un visage aux traits anguleux respirant la bonté. De gros sourcils broussailleux s'égaraient dans des yeux incroyablement verts. Une barbichette grisonnante garnissait le menton du vieillard, lui donnant l'apparence d'une chèvre de montagne.

– Je m'appelle Sharim. Je suis le médecin personnel du sultan. On m'a dit que vous étiez souffrante. Où avez-vous mal?

– Au ventre. J'ai l'impression qu'un détachement de cavalerie piétine sur place dans mon abdomen, se plaignit la jeune femme.

– Eh bien! nous allons voir cela, dit le vieil homme en s'avançant, manquant mettre le pied dans les vomissures qui maculaient le plancher.

Après un examen minutieux, il regarda Xaviera d'un air grave. Il hésitait à lui révéler ce qu'il croyait être la cause réelle de ses malaises.

– Qu'avez-vous mangé ou bu aujourd'hui?

– La même chose que toutes les autres. Du poulet rôti, des légumes frits, des fruits frais et beaucoup de sucreries, énuméra Xaviera, le cœur soulevé à la pensée de tous ces aliments riches.

– N'avez-vous rien mangé ou bu que les autres femmes n'auraient pas touché? insista Sharim, soucieux.

– Si. Je bois du thé à la menthe tous les soirs avant de m'endormir. C'est Leila qui me l'apporte. Elle laisse la théière dans ma chambre afin que je puisse me servir à volonté.

– Ah! C'est bien ce que je pensais, marmonna le vieillard.

– Mais qu'est-ce que j'ai? demanda Xaviera, inquiète.

– Une simple indisposition. Demain, vous vous sentirez beaucoup mieux, la calma-t-il. Je viendrai tout de même m'assurer que votre état s'améliore. Prenez cela, vous dormirez tranquillement.

Xaviera avala sans broncher l'infecte potion que le médecin faisait couler dans sa bouche.

– Merci, Sharim. Et pardonnez-moi de vous avoir dérangé à cette heure tardive.

– Mais non, mais non, protesta-t-il en lui tapotant le bras. Alors, nous nous reverrons demain matin. Dormez bien, jeune femme.

Xaviera le regarda sortir, les yeux agrandis par la surprise.

Le vieil homme serrait contre lui la grosse théière d'argent massif, incrustée de rubis.

♦ ♦ ♦

– Comment vous sentez-vous, jeune femme?

– Nettement mieux, affirma Xaviera, étendue sur son lit, en picorant des quartiers d'orange et des figues qu'elle pigeait dans le plateau déposé à côté de son lit.

– J'en suis heureux, dit Sharim, satisfait de constater que le teint de sa patiente n'était plus verdâtre. J'aimerais que nous ayons une petite conversation tous les deux.

– Bien sûr, acquiesça-t-elle, intriguée par l'attitude empreinte de gravité du vieux médecin.

Elle lui fit signe de s'installer confortablement sur les coussins soyeux éparpillés avec art à travers la pièce.

– J'ai bien peur que ce que je vais vous dire ne soit guère agréable à entendre. Quelqu'un a versé dans votre thé une dose de poison qui aurait pu être mortelle si vous en aviez bu plusieurs tasses et si votre estomac n'avait été aussi sensible à son action.

– Du poison? s'écria Xaviera, horrifiée. Mais qui?

– Je ne sais pas. Mais je dois vous mettre en garde. Ne mangez, ni ne buvez rien que les autres femmes n'auront touché avant vous.

– Mais pourquoi?

– Parce que si on a échoué dans cette tentative de meurtre, on essaiera à nouveau. Vous devez vous montrer très prudente.

– Mais c'est affreux! Moi qui croyais pouvoir vivre en paix ici, murmura la jeune femme, anéantie.

– Xaviera, me permettez-vous de vous parler franchement?

– Oui, oui. Bien sûr.

– Où que vous alliez, vous ne trouverez pas la paix.

– Pourquoi dites-vous cela? Comment en êtes-vous si sûr?

– Je ne pratique pas que la médecine, jeune femme. L'astrologie aussi. Avant que vous n'arriviez, je n'ignorais rien de ce qui vous concerne. Je sais que quelqu'un s'acharne sur vous et qu'il n'aura de cesse que vous soyez morte. Votre ennemi est puissant, Xaviera, et souhaite vous anéantir plus que toute autre chose au monde.

– Vous savez donc qui il est? demanda-t-elle le cœur battant d'espoir.

– Oui. Mais je n'ai pas le droit de vous dévoiler son nom. Je ne peux changer le cours du destin. Les volontés divines doivent s'accomplir.

– Si je comprends bien, vous allez laisser ce sadique, dont vous connaissez l'identité, m'assassiner froidement sans même m'apporter votre secours? cria la jeune femme hors d'elle, horrifiée par cette attitude nonchalante.

– Calmez-vous! lui intima doucement Sharim. Vous emporter ne servira à rien. Votre langue trop bien pendue vous perdra, si vous n'y voyez pas. Je n'ai jamais dit que je ne vous aiderais pas. Je vous ai seulement dit que je ne pouvais vous révéler le nom de votre ennemi.

– Est-ce quelqu'un que je connais?

– Peut-être.

– Comment, peut-être? Je le connais ou non? cria-t-elle de plus belle, impatientée par cette réponse sibylline.

– Je ne peux en dire plus, jeune femme. Croyez-moi, je suis désolé. Mais je n'en ai pas le droit.

– Je ne suis pas plus avancée, fit Xaviera, calmée par la visible sincérité du vieil homme.

– Tu dois trouver les réponses toi-même, dit Sharim, en délaissant le voussoiement pour le tutoiement, fréquemment utilisé au Moyen-Orient.

– Quelles réponses? s'emporta-t-elle aussitôt, ne comprenant rien à ce qu'il disait.

– Bellâti, bellâti[1]. Tu es comme le vent des montagnes qui dévaste tout dans sa sainte colère, inconscient des dommages qu'il cause sur son passage. Tu dois apprendre à te dominer si tu veux survivre.

– Si vous parliez plus clairement aussi, marmonna la jeune femme, boudeuse.

– Je parle clairement. C'est toi qui n'entends pas. Tu es sourde et aveugle mais... pas muette, dit-il avec une pointe d'humour, soucieux d'alléger l'atmosphère. Tu écoutes trop ta tête et pas assez ton cœur. La souffrance est mauvaise conseillère. La rancune aussi. Me comprends-tu?

– Non.

– Si tu veux, nous continuerons cette discussion plus tard. Pour le moment, tu es fermée, butée et tu n'écoutes pas ce que je dis. Tu te bloques sur les mots, sans chercher à en saisir le sens. Aimerais-tu que je revienne te voir?

– Je ne sais pas.

– Je comprends ta peur. Mais un arbre mort ne donne jamais de fruits...

1. Doucement, doucement.

Le vieil homme déposa un baiser léger sur le front de la jeune femme avant de se retirer tranquillement.

– Attendez, Sharim! l'arrêta-t-elle. J'aimerais que vous veniez me rendre visite à nouveau. Vous écouter m'a fait du bien. Même si je n'ai pas tout compris. Sincèrement, j'aimerais que vous reveniez.

– Avec plaisir, jeune femme. Le chemin qui mène à la sagesse et aux joies de l'esprit est un parcours dangereux, semé d'embûches. Mais quelle récompense pour celui qui s'acharne et atteint la vérité! Fais-moi confiance et tu seras victorieuse. Tu as d'immenses pouvoirs en toi. Combien grande serait ta bêtise si tu t'entêtais à les ignorer!...

♦ ♦ ♦

Xaviera, troublée, regardait le sultan s'éloigner de sa démarche lourde. Les œillades incendiaires qu'il lui jetait lors de ses visites étaient on ne peut plus claires. Il désirait la jeune femme intensément.

«Heureusement que mon statut de femme mariée et l'ombre de la colère de Marcus me protègent, sinon il aurait déjà tenté sa chance, j'en suis sûre», se disait-elle.

Elle commençait à s'ennuyer fermement. La vie à l'intérieur d'un harem lui avait montré son vrai visage au cours des derniers jours. Elle avait assisté, impuissante, au combat mortel opposant deux des favorites du sultan qui se disputaient l'honneur de partager sa couche. Désespérée, elle n'avait rien pu faire que de les regarder se déchiqueter.

Ophal était venu constater la mort de sa protégée et avait ordonné aux esclaves mâles d'enlever son cadavre, sans même démontrer un peu de respect, sinon de considération, pour cette dépouille humaine. Pour tous, la vie continuait. Même la meurtrière n'avait pas été inquiétée. Une rumeur se propageait à la vitesse de la foudre à l'effet que cette dernière portait l'enfant du sultan. Qu'il soit garçon et elle déclasserait Maraïcha, qui n'avait pu donner de fils à son mari.

Xaviera ne comprenait pas qu'on laisse un tel acte impuni, malgré la présumée grossesse. Louise, qui avait l'habitude de ce genre d'incidents, la somma de ne pas se mêler de cette histoire. Elle risquait de se faire des ennemies et de s'attirer de gros ennuis.

«Que pourrait changer un ennemi de plus dans ma vie?» avait-elle pensé amèrement.

Elle avait hâte de partir et priait pour que son mari revienne rapidement.

Levant la tête, elle aperçut Maraïcha qui distribuait des sourires à la ronde. Élue parmi les élues, elle promenait sa fierté de sultane au milieu de ces filles qu'elle dédaignait. Mais, noblesse oblige, elle devait faire bonne figure et montrer quelque amitié aux habitantes du harem, leur faire croire qu'elle était leur alliée.

«Quelle hypocrisie! Cette femme pâlit d'envie chaque fois qu'elle met les pieds ici. Les corps jeunes et fermes de ses adversaires ne lui rappellent que trop qu'elle n'est plus de prime jeunesse. La voilà qui vient vers moi. Et elle n'a pas l'air commode!» pensa Xaviera tout en plongeant froidement son regard d'améthyste dans celui de jais de Maraïcha.

– Venez avec moi. J'ai à vous parler, dit cette dernière d'un ton brusque.

Xaviera la suivit dans un des jardins, de mauvaise grâce. Elle avait assez de problèmes sans avoir à affronter les humeurs de la sultane.

– Que me voulez-vous?

– Je serai brève. Je veux que vous arrêtiez de tourner autour de mon mari.

– Quoi? s'exclama Xaviera, tombant de haut.

– Ne niez surtout pas. Je sais que vous êtes venue ici dans l'intention de mettre le grappin sur lui et ses richesses. Mais c'était compter sans ma présence. Je ne vous laisserai pas faire. Vous devrez me passer sur le corps.

– Vous vous trompez, protesta la jeune femme. Votre mari

ne m'intéresse pas du tout. Je n'ai jamais aimé les boudins graisseux! Et puis, vous semblez oublier que j'ai déjà un époux.

– Justement! triompha Maraïcha. J'ai appris de source sûre que votre mariage n'était qu'un faux-semblant.

– Qui a bien pu inventer une histoire pareille? Je suis bel et bien mariée, devant Dieu et les hommes.

– Vous êtes bonne comédienne. Je pourrais presque vous croire.

– Mais vous devez me croire. J'ai épousé Lord Milton en Angleterre, il y a de cela un peu plus de huit mois. Je vous en donne ma parole.

– La parole d'une infidèle ne vaut rien, cracha Maraïcha, dédaigneuse. Mais permettez-moi de vous avertir. Si jamais vous vous mettez en travers de mon chemin, je vous tuerai de mes propres mains.

– Mais puisque je vous dis que...

– Cessez de mentir, la coupa la sultane, le visage figé. Suivez mes conseils ou vous le paierez de votre vie.

Xaviera, incrédule, regardait s'éloigner la sultane dans une envolée de voiles chatoyants.

«Mais ce n'est pas vrai! Si je ne me retenais pas, je hurlerais. Quand donc cessera-t-on de me prêter de noirs desseins et de mettre en doute ma parole? J'en ai plus qu'assez!» se dit-elle en martyrisant les feuilles d'un olivier.

– Eh bien! jeune femme. Que t'a fait cet arbre pour que tu t'acharnes sur lui de cette façon?

– Oh! Sharim. Je ne vous avais pas entendu arriver, dit Xaviera, contrite, des feuilles déchiquetées plein les mains.

– Une tribu de Berbères féroces aurait pu entrer sans que tu t'en rendes compte. Tu étais beaucoup trop occupée par le massacre de ce pauvre olivier pour remarquer quoi que ce soit, lui reprocha le vieil homme. Tu me déçois. J'avais cru qu'après notre dernière conversation, tu aurais appris à maîtriser tes nerfs.

– Mais…, commença-t-elle.

– Non. Peu importent les raisons qui t'ont poussée à agir de cette façon, tu aurais dû rester calme. Un esprit en colère t'aveuglera et te fera commettre des erreurs irréparables.

– Oh assez! explosa la jeune femme, rouge comme une pivoine. Je ne peux plus supporter que tout un chacun me dicte ma conduite. On me menace de toutes parts et je devrais conserver mon calme! Désolée de vous décevoir, Sharim, mais je ne suis pas un ange de sainteté. J'ai des sentiments, moi aussi. J'aimerais qu'on cesse de les bafouer.

– Tu as terminé? demanda Sharim, imperturbable.

– Non! Oui… je ne sais pas… je ne sais plus, murmura-t-elle en fondant en larmes, à sa plus grande honte.

– Viens près de moi. Allez, approche-toi. Je ne te blesserai pas. Je ne ridiculiserai pas ton chagrin. N'aie pas peur. Abandonne-toi. Laisse-toi porter par cette tempête qui t'agite, chuchota le vieux médecin en posant une main sur la tête de sa jeune amie. Pauvre petite! on t'a fait tant de mal.

– Pourquoi? Pourquoi, Sharim? Expliquez-moi, le supplia la jeune femme à travers ses larmes, désireuse de connaître la cause des épreuves qui s'abattaient sur elle depuis sa prime jeunesse.

– Tu sais, jeune femme, il y a des enfants qui naissent avec la fatalité sur eux. Tu fais partie de ceux-là, malheureusement. Tu inspires à presque tous ceux qui te côtoient des sentiments violents: la haine, la passion, la jalousie, l'envie. Sais-tu pourquoi? Parce que tu es belle. Je ne parle pas de la beauté de ton corps, mais de celle de ton âme. Elle est pure, limpide, et c'est ce qui effraie les gens. Ils cherchent par tous les moyens à détruire cette chose qu'ils sentent en toi et qui t'a été offerte par ton Dieu, parce qu'ils ne la posséderont jamais. Même toi, tu te bats sans cesse contre cette partie de toi, parce qu'on t'a blessée, parce que tu as peur de qu'elle te révélerait sur toi-même. Il y a un proverbe qui dit que notre ennemi le plus acharné ne pourrait nous faire plus de mal que nous ne pourrions nous en faire nous-même. Est-ce que tu comprends?

– Pas vraiment, répondit la jeune femme en reniflant, un peu plus calme. Mais, Sharim, je n'exige pas beaucoup de la vie. Je ne demande qu'à être aimée. Même mon propre père m'a toujours détestée.

– Oublie le passé, Xaviera. Il t'étouffe et t'empêche de vivre. Tu dis que tu ne demandes qu'à être aimée. C'est normal, puisqu'il est écrit dans ton destin que tu ne t'accompliras que le jour où tu rencontreras l'amour. Mais sauras-tu le reconnaître, ce sentiment auquel tu aspires tant, s'il croisait ton chemin?

– Oui, affirma la jeune femme avec fougue.

– En es-tu si sûre? insista le vieil homme en riant doucement.

– Oui, répéta-t-elle.

– J'en doute... Tu luttes depuis trop longtemps. Ta tête t'induit en erreur. Je te l'ai déjà dit, tu n'écoutes pas assez ton cœur.

– Je ne comprends pas, Sharim. Expliquez-moi. Que dois-je faire?

– Si je te disais maintenant que cet amour que tu recherches avec tant de désespoir, mue par un besoin viscéral, est tout près de toi, me croirais-tu? demanda-t-il, les yeux brillants.

– Oui, oui, je vous croirais, murmura-t-elle, pendue à ses lèvres.

– Bien. Je te fais confiance. L'homme avec qui tu as fait le voyage jusqu'ici t'aime d'un amour brûlant, d'un amour qui a le pouvoir d'effacer toutes tes souffrances passées et de briser tes chaînes.

– Marcus? s'écria-t-elle, horrifiée. Mais vous êtes fou! Oh! Pardonnez-moi. Marcus m'aimer? Il me déteste et me méprise de tout son cœur. Il ne rate pas une occasion de m'humilier. Si c'est cela que vous appelez amour, je préfère de beaucoup rester seule!

– Tu ne m'écoutes pas, dit-il, agacé. Je pense que tu n'es pas prête. Tu veux que l'on t'aime, mais quand je dis que cet amour est à ta portée, tu te dérobes. Tu as trop peur. Prends le temps de réfléchir. Laisse la fleur éclore en toi. Peut-être ensuite pourras-tu courir le risque de savoir.

– Savoir quoi?

– Tu trouveras les réponses toi-même, si tu le veux vraiment. Maintenant je te laisse. Je suis fatigué. Je reviendrai te voir si tu en as toujours envie.

«Tu parles, si j'en ai envie! songea-t-elle irrévérencieusement sans lui répondre. Ce vieux barbu doit être sénile. Il ne sait pas ce qu'il dit.

«Tu es de mauvaise foi, jeune femme. J'ai toute ma raison. C'est toi qui as perdu la tienne, lança Sharim, comme s'il avait lu dans ses pensées.»

Xaviera, effrayée, s'empressa de faire le vide dans son esprit.

CHAPITRE V

– Venez, ma chère amie. Je vous réserve un spectacle qui vous charmera, dit le sultan en se frottant les mains.

«C'est bien la dernière personne que je voulais voir», soupira la jeune femme.

Elle n'avait pas envie de participer à quelque réjouissance que ce soit. Depuis la veille, elle n'avait pas fermé l'œil, ressassant les paroles de Sharim. L'idée que son mari pût l'aimer la faisait mourir de rire. Était-il capable d'un tel sentiment? Xaviera en doutait. Quand bien même Marcus l'aurait aimée, elle le détestait toujours avec autant d'ardeur.

– Je ne me sens pas très bien, mentit-elle à l'intention du sultan.

– Allons, ne vous faites pas prier, la pressa-t-il, cachant mal sa déception. Vous savez que je vous fais un immense honneur en vous invitant à prendre part à cette fête? Les infidèles sont généralement friands de ce genre de distractions.

– De quoi s'agit-il? demanda-t-elle, curieuse.

– C'est une surprise. Allons, venez! dit-il en lui prenant la main et en l'entraînant à sa suite, sans prêter attention à ses protestations.

Ils sortirent du palais et déambulèrent dans la ville, entourés de gardes du corps.

– Mais où m'emmenez-vous? demanda Xaviera, essoufflée par cette marche rapide sous le soleil écrasant.

– À l'arène! répondit brièvement le sultan.

– Nous allons assister à un combat de fauves? dit la jeune femme, dégoûtée.

– En quelque sorte.

Ils pénétrèrent dans une enceinte de taille imposante, se frayant un chemin à travers la foule hurlante et gesticulante, pour atteindre les estrades réservées à l'usage du sultan et de sa suite.

Confortablement installée à l'ombre, Xaviera attendait, impuissante, révulsée à l'idée du massacre qui allait se dérouler sous ses yeux dans quelques instants.

«Quelle bestialité sanguinaire!» pensa-t-elle en jetant un regard furtif au visage exalté du gros Arabe.

– Sh-hâl[1]? demanda au sultan un homme plié dans une attitude servile et obséquieuse.

– Khemsa[2].

– Mezyân[3].

– Bel-khoff, bel-khoff[4], ordonna le sultan, agitant impatiemment ses petites mains aux doigts boudinés.

Peu de temps après, une grille se leva dans un bruit assourdissant, libérant cinq énormes fauves qui s'avançaient lentement de leur démarche souple et féline, poussant des feulements irrités. La foule en délire acclamait bruyamment la venue de ces symboles de force et de courage.

---

1. Combien.
2. Cinq.
3. Bien.
4. Vite, vite.

En sécurité derrière les barreaux d'une cage solide,un homme agaçait les lions en les piquant et en les fouettant, les faisant rugir à la plus grande joie des spectateurs.

– Aimez-vous? demanda le sultan, ses lèvres charnues humides de plaisir.

– Oui, oui, mentit Xaviera, désireuse de ne pas froisser son hôte.

Les félins, affolés par l'agitation qui régnait dans l'arène, fouettaient leurs flancs de leur queue, tournant sur eux, montrant les crocs. Xaviera, le cœur soulevé de dégoût, vit l'homme leur tendre des morceaux de chair sanglants à travers les barreaux de sa cage, pour les retirer prestement lorsqu'un des lions faisait mine de vouloir s'en emparer.

– Pourquoi les énerve-t-il ainsi?

– Pour aiguiser leur appétit.

Xaviera regardait le sultan sans comprendre.

– Mais pourquoi doivent-ils être affamés pour se battre?

– Parce que leur adversaire leur sera jeté en pâture.

– Qu'est-ce que vous racontez? Quel adversaire?

– Lui, répondit Abdel Mepphat, en pointant du doigt un Noir gigantesque qui se tenait derrière les grilles par où on avait fait entrer les fauves quelques minutes plus tôt.

– Un homme? cria la jeune femme, glacée d'horreur. Mais je croyais assister à un combat entre animaux.

– C'est bien cela. Cet esclave n'est pas un homme, mais une bête, répliqua le sultan mécontenté par l'expression de répulsion qu'il lisait sur le visage de sa compagne.

– Cet esclave est un être humain. Tout comme vous et moi. Vous n'avez pas le droit de l'envoyer se faire écharper vif par ces lions affamés.

– Wâsh[1]? Comment osez-vous me dire cela? Cette larve

1. Quoi.

m'appartient. J'ai le droit d'en faire ce que je veux, hurla l'Arabe, son double menton tremblotant de fureur.

– Mais que vous a-t-il fait pour mériter cette exécution cruelle?

– Quand j'ai visité mes plantations d'oliviers, hier, il m'a craché au visage.

– C'est tout? demanda Xaviera, effondrée.

– C'est suffisant. Personne ne doit me manquer de respect. Vous m'agacez. Rasseyez-vous et regardons le spectacle, ordonna-t-il à la jeune femme, les yeux mauvais.

– Attendez, dit-elle, s'efforçant à la douceur. Pourquoi ne le faites-vous pas simplement fouetter? Votre honneur serait sauf et l'homme serait puni.

– Une lanière de cuir ne parviendrait pas à déchirer cette peau de cochon, répliqua-t-il. Les griffes acérées de ces bêtes fauves réussiront là où le fouet aurait échoué.

Une idée folle traversa soudain l'esprit enflammé de la jeune femme.

– Si je vous offrais beaucoup, beaucoup d'argent, lui rendriez-vous sa liberté?

– Mais... J'ai déjà beaucoup, beaucoup d'argent, répondit le gros homme en riant.

– Si mon mari vous donnait en offrande tout ce qu'il aura acheté à Marrakech, cela vous consolerait-il? insista-t-elle, cherchant fébrilement un moyen d'empêcher cette exécution horrible.

– Peut-être, répondit-il, un éclair d'avidité traversant ses yeux noirs, ses doigts caressant pensivement sa barbe fournie.

Xaviera retint son souffle, remplie d'espoir.

– D'accord, accepta enfin le sultan. Il est libre.

– Faites-le détacher maintenant, ordonna-t-elle.

– 'Alâsh[1]? Vous ne me faites pas confiance?

---

1. Pourquoi.

«Justement non!» pensa-t-elle, écœurée par l'air faussement peiné du sultan.

– Mais si, mentit-elle, soucieuse de conserver son avantage. Disons que c'est un caprice féminin.

Le sultan appela un de ses serviteurs en tapant dans ses mains et lui intima de délier les cordes qui retenaient le Noir prisonnier et de le laisser partir.

– Êtes-vous satisfaite, chère amie?

– Je vous garderai une reconnaissance éternelle.

– Vous me rassurez. J'ai cru, un court instant, avoir perdu votre amitié.

– Quelle idée! protesta la jeune femme, qui n'en pensait pas moins qu'elle serait bien aise d'être débarrassée de la présence de ce gros prétentieux.

Au sortir de l'enceinte, une bousculade l'entraîna à l'écart et la fit tomber.

Sans qu'elle ait eu le temps de bouger, elle vit une immense silhouette se pencher sur elle pour l'aider à se relever.

– Ah! c'est toi? fit-elle en reconnaissant l'esclave qu'elle venait de sauver.

La reconnaissant à son tour, il se jeta à ses pieds, embrassant ses babouches avec ferveur.

– Relève-toi immédiatement, ordonna la jeune femme. Tu n'es plus un esclave, mais un homme libre.

– Merci, mitress. Toi sauver moi. Moi t'appartenir.

– Quel est ton nom?

– Méphis, mitress, répondit le grand Noir de sa voix grave.

– Écoute-moi, Méphis. Tu n'appartiens plus à personne désormais. Tu es libre. Est-ce que tu comprends?

Le Noir hocha la tête dans un signe de dénégation.

– Tu peux faire ce que tu veux à présent, expliqua patiemment la jeune femme. Tu peux aller où tu en as envie, voir qui tu veux, manger ce qui te plaît.

– Vouloir pas libre. Moi vouloir appartenir à toi, s'obstina-t-il.

– C'est impossible. Je n'ai pas besoin d'un esclave. De toute façon, je retourne dans mon pays bientôt.

– Moi accompagner mitress. Mitress vouloir? Méphis suivre mitress partout. Protéger mitress, aimer mitress.

– Non, répondit Xaviera brutalement.

– Mitress écouter. Si toi laisser Méphis ici, Méphis mort. Sultan méchant, sultan venger si mitress partir. Méphis vouloir pas mourir. Méphis vouloir suivre mitress, dit-il, ses bons yeux noirs roulant dans l'eau.

– Tu crois qu'Abdel Mepphat te tuera lorsque je quitterai le pays?

– Oui. Lui couper gorge à moi. Lui haïr Méphis, parce que Méphis vivant. Mitress emmener moi. Méphis tout petit, tout petit, la pressa-t-il en se recroquevillant, pour montrer qu'il ne prenait pas de place malgré sa grande taille.

– D'accord. Tu as gagné, céda la jeune femme en riant, attendrie par la confiance aveugle que lui témoignait Méphis.

– Mitress bonne, mitress merveilleuse, cria le Noir, manifestant sa joie bruyamment.

– Calme-toi, tu vas nous faire remarquer. Va à Safi, c'est là que le bateau de mon mari est amarré. Demande à voir monsieur O'Malley et dis-lui que tu viens de la part de Lady Milton. Tu as compris?

– Missié O'Malley et Lady Milton, répéta-t-il consciencieusement, son drôle d'accent écorchant les noms.

– C'est bien, le félicita la jeune femme. Tu as de l'argent?

– Non, mitress. Méphis esclave, Méphis pas argent.

– Tu en demanderas à monsieur O'Malley et tu iras t'acheter

des vêtements, dit Xaviera en regardant le grand corps à moitié nu, ceinturé dans une culotte de toile gossière en loques.

– Vêtements? Pour Méphis? Mitress bonne. Oh! Mitress bonne. Méphis aimer mitress.

– Ça va, ça va. Maintenant va, nous nous reverrons bientôt.

– Bientôt, mitress, répéta le grand Noir en s'éloignant gaiement.

– Méphis! le rappela-t-elle. Le nom du bateau, c'est *Reine des mers.*

Faisant signe qu'il avait compris, il agita la main et poursuivit son chemin.

«Mon Dieu, qu'ai-je fait? Marcus va me tuer quand il le verra. Chaque chose en son temps, Xaviera. Ne panique pas inutilement. Garde tes forces pour la bataille!» pensa- t-elle, en chassant de son esprit la petite voix obsédante qui lui demandait comment elle expliquerait à son mari qu'il devrait offrir toute sa marchandise au sultan.

♦ ♦ ♦

Marcus, quant à lui, regagnait Fès au grand galop, faisant mener à ses hommes un train d'enfer. Fou de rage, il repensait à la lettre qu'il avait reçue la veille, dont les mots s'étaient imprimés en caractères de feu dans sa mémoire.

«Vous devriez revenir le plus rapidement possible. Votre femme a beaucoup de plaisir en votre absence. Abdel Mepphat et elle sont au mieux de leurs relations, si vous voyez ce que je veux dire. La petite Anglaise ne se languit pas de son mari. Au contraire. Ses nuits sont comblées par la passion et la sensualité. Si j'étais à votre place, je m'empresserais de mettre un terme à cette situation. Mais peut-être que l'idée de devenir le père d'un bâtard ne vous déplaît pas? Un ami qui vous veut du bien»

«Un bâtard arabe! Je vais lui en faire un, moi, de bâtard. Sale petite peste! À peine ai-je le dos tourné qu'elle retrousse ses jupes et me cocufie sans vergogne. Garce! Quand je lui mettrai la main au collet, elle souhaitera être morte. Je ne peux plus la supporter. Je vais l'enfermer dans un couvent. Non, mieux que ça! Je la jetterai en pâture aux requins.»

Marcus arrêta brusquement son cheval et fit signe à ses hommes de l'imiter.

– Nos routes se séparent ici, dit-il. Je poursuivrai mon chemin seul, jusqu'à Fès.

– Mais... capitaine, et les Berbères? protestèrent ses compagnons.

– Je saurai bien me défendre, le cas échéant. Non, ne discutez pas. Filez directement sur Safi et embarquez la cargaison. Lady Milton et moi devrions vous rejoindre d'ici peu.

– Bien, capitaine. Bonne chance!

Tandis que ses hommes galopaient dans la direction opposée, Marcus, obsédé par des envies meurtrières, grugeait la distance qui le séparait de son infidèle épouse. Le lendemain, il serait de retour au palais et exercerait sa vengeance.

♦ ♦ ♦

Pendant ce temps, le sultan avait, lui aussi, reçu une lettre. Loin de le mettre en colère comme l'avait fait celle envoyée à Marcus, elle le faisait exulter. Il la relut à plaisir.

«Mon cher ami, j'espère ne pas vous paraître trop hardie, mais je ne peux plus me retenir. Il me faut vous avouer l'amour qui me consume et dont vous êtes l'inspiration. La pensée de votre corps frémissant contre le mien hante mes nuits. Je brûle de désir pour vous, ô Sublime. Ne me faites plus languir. Venez me rejoindre ce soir, que je connaisse enfin l'extase entre vos bras. Votre perle noire de l'Occident»

♦ ♦ ♦

– Buvez votre thé tandis qu'il est encore chaud, recommanda Leila à Xaviera avant de se retirer.

La jeune femme se versa une tasse du breuvage sucré dont elle ne pouvait désormais plus se passer. Savourant le liquide bouillant, elle pensait à Marcus, se demandant quand il allait revenir. Elle avait hâte de quitter cet endroit qui, sous ses aspects paradisiaques, dissimulait une cruauté barbare, une sauvagerie inacceptable.

«Vivement l'Angleterre!» pensa-t-elle en se resservant du thé.

Une langueur inexplicable envahit ses membres,faisant battre son cœur rapidement. Un désir violent la saisit aux tripes, la laissant pantelante sur le lit.

«Que m'arrive-t-il?» se demanda-t-elle, embarrassée par les images impudiques qui défilaient devant ses yeux, avant de sombrer dans un sommeil peuplé de rêves où des hommes masqués, aux yeux vairons, lui faisaient l'amour inlassablement, sans jamais la satisfaire.

Gémissante, Xaviera se retournait sur sa couche, crispant ses longs doigts sur le drap mince qui la recouvrait. Couverte de sueur, elle agitait frénétiquement la tête de droite à gauche, aspirant à être délivrée de ce désir qui brûlait ses entrailles.

Dans un soupir de soulagement, elle accueillit le corps qui s'allongeait sur elle, en murmurant le nom de son mari.

– Xaviera, ma douce colombe, pourquoi ne pas m'avoir confié plus tôt que tu me voulais? Nous avons perdu tant de temps! murmura le sultan en caressant avidement ce corps qui s'offrait à lui.

Luttant contre les effets de la drogue qu'on avait délibérément saupoudrée dans son thé, à son insu, la jeune femme cherchait à ouvrir les yeux, son instinct le plus primitif l'avertissant d'un danger.

Le sultan, ne pouvant résister plus longtemps, poussa un rugissement et baisa de ses lèvres charnues la poitrine dénudée de la jeune femme. Celle-ci, combattant de toutes ses forces l'engourdissement qui paralysait ses membres, parvint à ouvrir les yeux.

Horrifiée, elle reconnut la silhouette grassouillette d'Abdel Mepphat qui se vautrait sur elle. Dans un hurlement, elle tenta de repousser le corps massif de l'Arabe. En vain. Le sultan, tout à son désir, interpréta ce cri comme en étant un de plaisir, habitué qu'il était aux démonstrations bruyantes de ses favorites. Désespérée, Xaviera se défendait comme elle le pouvait tout en pensant à un rythme effréné.

«Que fait-il ici? Pour quelle raison se trouve-t-il dans mon lit? Et comment ne m'en suis-je pas aperçue? Le thé! On a mis de la drogue dans mon thé. Mais pourquoi?»

Sa main, en tâtonnant, rencontra un long poignard sur la hanche du sultan. Ce dernier, trop occupé à dépouiller la jeune femme de ses vêtements, ne se rendit pas compte qu'elle retirait l'arme de son étui, dans un mouvement furtif. Prête à tout pour empêcher ce gros ballon de la posséder, Xaviera frappa de toutes ses forces, sentant la lame s'enfoncer dans la chair épaisse et molle.

Hurlant de douleur, le sultan se releva rapidement, portant sa main gauche à son épaule droite où s'élargissait une tache de sang. Incrédule, il contemplait la jeune femme, la bouche ouverte, les yeux ronds.

– Pourquoi as-tu fait ça?

– Pour vous empêcher de me violer, répondit-elle, tenant toujours le poignard entre ses mains jointes.

– Te violer, moi? tonna-t-il. Je te rappelle que c'est toi qui m'as envoyé une lettre me suppliant de venir te rejoindre.

– Mais je ne vous ai rien envoyé du tout, protesta la jeune femme, surprise.

Soudainement, elle comprit que le sultan avait été abusé. Mais par qui? Qui lui avait donné cette lettre mensongère? Et pourquoi? Dans quel intérêt?

Affolée par ce qu'elle venait de faire à l'Arabe qui, somme toute, n'était pas totalement responsable de cet incident, elle bredouilla:

– Pardonnez-moi, Abdel Mepphat... Je n'ai pas voulu... Je ne savais pas...

– Gardes, gardes, s'égosilla-t-il en trépignant. Saisissez-vous de cette femme.

– Non, non! cria Xaviera, terrorisée. Laissez-moi. Ne faites pas ça. Je vous en supplie.

– Emmenez-la au cachot. Qu'elle disparaisse de ma vue.

Griffant, hurlant, se débattant comme un diable, Xaviera fut traînée jusqu'à la porte du harem, opposant une résistance désespérée.

– Vous saurez ce qu'il en coûte de s'attaquer à moi!

Ce fut la dernière phrase qu'elle entendit avant de disparaître dans l'obscurité des caves du palais, solidement maintenue par les deux gardes. Ils la jetèrent sans ménagement dans une petite pièce froide qui sentait le renfermé et elle tomba la tête la première sur le sol. Le choc la fit s'évanouir.

♦ ♦ ♦

La jeune femme reprit conscience quelques heures plus tard. Entendant des bruits de pas, elle se leva vivement, remplie d'espoir. Peut-être venait-on la libérer?

Une clé joua dans la serrure et un garde ouvrit la porte, laissant entrer Sharim.

– Qu'as-tu fait, jeune femme? demanda-t-il, le découragement perçant dans sa voix.

– Rien, Sharim. Je n'ai rien fait. Quelqu'un, ici, animé d'intentions malveillantes, a envoyé un message au sultan lui disant que j'espérais sa venue. Et mon thé a été drogué afin que je ne me défende pas. Mais mon intuition a été la plus forte. Lorsque je me suis réveillée et que j'ai vu le sultan allongé sur moi, je me suis affolée et je l'ai poignardé. Est-il toujours en vie?

– Oui. Il m'a appelé à son chevet, la nuit dernière. Sa plaie est profonde, mais pas mortelle. Le sultan est un homme qui déteste souffrir. Mais plus que la douleur physique, il a en horreur les blessures d'amour-propre.

– Que va-t-il faire de moi? Le savez-vous?

– Je vais être franc avec toi, Xaviera, dit gravement le vieil homme. Il n'a cessé de me répéter qu'il te ferait fouetter jusqu'au sang pour ensuite te mettre à mort.

– Mais de quel droit? cria-t-elle d'une voix blanche.

– Du droit de vie et de mort qu'il croit posséder sur tous les habitants du palais.

– Mais je suis un sujet anglais, s'insurgea Xaviera, se refusant à croire à cette atrocité. Aidez-moi, Sharim. Vous ne pouvez le laisser commettre cette injustice.

– Il n'est pas en mon pouvoir de te venir en aide. Mais si cela peut te rassurer, j'ai lu dans les astres que la volonté divine te réservait une autre fin dans un autre temps.

– Comme c'est rassurant! lança la jeune femme, amère et désespérée, la trahison du vieil homme la blessant au plus profond d'elle-même.

Entendant de nouveau le bruit de la clé dans la serrure, elle agrippa la manche de sa tunique et implora sa pitié dans une ultime tentative:

– Faites quelque chose. Je vous en conjure.

Sharim hocha la tête tristement.

Les gardes emmenèrent Xaviera, empruntant le même chemin que la veille. La jeune femme, stoïque, presque indifférente, se laissa entraîner sans protester, ni se défendre. Ils se dirigèrent vers le harem où s'étaient réunies toutes les femmes, dont Maraïcha, triomphante. Louise, la jeune Française, voyait sa chance de prendre la fuite s'envoler en fumée. Si Xaviera mourait, elle pourrait dire adieu à sa liberté.

On conduisit la jeune femme devant le sultan. Ce dernier était confortablement installé sur d'innombrables coussins et caressait son épaule bandée du bout des doigts.

– À genoux! ordonna-t-il à Xaviera, une lueur sadique dans les yeux.

Les gardes exercèrent une pression sur ses épaules, la forçant à obéir. Quand elle fut à la hauteur du sultan, il la gifla brutalement.

– Tu recevras cent coups de fouet. Le sang qui s'écoulera de tes plaies lavera celui que j'ai versé par ta faute. Si tu t'évanouis, nous te ranimerons pour que tu voies ta dernière heure arriver. Je te donnerai à manger aux lions. Depuis que tu leur as ravi leur dernier repas, ils sont fous de rage. As-tu quelque chose à dire?

S'enfermant dans un mutisme digne, Xaviera leva fièrement la tête et fixa Abdel Mepphat droit dans les yeux.

– Baisse la tête, chienne! hurla-t-il en la giflant de nouveau, tailladant la chair fragile de la pommette avec ses bagues.

Tapant dans ses mains, il appela les gardes qui vinrent relever la jeune femme, pour ensuite aller l'attacher à un poteau qu'on avait dressé au milieu de la pièce.

Un des hommes déchira la fine étoffe qui recouvrait son dos, puis ramassa le fouet sur le sol et le lui montra. Xaviera blêmit quand elle compta une dizaine de petites lanières dont les extrémités étaient ornées de morceaux de fer en forme de griffes.

«J'aurais dû y penser. Ces barbares ont élaboré des techniques de torture raffinées.»

Fermant les yeux, elle pria Dieu et sa mère de lui donner la force de supporter l'infâme châtiment sans se plaindre. Elle se demanda si elle n'avait pas imaginé le «Sâmeh-ni»[1] qu'avait murmuré son tortionnaire avant de commencer à la fouetter.

Quand les petites pointes de métal pénétrèrent sa chair, la jeune femme cambra les reins, mordant ses lèvres pour retenir le cri de douleur qui montait dans sa gorge. Sans broncher, elle supporta les nombreux coups qui pleuvaient sur elle, déchirant ses bras, son dos, ses fesses.

---

1. Pardon.

– Plus fort! cria le sultan, furieux de voir que Xaviera tenait encore debout.

L'homme au fouet pesta intérieurement contre son maître. Depuis le tout début de la correction, il calculait ses coups, essayant d'éviter de frapper à plusieurs reprises la peau déjà lacérée. Il admirait cette femme qui supportait silencieusement cette torture cruelle. Mais, sous peine d'être lui-même fouetté, il devait obéir aux ordres du sultan.

Priant pour que sa victime s'évanouisse rapidement, il leva la main et lança son fouet avec énergie.

Les femmes, groupées en silence, regardaient, indifférentes, cet immonde spectacle, habituées au sadisme de leur seigneur. Elles savaient que si l'une d'elles élevait des protestations contre ce traitement inhumain, elle irait rejoindre l'Anglaise qui gisait, inanimée, affalée sur le poteau.

♦ ♦ ♦

– Mais laissez-moi passer! Ôtez-vous de mon chemin! Je veux voir le sultan immédiatement.

Marcus se débattait furieusement. Quatre gardes le maintenaient tant bien que mal, tout en lui expliquant que leur seigneur était trop occupé pour le recevoir.

– Savez-vous qui je suis? gronda Marcus, menaçant. Lorsque Abdel Mepphat apprendra que vous avez malmené l'un de ses amis, il vous fera trancher la gorge. J'assisterai à votre exécution avec joie.

Comme par enchantement, les mains qui le retenaient prisonnier se détachèrent de son habit. Les gardes, roulant des yeux effrayés, s'enfuirent à toutes jambes.

Marcus, tout en remettant de l'ordre dans sa toilette, arpenta à grands pas les couloirs innombrables du palais, à la recherche du sultan. Sa fureur était à son paroxysme. Il n'avait aucune idée de l'endroit où se cachait l'Arabe. Et quand il se renseignait auprès des servantes qui croisaient son chemin, elles baissaient les yeux et pressaient l'allure sans répondre.

«Mais que se passe-t-il ici? pensa Marcus. D'abord, on m'envoie une lettre m'informant des relations rien moins qu'intimes qu'entretiennent le sultan et ma femme pendant mon absence. Ensuite, on veut m'empêcher d'entrer, sous le prétexte qu'Abdel Mepphat est trop occupé pour me recevoir. Et maintenant, on s'enfuit quand je demande où je puis les trouver, lui et Xaviera.»

Comme frappé par l'évidence de ce que tous essayaient de lui cacher, Marcus rugit, hors de lui.

«Espèce de petite traînée! Quel idiot je fais! Elle doit se vautrer entre les bras de ce gros bouffi. Je m'en vais lui donner une de ces corrections qu'elle n'est pas près d'oublier. Elle me paiera cette humiliation!»

Marcus rebroussa chemin, sachant qu'il n'y avait qu'un endroit où il pourrait dénicher les deux coupables. Le harem! Désabusé, il ricana en se rappelant que c'était lui qui avait proposé que Xaviera prenne part à la vie du sérail. S'il avait peu ou pas confiance en sa femme, il avait cru en l'amitié du sultan. La pensée qu'Abdel Mepphat profiterait de son absence pour séduire Xaviera l'avait effleuré quelques instants. Puis, honteux de son attitude mesquine, il l'avait chassée de son esprit, convaincu que son ami ne toucherait pas à ce que tous les hommes arabes considèrent comme sacré: la femme d'un ami.

Tout en ruminant des idées de meurtre, Marcus avait couvert la distance qui le séparait du harem. Il connaissait son emplacement pour l'avoir souvent visité avec le sultan, lors de ses précédents voyages. Le gros Arabe traitait bien ses amis. Il leur faisait choisir la femme qui leur plaisait, tout en ayant auparavant procédé à une sélection. Certaines de ces odalisques étaient en effet réservées à l'usage exclusif de leur seigneur. Nul autre n'avait le droit de poser ne serait-ce qu'un regard sur elles.

Marcus, planté devant les imposantes grilles qui lui interdisaient l'accès au saint des saints, fut assailli par l'étrange silence qui pesait sur ce lieu où, normalement, fusaient les éclats de rire et les conversations animées. Réalisant soudain que les gardes qui étaient postés à la porte du harem à longueur de jour et de nuit brillaient par leur absence, un étrange malaise s'insinua en lui.

Poussé par un pressentiment, il empoigna les grilles à deux mains et les secoua fortement, tout en ordonnant qu'on vienne lui ouvrir. Il perçut un bruit de pas précipités qui s'approchaient.

Voyant arriver un petit vieillard vêtu d'une ample tunique rouge et coiffé d'un drôle de chapeau pointu, Marcus l'interpella rudement:

– Vous! Venez m'ouvrir cette porte immédiatement.

– Oui, oui, Lord Milton. C'est Allah qui vous envoie.

– Qui êtes-vous? Comment connaissez-vous mon nom?

– Je m'appelle Sharim. Mais l'heure ne se prête pas aux présentations ou aux explications. Venez, venez vite.

– Mais...

– Ce n'est pas le moment de discuter. Ah! vous êtes bien comme elle. Toujours à chercher des phrases! Dépêchez-vous. Vous seul pouvez empêcher ce massacre. C'était écrit.

Tout en pensant par-devers lui que le vieillard ne devait pas avoir toute sa raison, Marcus lui emboîta le pas, le cœur serré à l'idée qu'une catastrophe imminente allait fondre sur lui. Le spectacle qui s'offrit à lui le laissa bouche bée.

Un essaim de femmes voilées et silencieuses entourait le sultan, bien calé contre une quantité innombrable de coussins, le regard fixé sur une femme avachie contre un poteau. En retrait, se dressait un homme, la main serrée sur le manche d'un fouet.

– Je fais tout ce que je peux pour empêcher qu'on la ranime. Mais vous seul pouvez mettre un terme à cette exécution, murmura Sharim.

– Qui est cette femme et qu'a-t-elle fait? demanda Marcus à voix basse, horrifié à la vue du corps ensanglanté de la malheureuse.

– C'est Xaviera et...

– Comment? l'interrompit Marcus en rugissant.

– Pas si fort. Ne vous faites pas remarquer, lui intima Sharim.

– Pourquoi ma femme est-elle dans cet état et attachée à ce poteau? demanda Marcus, le regard brillant d'un éclat dangereux.

– C'est une longue histoire. Je ne crois pas que le moment soit bien choisi pour vous en faire le récit. Vous devez agir rapidement. Le sultan veut la faire mettre à mort…

– De quel droit?

– Vous, les Occidentaux, avez la fâcheuse habitude d'interrompre vos interlocuteurs, reprocha Sharim. À cette minute même, les fauves entrent dans l'arène. Des esclaves se chargeront de les affoler et de les affamer avant que leur soit jetée leur victime.

Marcus blêmit puis rougit sous l'effet de l'émotion.

– Si je comprends bien, dans quelques instants on amènera Xaviera dans l'arène pour la donner en pâture aux lions?

– Oui. Aussitôt qu'elle reprendra conscience, ce qui ne devrait pas tarder.

– Ça ne se passera pas comme ça. Je ne laisserai à personne d'autre le droit de châtier ma femme.

– Orgueilleux! chuchota Sharim dans sa barbe, comme Marcus s'éloignait. Orgueilleux et follement amoureux!

Marcus se fraya un chemin à travers les rangs serrés des femmes. Ces dernières le regardaient, certaines indifférentes, d'autres étonnées, sans même tendre la main pour l'arrêter ou ouvrir la bouche pour protester.

Lorsqu'il fut parvenu à l'amas de coussins sur lequel s'écrasait le corps grassouillet du sultan, Marcus dut maîtriser l'envie qu'il ressentait de lui cogner sur la tête.

– Eh bien! cher ami, je suis heureux de voir que tu t'amuses, lança-t-il, hargneux.

Le sultan, surpris et effrayé par cette voix au timbre métallique, se retourna d'un bond, le visage déformé par une grimace de douleur, son épaule blessée protestant contre ce traitement brutal.

– Marcus, mon ami. Que fais-tu ici?

– Ce serait plutôt à moi de te poser cette question. Qu'est-il arrivé à ma femme?

– Rien, rien... Je... enfin..., bredouilla Abdel Mepphat, perdant sa verve et son langage fleuri habituels.

– Rien? Tu appelles cela, rien? hurla Marcus en pointant un doigt accusateur vers le corps inanimé de sa femme.

– Ne t'emporte pas comme ça! plaida l'Arabe, effrayé par la rage qu'il lisait sur les traits de son interlocuteur. Je vais tout t'expliquer.

– Il vaudrait mieux pour toi que tu aies d'excellentes raisons pour avoir transgressé les lois de l'amitié qui nous unissait.

– Je n'aime pas qu'on me menace, riposta le sultan, les yeux étincelants, furieux qu'on ose lui parler sur ce ton devant témoins.

– Et moi, je n'aime pas du tout ce que je vois, répliqua-t-il. J'attends tes explications.

Soulevant avec difficulté sa lourde silhouette, ses mouvements étant entravés par les coussins moelleux et son épaule blessée, Abdel Mepphat redressa fièrement la tête et darda un regard princier sur son vis-à-vis.

– Suis-moi! ordonna-t-il.

Marcus pénétra à la suite du sultan dans une des chambres privées où logeaient les favorites.

Impatient, sentant l'urgence de la situation et assuré que la partie ne serait pas facile, il se tourna vers l'Arabe et jeta brusquement:

– Alors?

– Eh bien! voilà! Hier, j'ai reçu une lettre de Xaviera par

laquelle elle me priait d'aller lui rendre visite à la nuit tombée. Elle disait avoir à m'entretenir d'un problème urgent. Ne pouvant décemment refuser cette requête à mon invitée, je suis allé la rejoindre dans ses appartements où je l'ai trouvée nue avec, sur le visage, une expression sans équivoque. Embarrassé, j'ai voulu me retirer, mais elle s'est précipitée à mes pieds, me suppliant de la prendre. Je ne savais plus que faire. Tu dois comprendre que je suis un homme normalement constitué et que Xaviera est terriblement séduisante. J'avoue que j'ai failli à notre amitié. Mais qui ne l'aurait pas fait? De plus, elle était déchaînée. Elle tirait sur mes vêtements et m'attirait sur sa couche en gémissant. Je tairai les détails par pudeur.

«Puis, sans que je puisse comprendre ce qui lui arrivait, elle s'est mise à crier et à se débattre. D'abord, j'ai cru à un jeu. Plusieurs de mes concubines aiment à jouer les difficiles. Elles savent que cela me plaît. Mais, quand j'ai senti la lame de mon propre poignard s'enfoncer dans ma chair, j'ai su que ce n'était pas un jeu. Je l'ai fait saisir par mes gardes et enfermer au cachot. Ce matin, j'ai ordonné qu'on la fouette.

«Tu comprends, Marcus, dans mon harem se trouvent plusieurs captives qui, malgré la vie de rêve qu'elles mènent ici, voudraient retourner dans leur famille. Si je laisse impuni ce crime perpétré par Xaviera, d'autres seront peut-être tentées de suivre son exemple.

Le sultan avait dosé la part de vérité et de mensonge avec une habileté démoniaque. Son récit revêtait l'apparence de la plus profonde sincérité. Pour Marcus, cependant, il restait quelques points obscurs à éclaircir.

– J'ai, moi aussi, reçu une lettre expédiée par un auteur anonyme, alors que je me préparais à quitter Marrakech. On m'y conseillait de revenir chez toi en toute hâte, pour mettre fin à la liaison qui vous absorbait entièrement, Xaviera et toi. Peux-tu démentir ces affirmations?

– Je proteste, je proteste, mon ami. Il ne s'est absolument rien passé entre nous. Je te le jure.

– Comment pourrais-je te croire après ce que tu viens de me raconter? Si Xaviera ne t'avait pas planté un poignard dans le dos, t'élèverais-tu contre ces accusations avec autant d'énergie?

Mal à l'aise, le sultan détourna le regard, sans répondre.

– Je suis au regret de t'annoncer que nos relations amicales touchent à leur fin. Il m'est impossible d'excuser ton comportement. Je te demande donc de me rendre ma femme, ou plutôt ce qu'il en reste. Ton honneur est sauf, Abdel Mepphat. Si les femmes qui font partie de ton harem ont un peu de cervelle, pas une ne répétera l'erreur qu'a commise Xaviera.

– C'est qu'il y a un petit problème, dit le sultan. L'exemplarité ne se résumait pas qu'à la séance de fouet. Dans quelques instants, mes gardes traîneront ta femme jusque dans l'arène et l'offriront aux fauves. Je...

– Mais de quel droit? hurla Marcus, horrifié par la menace qui se précisait. Xaviera est ma femme, elle m'appartient...

– Elle a voulu me tuer, moi, le coupa sèchement l'Arabe. C'est une raison plus que suffisante pour désirer la faire exécuter.

– Mais tu es complètement fou! Je suis Anglais, Xaviera aussi. Ta loi barbare ne s'applique pas à nous. J'exige que tu me rendes ma femme. Sur-le-champ!

– Très bien, il en sera fait selon ton désir, fit le sultan, baissant vivement les paupières sur son regard sournois. Gardes! Gardes!

Ces derniers se portèrent au secours de leur seigneur, ayant perçu dans sa voix un appel pressant.

– Emparez-vous de cet homme! Descendez-le au cachot et veillez à ce qu'on lui emmène ensuite sa femme. Notre ami s'ennuie terriblement de son épouse chérie, ordonna le sultan, un sourire mauvais étirant ses lèvres humides. Te voilà satisfait, Marcus?

Celui-ci, méprisant, se mura dans un silence glacial.

Mais avant que les gardes ne l'entraînent, il cracha au visage d'Abdel Mepphat, suprême offense pour ce dernier.

– Chien! Emmenez ce chacal hors de me vue, s'égosilla l'Arabe, trépignant de rage. Qu'on le laisse pourrir dans sa cage!

CHAPITRE VI

Marcus entendit la clé jouer dans la serrure. Redressant vivement la tête, il vit entrer dans sa cellule deux gardes portant le corps ensanglanté de sa femme. Ils la jetèrent sans ménagement à ses pieds et refermèrent aussitôt la porte derrière eux.

Les sentiments de Marcus étaient partagés. Il ne savait pas s'il devait tordre le joli cou de Xaviera ou la plaindre pour le traitement inhumain qu'on lui avait fait subir.

Son dos, mis à nu par les vêtements déchirés, n'était qu'une immense plaie vive. La peau, lacérée, était boursouflée et sauvagement mutilée. Le sang séché maculait ses blessures, formant d'épaisses croûtes noires qu'il serait difficile de nettoyer sans mettre Xaviera au supplice.

«Pauvre petite fille! pensa Marcus, attendri malgré lui. J'en connais plus d'une qui serait déjà morte à ta place.»

Un soupir plaintif interrompit le cours de ses pensées. Marcus se pencha sur le corps de sa femme et l'appela doucement:

– Xaviera, Xaviera. M'entendez-vous?

Elle entrouvrit les yeux et fixa sur lui un regard aveugle.

«Je dois rêver. Ce ne peut pas être Marcus. Il est à Marrakech. Oh! j'ai mal. Qu'est-ce qui m'arrive? Oh! cette douleur! Délivrez-moi. Éteignez ce feu qui brûle mes épaules. C'est insoutenable.»

Elle ferma les yeux et les rouvrit quelques secondes plus tard. Toujours la même hallucination: le visage de Marcus. Elle tendit une main faible et toucha les vêtements de son mari, surprise de ce que cette vision ne s'efface pas, qu'elle soit bien réelle.

– Que faites-vous là? demanda-t-elle dans un souffle.

– Ne parlez pas, Xaviera. Essayez de dormir.

– Qu'avez-vous fait à mon dos? J'ai horriblement mal.

– On vous a fouettée.

– Pourquoi? Quel méfait ai-je donc encore commis qui vous déplaise à ce point?

– Je ne vous ai pas touchée, Xaviera. C'est le sultan qui...

– Oui, je me rappelle maintenant. Faites quelque chose, je vous en supplie. J'ai mal, j'ai mal, se plaignit-elle avant de sombrer dans une semi-inconscience.

– Je vais nous sortir de là, petite fille. Je te le promets.

♦ ♦ ♦

Marcus avait complètement perdu la notion du temps. Il ignorait depuis combien d'heures ou de jours ils croupissaient, sa femme et lui, dans cette prison humide.

Xaviera se débattait sans cesse, terrassée par une forte fièvre, en proie au délire. Marcus assistait, impuissant, à son combat, contemplant son beau visage crispé par la douleur, son corps magnifique trempé de sueur. Il n'y avait, dans cet endroit infect, pas une seule goutte d'eau dont il eût pu se servir pour rafraîchir le front brûlant de sa pauvre femme.

Il entendit la clé cliqueter dans la serrure et, obéissant à un réflexe qui le surprit, il lui ménagea un rempart en allongeant son corps puissamment musclé sur le sien. Un immense soulagement détendit ses traits lorsqu'il vit entrer Sharim. Il sentait que le vieil homme était leur ami.

Une lourde sacoche pendant à son bras, le médecin s'avança tranquillement et dit d'une voix forte:

– Pousse-toi, chien! que je soigne cette putain!

Marcus, surpris puis fou de rage, se leva prestement, prêt à soulager sa colère sur ce petit bonhomme sans défense. Un signe d'intelligence de Sharim lui fit comprendre qu'il agissait ainsi pour tromper les gardes qui tendaient sûrement l'oreille de l'autre côté de la porte. Calmé, Marcus se rassit et regarda Sharim s'affairer autour de Xaviera, attendant qu'il parle.

– Nous devons être prudents, chuchota-t-il enfin. Par bonheur, le sultan m'accorde entièrement sa confiance. C'est une des raisons pour lesquelles on m'a permis de venir. L'autre raison, c'est que je dois remettre votre femme sur pied afin qu'elle affronte les lions. Abdel Mepphat m'a laissé deux jours. Mais même un miracle ne parviendrait pas à la rétablir en si peu de temps. C'est catastrophique. Elle est dans un état lamentable.

– Je sais. Qui êtes-vous donc pour qu'on vous envoie ainsi auprès d'elle sans surveillance?

– Je suis le médecin personnel du sultan.

– Pensez-vous qu'elle va survivre?

– Cela présente-t-il un quelconque intérêt pour vous? demanda Sharim, curieux d'entendre la réponse que lui donnerait Marcus.

– Bien sûr! Xaviera est ma femme!

– Ce n'est pas une bonne raison.

– Écoutez, nous ne sommes pas ici pour juger si j'ai de bonnes raisons de voir guérir ma femme ou non. Soignez-la, c'est votre travail. Et faites-le bien, grinça Marcus.

Étouffant un petit rire, Sharim obtempéra.

Cet homme était bien tel qu'il le croyait. Un orgueilleux fou d'amour qui ne se l'avouerait jamais.

– Pensez-vous pouvoir nous aider à sortir d'ici?

– Peut-être. Mais c'est risqué. Les armées du sultan sont bourrées d'hommes qui se réjouiraient à l'idée de se mettre en chasse. Vous êtes faible, Marcus, et vous enfuir avec Xaviera dans l'état où elle est ferait de vous des proies beaucoup trop faciles.

– Si c'est une question d'argent..., insinua Marcus, certain que l'appât du gain mettrait fin aux hésitations du vieil homme.

Le visage de Sharim se ferma, marquant nettement sa désapprobation. Sans plus s'occuper du mari de Xaviera, il acheva de panser les plaies de sa protégée.

«Je me suis trompé, pensa Marcus, se traitant d'idiot. Il était prêt à nous aider, à risquer sa vie pour nous, sans attendre de récompense. Mais, maintenant, pardonnera-t-il mon indélicatesse? Voudra-t-il encore nous prêter main-forte? Ce n'est pas certain.»

♦ ♦ ♦

Le lendemain soir, veille du jour où le sultan projetait de les sacrifier, la clé joua dans la serrure du cachot. S'attendant à voir un des gardes ouvrir la porte, Marcus fut surpris de reconnaître la silhouette fragile de Sharim.

– Où sont les gardes?

– Plongés dans un profond sommeil, répondit le vieux médecin dans un sourire malicieux. Hâtez-vous! nous n'avons pas une minute à perdre. Les gardes dormiront environ deux heures. Ce qui nous laisse à peine le temps suffisant pour mettre une distance respectable entre le palais et nous. Prenez Xaviera dans vos bras et suivez-moi.

Sans s'attarder à poser des questions, il souleva le corps de sa femme et emboîta le pas au médecin.

Pendant ce qui parut des heures à Marcus, ils déambulèrent dans un dédale de couloirs, de croisements et d'impasses. Au moment où il allait accuser Sharim de s'être perdu, il sentit une brise tiède caresser ses joues. Quelques instants plus tard, ils étaient à l'air libre et replaçaient les nombreux arbustes qui soustrayaient aux regards indiscrets la sortie du passage secret.

Ils se trouvaient maintenant dans la ville endormie. L'impression de paix et de tranquillité qui régnait à l'extérieur du palais rendait encore plus irréelle la situation dans laquelle étaient plongés les fuyards.

Sharim jeta par terre la lourde sacoche qui pendait à son bras et se mit à fouiller à l'intérieur, en sortant ce qui sembla être à Marcus des vêtements arabes.

– Mettez cela. Si jamais nous rencontrions des gardes, il faut qu'ils vous croient Arabe. Surtout, ne dites rien, laissez-moi parler. Je leur dirai que ma fille, votre femme, est très malade et que nous l'emmenons chez Salam, le médecin. C'est un ami à moi. Il sera en mesure de nous aider. In Sha'Allâh![1]

Soucieux de ne pas attirer l'attention sur eux, ils s'éloignèrent du palais sans presser le pas. Après une demi-heure de marche sans incident notoire, ils se retrouvèrent devant une petite maison de crépi ocre. Sharim tambourina sur le battant de la porte. On entendit du bruit à l'intérieur.

Un homme armé d'un chandelier apparut sur le seuil. C'était Salam, le médecin de la ville, copie presque identique de son ami Sharim: même grande tunique rouge, même chapeau pointu, mêmes cheveux grisonnants et broussailleux et même petite barbe en pointe. Sans marquer de surprise devant leur arrivée tardive, Salam les fit entrer.

La propreté du lieu en faisait oublier la pauvreté. Une petite table de bois, deux chaises, quelques assiettes, une cheminée minuscule et un lit étroit dans un coin, voilà ce à quoi se résumait le confort de Salam. Si le sultan était l'un des hommes les plus riches du Moyen-Orient, on se doutait qu'il ne distribuait pas ses largesses à ses sujets.

– Salam, tu dois nous cacher pour quelque temps. La femme

1. S'il plaît à Dieu (obligatoire après toute évocation de l'avenir).

de mon ami a été torturée par la volonté du sultan et elle est très mal en point. Je les ai aidés à s'évader. Mais, avec Xaviera dans cet état, ils ne peuvent quitter la ville.

– Bien sûr, mon cher ami. Je mets ma pauvre demeure à votre disposition. Il faudra vous contenter de dormir par terre et d'une maigre couverture. Nous laisserons le lit à la dame, elle a l'air d'en avoir grandement besoin.

Sans crier gare, Marcus, qui s'était tenu coi depuis leur arrivée chez Salam, s'effondra avec Xaviera dans ses bras.

– Est-il malade lui aussi? demanda Salam.

– Non, je ne crois pas. Mais il a été enfermé six jours entiers dans un cachot, sans boire ni manger, et probablement sans dormir. Dans deux jours tout au plus, il sera sur pied. Je m'inquiète beaucoup plus pour Xaviera. Ses plaies se sont infectées et elles regorgent de pus. J'ai fait tout ce qui était en mon pouvoir, mais l'humidité qui glaçait leur cellule n'a pas accéléré la guérison. Au contraire.

Salam s'approcha des deux corps inanimés qui gisaient sur le sol et s'agenouilla près de Xaviera. Attentif, il examina le petit visage gris aux traits tirés, les cernes noirs qui creusaient les joues et la sueur froide qui inondait le front cireux. Un souffle rauque soulevait faiblement le torse amaigri de la jeune femme.

Dubitatif, Salam hocha la tête et regarda son ami.

– Je doute qu'elle revoie jamais le soleil se lever.

– Ne nous avouons pas vaincus avant d'avoir essayé, répliqua Sharim d'un air décidé. Maintenant, occupons-nous de Marcus.

♦ ♦ ♦

Si, dans la maison de crépi ocre, on travaillait d'arrache-pied, au palais, il régnait une tout autre sorte d'agitation.

Le sultan était dans tous ses états. Il écumait littéralement de rage. Fixant l'éclat de son regard fou furieux sur les deux gardes qui tremblaient de frayeur devant lui, Abdel Mepphat se demandait de quelle façon il les ferait exécuter.

– Imbéciles! Idiots! explosa-t-il enfin. Je vous arracherai la peau à mains nues. Je vous ferai crucifier aux portes de la forteresse où vous attendrez la mort dans d'atroces souffrances. Je ferai verser de l'huile bouillante puis de l'eau glacée sur vos plaies. Avant de rendre l'âme, vous comprendrez qu'il vous était interdit de faillir à la tâche que je vous avais confiée. Gardes! Enfermez-les au cachot, je m'occuperai d'eux demain. Rats!

Resté seul dans ses appartements, le sultan tournait en rond, fébrile.

«Ils se sont échappés! Sous ma barbe! Un homme mourant de faim et une femme inconsciente, pensait-il, encore incrédule. Ce médecin maudit, ce traître, quand je lui mettrai la main sur la peau du cou, il regrettera d'avoir croisé mon chemin. Je les tuerai tous les trois, de mes propres mains. Je me laverai dans leur sang. J'empalerai leurs corps sans vie sur des piques et les laisserai pourrir aux portes du palais. Je les vomis, ces serpents!»

Au bord de la syncope, il s'assit sur son immense lit et tenta de reprendre son souffle.

Maraïcha, pénétrant dans les appartements de son mari, majestueuse et rayonnante, le surprit qui s'abandonnait à cet accès de faiblesse.

– Qu'est-ce que j'apprends, Abdel Mepphat? Nos amis nous ont faussé compagnie?

– Oui, souffla-t-il, rougissant de honte et de rage.

– Que comptez-vous faire? demanda-t-elle, curieuse.

– Je lance mes armées à leurs trousses. Je veux qu'ils me paient cet affront.

– Me permettez-vous de vous donner un conseil, ô Lumière de ma vie?

D'un geste las, le sultan lui signifia qu'elle pouvait dire tout ce qu'elle voulait.

Maraïcha, s'enhardissant, s'assit à ses côtés et lui prenant la main, commença de lui exposer son idée.

– Je doute qu'il soit digne de votre royale personne de vous lancer à la poursuite de vos prisonniers. Xaviera ne tardera pas à mourir, si ce n'est déjà chose faite. Marcus, qui n'a pas mangé depuis plusieurs jours, doit être faible, donc une proie facile. Quant à Sharim, s'il est bien avec eux, son grand âge fait de lui une quantité négligeable. Que penserait votre peuple s'il voyait son seigneur donner la chasse à trois pauvres moribonds? Je crois que vous perdriez et son amour et son respect. Mais si vous ignorez leur fuite, comme un homme de votre qualité se doit de le faire, vos sujets vous en vénéreront davantage. Ne vous abaissez pas, ô Suprême, à traquer ces chiens d'infidèles. Qui sont-ils pour mobiliser des milliers d'hommes et de chevaux? Vous leur accordez une importance qu'ils ne méritent pas.

Maraïcha, anxieuse, attendait la réponse de son bien-aimé mari.

À présent que sa rivale se trouvait hors d'état de nuire, et surtout, hors de l'enceinte du palais, elle était prête à se montrer magnanime. Plus encore, elle savait que si le sultan lui attribuait le mérite de l'avoir empêché de commettre une énorme bêtise, elle, Maraïcha, reprendrait la place qui lui revenait de droit. Son mari, débordant de reconnaissance, interromprait les recherches qu'il continuait de mener activement dans le but de se découvrir une autre épouse. Et, pour Maraïcha, cela importait plus que tout au monde.

Naturellement, elle veillerait à ce que la favorite, dans le ventre de laquelle se développait peut-être le futur sultan, disparaisse discrètement, emportée par une fièvre de nature inconnue. Elle chargerait Ophal de cette tâche délicate. Le chemin serait enfin libre. Elle ne reculerait devant rien pour reconquérir l'amour de son mari, même si pour cela elle devait occire toute la population du harem.

– Vous croyez, ma chérie? demanda le sultan, quelque peu rasséréné par les flatteries dont sa femme avait généreusement badigeonné ses plaies d'amour-propre, sans se douter, toutefois, des calculs sordides qu'elle venait d'effectuer mentalement et froidement.

– J'en suis certaine.

– Peut-être avez-vous raison? Oui, vous avez sûrement raison. Merci, ma douce amie, merci infiniment. Vous m'avez évité de me couvrir de ridicule. Je vous dois une reconnaissance éternelle, Maraïcha.

Triomphante, la sultane se laissa renverser sur le lit et offrit ses lèvres à la bouche gourmande de son mari. Elle avait réussi!

♦ ♦ ♦

Deux semaines plus tard, Xaviera commençait à reprendre des forces. Sharim avait été très inquiet. Il avait cru qu'elle ne reviendrait jamais à elle.

De son séjour dans la ville de Fès, elle conserverait, imprimé dans sa chair, un souvenir indubitable. Son dos se cicatrisait lentement. Son visage amaigri reprenait des couleurs. Mais ses yeux restaient éteints. Elle posait un regard vide sur tout ce qui l'entourait, apparemment détachée des réalités de la vie.

Indolente, elle restait allongée sur son lit ou assise sur une chaise à contempler fixement le sol. Elle n'avait plus d'énergie, plus de ressort, plus envie de rien.

Marcus, quant à lui, enrageait d'être maintenu dans une inactivité pesante. Son accès de faiblesse avait été bref. Après s'être nourri convenablement, il avait rapidement repris ses forces et mourait d'envie de retourner à une vie normale. Mais, par mesure de sécurité, ils devaient tous rester enfermés dans la petite maison de crépi, bien que Salam leur ait assuré que tout semblait calme aux alentours du palais.

Marcus harcelait sans cesse Sharim. À quel moment Xaviera serait-elle enfin en mesure de prendre la route qui les conduirait à Safi? Le vieux médecin haussait les épaules et répétait inlassablement la même chose. Physiquement, la jeune femme était prête à affronter les fatigues du voyage mais, au point de vue de ses capacités mentales, il émettait des restrictions.

– Je crains qu'elle ne puisse supporter un nouveau choc, répondit Sharim à Marcus pour la millième fois. Son esprit vacille entre la réalité de ce monde et les fantaisies de celui qu'elle s'est créé.

– Combien de temps devrons-nous attendre?

– Je ne sais pas. Une semaine, un mois, une année. Peut-être plus.

– Ce n'est pas sérieux? hurla Marcus. Il est absolument hors de question que je reste ici aussi longtemps. J'ai un équipage et un bateau qui m'attendent. Les hommes qui m'accompagnaient à Marrakech doivent être à bord de la *Reine des mers* depuis un certain temps déjà. Avant de les quitter, je les avais informés de notre arrivée prochaine. Ils s'inquiètent sûrement de notre retard. Il faut que je les rejoigne. Et vite.

– Vous êtes aussi têtu que votre femme peut l'être, Marcus. Vous n'écoutez rien, lui reprocha Sharim.

– Voilà des jours que je prête complaisamment l'oreille à vos réflexions et rien n'a changé.

Se tournant vers Xaviera qui assistait à leur conversation, visiblement absente, Marcus l'empoigna par les épaules et la secoua brutalement.

– Xaviera! Xaviera! Réveillez-vous, nous devons partir.

Les yeux violets se posèrent sur lui sans qu'aucun signe de compréhension ne les traverse.

– Nom de Dieu! On dirait une enveloppe vide, murmura Marcus, troublé. Vous n'êtes qu'une petite empoisonneuse. Vous faites exprès de me contrarier, ajouta-t-il en criant, la giflant à plusieurs reprises.

Un hurlement déchirant sortit de la bouche de la jeune femme. Ses yeux se révulsèrent et elle s'affaissa sur sa chaise.

– Vous devez être fier de vous maintenant? lança Sharim,

les yeux brillant de colère, perdant son calme pour la première fois.

Le bruit caractéristique des sanglots l'empêcha de donner libre cours à sa fureur. Surpris, il s'approcha de Xaviera et vit un torrent de larmes inonder ses joues.

– Oui, je suis fier de moi, répondit Marcus. Nous quittons ce pays de cauchemar ce soir même.

♦ ♦ ♦

Quelques heures plus tard, Xaviera se nourrissait pour la première fois avec un appétit vorace. Bien qu'encore faible et ébranlée, les gifles de Marcus avaient eu pour effet de briser la coquille d'indifférence qui la protégeait et de lui rendre toute sa lucidité.

– Nous partirons dès ce soir, dit Marcus d'un air décidé, prêt à prendre la mouche si quelqu'un s'avisait de le contredire.

– C'est impossible! fit Xaviera d'une voix rauque.

– Et pourquoi donc? gronda-t-il.

– Je dois encore accomplir quelque chose avant notre départ. J'ai donné ma parole et je la respecterai.

– Qu'est-ce que c'est que cette histoire?

– J'ai promis à Louise, une des favorites du sultan, de tout mettre en œuvre pour l'arracher à cette existence avilissante qu'elle a en horreur et de l'emmener en Angleterre avec moi.

– Vous avez perdu la tête ou quoi? explosa Marcus. Il n'en est pas question! Nous partirons ce soir, à la tombée de la nuit, pour atteindre Safi demain, en début de soirée. Nous lèverons l'ancre aussitôt. Je ne changerai pas mes plans.

– Nul ne vous y oblige, répliqua Xaviera, étrangement calme. J'irai chercher Louise et ensuite nous ferons nos adieux à ce pays combien charmant et accueillant!

– Et comment comptez-vous parvenir jusqu'au harem? À peine aurez-vous posé le pied à l'intérieur du palais que des dizaines de gardes vous arrêteront et vous barricaderont dans une misérable petite cellule. Votre amie ne sera guère plus avancée si vous vous faites enfermer, se moqua-t-il.

– J'ai ma petite idée. Je suis certaine de réussir.

– Bien. Peu importent les arguments que je soulèverai, vous agirez à votre guise, comme d'habitude. Mais n'oubliez pas que nous partons à onze heures. Avec ou sans vous.

– Nous? répéta Xaviera, levant un sourcil interrogateur.

– Oui. Sharim vient avec nous. Comme c'est lui qui nous a aidés à nous évader, il ne peut rester ici. Il courrait un trop grand danger.

– Parfait. Je suis heureuse de constater que vous avez tout de même un cœur.

Marcus, fou de rage, grinça entre ses dents:

– Je ne sais pas ce qui me retient de lui briser les reins.

– Pourquoi ne le faites-vous pas, si vous en ressentez une si terrible envie? lui demanda Sharim, en lui dédiant un large sourire innocent.

♦ ♦ ♦

Xaviera se dirigeait résolument vers les appartements de Maraïcha. Salam lui avait procuré une toilette neuve et, enroulée dans ses voiles, elle était passée inaperçue. Il n'était pas inhabituel pour les gardes de voir déambuler dans les couloirs du palais une des favorites du sultan. Et celle-ci, richement vêtue, en était sûrement une.

Arrivée devant la porte des appartements de la sultane, Xaviera respira un bon coup. Elle savait qu'elle risquait gros, mais elle devait jouer le tout pour le tout. Elle avait promis et respecterait sa parole.

Négligeant de frapper, elle poussa la porte et pénétra directement dans la chambre de Maraïcha. Surprise, elle vit une petite forme noire s'enfuir par une des fenêtres qui donnaient sur la terrasse. La sultane, choquée par l'intrusion inopinée de cette apparition voilée, ouvrit la bouche pour appeler ses gardes, qu'elle avait temporairement congédiés pour recevoir sa visiteuse mystérieuse, présentement cachée dans l'ombre de la terrasse.

Avant qu'elle puisse émettre le moindre son, une main se referma sur sa bouche et elle sentit la lame froide d'un poignard caresser sa gorge.

– Si vous vous tenez tranquille, il ne vous arrivera rien. Mais si vous criez, je n'hésiterai pas à me servir de cette arme. Vous avez compris?

Sur un signe de tête affirmatif de la sultane, Xaviera relâcha son étreinte, tout en maintenant la lame de son poignard appuyée sur sa gorge.

– Qui es-tu? souffla-t-elle.

Pour toute réponse, Xaviera arracha le voile qui couvrait son visage.

– Toi? hoqueta la sultane, surprise.

– Je suis heureuse de constater que ma présence vous cause une telle joie, dit la jeune femme, moqueuse. À moins que ce ne soit de la peur? Ne vous évanouissez pas, Maraïcha, je ne suis pas une revenante. Je suis bel et bien vivante.

– Que veux-tu? Comment es-tu entrée ici?

– Je crois qu'il vous faudra surveiller vos gardes de plus près. Ils ont tendance à relâcher leur attention très facilement lorsqu'on ondule un peu des hanches devant eux. Parvenir jusqu'à vous a été un jeu d'enfant pour moi, répondit Xaviera, ironique.

– Que veux-tu? répéta la sultane.

– C'est simple. Il y a une jeune Française dans le harem du sultan. Elle s'appelle Louise. Je la veux.

– Je ne te connaissais pas ce penchant pour ton propre sexe.

– Ne faites pas l'idiote, riposta Xaviera, rougissant sous l'allusion pleine de sous-entendus. Je pars ce soir et je veux l'emmener avec moi.

– Tu es folle! Jamais le sultan n'acceptera de se séparer d'une de ses favorites.

– C'est à vous de choisir. Louise ou votre vie.

– Tu ne le ferais pas.

– Vraiment? dit Xaviera en exerçant une légère pression sur le tranchant de la lame jusqu'à ce que quelques gouttes de sang perlent sur la gorge de la sultane. Maintenant que vous voilà convaincue du sérieux de mes intentions, appelez une de vos servantes et envoyez-la chercher Louise. Personne ne s'étonnera de ce que la sultane désire auprès d'elle la compagnie d'une des favorites d'Abdel Mepphat. Et surtout, faites très attention. Je sens que ma main serait prise d'irrépressibles tremblements si jamais vous essayiez de m'abuser.

Maraïcha obtempéra sans plus discuter. Elle appela une de ses servantes et lui ordonna d'aller s'enquérir de la jeune Française rapidement. La jeune fille s'inclina et s'empressa de satisfaire les désirs de sa maîtresse.

Le silence s'installa entre la sultane et Xaviera. Il n'y avait plus rien à dire.

Xaviera, le cœur battant à une allure folle, priait pour que l'esclave revienne très vite. Elle avait surestimé ses forces. Une fine pellicule de sueur recouvrait entièrement son corps, annonçant que bientôt ses jambes se déroberaient sous elle. Un soupir de soulagement gonfla sa poitrine lorsque la porte s'ouvrit et que la petite servante entra, suivie de près par Louise.

Cette dernière poussa un cri de joie au moment où elle aperçut Xaviera.

– Tu es vivante! C'est merveilleux. Mais que fais-tu ici?

– Je suis venue te chercher.

– Tu n'as pas oublié? Tu es fantastique! cria la jeune Française, sautant de joie sur place. Quand partons-nous?

– À l'instant, répondit Xaviera.

Puis, s'adressant à la sultane:

– Dois-je vous emmener avec nous pour assurer notre retraite ou nous aiderez-vous à quitter le palais sans encombre?

– Je ne lâcherai pas mes gardes à vos trousses, si c'est ce que vous voulez savoir. Mon plus cher désir est de vous voir sortir de ma vie, une bonne fois pour toutes. J'inventerai une quelconque excuse pour expliquer au sultan la disparition de Louise. Passez par la terrasse, c'est plus court. Vous pouvez me faire confiance.

Xaviera sentait qu'elle disait vrai. Elle remit son poignard dans son étui et s'inclina devant la sultane, ironique.

– Mon mari m'avait vanté avec chaleur les mérites de l'hospitalité arabe. Il jurait ses grands dieux que quiconque jouissait de votre amitié se voyait comblé des plus délicates attentions. Eh bien! après avoir vécu quelque temps sous votre toit, je n'envie guère ceux qui ont le malheur de s'aligner dans les rangs ennemis.

Puis, remontant son voile sur son visage, elle entraîna Louise à sa suite et les deux silhouettes furent happées par les ténèbres de la nuit.

La sultane respira enfin librement lorsqu'elle les vit disparaître. Elle se précipita vers son miroir et examina la marque qu'avait laissée sur son cou la lame du poignard. À peine était-il possible de distinguer une fine ligne rouge. Satisfaite, elle conclut que d'ici quelques jours, il n'y paraîtrait plus. Elle devrait seulement tenir éloigné de sa chambre son mari qui, depuis la fuite de Xaviera et de Marcus, venait la visiter fréquemment.

– Ainsi, elle n'est pas morte? dit une voix venant de l'ombre de la terrasse.

Sachant qui lui posait cette question, la sultane se retourna sans s'émouvoir.

– Non, Yasmine. Elle est bien vivante.

– Elle est beaucoup plus vigoureuse que je ne le croyais. Malgré toutes les épreuves qu'elle a traversées, elle tient bon. Je dois avouer qu'elle force mon admiration.

– Vas-tu donc abandonner tes projets? demanda Maraïcha, Yasmine l'ayant finalement informée des raisons pour lesquelles elle s'était lancée à la poursuite de Xaviera et désirait sa mort.

– Non. Je repars pour l'Angleterre, moi aussi. Par contre, je devrai changer mes plans. Elle mérite mieux que ce que je lui réservais. Mais auparavant, il me faudra régler deux autres problèmes.

– Auraient-ils pour noms Laurence et Lady Durham?

– Peut-être bien, répondit Yasmine, les yeux brillants.

♦ ♦ ♦

À peine était-elle arrivée devant la maison de Salam que Xaviera s'effondrait. Elle avait trop abusé de ses forces nouvellement recouvrées. Sharim se précipita vers elle et essaya de la ranimer.

Hochant la tête, il se tourna vers Marcus:

– Nous ne pourrons pas partir ce soir. Cela risquerait de lui être fatal.

– C'est hors de question. Salam s'est démené toute la journée afin de nous procurer des chevaux et des mules. Il ne recommencera pas toute cette opération dans quelques jours. Cela éveillerait sûrement les soupçons. Et je ne veux rien faire qui puisse attirer l'attention du sultan sur nous. Nous partons sur-le-champ.

– Ce voyage va la tuer. De plus, elle n'est pas en état de monter sur un cheval.

– Je la prendrai avec moi, répondit Marcus, écartant toutes les objections.

– Je suis désolée. C'est à cause de moi si vous vous trouvez dans cette situation, dit Louise qui était restée en retrait.

– Mais non, mon enfant, la rassura Sharim.

– Vous avez tout à fait raison, mademoiselle. Si ma femme ne s'était pas mis en tête de voler à votre secours, nous serions déjà loin, riposta Marcus d'une voix sèche.

Louise, choquée par ce qu'elle considérait comme un manque flagrant à la plus élémentaire courtoisie, le toisa de la tête aux pieds.

– Vous êtes bien tel que vous décrivait Xaviera. Terriblement beau mais sans cœur.

– Merci du compliment. Si vous êtes prête, nous levons le camp. Sharim, allez chercher mon cheval, je vous prie.

– Je ne suis pas votre domestique, monsieur, répondit tranquillement le vieil homme. Faites-le donc vous-même.

Pestant intérieurement contre tous ces hommes et femmes qui se mettaient en travers de son chemin, prenant un malin plaisir à le contrarier, Marcus sortit à grands pas, laissant Sharim et Louise échanger un regard complice.

– Ce voyage promet d'être intéressant! dit Sharim.

– Plus que vous ne le croyez, murmura Louise, tout éblouie par la beauté virile de Marcus, lui pardonnant déjà son impolitesse.

TROISIÈME PARTIE

CHAPITRE 1

Ils naviguaient depuis deux semaines lorsque Xaviera sortit pour la première fois du lourd sommeil dans lequel elle s'était engloutie la veille de leur embarquement.

– Eh bien! jeune femme, as-tu pris assez de repos?

– Sharim! Mais... où suis-je?

– Sur la *Reine des mers*. Nous avons levé l'ancre il y a de cela treize jours exactement.

– Ai-je dormi tout ce temps?

– Oui. Comment te sens-tu?

– Bien, je crois.

Sharim, bouleversé, retrouvait à nouveau la petite flamme vacillante qui avait hanté le regard de sa protégée lorsqu'elle était revenue à elle dans la maison de Salam.

Souhaitant la faire réagir, il dit:

– Je connais deux personnes qui meurent d'envie de s'entretenir avec toi, mais pour des raisons différentes. Louise rêve de parler chiffons et colifichets. Quant à ton mari, il a plusieurs questions à te poser.

– Ah! bon, fit Xaviera d'une voix atone.

– Le voici justement qui arrive, remarqua Sharim en se levant pour les laisser seuls.

La silhouette de Marcus se profilait à contre-jour, immense, menaçante. Son visage sévère ne présageait rien de bon. La jeune femme, indifférente, le regardait qui s'avançait tranquillement.

– Vous voilà enfin réveillée! dit-il brusquement. Vous me devez certaines explications quant à la présence, sur ce bateau, d'un de vos amis: Méphis.

– Il est ici? demanda-t-elle, intéressée pendant un bref instant.

– Sur votre demande, si j'en crois ce qu'il m'a dit. Ce géant rôde sans cesse autour de notre cabine, larmoyant et vous réclamant. Il refuse de manger, de dormir, de travailler. Il veut sa «mitress». Il menace d'enfoncer la porte si je ne lui permets pas de vous rendre visite. Il jure même de m'écorcher vif si vous rendez l'âme. Je vous serais vraiment reconnaissant de le calmer.

– Bien, envoyez-le-moi, dit la jeune femme d'une voix absente.

– Une dernière chose, Xaviera. Je voudrais bien savoir si ce monument de chair noire est votre dernier amant en titre. Dois-je me préparer à la venue d'une réplique en miniature d'Abdel Mepphat ou d'un chérubin café au lait? s'enquit Marcus, dangereusement calme.

– Je ne comprends pas.

– Ne faites pas l'idiote. Vous deviez bien vous douter qu'un jour ou l'autre, vos fredaines donneraient des résultats. Mais, je vous préviens, en aucun cas votre bâtard n'héritera de mon nom, de mon titre ou de ma fortune.

– Méphis n'est pas mon amant fit-elle, comme si cette conversation ne la concernait pas.

– Et Abdel Mepphat? Affirmeriez-vous sans hésiter qu'il ne vous a jamais touchée?

Un fragment de souvenir traversa l'esprit de Xaviera. Elle revit le sultan, allongé sur elle, embrassant goulûment sa chair, pétrissant ses seins de ses petites mains grassouillettes et avides.

– Oh! dit-elle en guise de réponse.

Interprétant cette exclamation laconique comme un aveu culpabilité, Marcus la prit aux épaules et la secoua sans ménagement.

– Petite garce! Êtes-vous donc incapable de survivre sans vous donner à tous et à chacun? Eh bien! je me ferai un immense plaisir de satisfaire votre appétit. Pour quelles raisons me priverais-je, moi, votre mari, alors que n'importe qui peut user de votre corps? Nous nous reverrons ce soir, madame.

Marcus se redressa, furieux et écœuré. Il ne ressentait que mépris pour cette femme qui gisait sur sa couchette, le regard aveugle, totalement absente. S'il ne s'était pas retenu, il l'aurait battue comme plâtre.

En trois enjambées, il couvrit la distance qui le séparait de la porte de la cabine. L'ouvrant brusquement, il aboya à l'intention de Méphis:

– Arrête de pleurnicher. Ta «mitress» va te recevoir.

Fou de joie, le Noir bondit sur ses pieds et, bousculant Marcus sur son passage, il se précipita au chevet de la jeune femme.

– Mitress! Mitress, toi plus malade?

– Non, Méphis, je ne suis plus malade.

Roulant des yeux inquiets, Méphis regardait la main inerte qui reposait dans les siennes.

– Quoi toi avoir, mitress? Toi toute pâle, toute molle. Toi pas mourir, mitress?

– Non, Méphis. Je ne mourrai pas, je suis déjà morte.

– Quoi toi dire? Toi pas morte, toi parler.

– Va, Méphis. Je suis lasse.

– C'est méchant homme blanc qui faire toi malade? demanda-t-il, disposé à aller étriper Marcus sur-le-champ.

– Non, non.

– Toi sûre?

– Oui, va, laisse-moi. Je veux dormir. Simplement dormir.

– Méphis rester. Méphis veiller toi.

Joignant le geste à la parole, le géant noir s'assit sur le sol et croisa les bras, faisant face à la porte, prêt à jeter dehors quiconque viendrait troubler le sommeil de Xaviera.

♦ ♦ ♦

Tous les soirs, Marcus revenait dans sa cabine et congédiait Méphis sans façon.

Ses actes ne requéraient pas la présence de témoins.

À peine le Noir avait-il franchi la porte que Marcus se déshabillait en hâte et se précipitait sur Xaviera pour la posséder rageusement. La jeune femme, quant à elle, se laissait faire sans réagir, sans même protester, ce qui avait pour effet de décupler la fureur de son mari.

Depuis bientôt trois semaines que durait ce régime, Marcus aurait cru qu'elle hurlerait, mordrait, grifferait. Rien. Rien que ce regard vide qu'elle fixait sur lui pendant qu'il la prenait. C'était à devenir fou.

Ce soir-là, Marcus entra dans sa cabine avec la ferme intention de sortir sa femme de son apathie.

Changeant de tactique, il s'allongea tranquillement à ses côtés et fit courir ses mains sur son corps. La jeune femme, comme à son habitude, n'opposa aucune résistance. Marcus redoubla d'ardeur et d'habileté, refusant de se laisser gagner par le découragement. Avec passion, il embrassa les lèvres froides de Xaviera, tentant de leur communiquer sa chaleur, guettant l'instant où elles s'ouvriraient d'elles-mêmes pour accueillir ses baisers.

Voyant que ses efforts restaient vains, il caressa ses seins, doucement, les prenant en coupe dans ses mains, en agaçant les pointes dressées de sa langue.

Il fut surpris par la violence avec laquelle Xaviera le repoussa. Les yeux remplis de terreur, les lèvres crispées, elle respirait avec difficulté. Puis, comme si une digue se brisait en elle, elle enfouit son visage dans ses mains et sanglota sans retenue.

Étonné, sans même savoir pourquoi il agissait de la sorte, Marcus l'entoura de ses bras et entreprit de la consoler en chuchotant gentiment:

– Pleure, Xera. Cela te soulagera. Pardonne-moi, petite fille, j'ai été si dur avec toi! Pleure, je suis là. Je reste près de toi.

Bercée par ces mots sans suite, Xaviera s'accrocha aux épaules de son mari et laissa libre cours à son chagrin. Peu à peu, ses larmes se tarirent et elle s'abandonna à la vague de bien-être et de réconfort qui l'envahissait. Les bras qui l'entouraient lui procuraient un sentiment de sécurité qui réchauffait son cœur.

Elle redressa lentement la tête et son regard rencontra les yeux étranges de son mari. Il la fixa intensément puis, en douceur, il rapprocha ses lèvres des siennes. Xaviera accueillit son baiser dans un gémissement de plaisir. Elle cambra les reins et rejeta la tête en arrière, aspirant à un contact plus intime. Répondant à ses attentes, Marcus s'inclina sur ses seins et les embrassa avidement, le corps fiévreux, le ventre en feu.

Xaviera haletait, étourdie par un trouble immense. Son corps ne lui appartenait plus. Ce n'était plus qu'un instrument frissonnant qu'elle livrait aux mains de Marcus pour qu'il fasse vibrer ses sens. Mais bientôt, il ne lui suffit plus de répondre aux caresses de son mari. Il lui fallait prendre l'initiative.

Elle frotta lascivement ses seins contre son torse puissant, tout en l'embrassant passionnément. Elle ondula, sensuelle, possédée par une frénésie dont elle n'identifiait pas la cause et qu'elle ne désirait surtout pas identifier. Laissant libre cours à son désir, elle parcourut le corps de son mari de ses mains, de sa bouche, de sa langue, le mettant au supplice.

– Sorcière! murmura-t-il d'une voix rauque en glissant ses doigts à l'intérieur de ses cuisses. Tu me rends fou. Viens, étends-toi près de moi. Laisse-moi t'aimer.

Incapable de résister plus longtemps à la vague de désir qui déferlait en lui, Marcus s'insinua en elle dans un lent mouvement du bassin, attentif à ses moindres gestes. Il voulait la voir prendre son plaisir avant de penser au sien.

Xaviera l'attira sur elle et serra convulsivement ses bras autour de son corps musclé. Lui retirant toutes ses forces, une joie sauvage, presque insoutenable, s'empara d'elle tandis qu'elle mordait l'épaule de Marcus pour ravaler un cri de plaisir. Son mari resta étendu sur elle, ses sens calmés, savourant ces instants de parfaite communion.

– Non, ne parle pas, dit-il quand Xaviera fit mine d'ouvrir la bouche.

Roulant sur le côté, il l'entraîna avec lui et chuchota:

– Dors maintenant. Tu dois te reposer. Dors, je reste près de toi.

♦ ♦ ♦

Le lendemain matin, Xaviera s'éveilla d'humeur joyeuse, le cœur en paix, à peine embarrassée par le souvenir de la nuit passée. Débordant d'énergie, elle sauta en bas du lit et fit sa toilette rapidement. En enfilant une de ses robes, elle remarqua combien elle avait maigri. Il faudrait remédier à cela.

Aux deux coups frappés à la porte, elle cria d'une voix forte et heureuse:

– Entrez, monsieur O'Malley.

– Mais... vous êtes debout, milady? Ça fait rudement plaisir à voir, dit le second en rougissant.

– Non seulement je suis levée, mais je meurs de faim, lança-t-elle, rieuse.

– Si vous pouvez patienter quelques minutes, je me charge

de vous préparer un petit déjeuner dont vous me donnerez des nouvelles. Si vous saviez comme je suis heureux, milady! J'imagine la tête que fera votre mari quand je lui annoncerai votre guérison. Il n'en croira pas ses oreilles. C'est qu'il s'est fait un sang d'encre, le capitaine.

– Vraiment, monsieur O'Malley?

– Pour sûr, milady. Depuis des semaines, il affiche un air préoccupé et renfrogné. Maintenant que vous voilà rétablie, tout va changer. Je n'en doute pas un seul instant. Je m'en vais le chercher de ce pas. Je ne sais pas où il se cache ce matin, mais je ne l'ai pas vu.

– Attendez, monsieur O'Malley. J'aimerais que vous me laissiez le temps de me rendre... présentable, l'arrêta Xaviera.

Elle ne se sentait pas prête à faire face à son mari dans l'immédiat. Il lui fallait remettre de l'ordre dans ses idées. Elle savait que quelque chose avait changé dans leurs relations, la nuit passée. Mais quoi? Elle n'aurait su le dire.

– Si cela vous était possible, j'aimerais que vous m'envoyiez Méphis. Ce grand idiot doit arrêter de me couver et se rendre utile.

– J'abonde dans votre sens, milady. Avant que vous arriviez, il abattait le travail de dix hommes mais, depuis le jour où il vous a vue inconsciente, il n'a fait que pleurnicher et se mettre dans nos jambes.

– Je vais m'en occuper.

– Bien, milady. Je cours à sa recherche.

À peine quelques secondes plus tard, Méphis courbait sa haute silhouette pour passer la porte. Un large sourire éclaira son visage lorsqu'il aperçut sa maîtresse assise sur la chaise, droite et habillée. Elle était toujours un peu pâle, mais ses yeux pétillaient.

– Toi mieux, mitress? Toi guérie?

– Oui. Complètement.

– Méphis content. Très content.

– J'ai besoin de toi, Méphis.

– Mitress dire, Méphis obéir.

– On m'a informée de ce que depuis que je suis malade, tu ne fais que te lamenter et larmoyer. Il te faut être utile.

– Moi utile. Moi rester avec toi, affirma le grand Noir en bombant le torse.

– Non, Méphis. Je vais bien maintenant. Il n'est plus nécessaire que tu sois constamment près de moi. Par contre, mon mari a besoin d'un homme comme toi.

– Non.

– Comment, non? reprit Xaviera, surprise par la véhémence de son refus.

– Méphis pas travailler pour méchant homme blanc, expliqua-t-il, buté.

– Marcus n'est pas méchant, Méphis. Il s'énerve facilement, c'est tout.

– C'est quoi «énerve»?

– C'est ce que tu fais présentement avec moi, répondit Xaviera, perdant patience.

Puis, tout en sachant qu'elle allait le blesser cruellement, elle ajouta d'un ton dur:

– Aimerais-tu retourner au palais du sultan?

– Oh! non, mitress. Pas sultan, lui tuer Méphis, s'écria-t-il en roulant des yeux effrayés et blancs.

– Bien. Alors, obéis-moi. Va voir mon mari et demande-lui ce que tu peux faire pour l'aider.

– Méphis pas aimer homme blanc.

– Bon sang! cria la jeune femme, hors d'elle. Deux solutions s'offrent à toi: ou tu travailles ou je te jette aux requins. Tu as compris?

– Oui, mitress. Méphis esclave de mitress. Méphis écouter. Mais Méphis pas content.

– Cesse de geindre et envoie-moi Sharim.

– Bien, mitress, jeta-t-il du bout des lèvres en sortant dignement.

♦ ♦ ♦

– Eh bien! jeune femme, à ce que je vois, on se sent mieux?

– Entrez, Sharim. Venez bavarder un moment avec moi, l'invita Xaviera en tapotant une place à côté d'elle sur la couchette.

– À quoi devons-nous ce retour à la réalité et cette humeur joyeuse?

– À Marcus.

– Ah! fit Sharim, un éclair d'intérêt traversant ses yeux verts. Et que s'est-il passé?

– Euh... Marcus est venu... hier soir... nous avons..., bredouilla Xaviera, embarrassée.

– Je vois, se réjouit le vieil homme, comprenant à demi-mot ce qu'elle tentait de lui expliquer. Il est tout à fait normal qu'un mari et sa femme fassent l'amour.

– Je sais, mais vous connaissez la nature pour le moins inhabituelle de nos relations. Pourtant, j'ai senti que quelque chose avait changé la nuit dernière. Je suis incapable de dire ce que c'est, mais je suis sûre de ne pas me tromper.

– C'est le moment de tenter un rapprochement, avança Sharim.

– Qu'essayez-vous de me faire comprendre?

– Pourquoi ne pas profiter de cet état de choses pour signer une trêve avec Marcus? Il serait temps que vous arrêtiez de vous battre et appreniez à vous connaître.

– Mais je ne l'aime pas! protesta-t-elle.

– Qui te parle d'amour, jeune femme? biaisa Sharim, ne voulant pas l'effaroucher. Je pensais plutôt à l'amitié.

– Ah! bon? Peut-être. Et si Marcus me riait au nez?

– Xaviera, te souviens-tu d'une certaine conversation que nous avons eue dans le palais du sultan? Je te disais qu'il fallait prendre des risques pour savoir. Partir à la découverte de l'amitié fait partie de ces risques. Impose le silence à ton orgueil et tends la main.

– Peut-être avez-vous raison. Je ne sais pas. Je vais y penser.

– Le temps passe, jeune femme... Un serpent s'est glissé sournoisement dans ton jardin, dit Sharim, souhaitant piquer la curiosité de sa protégée.

– Mais de quoi parlez-vous?

Satisfait, le vieil homme laissa à Xaviera le temps d'assimiler cette phrase qui ressemblait vaguement à une menace et reprit:

– Ta jeune amie française. Elle semble très intéressée par ton mari.

– Louise? Mais c'est complètement idiot! Comme vous venez tout juste de le dire, elle est mon amie.

– Tu me connais bien, jeune femme. Tu devrais savoir que je n'avancerais pas pareille accusation, si elle n'était pas fondée.

– J'ai confiance en vous, Sharim, n'en doutez pas. Mais il peut vous arriver, à vous aussi, de vous tromper, s'entêta-t-elle.

– Combien de fois Louise est-elle venue te voir depuis notre départ?

– Je ne sais pas. Peut-être deux ou trois fois?

– Crois-tu qu'il soit normal, après tout ce que tu as fait pour elle, dans l'état où tu te trouvais, qu'elle ne t'ait rendu visite qu'à deux ou trois reprises? insista-t-il, impitoyable.

– Peut-être était-elle occupée? soutint Xaviera, sachant que son argument n'avait que bien peu de poids.

– Très occupée, jeune femme. À tourner autour de ton mari. En ce moment, elle doit se pavaner sur le pont, cherchant à accaparer l'attention de Marcus.

– D'accord, d'accord, je me rends, Sharim.

– Que comptes-tu faire? persista-t-il, ne voulant pas lâcher prise.

– Je ne sais pas. Je vais y réfléchir.

– Pas trop longtemps, jeune femme.

– N'est-ce pas vous qui m'avez enseigné la patience et la maîtrise de soi?

– Oui. Mais je n'ai jamais prêché la lenteur d'esprit.

♦ ♦ ♦

Xaviera s'agitait dans sa cabine, se refusant à admettre qu'elle ressentait quelque chose qui voisinait la jalousie de très près.

«Je ne suis pas jalouse, se disait-elle. Je suis furieuse. Tout simplement furieuse. Je croyais que Louise était mon amie, mais je me suis trompée. Elle m'a bien eue! J'ai risqué ma liberté et ma vie pour la sortir des bras d'un homme monstrueux et lubrique qu'elle avait en horreur. Et voilà qu'à peine ai-je le dos tourné, elle fait les yeux doux à mon mari. Je ne suis pas jalouse, mais profondément blessée par son attitude cavalière. Que Marcus l'aime ou réponde à ses avances m'importe peu. Mais je n'accepte pas qu'on me tourne en ridicule. Cela ne se passera pas comme ça. Elle va m'entendre, la belle Française.»

Xaviera jeta un rapide coup d'oeil au miroir et, satisfaite de l'image qui s'y reflétait, elle quitta sa cabine pour aller à la recherche du second. Lui saurait sûrement lui dire où elle pourrait trouver Louise. Elle scruta le pont et aperçut au loin un éclair flamboyant. La chevelure de l'Irlandais.

– Monsieur O'Malley! le héla-t-elle. Pourriez-vous vous approcher? J'ai à vous parler.

Le second s'élança. Il s'arrêta, essoufflé, devant Xaviera, et demanda:

– Qu'y a-t-il pour votre service, milady?

– Savez-vous où se trouve mon amie Louise?

Le visage d'O'Malley se ferma.

– Si, par Louise, vous désignez cette jeune bécasse qui se rengorge en paradant dans des tenues pour le moins légères et qui rend les hommes fous par ses œillades incendiaires, elle doit se prélasser dans ma cabine. Pardon, dans sa cabine.

– Merci, monsieur O'Malley, répondit Xaviera en réprimant un sourire amusé.

Apparemment, Louise n'avait pas conquis le cœur du second.

La jeune femme se hâta dans la direction indiquée. Négligeant de frapper, elle entra d'un pas décidé. Une expression de surprise puis de colère se peignit sur son visage à la vue de l'inqualifiable fouillis qui régnait dans la cabine exiguë.

«Mais ce sont mes vêtements! Quel sans-gêne! pensa-t-elle. Je vais lui montrer, moi, de quel bois je me chauffe. Non, non, il faut que je reste calme. Si je m'emporte, elle saura qu'elle peut m'atteindre. Je ne dois rien laisser paraître de mes sentiments réels. Du calme, Xaviera, du calme.»

Puis plaquant un masque souriant sur son visage, elle dit d'un ton faussement enjoué:

– Bonjour, Louise. Je constate avec plaisir que tu es bien installée.

– Ah! bonjour Xaviera. Imagine-toi que monsieur O'Malley m'a littéralement suppliée de lui faire l'honneur d'occuper sa cabine. N'est-ce pas gentil?

– Monsieur O'Malley est un homme du monde, approuva Xaviera sans relever l'énormité du mensonge. Est-ce lui qui t'a offert ces vêtements?

– Oh! non. C'est Marcus. Il a décidé que je ne pouvais faire le voyage vêtue comme je l'étais. Il considérait que cela serait nocif pour la santé de son équipage. N'est-ce pas un charmant compliment? Ton mari est absolument adorable.

– Dis-moi, Louise. Combien de fois es-tu venue me voir pendant ma maladie? demanda-t-elle, sans avoir l'air d'y toucher.

– Pourquoi veux-tu savoir cela? interrogea la jeune Française, visiblement sur la défensive.

– Oh! Tu vas rire. Ce matin, j'ai eu une vive discussion à ce sujet avec Sharim. Il disait que tu m'avais rendu visite à deux ou trois reprises seulement, depuis notre départ. Mais, rassure-toi, je t'ai farouchement défendue. J'ai répliqué qu'une bonne amie comme toi avait dû s'asseoir à mon chevet au moins plusieurs heures par jour. N'ai-je pas raison?

– Mais... bien sûr! répondit-elle, troublée. J'étais terriblement inquiète.

«Menteuse. Sale menteuse! Sharim était donc dans le vrai!» songea Xaviera.

Puis, à voix haute:

– J'espère que tous se sont bien occupés de toi?

– Oh! oui. Marcus s'est montré tout ce qu'il y a de plus gentil et prévenant. Nous avons pris tous nos repas ensemble et avons bavardé longuement. Il est fascinant. Franchement, Xaviera, je ne comprends pas pourquoi tu le hais à ce point. Si j'étais mariée à un homme comme celui-là, je l'enfermerais à double tour de peur qu'une audacieuse ne vienne me le voler.

– Eh bien! je voulais justement aborder ce sujet avec toi. Quelqu'un m'a laissé entendre que tu prisais beaucoup la compagnie de Marcus et...

– Ce doit être encore ce stupide et vieux médecin barbu, la coupa Louise, les yeux brillant de colère.

– Peu importe! La question n'est pas là. Mais je tiens à te prévenir. L'idée que tu tournes autour de lui comme une mouche attirée par le miel me déplaît énormément.

– Mais puisque tu ne l'aimes pas! Quelle différence cela peut-il faire pour toi que nous ayons une liaison ou non?

Xaviera perdit pied quelques instants, déconcertée par cette remarque brutale.

– Mais Marcus est mon mari! Et le fait que je l'aime ou non n'y change rien. Tant que je serai vivante, je me refuserai à le partager avec des dizaines de femmes et à être la risée de tous. Tu devrais comprendre cela, toi qui te dis mon amie, insista-t-elle, un peu perfide.

– Tu as raison, capitula la jeune Française. Mais, rassure-toi, va. Il ne s'est rien passé entre nous. Pourtant, ce n'est pas faute d'avoir essayé, je te l'avoue en toute franchise. Crois-moi, je ne m'approcherai plus de lui.

– Bien. Je suis heureuse de voir que nous nous comprenons. Je te laisse à tes occupations. Toujours amies?

– Bien sûr que oui! s'écria Louise d'un ton sincère.

«Tu parles! pensa-t-elle par-devers elle. Pauvre idiote!»

♦ ♦ ♦

Encore troublée par sa conversation avec la jeune Française et les sentiments contradictoires qui s'agitaient en elle, Xaviera pénétra dans sa cabine et se retrouva en face de son mari.

«Oh! non. Pas maintenant. Je ne suis pas prête. Que vais-je lui dire? Que dois-je lui dire?»

– Bonjour, Xaviera. Je suis heureux de constater que vous vous sentez mieux.

– Oh!... oui... merci... Je vais très bien, répondit-elle, rougissant et pâlissant tour à tour.

Puis, prenant une grande respiration, elle se jeta à l'eau.

– Marcus, j'aimerais que nous discutions de certaines choses, vous et moi. Si votre emploi du temps vous le permet, naturellement.

– J'ai tout mon temps, assura-t-il en la détaillant attentivement. De quoi voulez-vous donc me parler?

– De nous… euh!… de notre relation... Enfin, j'aimerais que nous fassions la paix, bredouilla-t-elle.

– La paix? Je suis peut-être obtus, mais je ne saisis pas très bien vos intentions.

– Depuis que nous nous connaissons, nous nous bagarrons sans cesse. Nous nous accusons mutuellement de méfaits plus monstrueux les uns que les autres. Je voudrais que cela change. Vraiment.

– Pourquoi? demanda-t-il, soupçonneux.

– Parce que je n'ai plus envie de me battre. Les épreuves que j'ai traversées ces derniers mois m'ont épuisée. L'idée que nous puissions vivre ensemble dans la paix et la tranquillité me plaît assez. Peut-être même pourrions-nous devenir amis?

– Y croyez-vous?

– Je l'ignore. Sincèrement, je l'ignore, dit-elle en s'asseyant.

«Voilà, le pire est fait!»

– Vous me surprenez, Xaviera. Je n'aurais pas cru à une reddition aussi totale de votre part.

– Vous vous méprenez. Je ne m'avoue pas vaincue. Je vous demande seulement si vous êtes prêt à signer une trêve. Sinon, je continuerai à me battre.

– Voilà la Xaviera à laquelle je suis habitué, dit Marcus en riant doucement. Pour être tout à fait franc avec vous, je ne sais si cela est possible. Vous m'avez trompé plusieurs fois depuis que nous avons fait connaissance. L'amitié demande la plus grande franchise et la plus totale confiance. Si je me fie à un passé récent, votre aventure avec le sultan est une preuve que...

– Je vous ai déjà dit que nos relations étaient ce qu'il y a de plus platonique, le coupa Xaviera. Jusqu'à ce qu'on me drogue et qu'il essaie lâchement de me violer.

– Peut-être bien. C'est votre parole contre celle de l'auteur de la lettre que j'ai reçue.

– Une lettre? Quelle lettre?

– Alors que je m'apprêtais à quitter Marrakech, j'ai reçu une lettre anonyme dans laquelle on m'exhortait à revenir au palais à toute vitesse, pour mettre un terme à votre liaison avec Abdel Mepphat. On insinuait même que je devais craindre le résultat de cette aventure, c'est-à-dire devenir le père d'un bâtard, fût-il princier.

– Ce ne sont que calomnies! s'insurgea la jeune femme. Le seul homme qui m'ait jamais touchée, c'est vous.

– Peut-être. Nous verrons bien. Il n'y a qu'à espérer que d'ici quelques mois, votre silhouette ne s'arrondisse pas.

– Vous semblez oublier à plaisir que, ces dernières semaines, vous avez rempli vos devoirs conjugaux avec empressement.

– Si vous le voulez vraiment, tirons un trait sur le passé, éluda Marcus. Essayons de devenir amis.

– Alors, vous acceptez?

– Oui, je prends le risque. Mais j'exige de vous une franchise à toute épreuve.

– Marché conclu! dit Xaviera, étrangement euphorique en tendant la main à son mari pour sceller leur accord.

Prenant la main de sa femme entre les siennes, Marcus la regarda gravement. Ses yeux étranges brillaient d'un éclat nouveau. Se penchant vers elle, il baisa ses lèvres doucement.

– Marché conclu, murmura-t-il avant de sortir.

CHAPITRE II

Les jours qui suivirent se révélèrent très instructifs. Marcus et Xaviera passaient de plus en plus de temps ensemble. Lentement, ils apprenaient à se connaître, à s'apprivoiser. À leur grande surprise, chacun d'eux se plaisait en la compagnie de l'autre.

Xaviera découvrait des facettes cachées du caractère de son mari. Au fil des heures qui s'écoulaient, Marcus lui apparaissait comme un homme bon, chaleureux et secrètement tendre, avec un sens de l'humour piquant. Et la nuit, à l'abri des regards indiscrets, ils se cherchaient d'une tout autre façon. Ils s'abandonnaient à leur passion, attirés irrésistiblement l'un vers l'autre, complices, presque amoureux.

Le cœur de Xaviera était en fête. Pour la première fois depuis longtemps, elle se sentait à nouveau vivante. L'avenir lui semblait enfin s'annoncer sous de bons augures.

En secret, elle faisait des projets pour leur retour à Milton Manor. Elle estimait que, si le temps se maintenait au beau fixe, ils accosteraient à Plymouth au plus tard dans trois semaines. Ils arriveraient en Angleterre dans la première semaine de mai. À cette date, cela ferait près d'un an qu'elle serait mariée. Elle ne parvenait pas à y croire. Tant de choses s'étaient passées depuis qu'elle avait fait la connaissance de Marcus.

Quand elle dressait le bilan de cette année, les aspects négatifs de leur union prenaient aisément le pas sur les aspects positifs.

«Mais tout cela va changer. Je suis heureuse maintenant et je me battrai pour que ça continue», pensait-elle tout en offrant son visage au soleil.

Tous les après-midis, elle se promenait tranquillement sur le pont supérieur. Parfois, quand il en avait le temps, Marcus venait la rejoindre et ils bavardaient agréablement, éprouvant un plaisir réciproque à échanger certaines confidences sur leur vie passée respective. L'un et l'autre se départissaient prudemment de la façade derrière laquelle ils se protégeaient, tous deux désireux de ne pas brusquer cette entente fragile qui s'ébauchait entre eux.

Ce jour-là, Xaviera était seule, Marcus ayant trop à faire. Elle doublait le mât lorsqu'elle entendit un craquement sinistre. Sans comprendre ce qui lui arrivait, elle fut projetée sur le sol par une masse de chair noire.

Dans un énorme fracas, le grand mât de cacatois s'écrasait non loin d'elle. Le cœur battant, elle se dégagea de l'étreinte de Méphis.

– Mitress aller bien? Mitress pas blessée? demanda le grand Noir, anxieux.

– Non, Méphis. Grâce à toi. Si tu ne m'avais pas poussée ainsi, je serais sûrement morte à l'instant où on se parle. Merci, Méphis. Du fond du cœur.

– Moi sauver toi, moi content.

– Que s'est-il passé, Xaviera? l'interrogea Marcus, inquiet. Vous n'avez rien? Vous n'êtes pas blessée?

– Je vais bien. Si Méphis ne s'était pas trouvé là...

– Que s'est-il passé? répéta-t-il.

– Je ne sais pas. Je me promenais tranquillement et puis j'ai entendu un craquement. Méphis s'est jeté sur moi et m'a fait rouler loin de cette chose, déclara-t-elle en pointant un doigt tremblant dans la direction du mât.

– C'est bizarre. Le vent n'est pas assez violent pour briser un mât de cette taille. Tout a été vérifié avant notre départ et Jim m'a assuré du bon état de marche de la *Reine des mers*. Il va m'entendre.

– Marcus, avant que vous ne reprochiez quoi que ce soit à monsieur O'Malley, j'aimerais que nous ayons une petite conversation dans notre cabine.

– Allez devant. Je vous suis dans quelques instants. Je veux d'abord contrôler quelque chose.

♦ ♦ ♦

Xaviera n'eut pas longtemps à attendre. À peine avait-elle baigné son visage d'eau fraîche que Marcus entrait dans la cabine, les traits sévères.

– Qu'aviez-vous à me dire? demanda-t-il d'un ton rogue.

Surprise par ce changement d'humeur subit, Xaviera fixa son mari quelques instants avant de s'expliquer.

– Marcus, je crois que nous avons affaire à mon ennemi. Celui-là même qui avait payé David lors de notre traversée vers Marrakech, pour qu'il m'effraie. Si je ne m'abuse, on a encore essayé de me tuer.

– Vous avez raison, Xaviera. On a bel et bien voulu vous rompre le cou.

– Comment en êtes-vous si sûr? murmura-t-elle, priant pour qu'il se trompe, refusant d'admettre que le cauchemar allait recommencer.

– J'ai examiné le bout du mât qui se rattache au grand mât de perroquet. Il a été scié.

– Oh! non, gémit-elle. Non, pas cela. Pas encore.

– Xaviera, je ne crois pas à votre histoire d'ennemi.

– Comment? Vous doutez encore? s'écria-t-elle, blessée.

– Non, non. Je me suis mal exprimé. Ce que je veux dire, c'est que si votre ennemi, comme vous l'appelez, avait voulu se débarrasser de vous, pourquoi aurait-il attendu si longtemps? Ce n'est pas logique. Non, je crois que le danger vient d'une tout autre source...

– Mais qui alors?

– Je ne sais pas. Mais ce dont je suis sûr, c'est qu'un de mes hommes a été soudoyé. Même si je dois passer le bateau au peigne fin, je trouverai de qui il s'agit.

– Marcus, j'ai peur, avoua la jeune femme. Quelqu'un m'en veut et je ne sais ni qui, ni pourquoi. Cela m'effraie terriblement.

– Soyez sans crainte, Xaviera. Je vous protégerai.

♦ ♦ ♦

Les deux semaines qui succédèrent à ce malheureux incident passèrent sans encombre. Marcus avait pris des dispositions pour que Xaviera ne soit jamais seule.

Son enquête auprès de l'équipage n'avait donné aucun résultat, naturellement. Qui, de ces hommes, aurait pu être assez fou pour reconnaître devant son capitaine avoir essayé de tuer sa femme? Marcus avait donc institué une sorte de tour de garde. Quand il lui était impossible de se libérer pour être près de Xaviera, il attachait Méphis ou Jim O'Malley à ses pas. Mais, malgré toutes ces précautions, elle avait terriblement hâte d'aborder le territoire anglais. D'après les calculs de Marcus, ils devraient pouvoir atteindre le port de Plymouth dans trois ou quatre jours tout au plus.

Pour se rassurer, la jeune femme pensait aux visages qui lui étaient si chers: la bonne Mary, Polly, sa femme de chambre, Lady Gilberte qu'elle se promettait d'inviter prochainement. Et Biskett, son adorable levrette.

Elle se trouvait dans l'office, en compagnie d'O'Malley lorsque Méphis entra, roulant des yeux effrayés.

– Mitress, c'est affreux! Méchante femme blanche vouloir tuer toi.

– Qu'est-ce que tu racontes? Louise voudrait me tuer? Et pour quelle raison? C'est absolument grotesque! protesta-t-elle, en imposant le silence à la petite voix qui lui soufflait à l'oreille que cette nouvelle n'était pas si ridicule, que depuis qu'elles avaient eu leur conversation au sujet de Marcus, Louise, l'évitait le plus possible et que, tout à sa joie de ses nouvelles relations avec son mari, elle n'y avait pas accordé d'importance.

– Si vous me permettez de dire ce que j'en pense, milady, je n'en serais pas autrement surpris! dit tranquillement O'Malley. Cette Française a un regard à vous faire frissonner.

– Vous avez des préjugés, monsieur O'Malley, parce qu'elle vous a volé votre cabine, dit Xaviera, faisant une pauvre tentative d'humour.

– Sauf votre respect, milady, je crois que vous connaissez mal cette jeune femme. J'ai surpris à plusieurs reprises quelques-uns de mes hommes sortant de sa cabine avec une expression extatique sur le visage, expression qui ne laissait aucun doute sur ce qui s'était passé derrière la porte. Cette Louise est une dévoreuse d'hommes. Et il est plus que probable qu'elle n'ait pas apprécié le fait de ne pouvoir mettre le grappin sur le capitaine.

Xaviera, muette, digérait ces révélations rien moins que choquantes.

– Méphis dire la femme, mauvaise femme. Elle entrer dans ta boîte et sortir de ta boîte, ricaner et dire: «Ce soir, débarrasser d'elle.» Méphis jurer.

Xaviera, habituée au langage syncopé du grand Noir, traduisit pour elle-même: «Elle est entrée dans ma cabine pour en ressortir en ricanant et en disant: "Ce soir, je me débarrasse d'elle." C'est charmant!»

Prenant rapidement une décision, elle déclara d'une voix ferme:

– Je te crois, Méphis. Je te connais assez bien pour savoir que je peux te faire confiance. Voilà ce que nous allons faire. Nous allons nous rendre tous les deux dans ma cabine. Tu entreras le premier. Tu es beaucoup plus fort que moi. Si quelqu'un t'attaquait, tu saurais te défendre. Qu'en penses-tu?

– Bon plan, mitress. Moi être d'accord.

– Eh bien! qu'attendons-nous? Viens, Méphis.

– Soyez prudente, milady. Cette femme a plus d'un tour dans son sac.

– Ne vous inquiétez pas, monsieur O'Malley. Avec ce géant à mes côtés, je ne risque rien.

Arrivée devant sa cabine, Xaviera étouffa un cri de surprise. On avait laissé la porte légèrement entrouverte et éteint toutes les chandelles. L'obscurité qui régnait à l'intérieur était complète, inquiétante. Une peur sourde la saisit à la gorge.

Elle attira Méphis près d'elle et chuchota à son oreille:

– Je ne veux pas que tu entres là-dedans. J'ai un mauvais pressentiment.

– Méphis pas peur. Méphis écraser mauvaise femme.

Puis, écartant sa maîtresse en douceur, il posa sa grosse main sur la poignée et poussa la porte.

Tout se passa très vite. Sous la lumière blanche de la lune qui venait soudainement de déchirer l'épaisse couche de nuages, Xaviera vit briller l'éclat d'une lame puis, presque au même moment, elle perçut un gémissement de douleur. Aussitôt après, elle entendit un bruit sourd et une petite forme s'effondra sur le sol de la cabine.

– Méphis? Tu vas bien? s'enquit-elle, inquiète.

– Oui, mitress. Un peu blessé.

– Entre vite! le pressa la jeune femme, butant sur un corps mou en se précipitant pour allumer les chandelles.

Jetant un rapide et méprisant regard sur l'homme qui gisait par terre, elle s'empressa auprès de Méphis qui restait planté là, le visage gris, une main crispée sur son flanc. Xaviera constata avec horreur que du sang s'infiltrait à travers ses doigts serrés.

– Te sens-tu capable de marcher?

– Oui, mitress.

– Alors, suis-moi. Nous retournons à l'office. Monsieur O'Malley s'occupera de ta plaie.

– Et lui? demanda Méphis en désignant l'homme inconscient.

– Je ne crois pas qu'il revienne à lui avant longtemps. Allons, viens. Ne discute pas.

Ils refirent le chemin en sens inverse, Xaviera soutenant tant bien que mal l'immense Noir qui, sa blessure le faisant horriblement souffrir, éprouvait quelques difficultés à marcher.

Comme ils entraient, ils se heurtèrent au second qui s'apprêtait à quitter l'office.

– Que s'est-il passé? Vous n'êtes pas blessée, milady?

– Moi, non, mais Méphis, oui. Assieds-toi, Méphis. Monsieur O'Malley, donnez-lui vite quelque chose à boire. J'ai peur qu'il ne s'évanouisse.

L'Irlandais s'agita autour du grand Noir, lui servant une généreuse rasade de whisky, examinant sa blessure, la nettoyant et la bandant.

– Voilà. Ce n'est qu'une estafilade superficielle. Dès demain, il sera sur pied, le gaillard.

– Enfin, une bonne nouvelle! s'écria la jeune femme, soulagée. À présent, il nous faut nous pencher sur le cas de l'homme qui est allongé sur le plancher de ma cabine. Ensuite, nous mettrons à exécution la seconde partie de mon plan.

– Et quelle est-elle? demanda le second, curieux.

♦ ♦ ♦

– Mademoiselle Louise! Mademoiselle Louise! Ouvrez-moi. C'est moi, O'Malley. Dépêchez-vous! Il s'est produit quelque chose d'horrible.

– Mais pourquoi faites-vous tout ce tapage? J'espère que vous avez une bonne raison pour venir me réveiller aussi cavalièrement, dit-elle d'un ton sec, les yeux pleins de sommeil.

– C'est le capitaine qui m'envoie. J'ai cru comprendre qu'il s'agissait de milady, mais il n'a rien voulu me dire. Pourtant, ce doit être grave, car il avait l'air absolument catastrophé.

– Vraiment? s'écria-t-elle, pleine d'espoir. Oh! mon Dieu, c'est affreux! ajouta-t-elle en se reprenant. Si jamais Xaviera... Oh! non... Je n'ose même pas y penser...

– Faites vite, je vous en supplie. Lord Milton vous attend dans sa cabine.

– Dites-lui que j'arrive tout de suite. Laissez-moi seulement quelques minutes pour me rendre décente.

– Merci, mademoiselle Louise. Et pardonnez-moi de vous avoir dérangée. Je vais prévenir le capitaine de votre venue. Cela le calmera peut-être.

Louise triomphait. Tout en s'habillant à la hâte, elle rendit grâce à l'âme de Xaviera.

«Pauvre idiote. Petite imbécile naïve. Comment a-t-elle pu s'imaginer ne serait-ce qu'un seul instant que j'étais son amie? Mon désir le plus cher était de sortir de ce maudit trou à rats de harem. Elle m'aura été très utile. Mais maintenant, il me faut à tout prix prendre Marcus dans mes filets. Un autre idiot, celui-là. Stupidement amoureux d'une femme qui ne l'aimait pas. Mais il présente l'avantage d'être un idiot riche et titré. Cela suffit amplement pour satisfaire mes ambitions.»

Jetant un dernier coup d'œil à sa glace, elle fut enchantée par l'image qui s'y reflétait.

«À toi de jouer, ma grande! Affiche sur ton visage une mine de circonstance et passe à l'attaque.»

Elle s'élança vers la cabine de Marcus et entra précipitamment, l'air chagriné. Quelle ne fut pas sa surprise lorsqu'elle tomba sur Xaviera, bien vivante et toute souriante.

– Surprise, Louise?

– Xaviera! Quel soulagement de te voir saine et sauve! mentit la jeune Française avec l'art consommé qu'assure l'habitude. J'étais littéralement morte d'inquiétude.

– Je n'en suis pas si sûre, dit Xaviera d'une voix dure. Cessons ce petit jeu, veux-tu?

– Mais... je ne comprends pas...

– Oh! si. Et très bien même. Ton triste plan a avorté. Reconnais-tu cet homme?

Apercevant soudain dans un coin obscur de la cabine un jeune homme d'une laideur repoussante, dûment bâillonné et ligoté, Louise poussa un cri de rage et se jeta sur lui, le frappant de toutes ses forces.

– Imbécile! Espèce de petit mâle stupide! Comment as-tu pu te laisser prendre? Bougre d'idiot! Tout est fini. Tout est fini, fini, fini!...

La jeune Française s'écroula en larmes aux côtés de son complice. Elle avait perdu. La défaite, cuisante, lui laissait un goût amer dans la bouche.

– Tu vois, Louise, j'ai des amis sincères, reprit Xaviera en désignant Méphis et Jim O'Malley qui passaient la porte. Emmenez-la dans sa cabine et faites en sorte qu'elle ne mette pas le pied dehors et cela, jusqu'à notre arrivée à Plymouth.

– Je te déteste. Je te déteste. Tu n'es qu'une sale petite bourgeoise! cracha Louise, entraînée sans douceur par Méphis.

– Peut-être as-tu raison! Mais je ne me suis jamais abaissée jusqu'à la prostitution dans le but inavouable de monnayer les services d'un tueur! Eh oui! ton ami a parlé. Il avait beaucoup de choses intéressantes à nous raconter. Peut-être pensait-il pouvoir sauver sa peau.

– Garce! Sale petite peste puritaine! cria Louise, débordant de haine.

– Méphis, emmène-la. L'air devient de plus en plus irrespirable.

Comme le Noir allait sortir avec sa prisonnière récalcitrante, Marcus s'encadrait dans l'embrasure de la porte, visiblement mécontent.

– Qu'est-ce que c'est que tout ce bruit? On vous entend hurler de l'autre bout du bateau.

Xaviera ouvrit la bouche pour lui expliquer la situation mais, poussant un léger soupir, elle s'évanouit.

♦ ♦ ♦

– Alors, te sens-tu mieux, jeune femme?

– Sharim, que faites-vous là? Que s'est-il passé? demanda-t-elle faiblement.

– Tu t'es trouvée mal. Tu ne te rappelles pas?

Les souvenirs affluèrent à l'esprit de Xaviera.

La blessure de Méphis; l'annonce mensongère de sa mort à Louise; le marin attaché dans un coin de la cabine; la jeune Française emmenée par Méphis, trépignant et vociférant; l'arrivée de Marcus. Puis ce bourdonnement irritant dans sa tête, cette nausée qui lui avait soulevé le cœur et ce grand trou noir qui l'avait aspirée. Ensuite, plus rien.

– Ton mari s'impatiente. Puis-je lui dire que tu es prête à le recevoir? demanda Sharim, l'œil pétillant.

– Oui, oui. Mais attendez, Sharim. Quelque chose vient de me frapper à l'instant. Je n'y ai guère prêté attention durant les dernières semaines. J'étais trop occupée. Mais il n'y a aucun doute, vous m'avez proprement évitée. Il y a une éternité que je ne vous ai vu. Pourquoi?

– Je me suis simplement tenu un peu à l'écart parce que je ne voulais pas m'immiscer dans vos nouvelles relations, à toi et à Marcus. Serait-ce faire preuve d'indiscrétion que de te demander où vous en êtes?

– J'ai suivi vos conseils. Nous sommes devenus de très bons amis.

– Bien, bien. C'est parfait, approuva Sharim, ses lèvres s'élargissant dans un sourire content. Puisque tu n'as plus besoin de moi, je cède la place à Marcus.

Ce dernier pénétra dans la petite pièce, le visage marqué par l'inquiétude.

– Comment allez-vous?

– Bien mieux, rassurez-vous. J'ai encore un peu la nausée mais, après une bonne nuit de sommeil, il n'y paraîtra plus. Ce doit être le résultat de toutes ces émotions.

– O'Malley m'a tout raconté. Bien que j'admire la façon dont vous vous êtes débrouillée, j'aurais aimé que vous fassiez appel à moi.

– Les événements se sont enchaînés avec une telle rapidité qu'il m'a été absolument impossible de vous prévenir. Ne vous froissez pas, je vous en prie, plaida-t-elle doucement.

– Soyez sans crainte, je ne vous en tiens pas rigueur. Vous devriez oublier toute cette histoire et vous reposer.

– Marcus, qu'allez-vous faire de lui? Le complice de Louise?

Sans répondre, il détourna le regard.

– Marcus, je veux savoir, insista-t-elle.

– Il sera pendu demain à l'aube, dit-il du bout des lèvres.

– Vous n'avez pas le droit de faire ça! C'est trop horrible!

– Xaviera, je n'ai pas le choix. Cet homme a violé sans vergogne plusieurs des règlements que j'ai instaurés à bord de ce bateau. Je dois le punir. Son exécution servira d'exemple aux autres. Où puisez-vous donc cette générosité qui vous porte à sa défense? Il voulait vous tuer.

– Mais il n'est pas parvenu à ses fins. Marcus, je vous en supplie, ne le pendez pas. Je ne pourrais pas le supporter. Pourquoi ne pas tout simplement le fouetter?

– C'est insuffisant. Je dois montrer à mon équipage qui est

maître à bord et les dissuader d'agir à l'instar de leur compagnon, à tout jamais.

– Vous êtes inhumain, cruel même! l'accusa-t-elle. Vous surpassez, et de loin, la barbarie d'Abdel Mepphat. Voilà deux fois, depuis que nous naviguons sur ce bateau de malheur, que vous voulez faire pendre un homme. Que faut-il dire pour vous en empêcher?

– Il y a une différence entre le cas qui nous occupe et celui auquel vous vous référez. La première fois, je vous croyais coupable du massacre du bétail. Je voulais vous voir avouer à tout prix. C'est le seul moyen qui m'était venu à l'idée. Jamais je n'aurais permis que Percy se balance au bout d'une corde. Mais cette fois-ci, vous êtes innocente, tout comme la première fois d'ailleurs. Un de mes hommes a trahi ma confiance et a voulu vous tuer. Pour cela, il paiera de sa vie.

– Je vous en supplie, Marcus! Ne le faites pas. Pour moi, implora-t-elle.

– Je regrette, mais je ne peux vous donner satisfaction. Si je me rendais à vos arguments, je perdrais le respect de l'équipage tout entier.

♦ ♦ ♦

Le lendemain, Xaviera fut réveillée à l'aube par une agitation anormale. Elle comprit soudain que le destin d'un homme se jouait sur le pont supérieur. Une nausée lui tordit le ventre et, repoussant ses couvertures à la hâte, elle se jeta au bas du lit et courut jusqu'à la cuvette dans laquelle elle vomit à rendre l'âme.

♦ ♦ ♦

Deux jours plus tard, selon les prédictions de Marcus, la *Reine des mers* accostait aux quais de Plymouth.

– Oh! Je me sens si mal, Sharim! geignait Xaviera. Qu'est-ce que j'ai?

– Je ne sais pas. Je ne suis pas certain.

– Peut-être sont-ce toutes ces émotions qui m'ont retournée?

– J'en doute. Tu ne ressembles en aucune façon à ces femmes qui s'effondrent au premier coup de vent. Je pourrai probablement donner une réponse à tes questions dans quelques semaines.

– Croyez-vous qu'elle soit en état de faire le voyage jusqu'à Milton Manor? demanda Marcus en s'encadrant dans l'embrasure de la porte.

– Je n'y vois pas d'objection, répondit le vieil homme en s'éloignant, soucieux de les laisser seuls.

– Je désirais justement vous parler, Marcus. Que comptez-vous faire de notre invitée?

– Je l'ignore. Avez-vous une idée à me soumettre?

– Oui. Laissons-la sur le quai et bon débarras!

– Vous n'êtes pas sérieuse, Xaviera! Nous ne pouvons pas l'abandonner comme ça!

– Et pourquoi pas? Elle a tout mis en œuvre pour se débarrasser de moi. Je ne vois pas ce qui m'empêcherait d'embrasser ses méthodes, se buta la jeune femme.

– Votre raisonnement est difficile à suivre, Xaviera. Il y a deux jours, vous réclamiez la grâce d'un homme qui était animé du désir de vous planter un poignard en plein cœur et aujourd'hui, vous exigez de moi que je livre une femme seule, sur ces quais hantés par toutes sortes d'individus.

– Cet homme que, malgré mes prières, vous avez exécuté froidement, n'était que l'instrument de cette créature. C'est elle, la fautive.

– Je suis parfaitement d'accord avec vous. Mais je ne peux faire ce que vous demandez.

– Pourquoi? hurla-t-elle, furieuse.

– Parce que cette action irait à l'encontre de mes principes.

– Vos principes? Et les miens alors? s'étrangla la jeune femme, hors d'elle. Peut-être souhaitez-vous qu'elle nous accompagne à Milton Manor où elle aura l'occasion d'échafauder un autre plan lui permettant de m'assassiner?

– J'avais pensé que nous pourrions la laisser dans un de ces petits villages que nous croiserons sur notre route, répondit Marcus, surpris par cette véhémence haineuse.

– C'est hors de question! Cette femelle ne posera jamais ses fesses sur le siège de ma voiture! Si vous ressentez le besoin de jouer au bon samaritain, vous le ferez seul et dans une voiture de location.

– Mais que vous arrive-t-il, Xaviera? Il y a fort longtemps que je ne vous ai vue dans un tel état de fureur.

– Peut-être ai-je de bonnes raisons?

– Calmez-vous. Vous êtes verte de rage.

– Je n'ai aucune envie de me calmer ou de changer d'idée. Si vous voulez vous occuper de cette vipère, cela vous regarde. Mais n'espérez pas obtenir ma bénédiction.

– Très bien, Xaviera. Méphis et Sharim vous escorteront. Quant à moi, je vous reverrai à Milton Manor. Je souhaite vous retrouver dans de meilleures dispositions à mon égard. Faites bon voyage.

– Oh! Rustre! fit-elle en lui lançant dans le dos le premier objet qui lui tomba sous la main.

«Comment a-t-il osé? S'opposer ainsi à mes volontés! Oh! il ne l'emportera pas en paradis...»

CHAPITRE III

La voiture tournait lentement dans l'allée qui conduisait au porche principal. Xaviera ne se tenait plus de joie. Milton Manor! Sa maison. Enfin, elle était de retour chez elle!

Elle jeta un coup d'oeil aux deux hommes qui lui faisaient face sur la banquette de cuir. Le visage de Méphis revêtait une expression qui relevait d'un mélange de respect et d'étonnement. Quant à Sharim, il essayait tant bien que mal de dissimuler son excitation sous une apparente indifférence. Il devait croire qu'un homme aussi vieux et aussi sage que lui se trouvait dans l'obligation d'afficher un air totalement impassible.

Le voyage depuis Plymouth s'était très bien passé.

Après des adieux plutôt froids à Marcus et un regard méprisant lancé à Louise, Xaviera s'était installée confortablement sur une banquette, laissant l'autre à l'usage de Méphis et de Sharim. Il avait fallu force persuasion et stratégie pour convaincre le géant noir de monter dans la «petite boîte sur roues». Puis, les premiers moments d'incertitude passés, il avait ri à gorge déployée de sa propre peur et bombardé Xaviera de questions. Tout l'intéressait et le fascinait: les arbres, les fleurs, les chaumières, les châteaux.

Sa joie fut à son comble lorsque, traversant une des forêts

touffues de la campagne anglaise, il aperçut une biche qui détala vivement à leur approche. Son bavardage incessant eut un effet bénéfique sur l'humeur de sa maîtresse. Oubliant Marcus, Louise et ses propres malaises, elle se lança dans une description détaillée du mode de vie anglais.

Quant à Sharim, il se laissait bercer par le roulement de la voiture, s'enfermant dans un silence nostalgique, rêvant au pays qu'il avait dû quitter et qu'il ne reverrait probablement jamais.

La voiture s'arrêta devant l'imposant escalier. Sans attendre que le cocher abaisse le marchepied, Xaviera sauta sur le petit chemin de gravillon et aspira l'air pur de sa campagne. Ses yeux buvaient littéralement le spectacle qui s'offrait à eux.

Le printemps avait dû se faire tardif, si elle se fiait aux pousses timides qui bourgeonnaient dans les arbres et aux petits boutons de rose qui ne déployaient qu'à demi leurs doux pétales. Un peu plus loin, elle aperçut deux superbes cygnes qui glissaient majestueusement sur l'eau calme de l'étang, suivis de leurs trois petits.

– Belle boîte! mitress, dit Méphis en désignant Milton Manor.

– C'est ma maison, Méphis et désormais, ce sera la tienne.

– Si mitress heureuse, moi heureux aussi.

– C'est vrai. Je suis folle de joie à l'idée de me retrouver chez moi. Mais venez tous les deux. J'ai tellement hâte de revoir ceux qui me sont si chers!

Les entraînant à sa suite, elle grimpa l'escalier à la course et ouvrit la porte à toute volée, heurtant Soams de plein fouet. Le majordome, qui avait cru entendre du bruit, venait s'assurer que des rôdeurs n'avaient pas pénétré dans la propriété.

– Milady! Vous avez fait bon voyage? demanda-t-il, toujours égal à lui-même, laissant à peine transpirer un soupçon de plaisir dans son élocution soignée.

– Oui, oui, merci, Soams. Dites-moi vite où je pourrai trouver Mary.

– Si vous voulez, milady, je peux aller la chercher.

– Non, je tiens à lui faire la surprise moi-même.

– Eh bien! elle doit être aux alentours des cuisines, milady. Euh!... Est-ce que ces messieurs vous accompagnent?

– Oui, ce sont mes amis. Vous veillerez à ce qu'on leur prépare des chambres: une pour mon invité et une autre pour... mon domestique.

– Bien, milady. Est-ce que Sa Seigneurie vous suit?

– Mon mari arrivera probablement plus tard dans la soirée ou tôt demain matin.

Puis, plantant là le majordome et désirant se soustraire à des questions plus précises, elle emprunta le couloir et franchit à grands pas, le cœur battant, la distance qui la séparait de Mary.

Méphis et Sharim la talonnant de près, elle entra dans la petite pièce réservée à l'usage personnel de la vieille femme et se jeta dans ses bras avant même que cette dernière n'ait pu comprendre ce qui lui arrivait.

– Mais laissez-moi, mademoiselle! Qu'est-ce que c'est que ces manières? Dieu tout-puissant, vous m'étouffez!

– Eh bien! ma bonne. On ne reconnaît plus son enfant terrible?

– Ma chatte! Est-ce bien toi? s'écria Mary en se détachant de l'étreinte de la jeune femme. Laisse-moi te regarder. Tu as une bien petite mine. Et ce teint doré! Tu ressembles à une païenne.

– Ça fait plaisir de constater à quel point je t'ai manqué! Voilà des mois que je suis partie et tout ce que tu trouves à me dire, c'est que j'ai une pauvre mine, reprocha-t-elle, profondément blessée par cet accueil inattendu.

– Pardonne-moi, ma chatte. C'est la surprise... Ton retour si soudain!... Mais bien sûr que tu m'as manqué! Je me sentais tellement seule. Ah! Dieu tout-puissant! qui est ce monstre? cria-t-elle en se signant à plusieurs reprises.

– Mais de quoi parles-tu? demanda la jeune femme qui,

occupée par ces retrouvailles, avait oublié la présence de ses deux amis.

– Là, derrière toi. Le géant noir! Le diable! Elle m'a ramené le diable. Ah! mon cœur. Je vais mourir...

– Allons, Mary, calme-toi! Méphis n'est pas un monstre, pas plus que le diable. C'est un homme comme les autres, à la différence qu'il est né avec la peau noire, dit Xaviera, amusée par cette réaction hors de proportion.

– Et qui est ce petit bonhomme avec son drôle de chapeau?

– Le petit bonhomme vous présente ses respects, madame, dit-il en s'inclinant.

– C'est Sharim. Il est médecin et...

– Peuh! Un médecin, la coupa Mary, sifflant entre ses dents pour bien marquer son mépris.

– Tout comme Méphis, il m'a sauvé la vie à maintes reprises, Mary. À cause de moi, il a dû quitter son pays sans espoir de retour. Je ne pouvais tout de même pas l'abandonner.

– Bon, si tu le dis. De toute façon, j'aurais dû prévoir que tu nous reviendrais accompagnée par quelque spécimen de ce pays de sauvages. Je me compte chanceuse que tu te sois limitée à deux. Tu aurais pu rentrer avec toute une tribu de ces Indiens sales qui dégagent de ces odeurs...

– Mary, je suis allée à Marrakech, pas aux Indes. Sharim est Arabe, et Méphis Africain.

– L'un vaut l'autre. Eh bien! messieurs, soyez les bienvenus, dit la bonne femme en fixant obstinément le bout de ses souliers.

Sharim s'inclina à nouveau.

Quant à Méphis, avant même que personne n'ait pu l'arrêter, il se précipita sur Mary en deux enjambées puis, la prenant à bras-le-corps, il la souleva très haut et déposa deux baisers sonores sur ses joues.

– Xaviera, dis à ce monument de me lâcher immédiatement, hurla la vieille femme en gesticulant, visiblement folle de terreur.

– Gentille Mary. Moi aimer Mary. Mary aimer mitress.

– Oui, Méphis, tu as raison. Mary est bonne et elle m'aime. Mais dépose-la par terre, s'il te plaît. Tu lui fais peur.

– Mais il parle comme un enfant de deux ans! s'étonna Mary lorsqu'elle se retrouva en sécurité sur le sol.

– Il a appris par lui-même. À Marrakech, Méphis n'était qu'un pauvre esclave.

– Un esclave? Et puis quoi encore? Dieu tout-puissant! Je sens que je vais m'évanouir.

– Mary, calme-toi, je t'en prie. Maintenant, dis-moi où sont Polly et Biskett.

– Ah! ne prononce pas le nom de ce chien de malheur! Depuis le jour de ton départ, elle n'a pas cessé de hurler. Au bout d'un certain temps, elle était devenue tellement maigre que j'ai bien cru qu'elle ne survivrait pas. Mais elle s'est prise d'amitié pour Pierre. Va donc savoir pourquoi. Qui aurait pu imaginer que ce chef au caractère impossible s'attacherait à cette petite bête? Il l'a nourrie, cajolée, consolée et depuis, ils ne se quittent que lorsque Polly l'emmène en promenade. Les voilà justement.

– Mademoiselle Xaviera! C'est bien vous? s'écria la femme de chambre en déposant Biskett par terre pour se précipiter au cou de sa maîtresse. Vous êtes encore plus belle que lorsque vous nous avez quittés. Vous voilà enfin revenue.

– Polly, tu m'étrangles, protesta-t-elle, irritée de sentir des larmes picoter ses yeux. Moi aussi, je suis heureuse de te revoir.

– Jolie fille. Méphis aimer jolies filles.

Surprise par cette voix inconnue, Polly se retourna et écarquilla les yeux devant le superbe Noir qui lui souriait de toutes ses dents.

– Ça alors! Où avez-vous déniché ce beau garçon, mademoiselle Xaviera?

Cette dernière ne releva pas l'impertinence de sa femme de chambre, préoccupée par la petite boule de poils qui tremblait, craintive, tassée dans un coin.

– Biskett! Biskett! l'appela-t-elle en s'agenouillant. Viens voir ta maîtresse, ma jolie. Approche, ma belle.

La petite chienne ne bougeant pas, Xaviera s'avança tranquillement en lui chuchotant des mots doux, la rassurant.

Quoique charmée par cette voix qui lui rappelait quelque chose, la levrette s'affola et mordit sauvagement la main qui se tendait vers elle. Puis, chargeant au pas de course, elle sauta dans les bras de Polly.

– Elle m'a mordue! murmura la jeune femme, incrédule.

– Ce n'est pas si grave, mademoiselle Xaviera. N'oubliez pas qu'elle était tout juste âgée de cinq mois lorsque vous vous êtes séparée d'elle. Et puis, sauf votre respect, vous sentez le poisson. Remarquez, ce n'est pas un reproche. Après tout le temps que vous avez passé sur le bateau, c'est un peu normal. Mais vous savez à quel point Biskett déteste le poisson! Donnez-lui encore quelques jours et elle viendra à vous d'elle-même. J'en suis sûre.

– Elle m'a mordue! répéta Xaviera avant de s'enfuir en sanglotant.

– Ai-je dit quelque chose qui l'a contrariée? demanda Polly, peinée.

– Mais qu'est-ce qui lui arrive? dit Mary, surprise.

– Mauvais chien! Mitress pleurer, Méphis pleurer aussi.

– Je vais aller voir ce qu'elle a, décida la vieille femme.

– Je crois qu'il serait préférable de la laisser seule, madame Mary. Ça lui passera.

Rentrant la tête dans les épaules, la bonne femme alla s'asseoir en marmonnant.

«Ça s'annonce bien! Un vieux médecin arabe qui se mêle de me donner des conseils, à moi; un nègre qui sait à peine parler et qui semble obsédé par les femmes; une Xaviera qui fond en larmes pour une sottise; une femme de chambre tout émoustillée par la présence de ce géant africain, et un chien fou. Belle maisonnée! Il ne manque plus que le maître de céans à l'œil du diable pour compléter le tableau.»

♦ ♦ ♦

Un peu plus tard dans la soirée, Polly monta vers les appartements de sa maîtresse, un plateau lourdement chargé en équilibre précaire dans les mains. Elle avait même fait chauffer de l'eau, au cas où Xaviera manifesterait le désir de prendre un bain.

Elle frappa doucement à la porte et, n'obtenant pas de réponse, entra.

La femme de chambre eut un sourire attendri lorsqu'elle vit sa maîtresse qui dormait paisiblement, roulée en boule sur le lit. Elle s'apprêtait à se retirer quand Xaviera l'arrêta.

– Viens, Polly. Je ne dormais pas, je rêvassais.

– Vous sentez-vous mieux, mademoiselle Xaviera?

– Nettement mieux. J'ignore ce qui m'a poussée à réagir de la sorte. Oublions cela, veux-tu? Qu'y a-t-il sur ce plateau? Je meurs de faim.

– J'ai demandé à Pierre de vous préparer le plat que vous préférez. Du faisan rôti.

– Polly, tu es une vraie perle! J'en ai l'eau à la bouche.

– Mangez tout, mademoiselle Xaviera. Pendant ce temps, je descends aux cuisines où j'ai mis de l'eau à chauffer pour votre bain.

– Je le répète, Polly, tu es une perle. Il y a des semaines que je n'ai pris un bain digne de ce nom. Et mes cheveux sont dans un état lamentable. Va vite et n'oublie pas de parfumer mon eau à l'essence de jasmin.

Restée seule, Xaviera attaqua son faisan avec appétit, oubliant volontairement l'incident qui l'avait jetée en larmes sur son lit.

Quand Polly revint, ployant sous le poids de sa charge, la jeune femme essuyait consciencieusement ses doigts poissés de sauce.

– Aide-moi à me déshabiller. Ce baquet rempli à ras bord a quelque chose d'irrésistible.

De bon cœur, la jeune fille prêta main-forte à sa maîtresse. Lorsqu'elle lui retira son corset, Polly poussa un cri d'horreur.

– Qu'avez-vous fait à votre pauvre dos, mademoiselle Xaviera?

La jeune femme, qui avait tendance à oublier les zébrures qui marbraient son dos, soupira:

– C'est une longue histoire. Je te la conterai pendant que je me laverai.

– Cet homme est une brute, s'exclama Polly, une heure plus tard. On devrait le pendre, dit-elle en frissonnant de peur rétrospective à la pensée de ce que ce sultan de malheur avait fait endurer à sa maîtresse.

– Je suis d'accord avec toi. Mais, trêve de bavardages! Je suis fatiguée.

– C'est vrai, vous êtes toute pâle. Je suis impardonnable. Je n'aurais pas dû vous harceler comme je l'ai fait, s'excusa la femme de chambre, contrite. Je vais préparer votre lit pendant que vous vous habillez.

– Polly, Polly! Apporte-moi vite la cuvette. J'ai la nausée.

À peine la jeune fille eut-elle le temps d'accéder à la requête de Xaviera que cette dernière vomissait son repas. Quand les haut-le-cœur se furent espacés, Polly tamponna les tempes de sa maîtresse à l'eau de jasmin.

– Oh! c'est affreux, gémit Xaviera. Je n'ai jamais été malade de ma vie et, depuis quelques jours, je ne fais que courir les cuvettes. Je finirai par rendre mes entrailles, souffla-t-elle en se glissant sous ses couvertures.

– Voulez-vous que j'appelle Mary?

– Non, surtout pas! Elle est bien capable de me forcer à ingurgiter une de ses potions au goût douteux. Je ne le supporterais pas.

– Alors, installez-vous confortablement. Je vous rejoins dans quelques instants, dit Polly, un sourire mystérieux jouant sur ses lèvres.

Elle s'absenta juste une minute et revint dans la chambre portant la levrette dans ses bras. Elle la déposa sur le sol et les deux femmes la regardèrent en silence, guettant ses réactions avec anxiété. Xaviera, dont le souvenir de sa rencontre avec Biskett lui brûlait la main, resta silencieuse, n'osant bouger.

Le petite chienne, quant à elle, furetait partout dans la chambre, la queue frétillante. Elle reconnaissait cette odeur. C'était celle d'une femme qui la cajolait sans cesse et la laissait s'allonger près d'elle.

Poussant un gémissement plaintif, elle sauta sur le lit et fit un bond de côté quand elle vit une femme qui avait pris sa place. Ne se sentant pas menacée par cette étrangère, elle s'approcha et posa sa truffe humide sur les mains qui dépassaient des couvertures.

Quelque chose s'éveilla soudainement en elle. Dressant la tête, elle fixa de ses yeux noirs cette forme assise et poussa un gémissement déchirant. Quelques secondes plus tard, elle bondissait sur sa maîtresse et la mordillait, la léchait, tout en pleurnichant.

– Alors, ma belle, tu m'as reconnue? s'écria Xaviera, ravie.

– Je vous l'avais dit, mademoiselle Xaviera, fit Polly, émue. C'est votre odeur qui l'a déroutée. Maintenant que vous êtes redevenues amies, je vais vous laisser.

Sans plus se préoccuper de sa femme de chambre, Xaviera caressait Biskett, ne se lassant pas d'enfouir ses doigts dans la fourrure épaisse.

– Tu m'as tellement manqué, Biskett! Je ne m'étais pas rendu compte à quel point.

La petite chienne, comblée par tant d'attentions, se lova contre sa maîtresse et s'endormit paisiblement. Xaviera suivit bientôt son exemple.

Sa poitrine se soulevait régulièrement quand la porte de sa chambre s'entrouvrit et que se profila une silhouette à contre-jour. Avançant sur le bout des pieds de peur de troubler son sommeil, Marcus la contempla quelques instants avant de déposer un baiser sur son front.

– Dors bien, Xera, chuchota-t-il avant de se retirer.

♦ ♦ ♦

Une semaine avait passé depuis le retour de Xaviera. Une atmosphère tendue et étouffante pesait sur Milton Manor. Tous les habitants de la maison évitaient soigneusement la jeune femme. Soit elle hurlait, soit elle était froide et distante, soit elle s'enfuyait en sanglotant pour des vétilles.

Personne ne savait plus sur quel pied danser. Chacun essayait de trouver des excuses à ce comportement inhabituel et inacceptable. Mary disait que son voyage avait mis ses nerfs à dure épreuve; Polly, elle, avançait l'idée que la fièvre qui l'avait terrassée après l'horrible séance de fouet dont elle avait été victime lui avait peut-être dérangé l'esprit; Marcus pensait qu'elle éprouvait des difficultés à reprendre le cours de son existence là où elle l'avait laissé avant son départ.

Xaviera elle-même se sentait mal dans sa peau. Elle essayait de toutes ses forces de maîtriser ses émotions, mais c'était peine perdue. Quand elle se sentait souffrante comme ce matin-là, elle avait envie de tout casser.

– Polly, va chercher Sharim. Et dis-lui bien que s'il ne trouve pas la cause de mes malaises, je lui trancherai la gorge, cria-t-elle, le visage blême et couvert de sueur.

– Bien, mademoiselle Xaviera. J'y vais de ce pas, murmura la femme de chambre en levant les yeux au plafond.

Le vieil homme entra sans bruit dans la chambre.

– Alors, jeune femme, si j'ai bien compris le message que m'a transmis Polly, tu menaces de m'écorcher vif si je ne te dévoile pas la nature des maux dont tu souffres?

– Pourquoi entrez-vous toujours chez moi sans faire plus de bruit qu'un chat? hurla-t-elle. Vous me ferez mourir de peur, un de ces jours.

– À ce que je vois, tu t'es réveillée d'humeur charmante aujourd'hui! dit Sharim, très calme. Je peux revenir plus tard, si tu préfères.

– Non, non, ne partez pas. Pardonnez-moi. Je suis sincèrement désolée de m'être ainsi emportée, soupira la jeune femme, des larmes tremblant sur ses cils. Mais je n'en peux plus. Je suis tellement angoissée! Je fais des cauchemars toutes les nuits, je suis presque incapable d'avaler quoi que ce soit, j'ai toujours la nausée et je me sens horriblement fatiguée. Vous devez m'aider, Sharim. Il faut que vous découvriez ce qui me met dans cet état.

– Je sais ce que tu as, jeune femme. Mais je ne crois pas que tu sois prête à l'entendre.

– Dites-le-moi, je vous en prie! N'importe quoi plutôt que cette incertitude.

– Tu n'es pas malade. Tu n'as pas à avoir d'inquiétude à ce sujet. Dans quelques semaines, tu redeviendras comme avant.

– Comment pouvez-vous en être aussi sûr?

– C'est ce qui arrive à beaucoup de femmes qui attendent un enfant, dit Sharim doucement, sachant que rien n'atténuerait le choc que lui causerait sûrement cette nouvelle.

Xaviera, atterrée, fixait le vieil homme, les yeux écarquillés, le visage blême. Enceinte! Elle était enceinte! Elle allait avoir un enfant.

Son cœur battait la chamade. Elle était complètement anéantie. De toutes ses forces, elle essayait de se convaincre que ce n'était qu'un horrible cauchemar et qu'elle allait se réveiller dans un instant, soulagée. Pourtant, il lui fallait bien se rendre à l'évidence. Sharim se tenait devant elle et hochait la tête gravement, comme pour lui faire réaliser qu'elle n'avait pas rêvé.

– Oh! mon Dieu, c'est affreux, gémit-elle.

– Pourquoi cela? Tu te doutais bien que cela finirait par arriver un jour ou l'autre?

– Vous ne comprenez pas. Vous ne savez pas tout.

– Je suis au courant de plus de choses que tu ne l'imagines. Mais tu dois faire face et te battre.

– Il va me tuer, c'est certain! souffla-t-elle.

– Marcus? Allons, jeune femme, ne lâche pas la bride à ton imagination. Vos relations ont beaucoup évolué. Si tu lui dis que cet enfant est le sien, il te croira.

– J'aimerais en être aussi sûre.

– Je te laisse, maintenant. En ce qui concerne ton état, dans quelques semaines, tout au plus, tu seras en pleine forme.

Xaviera l'arrêta au moment où il allait refermer la porte derrière lui.

– Sharim, envoyez-moi Mary, je vous prie.

– Je ne sais pas où elle se trouve, à l'heure qu'il est.

– C'est assez surprenant! Depuis que nous sommes arrivés, vous êtes toujours pendu à ses basques, fit-elle d'une voix sèche.

– Vois-tu quelque chose à redire au sujet de notre amitié? demanda le vieil homme tout aussi sèchement, mais calmement.

– Quand vous aurez découvert où elle se cache, dites-lui que j'ai besoin d'elle, reprit Xaviera plus doucement, sachant qu'elle avait été injuste.

Si Mary et Sharim s'entendaient bien, s'ils se plaisaient, qui était-elle pour le leur reprocher?

♦ ♦ ♦

– Alors? Sharim t'a annoncé la bonne nouvelle, ma chatte?

– Ainsi, tu le savais aussi, Mary?

– Bien sûr. Le soir de ton arrivée, tu t'es enfuie en larmes pour une stupidité, et ensuite Polly m'a raconté qu'après avoir mangé, tu avais eu la nausée. Et puis cette humeur changeante que tu nous as imposée depuis ton retour... Il m'était alors facile de deviner ce qui te mettait dans un état pareil.

– Il y a quelque chose d'assez incongru dans cette situation. C'est moi qui suis enceinte et tout le monde semble être au fait de cet état de choses, sauf moi, dit Xaviera, amère.

– C'est formidable! Ma petite chatte va avoir un petit. Dans quelques mois, ses cris vont retentir dans toute la maison. C'est drôle, je me sens rajeunir tout à coup. Un bébé! Ma Xaviera va être maman, chantait la vieille femme, fort émue et excitée. C'est merveilleux.

– Non, c'est épouvantable! rectifia la jeune femme d'une voix coupante. Je ne veux pas de cet enfant. Je...

– Que dis-tu? s'écria Mary, horrifiée.

– Cet enfant va gâcher ma vie, et beaucoup plus que tu ne le penses. Je ne désire pas sa venue. J'ai pris ma décision.

– Dieu tout-puissant! Je souhaite me tromper, mais je crois comprendre que...

– Oui, l'interrompit-elle, impatiente. Il faut que je m'en débarrasse. Je veux avorter.

– Oh! Oh! C'est affreux. Tu ne penses pas réellement ce que tu dis? souffla Mary, la voix blanche.

– Oh! si, je te l'assure. Mais, pour cela, j'ai besoin de toi.

– Moi? Mais que puis-je faire? Oh!... Non. Je refuse catégoriquement d'être mêlée à...

– Mary, tu dois m'aider. Grâce à ta connaissance des plantes, tu trouveras sûrement un bon moyen de le faire passer.

– Dieu tout-puissant! Ce n'est pas vrai... Toutes ces horreurs qui sortent de ta bouche... C'est scandaleux! Tu me demandes à moi, ta nourrice, de provoquer la mort d'un innocent qui n'a même pas encore vu le jour? Je ne suis pas une criminelle.

Je ne participerai pas à cet assassinat. Combien grande serait la colère de ton mari si…

– Justement! coupa la jeune femme. Il ne doit jamais savoir. C'est pourquoi je veux me défaire de cette ébauche de vie.

– Xaviera, tu me caches quelque chose. Tout homme digne de ce nom serait littéralement fou de joie à l'idée d'avoir un héritier. Oh! ma chatte, tu n'as pas…

– Non. Mais Marcus se le figure. C'est une longue histoire et je n'ai ni l'envie ni le temps de te la raconter. Si mon mari apprend que je suis enceinte, il me jettera dehors. Il ne voudra jamais croire que cet enfant est le sien. C'est faux, je te le jure. Mais Marcus se montre parfois si têtu, si intransigeant… Voilà pourquoi je fais appel à toi. Je t'en supplie, ma bonne...

– Tu me connais bien, Xaviera. Tu sais que je serais prête à donner ma vie pour toi. Mais pas ça… Non, pas ça. C'est trop horrible!

– Très bien. Puisque tu me refuses ton concours, j'agirai seule. Je trouverai bien une solution. Peut-être sera-ce dangereux pour moi, mais j'y arriverai. S'il le faut, je me précipiterai tête la première du haut de l'escalier ou du haut d'une tour. Mais je te le promets, cet enfant ne viendra pas au monde, annonça la jeune femme, décidée.

– Xaviera, ce que tu fais n'est pas bien. Tu menaces de te suicider si je n'accepte pas de te prêter main-forte. C'est du chantage. Oh! si, ne nie pas!

– Je t'en supplie, Mary, ne m'abandonne pas. Tu ne voudrais pas que je sois mise à la rue, sans argent, sans vêtements et sans foyer, n'est-ce pas? Personne n'en saura rien. Ce sera notre secret à toutes les deux, comme quand j'étais petite.

– Et je brûlerai en enfer pour l'éternité! dit la bonne vieille d'un ton lugubre.

– Tu consens donc à me venir en aide? demanda la jeune femme, pleine d'espoir.

– Tu ne me laisses guère le choix. Mais ne te réjouis surtout pas. Je prends part à ce complot contre ma volonté parce que je te sais assez folle pour sauter du haut d'une tour. Mais je ne serai jamais en accord avec ta décision. Je tiens à te prévenir que, malgré toutes les plantes que je te ferai avaler, il s'avère possible que nous échouions.

– Nous devons tout de même essayer, n'est-ce pas?

La mort dans l'âme, Mary hocha la tête et sortit en silence.

«Mon Dieu, pardonnez-moi. Je n'ignore pas que j'agis à l'encontre de Votre volonté, mais je dois l'empêcher de commettre une folie. Je ne doute pas un seul instant qu'elle soit capable de se tuer pour ne pas mettre cet enfant au monde. Et que me resterait-il si ma petite chatte disparaissait?»

CHAPITRE IV

«Rien. Toujours rien. C'est à devenir complètement folle. J'ai tout essayé: les décoctions de fenouil, la poudre de chanvre, une potion d'écorce de genévrier. Je me suis gavée de persil jusqu'à m'en rendre malade. Je me suis plongée dans des bains de vinaigre bouillant et résultat: néant. Mary ne sait plus quoi faire. Elle me fait continuellement la tête et Sharim aussi. Il a dû deviner ce qui se tramait. Il traîne sur ses talons toute la journée, c'était forcé qu'il voie Mary redoubler d'activité et en tire les conclusions qui s'imposent.

«Et cet enfant qui s'accroche, qui me nargue! Devrai-je me bourrer le ventre de coups de poing pour m'en débarrasser? Il ne faut pas qu'il vive. Si Marcus n'avait pas reçu cette lettre cousue de mensonges l'avisant de ma prétendue relation avec Abdel Mephat, je ne me retrouverais pas dans cette situation impossible. Oh! si je tenais celui ou celle qui lui a envoyé ce message, je le réduirais en miettes. Mais, pour le moment, je ne dois penser qu'à lui. Concentrer toutes mes énergies sur ce petit être qui palpite en moi.»

La porte qui s'ouvrait interrompit le fil de ses pensées.

– Polly, apporte-moi mon drap de bain, dit Xaviera sans se retourner.

Une main chaude se posa doucement sur son épaule.

La jeune femme sursauta à ce contact et rougit en voyant Marcus se pencher sur elle et effleurer son sein d'un baiser léger.

– Comment vous sentez-vous aujourd'hui?

– Mieux. Beaucoup mieux, répondit-elle, troublée.

Depuis deux semaines qu'ils étaient de retour à Milton Manor, les moments passés avec son mari se faisaient rares.

Parti à l'aube pour ne revenir que tard dans l'après-midi, Marcus inspectait ses terres et ses fermes, entraînant Méphis à sa suite. Certains des métayers se montrant récalcitrants, Marcus s'était dit que la vision du géant noir monté sur un cheval suffirait à les faire obtempérer et payer leurs traites sans discuter.

De retour au manoir, il s'enfermait à double tour dans son bureau et, avec son secrétaire, il se penchait sur les livres de comptes, pour n'en ressortir que très tard dans la soirée, négligeant même l'heure des repas. Du fait de ces journées de travail acharné, Marcus n'avait rendu visite à Xaviera qu'à trois ou quatre reprises, dans la nuit.

La jeune femme, quant à elle, se trouvait plutôt satisfaite de cet état de choses, même si parfois elle devait admettre que la présence de son mari lui manquait. La situation était déjà assez compliquée comme cela. Elle était soulagée de ne pas avoir à mentir à Marcus au sujet de ses malaises répétés.

Et comme il s'absentait toute la journée, cela lui facilitait la tâche.

– Mais qu'est-ce que vous avez mis dans votre eau? Ça empeste le vinaigre! dit Marcus en plissant le nez de dégoût.

– C'est du vinaigre, en effet, riposta la jeune femme sans perdre son calme. Certains prétendent que cela tonifie la peau.

– Ah! bon? Vous, les femmes, seriez prêtes à vous rouler dans la boue si on vous en louangeait les bienfaits.

– Vous avez parfaitement raison, rit Xaviera. Merci, ajouta-t-elle à l'intention de son mari qui terminait de la sécher.

Elle tendit la main vers la chemise de nuit que Polly avait étendue sur son lit, mais Marcus interrompit son geste.

– Non, laisse ça, Xera! murmura-t-il en prenant ses lèvres.

Comme toujours, elle se sentit fondre à son contact et se laissa aller contre lui, languissante.

– Tu es si belle! J'ai continuellement faim de toi. Tu me rends fou de désir.

– Oh!

Cette exclamation de surprise incrédule avait échappé à Polly.

La femme de chambre, qui venait aider sa maîtresse à se préparer pour la nuit, était entrée sans frapper, certaine de retrouver Xaviera plongée dans son bain parfumé au vinaigre.

– Pardonnez-moi, mademoiselle Xaviera. Je ne pouvais pas savoir! dit Polly, terriblement mal à l'aise, ne sachant trop si elle devait prendre ses jambes à son cou ou rester plantée là à attendre qu'on la congédie.

– Bonne nuit, Xaviera. Dormez bien, chuchota Marcus en baisant le front de sa femme. Je l'abandonne à vos soins, ajouta-t-il à l'intention de Polly, amusé par son expression embarrassée.

– Polly, je n'aurai plus besoin de toi. Si tu descends, dis à Mary que je veux la voir.

– Bien, mademoiselle. Oui, mademoiselle Xaviera. J'y vais tout de suite.

♦ ♦ ♦

– Mary, tu dois trouver autre chose. Il le faut absolument!

– Mais, ma chatte! je ne peux faire plus que ce que j'ai déjà fait. J'ai épuisé toutes mes ressources.

– Cherche encore, la pria Xaviera.

– Eh bien!... Il y aurait peut-être une autre solution.

– Laquelle? Allez, parle.

– Il y a une faiseuse d'anges au village. Mais je t'avoue que ça peut être dangereux.

– Serais-tu devenue folle? hurla la jeune femme. Si je me rends au village pour rencontrer ta bonne femme, le pays tout entier sera au courant, dès le lendemain matin.

– Ce n'est pas la peine de crier après moi, se fâcha Mary. J'ai mis tout mon savoir à ta disposition. Et puis, tu sembles oublier que c'est toi qui es enceinte, pas moi. Je ne suis pas responsable de ce que cet enfant ait décidé de s'accrocher à toi.

– Pardonne-moi, ma bonne. Je me sens comme une vraie boule de nerfs.

– J'avais remarqué. Je crois que ce que tu as de mieux à faire, c'est d'accepter ta grossesse et d'en informer ton mari le plus tôt possible.

– C'est impossible. Il va me tuer.

– Il n'y a pas d'autre alternative, décréta Mary, les yeux pétillant de joie.

– Tu parais te réjouir follement de ce qui m'arrive.

– Je ne te cacherai pas que je suis satisfaite de la tournure que prennent les événements. J'ai toujours été en désaccord avec toi.

– Es-tu sûre que tu m'as bien donné les bonnes plantes pour provoquer un avortement? demanda la jeune femme, soupçonneuse.

– Dieu tout-puissant! Comment peux-tu douter de moi? s'indigna-t-elle. Après tout ce que j'ai fait pour toi, et depuis tout ce temps...

– C'est bon, Mary, je te crois.

– Alors, tu n'essaieras plus de te débarrasser du petit?

– Je pense que je n'ai plus le choix.

– C'est merveilleux! s'écria la vieille femme, le visage resplendissant. Je vais annoncer la bonne nouvelle à Sharim.

Restée seule dans sa chambre, Xaviera s'abandonna à ses pensées, fébrile.

«Puisque je ne peux m'en défaire, je ferais mieux de l'accepter. Pour l'instant, mon état n'est pas apparent. J'ai peut-être encore deux ou trois mois devant moi avant qu'on ne remarque que mon ventre s'arrondit. Ces quelques mois me permettront peut-être de consolider mes liens avec Marcus. Je réussirai peut-être à le convaincre que cet enfant est bien le sien. Sinon, je serai dans l'obligation de me chercher un autre foyer.

«Mais il vaut mieux ne pas penser à cela. Lorsque je ne pourrai plus camoufler mon état, je trouverai bien un moyen. Pour l'instant, je vais continuer à vivre normalement. Si toutefois ces nausées peuvent me laisser un peu de répit. Je veillerai aussi à contrôler mes sautes d'humeur. Je devrai me montrer très prudente. Ne rien faire qui puisse éveiller les soupçons de Marcus avant que je ne sois prête à l'affronter. Je dois être forte. Et penser à lui. Maintenant que je suis décidée à le garder, je ferai attention à moi. Je ne voudrais pas qu'il lui arrive quelque chose. Mon Dieu, voilà que je me mets à m'inquiéter comme une vraie future mère !»

♦ ♦ ♦

– Mais ce n'est pas vrai! Oh! la garce. Comment l'avez-vous appris? demanda Alice, fulminant de rage.

– Mes espions sont très efficaces. Installés dans le couloir secret qui n'est séparé de la chambre de Xaviera que par une mince cloison, ils entendent tout, même les plus infimes chuchotements. Elle est bel et bien enceinte. D'après ce qu'on m'a rapporté, sa nourrice aurait essayé de la faire avorter pour quelque obscure raison, mais sans succès. Ma belle-sœur attend un enfant! dit Laurence, encore incrédule.

Yasmine, assise dans une confortable bergère du grand salon de Durham Hall, écoutait avec attention.

«Ainsi, cette petite peste s'est fait engrosser. Il me faudra encore patienter, mais je l'aurai. Lorsqu'elle sera à ma merci, je la réduirai en miettes.»

– Nous devons nous occuper d'elle et vite, s'énerva Lady Durham. Si cet enfant voit le jour, il me sera impossible de récupérer Marcus.

– Ma situation est encore bien pire que la vôtre, Alice. Si jamais Xaviera accouchait d'un garçon, je pourrais dire adieu au titre ainsi qu'à la fortune. Mais je vous donne raison sur un point, elle doit disparaître, et rapidement.

– Mon pauvre Laurence! j'ai bien peur que vous n'attendiez ce titre longtemps. Marcus est jeune et en santé, il vivra sûrement jusqu'à cent ans.

– Un accident est si vite arrivé! lança le jeune homme, perdant toute prudence.

– Que voulez-vous dire? Vous n'avez tout de même pas l'intention de tuer votre frère? Si jamais vous touchiez à un seul de ses cheveux...

– Taisez-vous tous les deux! coupa Yasmine. Vous êtes ridicules. Toutes ces discussions stériles ne nous avanceront à rien.

– Que proposez-vous? demanda Laurence, tout en jetant un regard courroucé à Lady Durham.

– J'ai bien un plan. Mais il faudra attendre encore quelques mois pour l'exécuter.

– Mais pourquoi perdre tant de temps? se rebella Alice.

– C'est vrai, Yasmine. Nous ne pouvons plus attendre.

– Vous n'êtes que deux sombres idiots. Chassez-vous quelquefois le gibier? Oui? Alors, vous n'êtes pas sans savoir que le plaisir le plus intense provient de la poursuite, quand on s'ingénie à fatiguer sa proie, qu'on l'énerve, qu'elle est aux abois. Lorsqu'elle est à bout de forces, on n'a plus qu'à l'abattre. C'est la même chose pour la vengeance. Il faut la savourer, patienter et attaquer au bon moment, dit Yasmine, un sourire cruel se dessinant sur ses lèvres difformes.

– Je n'ai que faire de toutes ces émotions subtiles! s'écria Alice, furieuse. Voilà des mois que vous nous abreuvez de phrases et de conseils. Je veux des résultats. Maintenant.

– Moi aussi, Yasmine, renchérit Laurence.

– Laissez-moi tout d'abord vous exposer mon plan. Vous aviserez ensuite.

«Ils deviennent encombrants, pensait la vieille femme. Ils m'ont été très utiles, ils ont servi aveuglément ma cause, mais ils sont trop pressés. Je sens bien que mon pouvoir sur eux perd de sa puissance. Ils sont prêts à commettre une bêtise. Mais je ne leur permettrai pas de m'enlever la joie de la tuer moi-même. Je dois me débarrasser d'eux rapidement. Je commencerai par ce nigaud de Laurence. Il est bien capable d'aller tous les tuer. Quant à Lady Durham, je crois qu'il me sera possible de la maîtriser encore un peu. Si elle devient gênante, je m'emploierai à lui faire faire gentiment ses adieux.»

♦ ♦ ♦

Xaviera se tournait et se retournait dans son lit. Depuis une semaine qu'elle s'était enfin résignée à garder l'enfant, elle prenait grand soin de sa santé. Elle essayait de se nourrir convenablement, se promenait longuement dans les jardins en compagnie de Sharim et de Biskett et se couchait tôt. Mais la raison de son agitation, ce soir-là, relevait de tout autre chose. Elle se sentait coupable.

Un peu plus tôt dans la soirée, elle avait jeté Biskett hors de sa chambre: la petite chienne avait dévoré la paire de souliers qu'elle préférait. Elle avait réagi hors de toutes proportions et était allée déposer la levrette dans le grand salon, au rez-de-chaussée. À présent calmée, Xaviera s'en voulait. Biskett ne méritait pas d'être traitée ainsi pour une malheureuse paire de souliers. La pauvre petite levrette devait se morfondre, toute seule, dans ce grand salon froid.

D'un geste brusque, la jeune femme repoussa ses couvertures et décida de permettre à Biskett de revenir dans sa chambre. Par la même occasion, elle en profiterait pour faire un saut jusqu'aux cuisines où elle trouverait sûrement quelque chose à grignoter. Sa grossesse lui creusait scandaleusement l'appétit.

Elle descendit l'escalier allègrement, les pans de son déshabillé flottant derrière elle et après une brève hésitation, opta pour se rendre directement aux cuisines. Elle se promettait de trancher un énorme morceau de fromage qu'elle donnerait à Biskett en guise de consolation. Un bruit ressemblant à un gémissement plaintif parvint jusqu'à elle. Elle sourit. Ce devait être Biskett qui, ayant senti sa présence, se manifestait discrètement.

Elle déposa le morceau de fromage coupé en cubes dans une assiette, puis longea le couloir jusqu'au salon. Sans y prêter vraiment attention, elle remarqua qu'une des fenêtres était légèrement entrouverte.

Doucement, elle appela:

– Biskett, viens, ma belle. Tu es pardonnée. Allons, ne boude pas. Je t'ai apporté du bon fromage. Approche, ma belle.

Agacée par les caprices de la petite levrette, elle entra dans le salon et s'avança jusqu'à l'endroit où elle l'avait laissée dans son panier. Un large et haut sofa lui dissimulait entièrement le panier d'osier. Elle le contourna, prête à gronder Biskett, mais ce qu'elle vit la paralysa d'horreur. Elle ouvrit la bouche pour crier, mais pas un son ne franchit ses lèvres.

Éclairée par la lumière blanche de la lune, Biskett, sa petite levrette, son petit chien adoré, baignait dans son sang, le ventre ouvert. Incapable de réagir, elle fixait la silhouette agenouillée à côté du corps, un couteau dégoulinant de sang dans la main.

Laurence! Mais pourquoi? Pourquoi avait-il fait ça?

Le jeune homme se redressa et détailla lentement sa jeune belle-sœur qui lui apparaissait dans un déshabillé diaphane, le visage livide, mais si belle! Terriblement belle! Il marcha à sa rencontre, un éclair de folie dans les yeux, le sourire mauvais.

– Pourquoi? Pourquoi l'avoir tuée? souffla-t-elle d'une voix éteinte.

– Par plaisir.

– Elle ne vous avait rien fait.

– Oh! si, vous l'aimiez, elle, et pas moi qui vous en avais fait cadeau. Pour cela, elle devait mourir.

– Vous êtes fou, Laurence, murmura-t-elle, refusant de croire à cette scène hallucinante qui relevait du cauchemar.

– Peut-être… Oui, je suis fou. Fou d'amour pour une femme qui s'est moquée de moi et m'a repoussé. Je n'ai pas oublié, petite sœur. Tout est inscrit dans ma mémoire à l'encre rouge. Sais-tu à quel point je te hais, Xaviera? Au point de vouloir te tuer et posséder ton corps après ta mort. Marquer ta chair par cette ultime offense me comblera de joie. Tu m'avais dit que tu n'aimais pas mon frère, mais tu attends ses visites impatiemment et tu lui ouvres les bras dès qu'il entre dans ta chambre. Menteuse! Sale petite garce! Pourquoi lui et pas moi?

– Comment le savez-vous?

– Je connais tout de ta vie, jusque dans les moindres détails, putain! Je sais même que tu es enceinte. Eh oui! petite sœur, je sais cela aussi. Et beaucoup d'autres choses...

– Qui vous a dit cela? demanda-t-elle d'une voix blanche.

– Peu importe. Mais si tu promets de te tenir tranquille, je veux bien te raconter une petite histoire. Alors, tu promets? Bien. C'est amusant de voir comme tu es devenue raisonnable! Tu dois sûrement te souvenir d'une certaine petite bonne, elle s'appelait Ann, je crois. Mais oui, mais oui, elle s'est suicidée parce qu'elle attendait un enfant illégitime. J'ai appris qu'elle t'avait écrit pour te dire que l'enfant n'était pas de Marcus, mais de moi. Mais elle ne t'a pas dévoilé l'entière vérité. Elle t'a même caché le plus important. Tu te souviens sûrement de tous ces objets et de tous ces messages que tu trouvais dans ta chambre? Eh bien! c'était elle la responsable, la douce et obéissante petite Ann. Elle aurait fait n'importe quoi pour moi, du moment que je lui jurais de l'épouser. Pauvre sotte! Mais comme te voilà muette, petite sœur. Que penses-tu de mon histoire?

– Vous êtes ignoble.

– Ha! Ha! ricana le jeune homme. Mais ce n'est pas tout. Lorsque Ann est morte, je l'ai aussitôt remplacée par quelqu'un d'autre. Cette jeune personne te suit comme ton ombre. Que ressens-tu en sachant que chacun de tes gestes, chacune de tes paroles me sont rapportés?

– Demain matin, je renverrai tous les domestiques, dit-elle, effrayée par le diabolisme de cet homme.

– Je parviendrai toujours à introduire un espion dans la maison sans que tu puisses l'identifier. Mais le problème ne se pose pas, puisque tu ne verras pas le jour se lever. Ton heure est arrivée, putain! Adieu, petite sœur!

Le jeune homme leva la main et Xaviera entraperçut la lame recouverte de sang séché.

Un éclair argenté déchira brusquement la nuit et Laurence émit un hoquet de surprise. La jeune femme, étonnée, le vit s'effondrer sur le côté, un long poignard au manche recourbé et travaillé planté dans son dos.

Laurence fit un signe de la main et Xaviera se pencha sur lui, dans un état second.

– Ce n'est pas fini... Je ne suis pas s..., réussit-il à dire en grimaçant, son corps se raidissant dans un dernier sursaut.

Xaviera perdit alors tout son sang-froid et se mit à hurler. Dans toute la maison, on entendait résonner ce cri déchirant qui vous glaçait le sang.

Sharim et Mary débouchèrent l'un après l'autre dans le grand salon. Ils découvrirent la jeune femme penchée sur le corps de Biskett, le cadavre de Laurence à ses côtés. Elle se balançait d'avant en arrière, sanglotant et gémissant, caressant la petite tête poilue et sans vie, lui demandant pardon, disant qu'elle était morte par sa faute, qu'elle n'aurait jamais dû la descendre au salon.

– Dieu tout-puissant! Que s'est-il passé? Elle est en plein délire. Pensez-vous que...

– Non, madame Mary, ce n'est pas elle qui les a tués, la rassura Sharim, attristé par le spectacle qui s'offrait à lui.

– Qu'est-ce que c'est que ces hurlements? Nom de Dieu! qu'est-il arrivé? s'exclama Marcus qui arrivait à son tour.

– Nous n'en savons rien. Occupez-vous du cadavre. Nous nous chargeons de Xaviera, ordonna Sharim, dans l'ignorance de ce que la dépouille était celle du frère de Marcus.

– Laurence, souffla ce dernier en s'agenouillant près du corps. Mon Dieu! qu'as-tu encore fait, mon pauvre frère?

♦ ♦ ♦

– Comment va-t-elle? demanda Marcus, la voix rauque, les traits tirés.

– Elle dort, répondit Mary. Je lui ai donné quelque chose pour la calmer. Elle était bien près de sombrer dans la démence.

– A-t-elle dit quelque chose concernant cette tragique affaire?

– Non. Elle ne faisait que répéter qu'elle était responsable de la mort de Biskett. Elle lui demandait pardon et lui disait qu'elle l'aimait. Si vous l'aviez entendue... C'était horrible. Mais je crois qu'il vous faudra attendre à demain pour connaître le fin mot de l'histoire. Je vais passer la nuit auprès d'elle. Dans l'état où elle est, je ne veux pas la laisser seule. C'est trop risqué.

– Allez vous reposer, Mary. Je vais rester avec elle.

La vieille femme ouvrit de grands yeux étonnés.

– Mais, Lord Milton...Vous n'y pensez pas...

– Ne discutez pas. Allez dormir un peu. Si jamais elle se réveillait et vous réclamait, je vous enverrais chercher.

– Bien, milord. C'est gentil à vous. Je voulais vous... enfin, je suis désolée pour votre frère...

– Merci, Mary. Reposez-vous bien.

Marcus s'assit au pied du lit et contempla sa femme. Ses traits étaient tirés et sa peau se marbrait de taches grisâtres. Ses narines étaient pincées et ses lèvres, agitées par un tremblement nerveux. Elle offrait une vision pathétique.

«Pauvre petite. Quelle folie a donc commise mon pauvre frère? Je suis entièrement responsable de ce qu'il t'a fait ou de ce qu'il a voulu te faire et n'a pu accomplir. Je connaissais l'ampleur de son déséquilibre, mais j'ai lâchement fermé les yeux. Tu avais raison, tu sais. Il avait vraiment essayé de me tuer lorsqu'il était tout jeune. Je me suis toujours abstenu de le contrarier, pensant qu'il finirait par changer. Je lui ai donné tout ce dont il avait envie. Mais ce n'était jamais assez. Il voulait tout. Milton Manor, ma fortune, mon titre. J'ai été par trop négligent. J'aurais dû me préoccuper de son état.

«Probablement avais-tu raison le jour où tu m'as jeté au visage qu'il avait tenté de te violer. C'était bien de lui de souhaiter posséder ma femme. Pardonne-moi, Xera. Pour le mal que je l'ai laissé te faire. Pour la peine que je t'ai causée en refusant de t'écouter et de te croire. Pardonne-moi, petite fille! Je t'aime. Eh oui! l'irréductible Marcus est amoureux. Ce sentiment s'est glissé en moi sournoisement, j'ignore à quel moment. Mais tu ne dois pas le savoir. Jusqu'à ce que tu m'aimes, toi aussi. Parce que tu m'aimeras, j'en suis sûr.»

♦ ♦ ♦

– Comment vous sentez-vous ce matin? demanda Marcus en tendant une tasse de thé à sa femme.

– Depuis quelque temps, j'ai l'impression d'entendre cette question cent fois par jour, répondit-elle en détaillant son mari d'un regard attentif. Qu'avez-vous? On dirait que vous avez passé une nuit blanche.

Marcus passa une main sur ses joues qu'une barbe de vingt-quatre heures bleuissait. Il devait faire piètre figure. Mais l'expression qu'affichait Xaviera le tracassait plus que son apparence.

Son visage, toujours pâle, semblait sculpté à même le marbre. Ses grands yeux violets trahissaient un combat intérieur, une lutte farouche, comme si elle se refusait à reprendre contact avec la réalité cruelle.

– Xaviera, fit-il d'une voix douce, ne vous rappelez-vous pas les événements de la nuit dernière?

– Non, non, je ne veux pas, cria-t-elle en cachant son visage dans ses mains.

– Vous devez vous souvenir, Xaviera. Il le faut.

– Elle est morte par ma faute. Aussi sûrement que si je l'avais poignardée moi-même, sanglota-t-elle.

Marcus lui tendit les bras et elle se réfugia dans la douce chaleur de son étreinte. Tout en caressant ses cheveux, il lui murmura des mots tendres, tentant de la consoler. Peu à peu, ses larmes se tarirent et elle fut en état de parler.

– Je suis désolée pour votre frère, Marcus. Mais ce n'est pas moi qui l'ai tué.

– Je sais, Xaviera. Je n'avais nullement l'intention de vous accuser de ce meurtre. Pouvez-vous me raconter ce qui s'est passé?

– Il avait déjà éventré Biskett quand je suis entrée dans le salon. Il s'est relevé et m'a craché sa haine au visage. Toutes ces horreurs qu'il vomissait!... C'était affreux. Puis il m'a dit qu'Ann, la petite bonne qui s'était enlevé la vie, m'espionnait pour son compte et que c'était elle qui déposait toutes ces choses dans ma chambre. Et que depuis qu'elle est morte, un de nos domestiques s'était substitué à elle. Que chacun de mes gestes lui était rapporté. Ensuite, il a levé son couteau, et dans un hoquet de surprise, il s'est effondré. Quelqu'un d'autre l'a tué, Marcus. Quelqu'un qui assistait à notre entretien, caché dans l'ombre. Mais qui? Qui?

– Recommencez toute l'histoire depuis le début. Certains points m'apparaissent assez obscurs.

S'exhortant au calme, Xaviera reprit son récit, répétant presque mot pour mot la scène qui s'était déroulée la veille.

Elle mit un terme à sa narration par la phrase sibylline que Laurence avait grimacée avant de mourir: «Ce n'est pas fini. Je ne suis pas s...»

– Que pensez-vous qu'il ait pu vouloir dire? demanda-t-elle.

– Je l'ignore, Xaviera. Mais une chose est sûre. Je compte entreprendre une sérieuse enquête pour savoir qui, de nos domestiques, vous a ainsi trompée. Peut-être qu'avec la mort de Laurence, ces séances d'espionnage n'auront plus leur raison d'être.

– Je ne crois pas, Marcus. Je sens que ce n'est pas terminé. Et l'avertissement de votre frère était on ne peut plus clair.

– Ne vous tourmentez plus! Je m'occupe de tout.

– Marcus? Euh!... Qu'en est-il des... obsèques?

– Laurence aura droit à sa place dans le caveau familial. Mais je m'arrangerai avec le révérend Wilsmith pour que les circonstances entourant sa mort ne soient pas ébruitées. Tant que cette affaire ne sera pas réglée, je veux que nous nous en tenions à la plus grande discrétion. Et puis, qui donc sera assez peiné pour venir assister à ses funérailles? dit-il en souriant tristement.

– Tante Gilberte, assurément.

– Vous vous trompez, Xaviera. Ma tante ne pouvait pas le supporter. Je serais diablement surpris de la voir se déranger pour faire ses adieux à Laurence. Et maintenant, reposez-vous. Je reviendrai un peu plus tard. Pour le moment, un bon bain me ferait le plus grand bien.

– Marcus, le retint-elle. Vous ne m'avez toujours pas expliqué pourquoi vous êtes dans cet état. Vous, habituellement si soigné.

– J'ai passé la nuit à votre chevet.

– Vous? s'étonna-t-elle.

– Mary était fatiguée, jeta-t-il négligemment. Je l'ai envoyée dormir et suis resté auprès de vous. Je ne suis pas un ogre, vous savez.

– Ce n'est pas ce que j'ai voulu dire, se défendit-elle, rougissante. Mais, merci... Pour votre gentillesse.

♦ ♦ ♦

L'avant-midi passa rapidement. Ne souhaitant pas rester seule, Xaviera avait prié Mary et Polly de lui tenir compagnie. Elle voulait occuper son esprit à autre chose. Les événements de la nuit passée étaient trop cruels, trop éprouvants pour qu'elle veuille s'y attarder.

Mais, malgré toute l'attention dont les deux femmes l'entouraient, des larmes irrépressibles picotaient ses yeux au souvenir de cette petite boule de poils qui lui manquait terriblement et qui était morte de façon atroce, par sa faute.

Un peu avant le repas du midi, Marcus, respectant sa parole, vint lui rendre visite, fraîchement rasé et vêtu d'un habit propre. À son arrivée, Polly et Mary quittèrent leur protégée, la laissant seule avec son mari.

– Vous sentez-vous mieux?

– Oui, je vous remercie. Mais que tenez-vous ainsi derrière votre dos?

– J'ai pensé que ce présent vous consolerait plus vite et plus sûrement que des bijoux.

Alors, ramenant ses mains devant lui, il tendit à Xaviera un petit paquet de couvertures duquel on voyait dépasser une jolie frimousse poilue. Xaviera éclata en sanglots, tout en s'emparant farouchement du petit chiot. Tout, chez lui, rappelait Biskett: même fourrure beige, même petite truffe noire et humide, même corps dodu, même petite touffe de poils blancs sur le dessus de la tête.

Inconscient des émotions qu'il soulevait chez sa nouvelle maîtresse, le jeune chiot dormait profondément, enroulé bien au chaud dans ses couvertures.

– Merci, Marcus… merci… infiniment... C'est si gentil, balbutia la jeune femme en tentant de ravaler ses sanglots.

Tout aux caresses qu'elle prodiguait à son nouvel ami, elle laissa errer ses pensées, ne prêtant que peu d'attention aux propos de son mari.

«Je t'appelerai Biskett, en mémoire de ma petite levrette. Tu lui ressembles tellement! Si tu savais comme elle me manque et à quel point je m'en veux. Mais je te jure qu'il ne t'arrivera rien à toi. Tu me suivras partout, où que j'aille, même si c'est au bout du monde. Jamais je ne te ferai quitter ma chambre parce que tu m'auras mise en colère.»

Elle dressa soudain l'oreille lorsque le mot «médecin» pénétra le mur de son détachement.

– Pardonnez-moi, Marcus, j'étais distraite. Je n'ai pas bien saisi ce que vous disiez. Il me semble vous avoir entendu parler de médecin.

– Parfaitement. Je vous confiais à l'instant avoir envoyé un message au docteur Murray. Votre santé m'inquiète. Depuis que nous sommes revenus de Marrakech, vous paraissez changée, presque maladive. Vous êtes irascible ou, tout au contraire, d'une sensibilité à fleur de peau. Vous affichez continuellement un petit visage chiffonné qui ne me plaît pas du tout. Et puis, la tragédie de la nuit dernière vous a rudement secouée. Je veux m'assurer que vous allez parfaitement bien.

– Le fait que vous vous tracassiez ainsi à mon sujet me touche beaucoup. Mais c'est ridicule. Je n'ai pas besoin d'un médecin. Mary et Sharim sont là pour veiller sur moi. Et Polly aussi. Dans quelques jours, je serai sur pied, dit Xaviera d'une voix étranglée, cédant peu à peu à la panique.

– Ne discutez pas! Je tiens à écarter, et cela définitivement, la possibilité que vous ayez contracté une quelconque maladie lors de notre séjour dans ce pays infernal. De toute façon, à cette heure-ci, le docteur Murray est déjà en route. Allons, résignez-vous! la gronda-t-il doucement.

La jeune femme sentait son cœur cogner douloureusement dans sa poitrine.

«Oh! Mon Dieu! Comment me sortir de cette impasse? Si ce médecin m'examine à fond, il saura sans l'ombre d'un doute que je suis enceinte. Il faut éviter cela à tout prix. Je dois retarder le moment de vérité le plus longtemps possible.»

– Vous vous faites du mauvais sang sans aucune raison. Et puis, Sharim est médecin, lui aussi. Il peut parfaitement prendre soin de moi, comme il l'a fait depuis que je le connais. Je vous le répète, Marcus, dans quelques jours, il n'y paraîtra plus.

– Votre réaction m'étonne, Xaviera. Vous vous défendez de cet examen avec une telle âpreté. Comme si vous aviez peur...

– Peur, moi? Mais de quoi? dit-elle en se morigénant d'avoir laissé transparaître son anxiété. Je vous...

Un coup frappé à sa porte l'interrompit.

Sur sa demande, Polly entra, suivie d'un petit homme replet, engoncé dans un habit de drap noir, une sacoche de cuir noir sur l'épaule. Il se dressa sur ses petites jambes, tel un coq qui se rengorge dans une basse-cour.

– Voici Monsieur le docteur Murray, mademoiselle Xaviera, annonça le femme de chambre avant de se retirer.

Comme Marcus faisait mine de s'éloigner à son tour, le médecin le retint.

– Vous pouvez rester, Marcus, dit-il d'une voix douce et grave. Eh bien! milady, on me raconte que vous êtes souffrante? ajouta-t-il en se tournant vers Xaviera.

– Justement non, monsieur. Nous débattons de ce sujet, mon mari et moi, depuis un bon moment. Des événements violents se sont produits dans cette maison, la nuit dernière. J'en suis encore un peu troublée, mais je crois qu'on vous a dérangé pour rien.

– C'est à moi d'en juger, madame, pontifia le vieux médecin. À la place de votre mari, je m'inquiéterais aussi. Sans vouloir vous vexer, vous avez une petite mine.

La jeune femme avait le cœur serré dans un étau de panique.

«Je dois trouver quelque chose. Et vite. Il le faut. Sinon, dans quelques instants, Marcus saura que j'attends un enfant. Et, avec sa propension à sauter aux conclusions, il en déduira que cet enfant est celui d'Abdel Mepphat. Mon Dieu! Que dois-je faire? Que puis-je faire? Il ne voudra jamais croire que cet enfant a été conçu pendant notre voyage de retour.

– Vous m'ennuyez, messieurs. Puisque je vous affirme que dans deux jours tout au plus, je serai sur pied. Je ne vois pas l'utilité de me soumettre à cet examen, long et épuisant, j'en suis certaine, jeta-t-elle, hautaine.

– Je ne vous comprends pas, Xaviera. Pourquoi vous mettre dans un état pareil pour un simple examen? demanda Marcus, de plus en plus surpris par son comportement irraisonné.

– Les femmes..., murmura le vieil homme, comme si ces simples mots expliquaient toutes leurs lubies.

Xaviera savait que tout était perdu.

D'un air résigné, tel un condamné que l'on conduit à la potence, elle permit au médecin de remplir sa tâche.

Ce dernier, trop heureux d'en finir avec tous ces palabres gênants, s'exécuta minutieusement.

La jeune femme retint son souffle et rentra le ventre, précaution bien inutile, lorsqu'il palpa son abdomen. Le visage hanté par l'inquiétude, elle suivait chacun de ses gestes, attendant le moment où le couperet tomberait.

– Eh bien! milady, je suis heureux de constater que vous n'avez rien de grave.

– Vous voyez, j'avais raison, triompha-t-elle.

– Je vous conseille de rester allongée toute le journée et demain aussi. Vous devez vous épargner toute fatigue ou toute émotion inutile. Dans votre état, il serait dangereux d'abuser de vos forces. Vous comprenez?

Incapable de prononcer un seul mot, Xaviera hocha la tête, livide.

– Que voulez-vous dire? De quel état parlez-vous? s'enquit Marcus, ahuri.

– Comment? Vous ne le savez pas? Mais, mon cher ami, votre femme espère un heureux événement.

– Allez-vous vous expliquer clairement? tonna Marcus.

– Mais enfin, milady est enceinte, s'écria le médecin, impatienté par l'incompréhension que manifestait cet homme qu'il connaissait depuis l'enfance.

– Cela... remonte à quand? demanda-t-il, le visage fermé, durci.

– Trois mois. Peut-être quatre. Milady est tellement mince qu'il m'est impossible de préciser la date exacte de la conception. Mes compliments, jeune homme, le félicita le vieux médecin en tendant la main, surpris par la réaction de Marcus.

– Je vous remercie d'avoir répondu à mon appel avec autant de rapidité. En sortant, allez voir mon secrétaire. Il réglera le montant de votre visite.

Esquissant un petit salut, le médecin se retira, laissant seuls les futurs parents.

Xaviera dévisageait anxieusement son mari. Ce qu'elle lisait sur ses traits convulsés n'augurait rien de bon.

– Ainsi, vous êtes enceinte? siffla-t-il d'une voix contenue.

– Marcus, ne vous emportez pas. Laissez-moi...

– Je m'explique enfin le pourquoi de vos simagrées lorsque vous avez compris que votre condition n'échapperait pas à l'œil exercé du vieux Murray. Vous le saviez et vous mouriez de peur.

– Ce n'est pas ce que vous croyez...

– Il y a quatre mois, vous vous vautriez dans les bras d'Abdel Mepphat, la coupa-t-il sèchement.

– Ce n'est pas vrai. Et puis, vous semblez prendre plaisir à oublier que depuis trois mois, je me trouve souvent dans les vôtres, riposta-t-elle, prête à se battre pour lui faire accepter cet enfant qui était le sien.

– Vous m'avez trompé une fois de plus, cria-t-il. Vous m'avez proposé une trêve, vous m'avez laissé vous faire l'amour tout en portant l'enfant d'un autre. Quelle femme sans morale et sans pudeur êtes-vous donc? Une garce, voilà ce que vous êtes. Une sale petite garce.

– Non, non, je vous défends de m'insulter! hurla-t-elle, désespérée et profondément blessée par les accusations injustes que lui lançait Marcus. Je n'ai jamais été la maîtresse d'Abdel Mepphat, quoi qu'on ait pu vous en dire. Le seul homme qui ait jamais partagé ma couche, c'est vous, mon mari. Cet enfant est le vôtre.

– Taisez-vous! rugit-il, perdant soudain tout son calme. Cessez de mentir pour une fois! Vous êtes d'une bassesse incroyable. Vous me dégoûtez, Xaviera. Comme je plains cet enfant! Il aura une mère indigne.

– Je vous en supplie, Marcus, croyez-moi! chuchota-t-elle, ses grands yeux violets se remplissant de larmes. Ce bébé est votre chair et votre sang.

– Je ne sais ce qui me retient de vous tordre le cou. À partir de maintenant, vous n'êtes plus ma femme. Je vous autorise à rester à Milton Manor jusqu'à l'accouchement. Ensuite, vous quitterez cette maison pour toujours, avec votre bâtard. Je ne veux plus vous voir.

– Et vous? Où irez-vous? demanda-t-elle sans penser à ce que cette question avait d'incongru dans cette situation dramatique.

– Je pars pour Londres sur-le-champ, jeta-t-il en claquant la porte.

Xaviera enfouit sa tête sous ses oreillers et donna libre cours à son chagrin. Les paroles de Marcus résonnaient cruellement à ses oreilles. Mais, plus que tout, elle était troublée par l'expression de douleur qui s'était peinte sur ses traits avant qu'il ne la quitte.

«Tout est fini! Jamais plus il ne voudra de moi! Je devrai m'exiler pour élever mon enfant, pour qu'il ne soit pas la risée de tous. Mon Dieu! Quel gâchis! Je veux mourir. Comme je voudrais mourir! Pourquoi n'ai-je pas suivi les conseils de Mary et de Sharim quand ils me pressaient d'annoncer ma grossesse à Marcus? Peut-être n'en serais- je pas là?»

CHAPITRE V

Pendant ce temps, à Durham Hall, deux femmes discutaient âprement, dans l'ignorance du drame qui se jouait à Milton Manor.

– Mais pourquoi avez-vous tué Laurence? s'écria Alice, horrifiée.

– Il ne m'en a, hélas! pas laissé le choix. J'étais tranquillement assise chez moi, hier matin, lorsqu'une vision horrible m'est venue. Laurence avançait dans les jardins du manoir, visiblement soucieux de ne pas trahir sa présence, un couteau passé dans sa ceinture, prêt à supprimer Xaviera et Marcus, raconta Yasmine. Je me suis alors empressée de louer une voiture et de me rendre sur les lieux pour l'empêcher de perpétrer ces deux meurtres.

– Laurence aurait manifesté le désir d'assassiner son frère? Vous mentez. Il le vénérait.

– Peut-être, concéda la vieille femme. Mais il en était également jaloux et révérait encore plus sa fortune et son titre.

– Je n'arrive pas à me faire à cette idée, dit Alice en secouant ses boucles blondes. Ainsi, vous avez sauvé la vie de cette petite peste?

– C'est une façon de voir les choses, ricana Yasmine, les yeux brillant d'un éclat mauvais.

Sursautant, les deux femmes regardèrent fixement les

grandes portes donnant sur la terrasse auxquelles on venait de frapper un coup discret.

Circonspecte, Alice alla ouvrir et tomba en arrêt devant une adolescente à l'expression effrontée, vêtue comme une paysanne.

– Qui es-tu et que veux-tu? aboya Lady Durham.

– Je dois vous parler. C'est urgent.

– Comment t'appelles-tu?

– Elizabeth, madame, répondit la jeune fille, celle-là même que Xaviera avait surprise occupée à fouiner à l'étage alors qu'elle sortait de la chambre de Marcus, le jour où elle l'avait convaincu de l'emmener avec lui à Marrakech. Je suis employée de cuisines à Milton Manor.

– Pourquoi ne pas l'avoir dit plus tôt? demanda Alice en la faisant entrer.

La jeune servante eut un mouvement de recul lorsqu'elle fit face à Yasmine.

– Que veux-tu? Pourquoi es-tu venue jusqu'ici? Est-ce Lord Milton qui t'envoie? s'enquit Alice, pleine d'espoir, un sourire lumineux dévoilant ses petites dents pointues.

– Non. C'est la mort de monsieur Laurence qui m'amène. J'étais... son amie et depuis que j'ai appris sa mort, je ne sais plus où jeter de la tête.

– Qu'est-ce que tu racontes? Parle plus clairement.

– Monsieur Laurence avait promis de m'épouser en échange de certains services. Non, non, ce n'est pas ce que vous pensez. Je devais épier Lady Milton et, une fois par semaine, lui faire un rapport de ce que j'avais découvert. C'est moi qui lui ai appris leur départ pour Marrakech. C'est encore moi qui lui ai annoncé qu'elle attendait un enfant. Laurence m'avait dit que vous étiez dans le coup. C'est pourquoi je suis venue. Je ne sais plus quoi faire. Pour sûr, on ne se mariera pas. Il est raide mort.

– Il existe des compensations infiniment plus satisfaisantes que les éphémères félicités conjugales, petite, fit Yasmine. Nous te donnerons de l'argent, beaucoup d'argent. N'est-ce pas, Lady Durham? Cette petite nous a rendu de grands services.

– Bien sûr, bien sûr, répondit distraitement Alice, visiblement soucieuse. Je t'offre cinq cents livres, pas un penny de plus.

– Je les veux maintenant, s'enhardit Elizabeth, qui avait littéralement sauté de joie à l'énoncé de ce chiffre astronomique.

– Petite insolente! Qui crois-tu être pour exiger quoi que ce soit de moi?

– Elle a raison, milady, plaida Yasmine en entraînant Alice à l'écart. Versez-lui cette somme sans discuter. Cela la contentera et nous pourrons ensuite l'utiliser à... certaines fins pratiques. Faites-moi confiance. Je vous jure que vous ne le regretterez pas.

– Cette petite est dangereuse, murmura Alice, pleine d'appréhension. Elle connaît mon identité et pourrait vouloir me faire du tort par appât du gain. Je doute que ce soit une bonne idée de l'associer à nos projets.

– Nous n'avons pas le choix, elle est déjà trop impliquée. Ces cinq cents livres calmeront son appétit et, dans l'espoir d'en avoir plus, elle accomplira des merveilles. En ce qui concerne vos inquiétudes, elles n'ont pas leur raison d'être. Si elle devient menaçante, nous nous occuperons d'elle. Les morts ne parlent pas.

Rassérénée, Lady Durham acquiesça.

Elle se dirigea vers un petit secrétaire en bois de merisier travaillé, ouvrit un des tiroirs et en tira une bourse rebondie. Elle en préleva la somme dont elle avait besoin et la remit dans le tiroir.

– Tiens, petite. Le compte y est. Continue à observer les faits et gestes de Lady Milton. Une fois par semaine, tu viendras m'en faire le détail. Je t'enverrai un message signé d'une croix pour te prévenir du moment auquel je t'attendrai.

– Bien, madame. Merci, madame, dit Elizabeth en esquissant une révérence maladroite avant de s'enfuir par où elle était entrée.

– Voilà une bonne chose de réglée, lança Yasmine, visiblement satisfaite.

– Et maintenant? Que proposez-vous?

– Il vaudrait mieux que nous nous tenions tranquilles pendant un certain temps. Dans une dizaine de jours, nous pourrons repartir à la chasse, ricana la vieille femme en se frottant les mains.

♦ ♦ ♦

Depuis deux semaines que Marcus avait quitté Milton Manor, Xaviera errait comme une ombre dans les pièces de la maison. Sa présence lui manquait atrocement. Le cœur alourdi de chagrin, elle revivait les moments heureux qu'ils avaient passés ensemble sur la *Reine des mers* puis au manoir, jusqu'à cette scène horrible.

Elle émergeait parfois de son apathie pour se mettre en colère contre cet enfant qui grandissait en elle et qu'elle n'avait pas désiré. Elle le rendait responsable de son malheur, pour ensuite se confondre en excuses. Elle posait alors ses mains sur son ventre et s'adressait à lui d'une voix rassurante, lui jurant qu'elle s'occuperait de lui et l'aimerait, qu'elle saurait être une bonne mère.

Ces sursauts de bonne volonté étaient rares et brefs. La plupart du temps, Xaviera s'asseyait dans le petit salon bleu, indifférente à tout. Elle souhaitait même parfois échapper à cette vie sans joie, sans amour. Puis, comme s'il devinait ses intentions, son enfant lui lançait un coup de pied dans le ventre, la rappelant à l'ordre.

«Je pourrais m'enlever la vie. À qui ma présence manquerait-elle? Mais je n'en ai pas le droit. Cette vie fragile qui palpite en moi a tous les droits. Ce petit être ne demande qu'à grandir, apprendre à aimer, à partager ses joies et ses peines. Qui suis-je pour lui interdire d'entrer dans ce monde? Mon Dieu! donnez-moi le pouvoir de lui apporter le bonheur. Ne permettez pas qu'il soit déçu, blessé et marqué comme je l'ai été.»

Sharim et Mary s'arrachaient les cheveux de sur la tête. Ils avaient tout essayé pour sortir la jeune femme de son humeur morose, presque morbide, mais rien n'y faisait. Méphis venait la voir tous les jours et la suppliait de l'accompagner en promenade. Il disait que le petit avait besoin de prendre l'air, qu'il allait être tout pâle lorsqu'il arriverait. Mais Xaviera ne l'écoutait pas. Même Biskett ne parvenait pas à lui arracher un sourire.

Un après-midi, alors qu'elle s'ennuyait dans le petit salon bleu, elle décida de monter dans sa chambre pour faire une sieste. Dormir! Le seul moyen de tout oublier. Elle gravit l'escalier lentement, le poids de sa peine courbant sa silhouette, et se dirigea vers ses appartements comme une somnambule. Elle ramassa machinalement un bout de papier qui traînait sur le sol à côté de son lit et le déplia, sans ressentir la moindre curiosité pour son contenu.

«Bonjour, lady. Tu vas bien? Et le petit? Tu pensais peut-être avoir été oubliée? Mais non, rassure-toi, la mort te guette. Elle brandit sur ta tête le spectre de l'épée. Profite bien des jours qui te restent. Ils sont si peu nombreux. Ha! Ha! À bientôt», disait le message.

Xaviera laissa tomber la lettre par terre, totalement indifférente. Elle s'allongea sur son lit et, avant de sombrer dans le sommeil, adressa sa dernière pensée à son ennemi: «Tuez-moi. Puisque je n'ai pas le droit de le faire moi-même, tuez-moi.»

♦ ♦ ♦

Trois mois passèrent sans apporter de changement marquant dans l'attitude de la jeune femme.

Les lettres de menaces s'accumulaient sur sa table de chevet sans plus la faire frémir. Même la vue des animaux mutilés qu'on déposait dans sa chambre ne la troublait plus.

– Ça ne peut pas durer! décida Mary, occupée à moudre des racines.

– Je suis d'accord avec vous, madame Mary, approuva Sharim. Elle se laisse mourir lentement. Depuis que Marcus est parti, plus rien ne l'intéresse.

– Ce diable d'homme, si je le tenais. Depuis qu'elle le connaît, elle n'est plus la même. Il me l'a toute retournée. Elle fait tellement pitié!

– Elle cherche, madame Mary. Désespérément, elle cherche la paix de l'âme et se refuse à admettre qu'une seule personne peut la lui procurer.

– Alors, vous aussi vous pensez que... qu'il... qu'elle...

– Oui. L'amour est entré dans leur cœur, compléta Sharim. Mais ils sont tous deux si orgueilleux, si têtus et tellement aveugles qu'il leur faudra quelque chose de terrible pour qu'ils se l'avouent.

– Que pouvons-nous faire?

– Rien, madame Mary. Ils doivent tracer leur voie eux-mêmes.

– Dieu tout-puissant! Cela risque de prendre des années, au train où ils se déchirent et se blessent mutuellement. Mais je crois avoir trouvé un moyen d'arracher Xaviera à cette torpeur dans laquelle elle s'enlise et semble se complaire. Elle aime beaucoup Lady Gilberte, la tante de Lord Milton. Si je lui écrivais, peut-être accepterait-elle de rendre visite à ma petite chatte? Nous courons la chance de la voir réussir là où nous avons lamentablement échoué.

– Voilà une excellente idée! Je suis de plus en plus inquiet pour la santé de Xaviera et du petit. Elle doit reprendre des forces. Elle en aura grand besoin lorsqu'il lui faudra faire face à son destin.

– Que voulez-vous dire?

– Oh! pardonnez-moi, madame Mary. Je réfléchissais à voix haute, éluda Sharim, se reprochant d'avoir trop parlé. Occupons-nous plutôt de cette lettre.

♦ ♦ ♦

Un mois plus tard, par un bel après-midi d'août, un élégant

attelage s'avançait tranquillement dans l'allée principale de Milton Manor. Xaviera qui, selon son habitude, était installée dans le petit salon bleu, sentit son cœur battre à coups redoublés en entendant le bruit des roues sur le chemin de gravillon.

Abandonnant le livre auquel elle tentait en vain de s'intéresser, elle se précipita dans le hall, folle de joie à l'idée que Marcus revenait. Son ventre, alourdi par sept mois de grossesse, l'empêchait d'aller aussi vite qu'elle le désirait et c'est de justesse qu'elle précéda Soams qui se hâtait au-devant du visiteur.

Essoufflée, elle le congédia.

– Laissez, Soams. Je vous appellerai si j'ai besoin de vous.

Combien grande fut sa déception lorsqu'elle vit un amas de dentelles roses émerger de la voiture et tendre la main à un Méphis ébahi!

– Tante Gilberte! Que faites-vous ici? s'enquit la jeune femme, apparemment inconsciente de son impolitesse.

– Ton accueil chaleureux me comble de joie, mon petit, reprocha la vieille dame.

– Pardonnez-moi, se reprit-elle. C'est la surprise. Mais je suis vraiment heureuse de vous revoir. Il y a si longtemps!

– Si la bonne Mary ne m'avait pas écrit, je vivrais dans la plus totale ignorance du fait que je vais être grand-tante dans deux mois.

– Mary vous a écrit? demanda Xaviera, surprise.

– C'est une chance pour moi. Si j'avais attendu que tu te charges toi-même de m'annoncer la bonne nouvelle, mon petit-neveu porterait sûrement la barbe! Où se trouve donc Marcus, que je le félicite?

– Il n'est pas ici, répondit-elle sèchement.

– Ah? fit la vieille dame sans insister, étonnée par l'apparence maladive de Xaviera, maintenant qu'elle se tenait tout près d'elle. Mais, dis-moi mon petit, qui est ce géant d'ébène qui m'a si curieusement baptisée «femme-bonbon» ?

– C’est Méphis, un esclave que j’ai ramené de Marrakech.

– Parce que tu es allée à Marrakech? s’étonna-t-elle. Eh bien! à ce que je vois, nous avons de nombreuses lacunes à combler. Je veux tout savoir. Mais, sans vouloir te reprocher quoi que ce soit, je crois que le salon serait un endroit plus approprié que le hall d’entrée pour cette longue conversation. N’es-tu pas d’accord?

– Où avais-je la tête? s’excusa la jeune femme, rougissante. Je suis désolée. Entrez donc. Je vais demander qu’on nous serve des rafraîchissements.

♦ ♦ ♦

– Eh bien! mon petit, le moins que l’on puisse dire, c’est que tu as mené une existence mouvementée ces derniers mois, dit la vieille dame à la fin du long récit de Xaviera. Quelles aventures! Tu me fais presque envie.

Lady Gilberte devinait, par l’agitation que la jeune femme avait montrée lors de certains passages de son histoire, qu’elle ne lui racontait pas tout ou qu’elle lui mentait pour quelque raison qu’elle ne saisissait pas.

Bien décidée à en apprendre davantage, elle attaqua de front, selon son habitude.

– J’en déduis, d’après ton état, que toi et Marcus êtes réconciliés.

– En quelque sorte, biaisa la jeune femme, volontairement évasive.

– Que signifie ce «en quelque sorte» ? insista-t-elle.

– Disons que nous avons fait la paix, lâcha Xaviera du bout des lèvres.

– Alors, où se cache mon neveu?

– Probablement à Londres.

– Comment? Tu n’en es pas sûre? Mais que s’est-il passé?

– Il y a quelques mois, une discussion orageuse nous a opposés et mon adorable mari est parti en claquant la porte.

La vieille dame sut qu'elle n'en tirerait rien de plus et se contenta, pour le moment, de ces explications succinctes.

– Viens avec moi, mon petit. Je vais t'accompagner à ta chambre et tu te reposeras un peu. Je te trouve bien pâle.

Sans protester, la jeune femme se laissa entraîner à l'étage par Lady Gilberte. Cette dernière ouvrit la porte des appartements de sa protégée et poussa un cri perçant.

– Qu'est-ce que c'est que cette monstruosité? se récria-t-elle en pointant un doigt accusateur vers la tête de porcelet posée sur le lit, une enveloppe placée bien en évidence entre les deux oreilles de la pauvre bête.

– Oh! ça? C'est une plaisanterie à laquelle je suis habituée.

– Une plaisanterie? s'étrangla la vieille dame, indignée. Tu as un sens de l'humour assez discutable si tu considères cette chose comme une simple farce, ajouta-t-elle en ouvrant l'enveloppe tachée de sang.

Elle lut le message à voix haute.

«Bonjour, lady. Comment te sens-tu? La peur ne trouble pas ton sommeil, à ce qu'il paraît? Ne crains-tu pas la mort? Pourtant, le sort qui t'est réservé n'a rien d'enviable. À bientôt, lady»

– Mais, mon petit, c'est affreux. Qui t'envoie cette lettre macabre?

– Je ne sais pas, répondit Xaviera d'une voix atone.

– Depuis combien de temps cette situation dure-t-elle?

– Quelques mois. En fait, cela a commencé peu après mon mariage.

– Veux-tu dire que Marcus s'adonne à ce genre de distraction d'un goût rien moins que douteux? s'horrifia la vieille dame.

– Non, tante Gilberte. Je ne pense pas.

– Mais alors qui?

– Je n'en ai aucune idée. Laurence a été mêlé à toute cette affaire, mais...

– Laurence? la coupa-t-elle. Ça ne m'étonne pas du tout. Ce garçon a toujours montré une certaine tendance à la cruauté et à la morbidité. Où est-il en ce moment? J'imagine que Marcus l'a mis proprement à la porte?

– Il est mort, annonça platement la jeune femme.

– Mort? Décidément, je vais de surprise en surprise. Maintenant, tu t'assois, ordonna Lady Gilberte d'un ton ferme. J'exige que tu me racontes cette histoire sans omettre le moindre détail et sans mentir. Je suis presque tentée de croire que tu attends patiemment le moment où ce fou furieux, quel qu'il soit, te coupera la gorge. Il se passe des choses dans cette maison auxquelles je vais mettre rapidement bon ordre.

♦ ♦ ♦

Depuis deux semaines que la vieille dame était arrivée, Xaviera reprenait goût à la vie. Sharim et Mary échangeaient des clins d'œil complices, entièrement satisfaits par ce changement presque miraculeux. Leur idée avait eu du bon.

Les messages annonciateurs de mort s'étaient faits de plus en plus rares pour devenir inexistants. Lady Gilberte s'en trouvait réconfortée. Sa jeune amie reprenait des couleurs et un sourire amusé venait souvent dérider ses traits tirés. Elle participait avec plaisir aux projets de décoration de la nursery et ne ménageait pas ses efforts malgré sa silhouette déformée et ses reins douloureux. La bonne dame lui avait appris à broder et de jour en jour, la grande armoire de chêne se remplissait de brassières et de mouchoirs pour compléter la layette.

Lady Gilberte s'entêtait à n'utiliser que de la laine bleue, certaine que l'enfant serait un garçon. Xaviera avait beau protester, elle répondait, imperturbable, qu'elle n'y connaissait rien. Une atmosphère tranquille et détendue régnait sur le manoir.

Seule ombre au tableau: Lady Gilberte entendait souvent Xaviera verser des larmes dans sa chambre, le soir, alors qu'elle se croyait à l'abri des oreilles indiscrètes. La vieille dame attendait le bon moment pour poser des questions.

Ce matin-là, elles se trouvaient au jardin, respirant l'air chargé des parfums doux de l'automne, discutant à bâtons rompus, lorsque Lady Gilberte amena habilement dans la conversation le sujet qui la tracassait.

– Es-tu heureuse, mon petit? s'enquit-elle d'une voix douce.

– Bien sûr, tante Gilberte. Pourquoi cette question?

– Je ne voudrais pas paraître indiscrète, mais le bruit de tes sanglots est venu jusqu'à moi et je me demandais si tu n'éprouvais pas le besoin de me confier la cause de cet immense chagrin.

– Oh! tante Gilberte, soupira la jeune femme. Si vous saviez comme il me manque!

– Qui? Marcus?

– Oui. Depuis qu'il est parti, il n'a pas donné une seule fois de ses nouvelles. Et je n'en espère plus.

– Allons, allons, mon petit, dit la vieille dame en tapotant la main de Xaviera dans un geste de réconfort. Ce ne peut être aussi grave.

– Oh! si, plus que vous ne le croyez.

– Si tu me racontais tout, que je me fasse une idée par moi-même?

Xaviera déchargea sa peine.

Elle lui expliqua quel malentendu stupide les avait opposés au sujet de sa grossesse, comment Marcus avait réagi, les insultes qu'il lui avait lancées et son départ, qui laissait un tel vide dans son existence.

– Mon neveu est un âne bâté, décréta la vieille dame, attristée. Comment a-t-il pu imaginer un seul instant que tu l'avais trompé sans vergogne avec cet immonde tas de graisse? C'est incroyable.

En guise de réponse, Xaviera haussa les épaules.

– Tu l'aimes donc? demanda-t-elle doucement.

– Je ne sais pas... peut-être... oui, je crois, balbutia Xaviera. Oh! Tante Gilberte, c'est affreux! Je ne veux pas.

– Au contraire. C'est absolument merveilleux!

– Mais vous ne comprenez pas. Marcus ne m'aime pas. Il me hait. De toutes ses forces. De tout son cœur.

– N'en sois pas si sûre. Jamais mon neveu n'aurait souscrit à cette idée de trêve s'il t'avait exécrée à ce point. Je le connais trop bien.

– Vous pensez? souffla la jeune femme, pleine d'espoir.

– Naturellement! affirma Lady Gilberte.

«Je m'avance sûrement beaucoup en prétendant que Marcus l'aime. Mais si cela peut la rassurer et la réconforter, pourquoi pas? Je ne veux surtout pas qu'elle donne naissance à son fils avant le temps. Elle en serait bien capable», songea-t-elle.

Cette pensée lui remit en mémoire un autre problème qu'elle désirait aborder avec sa jeune amie.

– Est-ce que tu as arrêté ton choix quant à la personne qui t'assistera pendant ton accouchement? reprit-elle.

– Que voulez-vous dire? Sharim et Mary sont là.

– C'est absolument hors de question! s'écria la vieille dame. Mary a bien des qualités, mais elle n'a jamais mis le moindre enfant au monde. Je le sais parce que je l'ai interrogée. Quant à ton vieillard arabe, je ne lui fais guère confiance. Il parle trop.

– Il reste toujours le docteur Murray, proposa Xaviera.

– Il est toujours en vie? Mais il doit largement dépasser les quatre-vingt-dix ans, ce vieux barbon! J'exagère peut-être un peu, mais quand même... C'est lui qui m'a soignée quand j'ai fait ma fausse couche. Il était tout jeune médecin à ce moment-là. Non, non, mon petit. Je ne veux pas que ce vieillard aux mains tremblotantes mette en jeu la vie de mon petit-neveu. Je faisais plutôt référence à une sage-femme. Il doit bien y en avoir une au village?

– Je ne sais pas, tante Gilberte.

– Eh bien! c'est décidé. Je m'en occupe, annonça la bonne dame.

Tout à leur conversation, les deux amies ne remarquèrent pas le mouvement furtif qui agita les buissons derrière elles, au moment où elles se levèrent pour rentrer au manoir.

♦ ♦ ♦

Quelques jours plus tard, à Londres, une femme entièrement vêtue de noir, le visage dissimulé sous un large capuchon, déambulait dans les rues des quartiers mal famés, cherchant anxieusement l'adresse correspondant au numéro qui se lisait sur le bout de papier qu'elle serrait dans sa main.

L'ayant finalement trouvée, elle frappa à la porte de bois mal équarri et à moitié pourri, d'abord trois coups, puis attendit quelques instants et ensuite, deux autres coups espacés. La porte s'ouvrit devant la visiteuse, soulagée de se soustraire aux regards curieux et gourmands que les hommes fixaient sur elle.

– Entrez vite.

Lady Durham ne se fit pas prier pour obtempérer.

– Que faites-vous ici? l'apostropha Yasmine quand la porte se fut refermée sur elle. Je vous ai dit de ne jamais venir ici. Vous n'aviez qu'à m'envoyer un courrier et je me serais rendue à Durham Hall dès ce soir.

– Il fallait que je vous voie. C'est urgent, insista Alice.

– C'est bon. Suivez-moi.

Elles descendirent un escalier aux pierres disjointes, mal éclairé et poissé de moisissures et débouchèrent dans une espèce de grotte à l'aspect pour le moins surprenant.

De longues tables de bois disparaissaient sous d'innombrables pots, vases, gobelets et cornues, remplis de liquides et de poudres de toutes les couleurs. Une pauvre lumière, répandue par quelques torches suspendues aux murs noircis et tendus de fils d'araignées, donnait à cette pièce à l'allure inquiétante une apparence d'irréalité, l'impression de pénétrer dans un autre monde.

En s'approchant, Alice ne put s'empêcher de frissonner à la vue d'une multitude de crapauds éventrés flottant dans une mixture peu appétissante. Juste à côté, à droite, reposaient une bible maculée de sang séché, ainsi qu'une croix sans Christ, une statue de déesse nue et une jarre rongée par la rouille renfermant des reliques[1]. Tous ces objets étaient visiblement destinés à la célébration d'une messe noire.

Un peu plus loin, le regard de Lady Durham fut attiré par une dizaine de contenants sur lesquels on avait tracé des mots d'une écriture malhabile. En se tordant le cou, elle parvint à en déchiffrer quelques-uns: arsenic, venim de serpent, cendres d'enfants, semence de bouc, foie de loup.

Elle se détourna, le cœur au bord des lèvres.

– Peu de gens se sont vu attribuer l'honneur de pénétrer ici, dit Yasmine, sa voix trahissant une certaine fierté.

– À quoi vous sert tout ceci?

– À fabriquer des hippomanes [2], des philtres d'amour, des potions calmantes, des baumes, et même des poisons. Mais si je ne me trompe, vous n'avez pas entrepris ce long voyage dans le seul but de me faire une visite de courtoisie?

– Non, c'est vrai. Je suis inquiète. Elizabeth ne s'est pas présentée au rendez-vous dont nous avions convenu. Voilà deux jours que je l'attends. Depuis le moment où elle a surgi chez moi en réclamant de l'argent, elle ne m'avait jamais fait faux bond. Il a dû lui arriver quelque chose.

---

1. Partie du corps d'un saint, objet lui ayant appartenu ou ayant servi à son supplice. Lors de la célébration de messes noires ou lors de la préparation de philtres, on utilisait ces reliques pour qu'il y ait sacrilège.
2. On désigne ainsi une prétendue excroissance charnue que les poulains porteraient sur la tête à leur naissance et que les juments mangeraient aussitôt. Les sorciers se plaisaient à raconter à leurs clients crédules que cette substance était le plus puissant des aphrodisiaques. Ils l'employaient (on se demande de quelle façon, puisque l'existence de cette excroissance est un fait controversé) dans la confection de philtres d'amour. Par extension, ces derniers prenaient aussi le nom d'hippomanes.

Yasmine la regarda longuement avant de répondre d'une voix calme:

– Elizabeth est morte.

– Morte? répéta Alice dans un hoquet de stupeur. Que s'est-il passé? Comment le savez-vous? C'est vous qui l'avez tuée?

– Elle a été renversée par un cheval emballé alors que, étant allée se promener au village, elle reprenait le chemin de Milton Manor. Le cheval lui a mis la tête en bouillie. Quelle tristesse!

– C'est vous qui l'avez tuée? insista Lady Durham, le cœur étreint par une peur subite.

– Non. Un ami à moi s'est chargé de son exécution.

– Pourquoi? Elle pouvait nous être encore utile.

– Non. Elle devenait trop encombrante. Mais mon ami est tombé sur un papier fort intéressant qui traînait dans sa poche. Probablement avait-elle pris des notes avant d'aller à votre rencontre.

– Pourquoi gardez-vous ce crapaud enfermé dans ce pot? demanda Alice, qui cherchait désespérément à distraire son esprit du vent de panique que suscitaient en elle ces révélations.

– Quand vous êtes arrivée, je m'apprêtais à préparer quelque chose pour vous. J'ai besoin de lui, expliqua Yasmine tout en jetant un regard cruel à la pauvre bête qui, affolée et privée de sa liberté, se précipitait sur les parois de verre.

La vieille femme enleva le couvercle et se saisit du crapaud pour l'épingler, vivant, sur la table. Puis, fouillant dans ses vases, elle choisit quelques plantes qu'elle inséra de force dans la bouche du supplicié. Elle prit ensuite une longue aiguille et se mit à transpercer le corps de la pauvre bête. Ensuite, elle planta dans la chair élastique un bâtonnet dont une des extrémités avait été préalablement chauffée à même des braises rougeoyantes.

Le crapaud se tordit de douleur, incapable d'échapper à sa tortionnaire et mourut dans de violentes convulsions.

– Ce que vous avez fait à ce crapaud est d'une telle sauvagerie! souffla Lady Durham, terrifiée et hypnotisée tout à la fois par ce spectacle répugnant.

– Je ne vous connaissais pas ce penchant à la sensiblerie. J'ai sacrifié cette bête stupide pour vous, afin de vous rendre l'homme que vous aimez.

– Vraiment?

– Mais bien sûr. Dans quelques jours, Lord Milton se consolera de la perte de son enfant et de sa femme dans vos bras. Auparavant, il vous faudra exécuter certains... travaux délicats pour moi. Si vous en avez toujours envie, évidemment, insinua Yasmine, perfide.

– Que dois-je faire? demanda précipitamment Alice, ordonnant à la petite voix qui lui conseillait la prudence de se taire.

– Voilà. Je vous ai dit un peu plus tôt que mon ami avait récupéré un papier sur le cadavre d'Elizabeth. Cette idiote y avait inscrit des renseignements qui se révèlent aujourd'hui fort utiles à notre cause. Ce que vous devrez faire est d'une simplicité enfantine.

Pendant quelques minutes, on n'entendit que la voix de la vieille femme et les exclamations admiratives de sa complice.

– Ensuite, tout ira très vite. Elle sera dans la gueule du loup, termina Yasmine, son visage couturé illuminé par une expression de satisfaction.

– Votre plan est diabolique! s'écria Lady Durham, une étincelle de joie sadique brillant dans ses yeux. C'est d'un raffinement démentiel.

– Je suis heureuse de constater que mes projets ont l'heur de vous plaire. Ah! j'allais oublier. J'ai besoin de vous pour écrire une lettre. Anonyme. Que vous enverrez à Xaviera. Asseyez-vous là et prenez du papier, je vais vous la dicter. Je vous jure qu'à sa lecture, cette petite peste frissonnera. Vous devez d'ailleurs vous douter de l'effet que produiront ces informations sur l'humeur de notre jeune amie, surtout si nous y ajoutons quelques éléments mensongers, puisque c'est vous qui m'avez relaté toutes les circonstances de cette triste histoire.

♦ ♦ ♦

Quelques jours après cette rencontre secrète, et à des dizaines de lieues des quartiers mal famés de Londres, Lady Gilberte se laissait choir sans manière sur le siège accueillant d'une bergère confortable, dans le petit salon bleu de Milton Manor.

– Je suis moulue, mon petit. Ces routes de campagne sont pires qu'un champ de bataille.

– Reposez-vous, tante Gilberte. Dans quelques instants, on nous apportera du thé. Alors, avez-vous trouvé ce que vous cherchiez?

– Oui. Elle vit dans une petite maison bien entretenue, aux limites du village. Elle n'est guère engageante, mais elle m'a montré ses certificats sans que j'aie à insister. Des éloges. Que des éloges! Et par des comtesses, des marquises, des duchesses. Cette femme semble être une vraie perle. Je me demande pourquoi elle est venue s'enterrer en pleine campagne. Peut-être à cause de sa laideur?

– Elle est donc laide?

– Pouah! Plus que cela, mon petit. Elle est hideuse. Son visage est complètement ravagé par de grosses cicatrices. Cela ne te dérange-t-il pas? demanda Lady Gilberte, soudain inquiète.

– Mais non. Peu m'importe qu'elle soit à ce point repoussante, puisque vous m'assurez de sa compétence! Comment s'appelle-t-elle?

– Yasmine.

CHAPITRE VI

L'après-midi touchait à sa fin lorsque Polly entra dans la chambre de sa maîtresse, une enveloppe graisseuse à la main.

– Voici du courrier pour vous, mademoiselle Xaviera.

La jeune femme s'empara de l'enveloppe et congédia sa femme de chambre.

Avant qu'elle ne remarque la qualité médiocre du papier, elle crut un instant, un fol instant, que c'était Marcus qui lui écrivait. Déçue plus qu'elle ne voulait l'admettre, elle déchira l'enveloppe et déplia le feuillet de papier grossier et craquant. Une écriture maladroite noircissait la page. La jeune femme la lut avec attention.

«Bonjour, lady. Toujours bien vivante, n'est-ce-pas? Tu dois penser que tu échappes toujours à la mort. Ne te fais pas trop d'illusions. Dans un peu moins d'un mois, tu disparaîtras de la surface de la terre à tout jamais. Mais, avant de mourir, il te faut apprendre la vérité. Ton mari a jugé bon de te cacher certains détails de sa vie passée. Après mûre réflexion, j'ai finalement décidé de te dévoiler cette tare qu'il dissimule si bien et depuis si longtemps, et dont seulement certains élus détiennent la clé. Parle-lui de Lady Edith.»

À ce stade de sa lecture, Xaviera prit un temps d'arrêt et fouilla dans sa mémoire.

Ce nom lui rappelait quelque chose. Il lui semblait l'avoir déjà entendu. Puis, elle se souvint brusquement. C'était à bord de la *Reine des mers* alors que Marcus luttait contre la fièvre, rongé par le scorbut. Il avait ouvert les yeux et murmuré: «C'est vous, Edith?»

Curieuse, elle retourna à sa lecture.

«Parle-lui de sa première femme, Lady Edith Milton, qu'il a tuée quelques semaines après qu'elle eût donné naissance à son fils. Fils qu'il a également assassiné. C'est amusant d'avoir un meurtrier pour mari, n'est-ce pas? À bientôt»

Xaviera, livide, laissa tomber la missive à ses pieds. Elle était effondrée. Marcus, marié? Veuf? Meurtrier? Elle ne pouvait pas le croire. Elle ne voulait pas le croire.

Elle se pencha avec difficulté, son ventre gonflé entravant ses mouvements, récupéra le feuillet et emprunta le couloir menant à la chambre de Lady Gilberte.

Elle entra sans frapper, surprenant la vieille dame, et jeta le message à ses côtés en disant d'une voix blanche:

– Lisez ceci et dites-moi exactement ce qu'il en est.

La vieille dame s'empara du papier et tenta tant bien que mal de déchiffrer les caractères tracés gauchement. Son visage blêmit sous son épaisse couche de fard lorsqu'elle prit connaissance du contenu de la lettre.

Elle restait là, exsangue, sans parler, sans bouger, transformée en statue de pierre.

– Alors, tante Gilberte, est-ce que ces accusations sont fondées?

La bonne dame hocha la tête et souffla d'une voix éteinte:

– En partie, oui.

♦ ♦ ♦

– Vous me devez des explications, tante Gilberte, la somma la jeune femme, partagée entre la fureur et l'effondrement.

– Mais, mon petit, je n'en ai pas le droit. C'est à Marcus, et à lui seul, de te fournir tous les détails inhérents à son premier mariage, protesta-t-elle, encore sous le choc.

– Je ne le reverrai probablement jamais! hurla-t-elle. Je veux savoir si l'homme que j'ai épousé est véritablement un assassin.

– Ne te mets pas dans des états pareils. Tu vas faire une syncope. Pense au petit.

– Justement. J'y pense au bébé. Je ne pense qu'à lui. Fils d'un meurtrier! Combien lourdement ce poids chargé d'opprobre pèsera sur ses fragiles épaules lorsqu'il apprendra que son père a assassiné sa première femme et celui qui aurait pu devenir son demi-frère!

– Xaviera, calme-toi! ordonna la vieille dame d'une voix sèche. Tu parles sans savoir.

– Quand je pense à toutes les insultes, les moqueries, les remarques acerbes dont il m'a gratifiée et qu'il me lançait à feu nourri à propos de ma conduite présumément scandaleuse, j'en suis renversée! De quel droit a-t-il pu me juger, moi qui suis innocente des torts dont il m'accable, alors qu'il devrait pourrir en prison?

– Tu commets la même erreur que lui, mon petit. Tu le juges, tu le condamnes sans preuves.

– Je devrais me gêner, peut-être? hurla Xaviera, hors d'elle et folle de douleur. Comment croyez-vous que je puisse accepter cela, lui pardonner, alors que depuis que je suis sa femme, on tente de m'expédier dans un autre monde? Puisqu'il a tué sa première femme, pourquoi ne ferait-il pas de même pour la seconde, en l'occurence moi? Avouez que les coïncidences sont plutôt troublantes.

– Xaviera, mesure tes paroles. Penses-tu réellement ce que tu viens de dire?

– Je ne sais pas, je ne sais plus, souffla-t-elle, les yeux hagards, des larmes ruisselant sur ses joues. J'ai tellement mal.

– Je comprends, mon petit, je comprends, murmura Lady Gilberte en la prenant dans ses bras et en la berçant doucement. Si seulement je pouvais t'aider.

– Racontez-moi tout, supplia la jeune femme d'une voix tremblante.

– Je ne peux pas, je ne peux pas.

♦ ♦ ♦

Ce même soir, à Durham Hall, Alice contemplait pensivement le paquet ficelé qu'un homme à la mine patibulaire venait de lui remettre. Elle le tournait et le retournait dans tous les sens, ne se décidant pas à l'ouvrir.

Une peur glaciale s'était glissée en elle et cela depuis le jour où Yasmine lui avait confié avoir chargé un de ses amis de mettre fin aux jours d'Elizabeth. Il y avait quelque chose chez cette femme, une sauvagerie, une sorte de cruauté à fleur de peau, qui inquiétait Lady Durham.

À sa connaissance, trois personnes avaient croisé son chemin relativement à l'élimination de Xaviera. Deux de ces personnes étaient mortes: Laurence et Elizabeth. Il n'en restait qu'une seule: elle, Alice.

«Peut-être suis-je la prochaine sur sa liste? Mais non, c'est ridicule! Elle a besoin de moi, de mon argent. Il n'y a que moi qui puisse récompenser ses services. Jusqu'à ce moment, je suis convaincue qu'il ne m'arrivera rien. Après? Je prendrai certaines précautions. Lorsque auront eu lieu les funérailles de cette petite peste de Xaviera, j'invoquerai une quelconque maladie et prierai mon cher mari de me laisser aller me reposer en Italie. Si jamais Yasmine manifestait l'intention de m'éliminer, il lui faudrait parcourir un long chemin avant de pouvoir me rattraper.

«Et puis, l'Italie n'est-elle pas le berceau des romances? Je persuaderai Marcus de venir m'y rejoindre. Je mettrai tout en œuvre pour lui faire oublier sa défunte femme. Et quand il sera à mes pieds, brûlant d'amour, je lui proposerai de m'aider à me débarrasser de mon encombrant mari. Ensuite, nous nous marierons et je deviendrai l'une des femmes les plus enviées et les plus choyées de toute l'Angleterre. Lady Alice Milton. Ha! Ha!»

Rassérénée par ces raisonnements machiavéliques, Lady Durham déficela le paquet qu'elle triturait depuis un bon moment, arracha le papier et ouvrit la boîte. Elle poussa une exclamation de surprise ravie lorsque ses yeux se posèrent sur un petit flacon de verre travaillé sur lequel s'entrelaçaient des fils d'or. Un liquide ambré moirait à l'intérieur et la lumière des bougies dansant sur les minuscules tresses dorées le revêtait d'une riche couleur rouge orangé.

Une petite note était posée à côté du flacon. Alice la déplia lentement, assurée de connaître l'identité de l'expéditeur. Elle lut avec application les recommandations écrites en lettres penchées.

«Ceci est un hippomane. C'est un philtre d'amour dont les propriétés sont longues à agir. Voilà pourquoi je vous l'envoie maintenant. Près d'un mois passera avant que Marcus ne soit libre. C'est tout juste le temps qu'il faut accorder à l'hippomane pour qu'il fasse son travail convenablement. Lorsque vous reverrez votre amant, vous dégagerez un halo de sensualité tellement excitant qu'il sera irrésistiblement attiré vers vous. Voilà ce que vous devez faire.

«Tous les soirs, pendant les trois semaines qui viennent, vous vous plongerez dans un bain parfumé et laverez votre chevelure avec de l'essence de vanille. Quand vos cheveux seront séchés, vous les brosserez jusqu'à ce qu'ils brillent de mille feux. Vous enfilerez ensuite l'une de vos plus belles chemises de nuit et devant le miroir, couperez une mèche de vos cheveux en concentrant vos pensées sur l'objet de votre amour. Vous placerez cette mèche dans une petite boîte que vous dissimulerez dans un endroit quelconque de votre chambre afin que personne ne la trouve. Lisez ce qui suit très attentivement. Personne, absolument personne ne doit interrompre ce rituel, sinon l'effet en serait inversé. Marcus vous haïrait.

«Après tous ces préparatifs, vous vous allongerez sur votre lit et verserez trois gouttes de ce philtre sur votre langue. Vous tomberez dans un profond sommeil. Si vous respectez toutes mes indications, sans déroger ne serait-ce qu'une seule fois à l'usage établi, dans quelques semaines vous vous pâmerez dans les bras de votre amant. Vous pourrez alors remercier le crapaud que vous m'avez vu sacrifier. C'est grâce à lui que vous connaîtrez l'amour éternel. Yasmine»

Tout excitée, Lady Durham se mit à l'œuvre sans tarder.

Elle houspilla sa femme de chambre et ses servantes, les faisant tourner en bourriques par ses ordres embrouillés. Les jeunes filles entraient et sortaient de la chambre dans un ballet pressé, qui avec des seaux d'eau chaude, qui avec de l'eau froide, une autre apportant un drap de bain, la dernière présentant l'essence de vanille. Lorsqu'elles eurent enfin réuni tout ce dont Alice avait besoin, elle les jeta à la porte et tourna la clé dans la serrure.

Soupirant d'aise, elle se coula dans le bain bouillant et s'y prélassa jusqu'à ce que l'eau tiédisse. Elle lava ensuite avec soin sa longue toison blonde, imaginant à plaisir que Marcus se trouvait avec elle et posait sur son corps aux formes voluptueuses un regard vibrant de désir. Elle s'enroula dans l'épais drap de bain duveteux et frotta énergiquement ses cheveux. Assise, nue, devant le feu qui ronflait dans la cheminée, elle les brossa longuement, jusqu'à ce qu'ils pétillent et que ses bras endoloris ne puissent plus faire le moindre mouvement.

Suivant les recommandations de Yasmine à la lettre, elle enfila une longue chemise de nuit de fin linon transparent et se campa devant sa glace. S'emparant d'une paire de ciseaux d'argent ciselé, elle ferma les yeux et concentra toutes ses pensées sur Marcus, sentant presque ses mains habiles courir sur sa peau de pêche, et coupa une mèche de ses cheveux.

Elle retourna fébrilement le contenu de ses tiroirs à la

recherche d'une boîte et poussa un cri triomphant quand elle en trouva une. Elle y glissa les cheveux qu'elle tenait à la main et, se mordillant la lèvre inférieure, pensa à une cachette sûre. Son visage s'éclaira et, dans un bond, elle se dirigea vers les portes à double battant qui abritaient sa garde-robe. Elle en tira une paire de chaussures, y déposa le précieux écrin et la remit à sa place. Elle revint tranquillement sur ses pas et s'allongea sur son lit, calant sa tête contre ses oreillers.

Elle tendit la main et s'empara de la petite fiole. Elle en fixa le contenu avec une joie âpre avant de verser les trois gouttes prescrites sur sa langue. Elle referma le flacon et le déposa sur sa coiffeuse, triomphante.

«Ma chère Xaviera, si tu savais combien grande est ma hâte de te dire adieu et de fouler ta tombe! Tu n'aurais jamais dû te mettre en travers de mon chemin. Dans quelque temps, tu ne seras plus qu'un triste souvenir», pensa-t-elle.

Puis elle ferma les yeux et attendit le sommeil. Une sensation d'engourdissement l'envahit bientôt. Elle flottait sur un nuage de rêverie bienheureuse quand elle sentit sa gorge se contracter. Elle rouvrit les yeux, paniquée, cherchant désespérément de l'air. Dans un geste terrifié, elle porta les mains à sa gorge et comprit que Yasmine l'avait possédée. Son corps se tordit en spasmes douloureux, ses poumons réclamant de l'oxygène.

Lady Durham mourut dans d'atroces mais brèves souffrances.

♦ ♦ ♦

Sa femme de chambre la découvrit le lendemain matin, après avoir demandé l'aide d'un des valets, se trouvant dans l'incapacité d'ouvrir la porte verrouillée. Elle poussa un cri d'horreur quand elle aperçut sa maîtresse, le corps tendu comme un arc, les mains crispées sur ses couvertures, le visage gris et les lèvres bleues.

On appela le médecin et ce dernier conclut à une mort due à un arrêt brusque du cœur. Personne ne sut que Lady Durham avait provoqué elle-même sa mort en voulant s'approprier le mari d'une autre, son avidité l'ayant poussée à fréquenter une femme diabolique.

♦ ♦ ♦

Tandis qu'on recouvrait le corps d'Alice à Durham Hall, Marcus décachetait une enveloppe, serrant une bouteille d'alcool dans sa main libre, affalé sur un fauteuil dans sa maison de Londres.

Les caractères fins et gracieux dansaient devant ses yeux et il ferma les paupières à plusieurs reprises avant de pouvoir les lire.

«Marcus, tu dois venir d'urgence à Milton Manor. Nous sommes plongés en plein drame et j'ai peur que Xaviera ne fasse une bêtise. Laisse-moi te dire que je ne suis pas fière de ton comportement. Ta femme est à la veille d'accoucher et toi, tu te pavanes à Londres avec tes idiots d'amis, probablement occupé à t'enivrer. Xaviera m'a tout raconté. Tu n'es qu'un stupide âne bâté si tu crois que l'enfant qu'elle porte est celui de ce gros bouffi d'Arabe. Je t'accorde qu'elle a des défauts, tout comme toi d'ailleurs, mais elle est honnête. Si elle a commis des erreurs par le passé et usé de moyens détournés pour accéder à une position sociale supérieure, tu dois lui pardonner. Elle ne sait pas que je t'écris. Je me suis bien gardée de le lui dire, elle m'aurait arraché les yeux. Tu recevras cette lettre probablement dans l'avant-midi de demain. Je t'attends donc à Milton Manor dans la soirée. S'il te reste une once de cervelle, tu viendras. C'est un ordre. Ta tante»

«Mais qu'est-ce que c'est que cette histoire? Tante Gilberte semble être dans tous ses états. Cette lettre ne lui ressemble pas. Elle d'ordinaire si calme, si pondérée. Je me demande ce que Xaviera a encore bien pu inventer! Sale petite plaie! M'empoisonnera-t-elle l'existence jusqu'à ce que j'exhale mon dernier souffle? Nom de Dieu! que je l'aime! Malgré tout ce qu'elle m'a fait subir, je l'aime comme un idiot. Mais je n'irai pas. Désolé, tante Gilberte, mais je n'ai aucune envie qu'elle me prenne dans ses rets.»

Pour donner plus de poids à sa décision, Marcus but une large rasade d'alcool à même la bouteille, sans sourciller.

♦ ♦ ♦

– Tu es têtue comme un troupeau de mules stupides, jeune femme, dit Sharim, le regard voilé par la contrariété. Tu dois manger. Tu as besoin de prendre des forces, pour toi comme pour le petit. Si tu continues à ce rythme, tu seras absolument incapable de donner naissance à ton enfant.

– Je n'ai pas faim, s'obstina la jeune femme, butée.

– Je ne te croyais pas aussi cruelle. Cet enfant n'est aucunement responsable de ce qui s'est passé entre toi et Marcus. Tu te venges sottement.

– Je ne veux pas manger, je ne veux pas dormir et je ne veux pas accoucher, hurla-t-elle, folle de rage. Je le déteste.

– De qui parles-tu? Qui hais-tu donc à ce point? Ce petit être qui n'a pas encore vu le jour ou ton mari? demanda le vieil homme d'une voix douce, son calme retrouvé.

– Je les hais tous deux.

– La colère t'égare, jeune femme. C'est ton cœur blessé qui parle. Je te connais bien et je sais...

– Laissez-moi tranquille, siffla-t-elle entre ses dents. Je veux rester seule. Je ne veux voir personne.

– Bien. Comme tu voudras. Si tu préfères broyer du noir, c'est ton droit. Tu me déçois, Xaviera. Bonne nuit!

– Allez-vous-en!

Restée seule, elle martela ses oreillers de ses poings serrés, libérant la fureur qui l'étouffait depuis que, la veille, elle avait reçu la lettre l'informant du passé horrifiant de son mari.

«Je le hais. Plus que jamais. Il se permettait de me juger, de pontifier sur ce qui était bien ou mal, vérité ou mensonge, alors que lui, cet ignoble monstre, avait les mains tachées de sang. Si je le tenais, je le tuerais. Je lui ferais avouer ses crimes et ensuite je lui trancherais la gorge. Tuer sa femme et son fils! Il faut être complètement fou pour commettre une telle abomination. Et lui poursuit tranquillement son chemin, sans que sa conscience n'ait l'air de le tourmenter, pendant que deux squelettes sont enfouis sous la terre!

«Pourquoi? Pourquoi avoir fait cela, Marcus? Toi que j'ai découvert, que je commençais à aimer, que j'aime. J'ai tellement mal! Je voudrais tant que cette histoire ne soit qu'un infâme tissu de mensonges! Même si tu ne partageais jamais notre existence, à notre fils et à moi, je pourrais vivre dans la paix de ton souvenir, en sachant que tu n'as pas perpétré ces crimes abjects. Je t'aime, Marcus, infiniment. Mais jamais je ne pourrai effacer de ma mémoire le fait que tes mains si belles, si agiles, ont donné la mort. Jamais!»

♦ ♦ ♦

Au rez-de-chaussée, Lady Gilberte arpentait le hall d'entrée, serrant convulsivement ses mains l'une contre l'autre. La nuit était tombée depuis longtemps et selon ses calculs, Marcus aurait déjà dû être à Milton Manor.

La vieille dame s'était précipitée sur la porte à plusieurs reprises, son trop grand désir de voir son neveu lui ayant fait entendre le bruit des roues d'une voiture imaginaire. Elle achevait de déchiqueter un petit mouchoir de dentelle rose, tellement elle était anxieuse.

«Je dois le convaincre de tout expliquer à Xaviera. Sinon, cette petite accouchera prématurément et mettra sa vie ainsi que celle de son fils en danger. Il doit venir. Il faut qu'il lui parle le plus vite possible.»

Pour la dixième fois, la vieille dame se précipita vers la porte et l'ouvrit en bénissant le ciel. Cette fois-ci, son imagination ne lui avait pas joué de tours. La voiture de son neveu était bel et bien arrêtée sur le chemin de gravillon.

Elle dévala l'escalier à toute vitesse et courut à la rencontre de Marcus.

– Te voilà enfin! soupira-t-elle. Mon Dieu! mais dans quel état t'es-tu mis? Tu ressembles à un vagabond.

Marcus extirpa sa longue silhouette hors de l'espace exigu de la voiture et fit jouer ses articulations. Une barbe de plusieurs jours bleuissait ses joues, des cernes profonds et noirâtres s'élargissaient sous ses yeux, ses vêtements étaient fripés et sales, son haleine empestait l'alcool.

– À te voir, on jurerait que tu as passé des nuits entières à te vautrer dans les ruisseaux d'immondices qui jonchent les rues de Londres, dit Lady Gilberte en plissant le nez de dégoût. Allons, viens. Je vais sonner pour qu'on te serve un repas chaud, tandis que ton valet de chambre te préparera un bon bain. Y tremper quelques heures ne te fera pas de mal.

– Où est Xaviera? s'enquit-il d'une voix pâteuse.

– Dans sa chambre. Probablement en proie à une crise d'hystérie, répondit la vieille dame d'un ton sec.

– Qu'a-t-elle encore imaginé pour me rendre fou?

– Absolument rien. Elle a reçu une lettre hier. Une lettre pas très jolie.

– Et que disait-elle, cette lettre? demanda Marcus en levant les yeux au ciel, pressentant que les problèmes allaient de nouveau fondre sur lui.

– Elle l'informait de l'existence d'Edith.

Marcus chancela sous le choc que lui causait cette nouvelle. Son visage aux traits tirés vira au rouge et ses yeux étranges se voilèrent.

– Nom de Dieu! souffla-t-il.

♦ ♦ ♦

Le lendemain matin, les rayons pâles du soleil d'octobre réveillèrent Xaviera. Elle ouvrit péniblement ses yeux aux paupières gonflées par les larmes qu'elle avait versées une bonne partie de la nuit. Elle se redressa sur ses oreillers et s'apprêtait à tirer le cordon qui pendait à la tête du lit quand des coups sourds furent frappés à sa porte.

– Entre, Polly. Je suis réveillée.

Elle tendit la main vers la brosse qui traînait sur sa table de chevet et suspendit son geste, le cœur battant.

– Vous? souffla-t-elle, les yeux écarquillés par l'incrédulité. Que faites-vous ici?

– Milton Manor m'appartient toujours, répondit Marcus, sarcastique.

– Sortez immédiatement de ma chambre! Je ne veux pas vous voir. Sortez! hurla-t-elle, ne se possédant plus de rage, de peur et de chagrin.

– Je constate avec plaisir que votre grossesse a un effet rien moins que lénifiant sur votre caractère, ironisa-t-il.

– Ne me parlez pas sur ce ton. Je ne vous en donne pas le droit.

– Je suis ici chez moi, Xaviera. J'ai tous les droits.

– Êtes-vous revenu à Milton Manor dans l'intention de les exercer? demanda-t-elle, mordante. Ce ne serait pas la première fois.

– Que voulez-vous dire?

– Vous avez de la chance. Vous feriez d'une pierre deux coups.

– Mais enfin, de quoi parlez-vous?

– Vous le savez très bien, cracha-t-elle. La première fois, vous avez dû occire votre femme et ensuite votre fils. Cette fois-ci, la solution qui s'offre à vous est d'une facilité enfantine. Vous n'avez qu'à me planter un couteau en plein cœur pour nous éliminer tous deux.

– Je n'ai pas tué Edith, Xaviera. Pas plus que mon fils.

– Menteur! Assassin! Vous n'êtes qu'un meurtrier!

Marcus franchit la distance qui les séparait et, l'empoignant par les épaules, il se mit à la secouer rudement.

– Calmez-vous! Vous avez l'air d'une folle. Si vous m'en laissez le temps, je vais vous expliquer ce qui...

– Enlevez vos mains de sur moi, le coupa-t-elle. Maintenant! Je ne veux rien entendre. Vous êtes un monstre, un assassin, un tyran lubrique. Vous devriez moisir en prison depuis des années. Quand vous m'aurez libérée, je ferai prévenir la police et ils viendront vous arrêter. Je les regarderai vous emmener, les mains et les pieds entravés par de lourdes chaînes, le cœur rempli de joie.

– Taisez-vous! Je n'ai pas tué Edith! cria-t-il, hors de lui.

– Je ne vous crois pas! dit-elle sur le même ton. Vous n'êtes qu'un mécréant, un lâche du même acabit que mon père qui a battu ma mère à mort parce qu'elle ne lui avait donné que des filles. Je vous hais, Marcus. Je voudrais ne jamais vous avoir épousé.

– Il me fait plaisir de vous rappeler que c'est vous qui avez désiré ce mariage, lança-t-il d'une voix métallique avant de claquer la porte.

CHAPITRE VII

– Il est parti? demanda la jeune femme à Lady Gilberte qui entrait, portant un plateau.

– Oui. Il vient de me quitter à l'instant.

– Parfait! clama-t-elle d'un air contenté.

– Mon petit, pourquoi n'as-tu pas consenti à l'écouter? reprocha doucement la vieille dame.

– Parce que je ne voulais pas qu'il me mente, riposta-t-elle, furieuse de sentir des larmes picoter ses yeux.

– Tu aurais pu au moins lui accorder le bénéfice du doute.

– Pourquoi? Pour qu'il me plante un poignard dans le dos quand il aurait été certain d'être blanchi? Ça, jamais!

– Ne te mets pas dans des états pareils.

– Que voudriez-vous que je fasse? Que je danse? Que je rie? Que je saute de joie? explosa la jeune femme avant d'éclater en sanglots.

– Là, là, mon petit, calme-toi, dit la bonne dame en l'entourant de ses bras. Vous allez me faire mourir avec toutes vos chamailleries. Je pensais mon neveu plus intelligent. Je croyais qu'il trouverait un moyen de te faire écouter son histoire. Mais il est parti en coup de vent, la tête basse. Cela m'étonne, venant de lui. Mon petit, je te jure sur notre amitié que Marcus n'a pas tué Edith. C'était un accident.

– Vous... en êtes... sûre? hoqueta la jeune femme, ravalant ses sanglots.

Lady Gilberte hocha la tête avec énergie pour donner plus de poids à son affirmation.

– Vous devez tout me raconter, la pria-t-elle. C'est important pour moi.

– Je n'ai plus guère d'autre choix, soupira la vieille dame. Ce désastre dans lequel vous êtes plongés tous deux me chagrine énormément. Mais, auparavant, tu dois te nourrir.

Soudainement docile, Xaviera avala le contenu de son plateau à une vitesse incroyable, sans même goûter ce qu'elle mangeait.

– Voilà, dit-elle quand elle eut terminé. Maintenant, je vous écoute.

– C'est une longue et triste histoire. Tu te souviens qu'un jour je t'ai parlé d'Elizabeth, ma belle-sœur, la mère de Marcus? Eh bien! toute cette tragédie est arrivée par sa faute. Il me faut remonter très loin en arrière... Marcus avait treize ou quatorze ans quand il a exprimé le désir de voir le monde. Il s'est embarqué sur un bateau et a parcouru les mers pendant plus de quatre ans. Elizabeth ne lui a jamais pardonné ce qu'elle considérait comme une défection. Elle répétait à qui voulait l'entendre qu'il aurait dû rester à Milton Manor pour aider son père, que c'était son devoir de fils aîné de travailler à faire fructifier la fortune de la famille. Comme tu le sais, je n'ai plus revu Elizabeth après ma fausse couche. Ce sont les dires d'Henry que je te rapporte. Mon pauvre frère est souvent venu me raconter ses déboires!

La vieille dame marqua un temps d'arrêt, une expression de nostalgie adoucissant ses traits, rendant ses yeux rêveurs.

– Quand Marcus revint, il était devenu un homme. Volontaire, au caractère emporté, mais juste, bon et généreux. Il aimait rire et s'amuser comme tous les jeunes gens de son âge. Quelques mois à peine après son retour, Elizabeth se mit à le harceler pour qu'il prenne une épouse. Henry me confia que maintes discussions orageuses les avaient dressés l'un contre l'autre à ce sujet. Pour une fois, mon frère relevait la tête et affrontait son dragon de femme. Il disait que Marcus était beaucoup trop jeune pour s'établir, qu'il n'était pas assez sérieux. Elizabeth, elle, assurait que le mariage assagirait son fils et le rendrait conscient des responsabilités qu'il avait vis-à-vis de sa famille. Mon frère s'avoua vaincu, une fois de plus, et laissa sa femme s'occuper de tout.

«Henry a toujours été tenu dans l'ignorance la plus totale des menaces ou manœuvres sournoises par lesquelles ma belle-sœur avait obligé Marcus à accepter ce projet de mariage. Quoi qu'il en soit, Marcus se rendit aux désirs de sa mère. Elle lui présenta donc Edith, la fille d'une de ses amies d'enfance qui s'était mariée à un duc. C'était là l'intérêt d'Elizabeth. La dot de la jeune fille, sûrement plus qu'appréciable, allait gonfler ses coffres déjà pleins à craquer. Elle était insatiable en ce qui avait trait à l'argent. Elle en voulait plus, toujours plus et l'idée d'associer son nom à celui d'un duc n'était pas pour lui déplaire.

«Bref, Elizabeth et son amie organisèrent une rencontre entre Marcus et Edith. La jeune fille, à peine âgée de seize ans, était pâle et effacée. Elle n'était pas très jolie ni très intelligente, toujours selon les dires d'Henry et, dès la première seconde, elle déplut à Marcus. Mon pauvre neveu! s'il avait su... Enfin, on célébra le mariage, auquel je ne fus pas invitée, naturellement, et le couple s'installa à Milton Manor.»

La vieille dame interrompit son récit et se tourna vers Xaviera.

– Ce qui suit, c'est de la bouche même de Marcus que je le tiens. À un moment où il a cru devenir fou, il est venu décharger sa peine sur moi. Tu comprends pourquoi j'hésitais à te raconter cette histoire? J'ai l'impression de trahir sa confiance.

– Continuez, tante Gilberte. Vous écouter me fait du bien, dit Xaviera doucement.

– Marcus n'aimait pas sa femme, reprit-elle. Il était trop jeune, trop fougueux, trop volontaire pour apprécier une petite fille peureuse et, comble de malheur, dévote. Selon Marcus, elle passait de longues heures, tous les jours, à prier dans la chapelle. Elle affirmait que seuls ces moments de communion spirituelle pouvaient la rendre heureuse. Dans l'intimité, elle se montrait craintive et se disait dégoûtée d'être contrainte de se soumettre à cet accouplement bestial. Marcus était très malheureux.

«Les choses allaient de mal en pis, quand Edith se retrouva enceinte. Elle abandonna ses séances de prière à la chapelle et se transforma en véritable harpie. Dans toutes les pièces de Milton Manor résonnaient ses cris et ses pleurs. Elle frappa même sa femme de chambre à l'aide d'une paire de ciseaux, sous le prétexte fallacieux qu'elle lui avait tiré les cheveux en les brossant. Marcus ne savait plus à quel saint se vouer. Il ne comprenait rien à ce changement qui s'était opéré brutalement.

«De craintive et effacée qu'elle était, sa femme s'était métamorphosée en une furie déchaînée, véritable mégère hurlant et jurant. La nuit, elle se glissait dans la chambre de Marcus et s'adonnait à des activités obscènes devant lui, tenant un langage vulgaire et ordurier. Un soir, alors qu'elle en était à son septième mois de grossesse et qu'elle avait forcé la porte de son mari pour se livrer à son manège impudique, Marcus ne put résister plus longtemps et la frappa. Nue, accroupie à ses genoux, elle le supplia de continuer, disant qu'elle avait découvert aimer les rapports brutaux quand le palefrenier l'avait prise à la hussarde, derrière les écuries. Figé d'horreur par ce qu'il entendait, Marcus repoussa Edith qui s'accrochait à ses jambes et s'enfuit.

«Il revint un mois plus tard pour la retrouver énorme, sale et à moitié folle. Décidé, il alla voir sa mère et la somma de lui expliquer qui était réellement ce démon à qui on l'avait uni. Elizabeth déballa tout. Elle avoua que ce mariage avait été arrangé depuis longtemps avec son amie la duchesse. Cette dernière n'ignorait pas que la seule façon de dénicher un mari à sa fille était de l'acheter. En effet, Edith souffrait de graves troubles mentaux depuis sa prime jeunesse. Elizabeth tenta de réconforter Marcus en lui déclarant que sa femme n'avait pas une espérance de vie très longue, que toutes les jeunes femmes qui avaient été atteintes par la même maladie qu'Edith n'avaient pas dépassé vingt ans. Elle ajouta qu'il devrait la féliciter pour son habileté, plutôt que la lui reprocher parce que, dans deux ou trois ans, il serait veuf et riche. Immensément riche, le duc ayant promis de lui verser une forte somme d'argent à la mort de sa fille.

«C'est à la suite de cette conversation qu'il est venu me rendre visite. Il était dans un état pitoyable. J'aurais voulu pouvoir tenir ma belle-sœur entre mes mains pour la réduire en miettes. Le mal qu'elle avait fait à mon neveu, par cupidité et avidité, dépassait mon entendement. Après de longues discussions, j'ai conseillé à Marcus de retourner vivre auprès de sa femme. Il suivit mon conseil, pour son propre malheur.

«Quelques semaines plus tard, Edith mit au monde un garçon chétif au visage bleuâtre, qui respirait faiblement. Il ne vécut que trois jours. Pour une raison que j'ignore, Edith rendit Marcus responsable du décès du bébé. Elle perdit alors complètement la raison. Elle déambulait dans Milton Manor, échevelée et hagarde, fredonnant une berçeuse et serrant farouchement dans ses bras une poupée de chiffon emmaillotée dans une couverture. Marcus assistait, impuissant, à ce spectacle macabre. Il se persuada qu'à force de douceur, il parviendrait peut-être à convaincre sa femme de la mort de leur fils.

«Il entra un soir dans sa chambre et la surprit occupée à donner le sein à la poupée. Oubliant ses résolutions de patience et de calme, il se précipita sur elle et la lui arracha. Edith lui ordonna de lui rendre son bébé. Marcus la gifla puis, la fixant droit dans les yeux, il lui dit, en martelant ses mots, qu'il n'y avait plus de bébé, qu'il était mort et enterré.

«Marcus a toujours cru que cette vérité impitoyable avait traversé le mur de sa démence. Elle s'est mise à hurler et s'est jetée à l'extérieur de sa chambre, ramassant au passage la poupée qui gisait sur le sol. Marcus se lança à sa poursuite et voulut la forcer à lui rendre la poupée. Sans qu'il s'en aperçoive, leur corps à corps les avait menés tout près de l'escalier. Dans un mouvement brusque pour attirer la poupée à lui, il déséquilibra Edith et elle plongea dans l'escalier, la tête la première.

«C'était un accident, horrible peut-être, mais un accident tout simplement. Peut-on, à la lumière de ce que nous savons, accuser Marcus de meurtre? Je ne crois pas. À la rigueur, on pourrait le blâmer pour sa jeunesse, son inconscience, son inexpérience. Mais pas pour un meurtre. Encore moins pour deux.

«Mon neveu était effondré après cette épreuve. Il s'est mis à boire et à fréquenter des filles de petite vertu. Il s'est vautré dans la débauche pendant quelques mois, puis est allé grossir les rangs de l'armée. Il est parti à la guerre de longues années et en est revenu la poitrine chargée de décorations, mais le cœur aigri, le verbe amer. Depuis ce jour, il n'a plus jamais été le même. Tu connais maintenant toute la vérité.»

– Quelle tragédie! C'est affreux! souffla Xaviera, choquée par ces révélations surprenantes. Pourquoi ne pas m'avoir confié tout cela plus tôt?

– Je considérais qu'il ne m'appartenait pas, à moi, de te raconter cette histoire lamentable.

– Je comprends maintenant pourquoi il était tellement opposé à l'idée de se marier et de fonder une famille.

– Marcus avait juré qu'il ne répéterait jamais cette expérience. Mais tu es apparue et tu t'es montrée plus forte que lui.

– J'ai honte, tante Gilberte. Honte de l'avoir contraint à accepter cette mascarade à nouveau, par pur arrivisme, dit Xaviera calmement. J'ai pris une décision.

– En quoi consiste-t-elle? demanda la vieille dame, une sourde inquiétude faisant trembler sa voix.

– Je vais envoyer une lettre à Marcus par laquelle je l'informerai que je lui rends sa liberté.

– Mais tu es devenue folle, mon petit! s'écria-t-elle, estomaquée.

– Non, tante Gilberte. Je crois, au contraire, que j'apprends à être raisonnable.

– Mais tu l'aimes, insista la bonne dame, cherchant fébrilement un moyen d'empêcher sa jeune amie de commettre une bêtise.

– Oui, mais lui ne m'aime pas. Je ne réussirais qu'à me couvrir de ridicule si je m'accrochais à lui.

– Prends le temps de réfléchir encore un peu, plaida Lady Gilberte.

– C'est tout réfléchi, dit la jeune femme, visiblement décidée.

– Attends tout de même après la naissance de ton fils.

– Non, je lui écrirai demain matin, lança Xaviera d'un ton qui n'admettait pas de réplique.

♦ ♦ ♦

«Cette petite est complètement folle. Folle à lier. Sa grossesse lui a assurément dérangé le cerveau. On devrait la droguer jusqu'à ce qu'elle accouche pour l'empêcher d'écrire cette maudite lettre. Elle va tout gâcher. Si je ne me trompe, Marcus est amoureux d'elle. Mais s'il reçoit sa lettre, il est bien capable de s'embarquer sur son bateau pour ne revenir que lorsque son fils aura vingt ans! Ces deux enfants vont me faire attraper une dépression. Je dois faire quelque chose... Je crois que j'ai une idée.»

Lady Gilberte trottina jusqu'au petit salon bleu qui, pour une fois, n'était pas occupé par Xaviera. Elle ouvrit tous les tiroirs du grand bureau et poussa un cri de triomphe quand elle mit la main sur une pile de feuilles à en-tête. Elle s'assit sur la chaise et se mit à l'œuvre sans plus tarder.

Après plusieurs essais infructueux, elle redressa enfin son

dos douloureux et posa un regard satisfait sur la page noircie de son écriture gracieuse. Elle la saupoudra de sable avant de la relire.

«Mon cher Marcus, tu seras sûrement très en colère contre moi lorsque tu apprendras que j'ai raconté à Xaviera l'histoire de ton malheureux mariage. Mais la petite était dans un tel état! Elle t'aime profondément, j'irais même jusqu'à dire passionnément.

«À cause de ce sentiment que tu lui inspires, elle se prépare à faire une grosse bêtise. Cette petite est d'une sottise! Elle s'est mis en tête qu'elle ne pouvait t'obliger à rester auprès d'elle si tu ne l'aimes pas. Elle juge que ta première expérience t'a suffi.

«Mais ce dont je suis sûre, moi, c'est que tu l'aimes. N'ai-je pas raison? Alors, je t'en supplie, ne tiens pas compte de toutes les stupidités qu'elle se promet de t'écrire. Elle t'aime, c'est cela seul qui a de l'importance. Une dernière chose: j'apprécierais beaucoup de te voir présent lorsque ta femme accouchera. Nous formerons une belle famille. Affectueusement, tante Gilberte»

La vieille dame eut un large sourire et plia soigneusement le feuillet avant de le glisser dans une enveloppe et de la cacheter.

Elle quitta ensuite précipitamment le salon bleu et se dirigea, de son petit pas dansant, vers le hall d'entrée où elle intercepta le majordome.

– Soams! Soams! l'appela-t-elle. Faites venir un de ces charmants garçons et remettez-lui cette enveloppe le plus vite possible. C'est d'une extrême importance.

– Je suis désolé, milady. Le courrier quitte à l'instant le manoir, porteur d'une lettre urgente adressée à Lord Milton.

– Il doit bien y avoir un autre courrier, non? s'impatienta la vieille dame. Il y en a des dizaines à Milton Manor.

– Je suis désolé, milady. Mais c'est leur jour de liberté.

– Ils sont tous en repos? Le même jour? s'étonna Lady Gilberte.

– Ordre de Lady Milton, milady.

«Oh! la petite peste! s'irrita-t-elle. Elle a dû se douter de quelque chose et m'a prise de vitesse. Mais j'ai plus d'un tour dans mon sac.»

– Soams, allez me chercher Méphis, ordonna-t-elle.

– Plaît-il, milady? s'indigna le majordome, désagréablement surpris par le ton sec que la vieille dame avait employé.

– Ne prenez pas vos grands airs avec moi, Soams, cria-t-elle. Allez me chercher ce géant, séance tenante!

– Bien, milady. Tout de suite, milady.

Le majordome s'absenta à peine une minute et revint dans le hall, suivi par le Noir.

– Femme-bonbon chercher moi? demanda ce dernier en roulant de grands yeux.

– J'ai besoin de toi. Tu dois te rendre à Londres porter ce message urgent à mon neveu.

– Méphis pas connaître Londres. Méphis pas aller.

– Oh! si, Méphis aller. Tu aimes ta maîtresse? Tu veux qu'elle soit heureuse?

– Moi aimer beaucoup mitress.

– Bien. Alors tu vas aller à Londres et donner cette lettre à Marcus. Je te jure que ta maîtresse te vouera une reconnaissance éternelle.

– D'accord. Mais Méphis pas connaître adresse.

– Tu montreras cette enveloppe à quelqu'un. On t'indiquera la route à suivre. Mais il faut faire vite. Tu as compris?

– Méphis comprendre, femme-bonbon. Méphis partir.

– Excellent. Ta maîtresse sera fière de toi. Et maintenant, galope! lança-t-elle, joyeuse.

«À la guerre comme à la guerre, mon petit», pensa-t-elle en se courbant dans un salut moqueur à l'intention de Xaviera.

♦ ♦ ♦

– Milord, un jeune homme à l'aspect plutôt surprenant demande à être reçu. Il dit qu'il doit vous remettre un message important de la part de Lady Milton.

– Faites-le entrer, William.

Un jeune garçon d'une quinzaine d'années s'avança, ses vêtements entièrement recouverts de poussière et de boue séchée. Ses cheveux, dont on ne pouvait identifier la couleur avec certitude, pendaient sur son front, l'obligeant à souffler de l'air entre ses lèvres pour éviter que des mèches raidies par la boue ne lui retombent constamment sur le nez.

– S'cusez-moi m'sieur d'vous déranger, mais vot'dame a dit qu'c'était urgent, dit le garçon avec un fort accent.

– Merci, jeune homme. Tiens, voilà pour toi, fit Marcus en lui tendant une pièce.

– Ça alors! s'exclama l'adolescent. Merci, m'sieur. Bonne soirée, m'sieur.

Quelques instants après le départ du garçon, alors que Marcus s'apprêtait à décacheter l'enveloppe, le majordome toussota dans l'embrasure de la porte.

– Qu'y a-t-il cette fois-ci, William?

– Je ne sais comment dire, Votre Grâce, commença le vieil homme, visiblement embarrassé. Il y a... euh!... un... nègre qui vous réclame.

– Ce ne peut être que Méphis, le domestique de Lady Milton. Laissez-le entrer.

– Comme vous voulez, milord, répliqua William en pinçant les narines pour bien marquer sa désapprobation.

Le spectacle qu'offrait Méphis n'était guère plus engageant que celui de son prédécesseur.

– Méphis donner lettre au maître. Femme-bonbon envoyer moi.

– Femme-bonbon? répéta Marcus, surpris. Ah! tante Gilberte. Je dois dire que la comparaison lui sied à merveille. Merci, Méphis. Tiens, prends.

– Non, maître. Moi pas vouloir argent. Moi soif.

– Va avec William, il te donnera quelque chose à boire et à manger.

– Maître gentil. Méphis aimer maître.

– C'est bon. Allez, va. Mon courrier m'attend.

Il déchira impatiemment l'enveloppe sur laquelle il reconnaissait l'écriture de sa femme. Il déplia les trois petits feuillets et déchiffra avec difficulté les caractères serrés.

«Mon cher Marcus, vous serez certainement surpris de recevoir cette lettre et encore plus lorsque vous prendrez connaissance de son contenu. J'ai eu une longue conversation avec tante Gilberte, concernant votre premier mariage. Je vous en prie, ne lui en tenez pas rigueur. J'ai tellement insisté qu'elle a fini par céder. Mais, croyez-moi, ce ne fut pas de gaieté de cœur. Je vous dois des excuses. Je me sens terriblement honteuse quand je pense à toutes les injures que je vous ai lancées au visage, sans même vous laisser la chance de vous expliquer. Vous avez sûrement dû ressentir la même chose lorsque vous m'avez accusée injustement d'avoir monté toute une comédie à propos de mon dangereux ennemi que vous qualifiiez d'imaginaire.»

À ce passage de sa lettre, Marcus releva les yeux et rit doucement. Elle n'en manquait pas une.

«Bref, après que tante Gilberte m'ait fait le récit de votre malheureuse expérience, j'ai réfléchi longuement et j'en suis arrivée à cette conclusion. Je n'ai pas le droit de vous imposer ma présence, pas plus que celle de mon enfant, de notre enfant. Je vous rends donc votre liberté. Si vous êtes d'accord, je resterai à Milton Manor le temps d'accoucher et de reprendre des forces. Ensuite, je partirai et ne vous importunerai plus jamais. Pardonnez-moi le mal que je vous ai fait. Xaviera»

Marcus laissa retomber ses mains sur ses genoux. Sa gorge était nouée et ses yeux brûlaient à force de lire et de relire cette lettre, à la recherche de quelques mots, d'un infime indice qui lui donneraient l'espoir de la faire revenir sur sa décision. Mais il dut s'avouer vaincu.

«Le message est clair. Elle veut me quitter. Dois-je tout tenter, tout mettre en œuvre pour la conquérir? Non, il vaut mieux qu'elle s'en aille. Elle pourra recommencer sa vie ailleurs. Et il me sera plus facile de l'oublier si elle est loin de moi. Je t'aime, Xera. Plus que tout au monde. C'est pourquoi je te laisse partir. Je souhaite sincèrement que tu rencontres le bonheur.»

Recroquevillé dans son fauteuil, Marcus, blessé, les yeux vides, fit appel à ses souvenirs, se complaisant dans ce défilé d'images qui le jetaient dans un abîme de souffrances sans nom.

Il la revoyait, souriant espièglement ou hurlant de rage; ou encore, sanglotant à chaudes larmes; suspendue par les mains à un poteau, dans le harem d'Abdel Mepphat, inconsciente, le dos lacéré; bredouillant des remerciements confus en tendant les bras vers le petit chiot qu'il lui avait offert pour la consoler de la perte de Biskett; se défendant farouchement des accusations qu'il avait lancées contre elle, sur la *Reine des mers* alors qu'il menaçait de faire pendre Percy, si elle n'avouait pas ses machinations; sentir son corps souple blotti contre le sien alors qu'elle dormait paisiblement après qu'il lui ait fait passionnément l'amour.

Ne plus la voir, ne plus entendre sa voix, ne plus pouvoir la posséder. Quel déchirement!

Il secoua la tête, comme pour chasser cette peine qui menaçait de l'engloutir et prit la lettre de Xaviera ainsi que celle de sa tante, sans la lire, les déchira en petits morceaux et les lança dans la cheminée où un feu achevait de se consumer.

♦ ♦ ♦

Les trois semaines qui suivirent passèrent à la vitesse de l'éclair. Xaviera pouvait à peine bouger, tellement elle était devenue énorme. Malgré les désagréments que lui apportait sa grossesse, elle se sentait heureuse.

La décision qu'elle avait prise de rendre sa liberté à Marcus l'avait délivrée. Elle avait l'impression d'avoir réparé une grave injustice. Elle promenait donc un visage serein et éclatant de santé à travers les pièces du manoir.

Lady Gilberte la surprenait souvent à rêver, assise dans son fauteuil préféré dans le petit salon bleu, les yeux dans le vague.

– À quoi penses-tu? demandait-elle à la jeune femme.

– À Marcus, répondait invariablement cette dernière.

– Il te manque, n'est-ce-pas mon petit?

– Beaucoup. Oui, il me manque beaucoup, disait-elle dans un sourire triste et doux.

Cet après-midi de novembre la trouva allongée sur son lit, lorsque Lady Gilberte entra, suivie par une petite silhouette vêtue de noir.

– Yasmine est là, mon petit.

– Oh! j'avais oublié que nous avions rendez-vous aujourd'hui, fit la jeune femme en se redressant.

Son visage se tordit dans une grimace de dégoût involontaire lorsque la sage-femme abaissa son capuchon.

– Je sais que mon visage offre un aspect assez effrayant, remarqua Yasmine, les yeux brillants. Mais peut-être que milady se verra réconfortée si je lui confie qu'autrefois j'étais aussi belle qu'elle. C'est probablement difficile à croire, mais non moins vrai.

– Pardonnez-moi, Yasmine. Je n'ai pas voulu vous vexer.

– Cela n'a pas d'importance. Après tant d'années, je me suis habituée à ce masque hideux qu'est devenu mon visage.

– Serait-ce indiscret de vous demander dans quelles circonstances vous vous êtes ainsi blessée? demanda Xaviera, curieuse, et manquant inconsciemment de tact.

– C'est une bien longue histoire, milady. Je vous la raconterai peut-être une autre fois. Pour le moment, regardons plutôt ce ventre. Je suis ici pour cela.

Xaviera se prêta de bon cœur à l'examen.

Cette femme l'intriguait. Elle l'attirait et la rebutait tout à la fois.

– Vous vous sentez bien? Vous mangez et dormez normalement? s'enquit la vieille femme, interrompant le cours de ses pensées.

– Oui, oui.

– Bien. Si je ne m'abuse, d'ici quelques jours, vous serez une heureuse maman.

– Tant mieux. Je commençais à croire que mon ventre allait exploser.

– Ne vous inquiétez pas, milady. Tout se passera bien. Et... où se trouve le futur père?

– À Londres. Pour affaires, répondit laconiquement la jeune femme.

– Pensez-vous qu'il sera de retour pour assister à votre délivrance?

– Je ne crois pas. Pourquoi cette question?

– Au cours de mes nombreuses années de pratique, j'ai développé certaines petites manies. S'il y a une chose que je déteste par-dessus tout, c'est de me retrouver avec un mari énervé sur les bras, absolument fou d'inquiétude et qui me harcèle sans cesse pour savoir si sa femme se porte bien et si tout se déroule normalement. Vous comprenez?

– J'imagine très bien la scène, Yasmine, rit Xaviera. Soyez sans crainte, cela ne risque pas de se produire à Milton Manor.

– Parfait. Voici à quoi se résument mes recommandations: du repos, des repas légers, un peu d'exercice si vous en avez envie et beaucoup de sommeil. Quand vous sentirez une vive douleur au bas des reins, envoyez rapidement quelqu'un me chercher.

– Très bien. J'espère pouvoir faire appel à vos services très vite. Ce ventre me pèse tellement.

La vieille femme esquissa une révérence et se retira en silence.

«Nous nous reverrons bientôt, ma belle. Mais je doute que cette rencontre te remplisse de joie. Tu connaîtras les pires heures de ton existence. Enfin, je serai vengée.»

– Qu'en penses-tu, mon petit? Son apparence ne t'effraie pas trop?

– Non, tante Gilberte. Une fois le choc passé, elle inspire plutôt la compassion que la répulsion. Elle semble très gentille.

– Alors, tout est pour le mieux.

CHAPITRE VIII

Trois jours plus tard, Xaviera fut réveillée en pleine nuit par une douleur atroce. Le souffle coupé, elle ouvrit de grands yeux et posa ses mains sur son ventre. Il lui sembla qu'il n'avait plus tout à fait la même forme. Dans un lent sourire, elle tira énergiquement sur le cordonnet d'appel.

À peine quelques minutes après l'avoir sonnée, Polly entrait dans la chambre de sa maîtresse, essoufflée, mettant de l'ordre dans sa toilette.

– Avez-vous besoin de moi, mademoiselle Xaviera? demanda-t-elle, inquiète.

– Oui. Va immédiatement chercher Lady Gilberte et Mary. Sharim aussi. Je crois que le moment est enfin venu.

– C'est vrai? Oh! c'est merveilleux. Ne vous inquiétez pas, je m'occupe de réveiller tout votre monde.

La douleur passée, Xaviera massa ses reins et sourit franchement.

«Te voilà enfin, mon petit! J'ai l'impression d'avoir attendu ce jour depuis des années. Tu pèses beaucoup trop lourd pour moi. Il est temps que je voie à quoi tu ressembles. Je ne t'ai pas toujours désiré, j'ai même essayé de me débarrasser de toi. Mais maintenant que l'heure est venue, que ton arrivée est imminente, je n'ai plus de regrets.

«Tout l'amour que je ressens pour ton père, c'est toi qui le recevras. Je veillerai sur toi et tu ne manqueras de rien. Je ferai tout pour cela. Pour toi. Tu seras mon unique raison de vivre et le souvenir constant de l'homme que j'aime. Je t'apprendrai à être fort, bon et généreux comme lui. Sois sans crainte, tout se passera très bien. Je serai toujours près de toi.»

Xaviera s'était levée et brossait ses longs cheveux brillants lorsque Lady Gilberte entra, talonnée par Mary.

– Alors, mon petit, on dirait bien que le futur Lord Milton meurt d'envie de connaître sa mère? s'énerva la vieille dame.

– Dieu tout-puissant! Ma petite chatte qui va être maman! J'en suis toute retournée, s'écria Mary, ses bons yeux se remplissant de larmes.

– Mais, ma bonne, tu ne vas pas pleurer? Une naissance n'a rien de triste.

– Peut-être cela m'apparaîtrait-il plus réjouissant si le futur père était à tes côtés? dit-elle.

Le visage de Xaviera se ferma. La remarque l'avait cruellement atteinte.

– Mais que fais-tu debout, mon petit? lança Lady Gilberte, pour faire diversion. Tu devrais être allongée, bien au chaud sous les couvertures. Je vais aller chercher un de ces fainéants de valets pour qu'il vienne ranimer le feu. Je serai de retour dans quelques instants.

– Ce n'est vraiment pas nécessaire, tante Gilberte. J'ai déjà trop chaud.

– Ne discute pas, mon petit. Je reviens dans quelques minutes. À propos, quelqu'un s'est-il chargé de faire prévenir Yasmine?

– Dieu tout-puissant! La sage-femme. Nous l'avons complètement oubliée. Je vais envoyer le cocher la chercher avec la voiture.

– Ne partez pas toutes les deux, protesta Xaviera. Je n'ai pas envie de rester seule.

– Je ne serai pas longue, répondirent Lady Gilberte et Mary dans un ensemble parfait, avant de s'engager dans leurs directions respectives, Mary soufflant comme un taureau jusqu'au rez-de-chaussée, tandis que la vieille dame trottinait vers sa chambre.

Lorsqu'elle se fut assurée que plus personne ne pouvait la voir, Lady Gilberte s'élança à toute vitesse dans le long couloir et ouvrit la porte de sa chambre à toute volée. Rendue à l'intérieur, elle se précipita vers sa table et, fébrile, prit une feuille de papier, une plume et un encrier et écrivit d'une main tremblante:

«Mon cher Marcus, il faut que tu viennes de toute urgence. Xaviera est entrée dans les douleurs. Je t'en supplie, viens. Elle a besoin de toi. Et tu dois être là lorsque ton fils poussera ses premiers hurlements. Oublie le passé et ne pense qu'à une chose, Xaviera t'aime profondément. Nous t'attendons. Tante Gilberte»

Elle sécha l'encre en la saupoudrant de sable, mit la lettre dans une enveloppe, la cacheta et tira sur le cordon argenté qui pendait à la tête de son lit. Elle tapa du pied, impatiente, pestant contre la lenteur de la petite bonne que l'on avait nommée à son service.

– Ah! te voilà enfin! A-t-on idée de traîner autant dans un moment pareil? Prends cette lettre et occupe-toi de la faire porter par un courrier le plus rapidement possible. C'est urgent, tu comprends? Et, sur ton chemin, demande à un valet de s'empresser de rallumer le feu dans les appartements de Lady Milton. Ce sera tout. Allez, va vite.

Enfin satisfaite, Lady Gilberte refit calmement le chemin en sens inverse.

Arrivée près de la chambre de Xaviera, elle perçut des bruits de voix. Prise d'une intuition subite, elle se colla au chambranle de la porte et tendit l'oreille.

– Les heures qui vont suivre seront les plus pénibles de ta vie, jeune femme, dit Sharim de sa voix douce. Tu dois te montrer forte et ne penser qu'à ton petit.

– Mais enfin, Sharim, je vais accoucher! s'impatienta-t-elle. Je sais bien que cela risque d'être horriblement douloureux, mais je ne suis pas la première femme à mettre un enfant au monde. J'y survivrai.

– Je ne crains rien quant au côté purement physique de la chose. Je m'inquiète plutôt de ta force morale.

– Bon sang! ce que vous êtes agaçant! tempêta-t-elle. Je ne vois aucune raison susceptible de mettre ma santé mentale en péril.

– Ton destin se jouera dans les prochaines heures. Tu devras faire face et triompher.

– Je ne comprends rien à ce que vous dites. Vous m'énervez et dans mon état, ce n'est guère conseillé.

– Souviens-toi seulement de ce que je t'ai dit. Ne pense qu'à ton enfant, il te donnera le pouvoir, rappela Sharim en se levant. Vous pouvez entrer, Lady Gilberte, nous avons terminé, ajouta-t-il d'une voix plus forte.

La vieille dame s'avança dans la chambre et, au passage, lui jeta un regard furibond et murmura, pour que Xaviera ne puisse pas entendre:

– Que cherchez-vous donc? À la rendre folle d'inquiétude?

Le vieux médecin haussa les épaules de l'air de celui qui sait et sortit lentement.

– Ne te préoccupe pas des sottises qu'a racontées ce vieux bonhomme, la rassura Lady Gilberte. Il est stupide et imbu de lui-même. Ce n'est qu'un faux sage.

– Vous êtes injuste, tante Gilberte. Sharim ne m'a toujours dit que la vérité, bien que, souvent, je ne l'aie compris que trop tard. Je me demande...

– Voici la sage-femme, annonça Mary, suivie par Yasmine.

– Eh bien! milady, le moment est enfin arrivé? s'exclama la vieille femme, les yeux brillant d'un éclat de joie sauvage.

– Je crains de vous avoir dérangée trop tôt, Yasmine. Une intense douleur m'a réveillée brusquement. Alors je me suis souvenue de votre recommandation et vous ai fait appeler. Mais depuis, je n'ai eu que deux ou trois faibles crampes. Je crois que ce n'était qu'une fausse alerte.

– Cela arrive souvent chez une jeune femme pour qui c'est le premier accouchement. Mais les douleurs peuvent recommencer très bientôt et alors, vous remercierez le ciel de m'avoir à vos côtés. Eh bien! puisque nous avons du temps devant nous, nous allons nous préparer tranquillement. Mary, descendez aux cuisines et mettez de l'eau à chauffer, beaucoup d'eau. Trouvez-moi aussi des linges propres et une petite cuvette pour laver le bébé, ainsi que des langes, l'enjoignit-elle.

– Bien, répondit sèchement la bonne femme qui ne prisait guère de se faire donner des ordres par cette inconnue.

– Mary! la rappela Yasmine alors qu'elle passait la porte. Apportez-moi aussi un couteau bien aiguisé, je vous prie.

– Un couteau? s'étonna-t-elle. Mais pour quel usage, Dieu tout-puissant?

– Avec quoi pensez-vous que je puisse couper le cordon? Mes dents? rétorqua Yasmine d'un ton rogue.

– Des ciseaux ne rempliraient-ils pas le même office? demanda Lady Gilberte. Il me semble que...

– J'ai besoin d'un couteau, l'interrompit Yasmine. J'ai remarqué que les ciseaux qu'utilisent les riches ne coupent pas, ils mâchonnent.

– Oh!

Ce gémissement plaintif venait du lit.

Les trois femmes se précipitèrent vers Xaviera et deux d'entre elles fixèrent avec inquiétude son visage crispé de douleur. Yasmine repoussa les draps et palpa le ventre gonflé, à la peau tendue, et émit un petit claquement de langue satisfait.

– Je pense que cette fois-ci, c'est pour de bon. Mary, allez vite chercher ce que je vous ai demandé. Quant à vous, ajouta-t-elle en se tournant vers Lady Gilberte, je préférerais que vous nous laissiez seules, Lady Milton et moi.

– Pourquoi donc?

– Je vous ai déjà confié la nature de mes petites manies. Je n'aime pas voir un mari affolé tourner autour de moi pendant que je procède à l'accouchement. Pas plus que je n'aimerais que vous restiez ici. Vous risqueriez de transmettre vos craintes à Lady Milton et cela ne ferait que compliquer les choses. Vous comprenez?

– Oui, oui, acquiesça la vieille dame en se penchant vers Xaviera. Je dois partir, mon petit. Mais je penserai à toi très fort.

– Ne m'abandonnez pas, supplia-t-elle en s'agrippant aux mains de Lady Gilberte. J'ai tellement peur!

– Ne t'inquiète pas. Dans quelques heures, tu oublieras tout cela, tellement tu seras fière de serrer ton fils dans tes bras.

– Je vous en conjure, ne me quittez pas. Elle m'épouvante.

– Qui? Yasmine? Allons, mon petit, c'est ridicule. Ce doit être ton état qui te fait dire cela. Mais, trêve de bavardages. Je dois vraiment te laisser, sinon elle serait capable de me jeter dehors par la peau du cou, plaisanta Lady Gilberte en embrassant tendrement sa jeune amie.

– Un peu plus tard, j'irai aux cuisines préparer une boisson chaude pour tout le monde, promit Yasmine. Elle a pour effet de calmer les angoisses, tout en tenant éveillé. Toutes les familles que j'ai visitées et auxquelles j'en ai fait boire n'ont eu que des louanges pour ses bienfaits.

– Parfait. Prenez bien soin d'elle.

– Ne vous tourmentez pas. Cette naissance sera mémorable, je vous en donne ma parole.

♦ ♦ ♦

Les douleurs s'espaçant légèrement, Xaviera laissa errer ses pensées, seule dans sa chambre, Yasmine étant descendue préparer la boisson promise.

«Si tu savais à quel point j'aimerais te savoir à mes côtés, Marcus! Je me sens si seule et j'ai tellement peur. Cette sage-femme me fait frissonner. J'ignore si ce sentiment est dû à mes souffrances ou à l'obscurité environnante, mais elle me paraît terrifiante. Tout à l'heure, elle se tenait devant la cheminée, le reflet des flammes dansant sur ses traits défigurés, et me regardait fixement. J'aurais presque juré qu'elle me haïssait. Mais ce ne doit être qu'un effet de mon imagination. Elle s'est montrée si gentille et si prévenante! J'ai peur, Marcus. Cet enfant qui se bat pour voir le jour m'effraie. Et si je ne l'aimais pas? Ou si lui ne m'aimait pas? Oh! J'ai mal. Tellement mal!»

Elle poussa une longue plainte lorsqu'une douleur horrible lui transperça les côtes.

– Yasmine, aidez-moi, gémit-elle à l'intention de la vieille femme qui entrait dans sa chambre à l'instant.

– Calmez-vous, milady. Ce ne sera plus très long. Je vous promets que bientôt vous ne souffrirez plus. Plus jamais.

– J'ai si mal! cria-t-elle alors qu'une contraction lui labourait les reins.

Son front était couvert de sueur, ses cheveux collaient à ses joues et son corps se tordait, déchiré en ses entrailles. À travers un brouillard d'inconscience, elle entendit des sanglots et constata avec surprise que c'était elle qui pleurait.

– Oh! aidez-moi. Délivrez-moi, haleta-t-elle. Je veux mourir.

– Détendez-vous, milady. Dans quelques minutes vous enlacerez votre enfant. J'aperçois sa tête. Poussez.

Xaviera arqua son corps et poussa de toutes ses forces. Elle tremblait, tellement l'effort fourni était intense. Elle pensa qu'elle allait éclater quand, dans une dernière poussée, elle expulsa le bébé.

Elle se rejeta sur ses oreillers, le souffle court, le bas-ventre en feu. Des larmes de douleur et de soulagement traçaient des sillons sur ses joues. Elle était épuisée.

– C'est un garçon, annonça Yasmine.

– Est-il... normal?

– Tout à fait. Ne l'entendez-vous pas hurler à s'en faire éclater les poumons?

Après avoir nettoyé le petit corps gesticulant, Yasmine l'enveloppa étroitement dans une couverture et le présenta à sa mère.

– Voilà ton fils, Xaviera, lança-t-elle en émettant un ricanement sadique.

Étonnée par ce tutoiement inhabituel et cette réaction pour le moins surprenante, Xaviera tendit les bras et s'exclama, farouche:

– Donnez-moi mon fils.

– Pas tout de suite, Xaviera. Auparavant, il me faut te prévenir, il va mourir.

– Je ne... comprends pas... Vous avez dit qu'il était normal... Est-il malade? balbutia-t-elle, le cœur étreint par un sourd pressentiment.

– Non. Il est absolument parfait. C'est moi qui vais le tuer, gloussa Yasmine, les yeux brillants.

– Vous êtes folle? Lâchez mon fils immédiatement ou je hurle.

– Tu peux crier aussi longtemps qu'il te plaira de le faire. Tes amis sont tous endormis. Je leur ai préparé une boisson de mon cru et ils mettront des heures à se réveiller. Nous sommes seules, toi et moi, enfin.

Puis, sans se séparer du bébé qui dormait maintenant profondément, Yasmine tendit la main vers le couteau qu'elle avait placé à sa portée et le brandit sous la gorge de la jeune femme, visiblement folle d'angoisse.

– C'est moi qui mène le jeu, Xaviera. Voilà des années que l'idée de te savoir en vie m'empoisonne l'existence. Mais cela va changer.

– Qui êtes-vous? Que voulez-vous? demanda-t-elle, livide, tout en cherchant fébrilement un moyen de s'échapper et de sauver son fils.

– Tu vas rester là tranquillement et je vais te raconter une histoire, ordonna Yasmine, le regard fou, une main serrée sur le petit corps endormi, l'autre sur le manche du couteau. Si tu bouges, je plante ce couteau dans le cœur de ton fils. Tu as compris?

Xaviera hocha la tête, tentant de maîtriser son envie de se jeter sur cette femme démentielle. Elle devait obéir, gagner du temps et surtout, protéger son fils.

– Parfait. Tu deviens raisonnable. Maintenant, écoute et ne m'interromps pas. Il y a une trentaine d'années, j'étais esclave au palais d'Abdel Mepphat. Il était alors âgé de vingt ans et beau comme un dieu. Lorsque je le rencontrai pour la première fois, je tombai follement amoureuse de lui et cherchai aussitôt, par tous les moyens, à me faire remarquer. Voyant qu'il ignorait toutes mes tentatives d'approche et qu'il posait à peine un regard sur moi, simple esclave, je décidai de jouer le tout pour le tout.

«Un soir, trompant la vigilance des gardes, je m'introduisis dans ses appartements et me glissai sous ses couvertures. J'étais vierge et totalement innocente, mais mon amour pour lui me dicta les caresses que je devais lui prodiguer. Après une folle nuit de passion, Abdel Mepphat, qui avait été ravi par mes initiatives, m'installa dans son harem et m'éleva au rang de favorite. À cette époque, j'étais d'une grande beauté et mon corps, harmonieux jusqu'à la perfection.

«À partir de ce jour, le sultan m'appela de plus en plus fréquemment dans ses appartements. Ces quelques semaines furent les plus belles de toute ma vie. Abdel Mepphat me comblait d'attentions. Il me faisait porter des bijoux merveilleux, des pièces de tissu brodées spécialement pour moi, des fleurs rares qui ne poussaient qu'en plein désert et que ses serviteurs allaient cueillir au péril de leur vie. Il me fit don d'un troupeau de chevaux sauvages d'une valeur inestimable, d'une maison richement meublée et d'une collection de figurines en or pur. Tous ces cadeaux m'émerveillaient, naturellement, mais ce qui comptait le plus à mes yeux, c'était la profondeur et la sincérité de l'amour que nous éprouvions l'un pour l'autre.

«Cette situation déplut souverainement à Maraïcha, favorite elle aussi. Elle avait de grands projets. Elle voulait accéder au pouvoir et devenir sultane. Elle n'avait aucune envie de se voir voler sa place par quelqu'un qui, peu de temps auparavant, n'était qu'une pauvre esclave.

«Un soir, alors que je me promenais dans les jardins, elle apparut devant moi et, dans un bond, me jeta un liquide au visage. Je poussai un hurlement, sentant ma peau grésiller et fondre sous l'action sulfureuse du liquide. À ce moment-là, j'ignorais encore quel serait mon calvaire. Je restai quelques jours entre la vie et la mort, le médecin personnel du sultan, Sharim, ne quittant pas mon chevet. Il me prodigua des soins constants, mais ne put sauver mon visage.

«Combien grands furent ma rage et mon désespoir lorsque je constatai à quel point j'étais défigurée! Mon cœur n'était plus que douleurs, tourments tyranniques. Une seule pensée m'obsédait constamment: que penserait mon amant du laideron que j'étais devenue? Son amour serait-il assez puissant, ferait-il abnégation de tout pour que nous poursuivions notre chemin ensemble, paisiblement? La réponse à mes questions m'écorcha vive. Dès qu'il me vit, le sultan se désintéressa totalement de moi et Maraïcha, elle, triompha. Elle serait sultane... Je t'ai dit de ne pas bouger, petite peste.»

Profitant du long monologue dans lequel était plongée Yasmine, Xaviera s'était progressivement glissée de côté, jusqu'à ce qu'elle puisse dégager sa gorge de la menace constante du couteau et s'approcher de son fils. La vieille femme était tellement obnubilée par ses souvenirs qu'elle ne l'avait pas remarqué. Un sentiment aigu de danger venu du plus profond de son être l'avait alertée.

– Retourne à ta place! la somma-t-elle. Et ne recommence pas, ou je transperce ton fils sans hésitation!

– Bien, bien, ne vous mettez pas en colère. Je jure de ne plus m'agiter. Continuez, je vous écoute, l'amadoua la jeune femme, le cœur serré par une frayeur sans nom.

– Tu as peur, hein? ricana Yasmine. Tu trembles pour ton fils?

– Non, je n'ai pas peur. Je ne crois pas que vous le ferez, dit Xaviera, affichant une assurance qu'elle était loin de ressentir.

– Tais-toi! cria Yasmine. Je le ferai. Je tuerai ton fils devant toi. Je déchirerai son corps sans pitié et je lirai avec joie l'horreur sur ton visage. Ensuite, ce sera ton tour. Mais avant, je dois terminer mon histoire. Il faut que tu comprennes pourquoi vous allez mourir tous les deux.

La vieille femme marqua un temps d'arrêt, remit de l'ordre dans ses pensées et reprit son récit d'une voix grinçante.

– Le sultan vénérait la perfection. Ce qui l'avait tant attiré en moi n'existant plus, il n'eut de cesse de se débarrasser de moi. Il disait être incapable de me tuer parce qu'il m'avait aimée, mais il répétait continuellement que la vision de mon visage couturé offensait sa vue. Il aurait dû me supprimer, car le sort qu'il me réservait était pire que la mort.

Yasmine s'interrompit et lança un regard indéchiffrable à Xaviera.

– Les Anglais se sont toujours montrés friands d'exotisme et Dieu sait que les femmes musulmanes n'en sont pas dépourvues, poursuivit-elle. Abdel Mepphat me vendit donc à l'un de tes compatriotes. Eh oui! malgré ma laideur, je trouvai acquéreur. Cet homme m'emmena en Angleterre et m'épousa. Il s'appelait John Newcomen.

Une expression d'horreur incrédule se peignit sur le visage de Xaviera.

«Ce n'est pas vrai. C'est impossible. Elle ment. Il faut qu'elle mente.»

– John Newcomen était mon père, souffla-t-elle d'une voix blanche.

– Je sais, dit tranquillement Yasmine, savourant l'effet que produisaient ses révélations sur la jeune femme.

– Vous ne pouvez pas avoir été sa femme. Tout au plus sa maîtresse, mais pas sa femme. Ma mère est morte quelques heures après m'avoir donné naissance.

– Je suis ta mère, Xaviera.

– Non, hurla-t-elle, le cœur déchiré. Ma mère est morte depuis longtemps. Vous mentez. Vous êtes folle, folle à lier. Vous n'êtes pas ma mère, elle est morte.

– C'est ce que t'a raconté ton père, parce que c'est ce qu'il a toujours cru. Mais je suis bel et bien vivante. Je suis ta mère, Xaviera. Pourquoi te mentirais-je?

– C'est trop horrible! murmura-t-elle. Vous? Femme cruelle et complètement démente, seriez ma mère? Alors que j'ai encensé sa mémoire toute ma vie, que je me confiais à elle, lui demandant de m'aider, que je l'imaginais douce et sensible, que je pleurais son absence? Alors que je détestais mon père pour l'avoir tuée, m'empêchant de profiter de sa chaleur, de son amour, de sa tendresse? Cette femme, ce serait vous?

– Eh oui! ma petite. C'est d'un comique! Tu ne penses pas?

Xaviera était effondrée.

«C'est un cauchemar. Tout cela n'est qu'un horrible cauchemar. Dans quelques minutes, je me réveillerai dans un sursaut avec mon gros ventre, attendant impatiemment de donner la vie à mon fils et tout cela ne sera plus qu'un terrible souvenir. Je dois me réveiller.»

La jeune femme se pinça le bras jusqu'au sang et l'atrocité de la situation lui en parut encore plus accablante lorsqu'elle réalisa qu'elle était bien éveillée.

«Je comprends maintenant les paroles sibyllines de Sharim. Il savait que Yasmine était ma mère. Il savait qu'elle viendrait ce soir et accomplirait cet acte dément. Oh! Sharim, pourquoi m'avoir trahie? Il vous aurait été si facile d'éviter tout cela!»

Les paroles du vieux médecin lui revinrent à l'esprit: «Ton destin se jouera dans les prochaines heures. Tu devras faire face et triompher. Ne pense qu'à ton enfant, il te donnera le pouvoir.»

Une autre conversation qu'ils avaient eue, alors qu'elle séjournait au harem d'Abdel Mepphat, traversa sa mémoire: «Le chemin qui mène à la sagesse et aux joies de l'esprit est un parcours dangereux, semé d'embûches. Mais quelle récompense pour celui qui s'acharne et atteint la vérité! Fais-moi confiance et tu seras victorieuse. Tu as d'immenses pouvoirs en toi.»

Xaviera se redressa courageusement et s'adressa à Yasmine d'une voix ferme:

– Soit, vous êtes ma mère. Cette vérité est plus que désagréable à entendre. Mais pourquoi voulez-vous nous tuer, mon fils et moi?

– Tu m'étonnes, Xaviera. J'avais cru qu'à ce moment-ci, tu serais complètement anéantie. Mais, comme tu sembles intéressée par mes motivations, je vais poursuivre mon histoire. Tu comprendras mieux la raison pour laquelle je dois vous éliminer.

«Quand nous arrivâmes en Angleterre, John fit de moi sa femme. Je crois qu'esclave serait plutôt le mot juste. Je faisais la cuisine, le ménage, la lessive, pendant que ton père s'amusait avec ses amis et dilapidait sa fortune. Tous les soirs, il se vautrait dans mon lit et me possédait comme un diable, me rouant de coups et me criant des obscénités parce que je ne lui donnais pas d'enfants.

«Lors de ma première grossesse, il a complètement changé. Il est devenu gentil, attentionné, prévenant, presque amoureux. Il s'occupait de tout. Je n'avais qu'à me laisser dorloter. Il fut horriblement déçu le jour où j'accouchai d'une fille. À peine fus-je sur mes deux pieds qu'il recommença à me harceler et à visiter ma chambre.

«La même scène s'est répétée six fois. À chacune de mes grossesses, il devenait doux comme un agneau et, lorsque je lui donnais une fille, il me battait comme plâtre. Quand je me retrouvai enceinte pour la septième fois, il me prévint du sort qui m'attendait si je n'engendrais pas un fils. Il me tuerait.

«J'ai vécu les sept derniers mois dans la hantise de mettre au monde une autre fille. Le jour où tu naquis en fut un de cauchemar pour moi. Ton père entra dans une colère démente et me battit jusqu'à m'en briser les os. Tout en s'acharnant sur moi, il pleurait et vociférait, m'accusant de le provoquer, de ne lui donner des filles que pour l'embêter. Il me disait que si je lui avais pondu un héritier, il aurait fait de moi une reine. Puis il s'en est pris à toi. Il a encerclé ta gorge de ses mains dans l'intention manifeste de te tuer. À venir jusqu'à ce jour, je n'ai pas encore compris ce qui m'a poussée à me jeter sur lui et à te défendre. Peut-être ma fibre maternelle était-elle plus développée à cette époque qu'aujourd'hui? Bref, je me suis jetée sur lui. Mais j'étais épuisée et j'ai perdu conscience. C'est probablement à cet instant qu'il m'a crue morte et m'a laissée seule, gisant dans mon sang.

«Je m'étais fait une amie au village, une vieille servante, et elle venait m'aider lors de mes accouchements. C'est elle qui m'a sauvée. Elle m'a gardée chez elle jusqu'à ce que je sois en état de travailler pour subvenir à mes besoins. J'ai vécu dans une pauvreté indescriptible. Je suis devenue sage-femme, faiseuse d'anges et sorcière, à l'occasion.

«J'en ai terriblement voulu à John pour ce qu'il m'avait fait subir. Mais toute ma haine, je l'ai concentrée sur toi. C'était à cause de toi, toi que dans un ultime effort j'avais tenté de sauver, que j'en étais réduite à préparer des philtres d'amour pour de stupides et riches bourgeoises. Si tu avais été un garçon, je serais restée à la maison et ton père m'aurait glorifiée. Je devais me venger. Tu devais payer pour le mal que tu m'avais fait.»

Xaviera fixait un regard halluciné sur Yasmine.

– Mais je ne suis pas responsable de vos malheurs! Pas plus que mon fils.

La vieille femme ne parut pas entendre ses protestations.

Les yeux fous, un rictus cruel étirant ses lèvres tordues, elle reprit:

– J'avais juré de me venger. Mais, comme j'habitais Londres et que j'avais peu ou pas d'argent, il m'était difficile, sinon impossible, d'essayer quoi que ce soit. J'ai attendu longtemps, mais un jour, la chance m'a souri. On m'a offert ma vengeance sur un plateau d'argent. L'année dernière, au mois de juillet pour être exacte, un de mes amis est venu me rendre visite. Il disait avoir déniché un client pour moi. L'homme cherchait à se débarrasser de son frère et de sa belle-sœur.

«Je suis allée à sa rencontre et, comme tu l'as sûrement deviné, je me suis trouvée devant Laurence. C'est par lui que j'ai appris que tu t'étais mariée et que tu vivais dans l'opulence à Milton Manor alors que moi, ta mère, je croupissais dans un taudis d'un quartier mal famé de Londres et cela, depuis des années. Cette nouvelle accrut mon besoin de représailles. Je m'associai donc avec Laurence.

«Il m'a été d'une grande utilité. Grâce à l'amour qu'il inspirait à l'une des petites bonnes, nous avons eu une excellente espionne dans la place. C'est Ann qui t'a enfermée dans les souterrains et qui s'est chargée de déposer dans ta chambre les animaux et les lettres que je lui fournissais. J'aurais bien aimé être présente lorsque tu faisais tes découvertes. Ça aurait sûrement été amusant! Mais c'était impossible. Personne ne devait savoir que j'avais des raisons bien personnelles de désirer ton anéantissement. Laurence n'était qu'un instrument. Ann aussi.

«Dommage qu'elle se soit suicidée! Elle nous a causé bien des soucis. Mais, grâce au charme et à l'argent de Laurence, nous avons vite trouvé quelqu'un pour la remplacer. Elle s'appelait Elizabeth. Je dis "s'appelait" parce qu'elle est morte. De façon tragique. Renversée par un cheval fou. Quelle tristesse! Mais avant de mourir, elle nous a rendu de fiers services. C'est elle qui a prévenu Laurence de l'imminence de ton départ pour Marrakech. Le choc que j'ai reçu en apprenant que tu te rendais dans mon pays natal! Ça m'a rappelé tant de souvenirs, doux et douloureux à la fois.

«Bref, nous avons décidé de te suivre. Tu es surprise, n'est-ce-pas? Eh! oui, Laurence possédait également un bateau. Nous avons sillonné l'océan à votre poursuite. J'ai bien cru que j'allais mourir quand, après des recherches assidues, j'ai découvert que vous alliez séjourner chez Abdel Mepphat, ton mari et toi. Puis je me suis rapidement reprise en comprenant l'occasion qui s'offrait à moi. Maraïcha m'aiderait sûrement. Après tout, c'était elle qui m'avait défigurée.

«Je suis allée la voir peu de temps après ton entrée à Fès. Je lui ai raconté un beau tissu de mensonges. La sultane était en perte de vitesse auprès de son mari. Il songeait même à la répudier et à se remarier. J'ai vu là un moyen de convaincre Maraïcha de m'aider, sans avoir à lui confier mes intentions réelles. Je lui ai dit que tu n'étais que la concubine de Lord Milton et que tu représentais un danger pour sa sécurité, puisque tu avais fait le voyage jusqu'à Marrakech dans le seul but de célébrer un riche mariage. Plus tard, je lui ai tout raconté. Elle m'a été d'une aide précieuse.

«C'est elle qui a ordonné à Leila d'empoisonner ton thé. C'est elle aussi qui a fait droguer cet odieux breuvage, toujours par Leila, le soir où le sultan a cherché à te posséder. C'est encore elle qui a envoyé une lettre signée de ta main à Abdel Mepphat et une autre, anonyme, à Marcus. Nous ne nous doutions pas que le sultan irait jusqu'à te faire fouetter et exécuter, ni que ton mari arriverait à ce moment-là et qu'ensuite vous seriez tous deux emprisonnés. Mais le destin a servi involontairement nos desseins. Ah! je vois que mes explications apportent la lumière sur des points demeurés obscurs! Si tu savais à quel point ce jeu du chat et de la souris m'a amusée!»

Les yeux de Yasmine brillaient. Emportée par le feu de son discours, elle laissait libre cours à sa folie, prenant un malin plaisir à fournir des détails à sa victime.

– Mais quand nous sommes revenus en Angleterre, Laurence menaçait de tout gâcher. Il était trop pressé de mettre la main sur le titre et la fortune de son frère. J'ai vu qu'il avait décidé de vous tuer lui-même, tous les deux. Oui, oui, j'ai le don de double vue. Ce soir-là, je l'ai suivi et c'est moi qui l'ai poignardé avant qu'il n'en dise trop et qu'il t'assassine. Ce n'était qu'un sombre idiot. Tout comme cette autre garce, Lady Durham.

«Tu ignorais qu'elle faisait partie du complot, n'est-ce-pas? Depuis le tout début. Elle était presque aussi acharnée que moi à désirer ta perte. Tu lui avais volé son amant et elle était bien déterminée à le récupérer.

«Quand elle a appris que tu étais enceinte, elle s'est mise à me presser, elle aussi. Elle ne voulait pas que ton fils vienne au monde. Je lui ai joué un de ces tours! Quand Elizabeth est morte, un de mes amis a trouvé un papier sur elle, sur lequel il était écrit que tu cherchais une sage-femme. J'ai donc demandé à Alice Durham de m'acheter une maison au village, dans laquelle je m'installerais en affichant cette profession. Je lui ai dicté des lettres de références et elle a imité la signature de plusieurs de ses amies. Ces certificats étaient ma porte d'entrée à Milton Manor. Au cas où tu ne l'aurais pas deviné, c'est Alice qui t'a envoyé toutes ces informations habilement teintées de mensonges, concernant le premier mariage de Marcus. Eh! oui, un soir que ton mari s'était un peu trop imbibé d'alcool et qu'il se prélassait dans les bras de Lady Durham, il lui avait confié sa triste expérience. Dieu! que cette femme a pu m'être utile!

«Mais il était grand temps que je me débarrasse d'elle. Elle devenait de plus en plus gênante. Je lui ai préparé une petite potion à ma façon, en sa présence, sans qu'elle s'en aperçoive. Ce qu'elle a pu être idiote! Je lui ai envoyé le poison en disant que c'était un philtre d'amour qu'elle devait boire après s'être astreinte à un rituel inventé de toutes pièces, et que cela lui rendrait l'amour de son amant. Et elle m'a crue! Elle l'a bu et elle en est morte.

«Maintenant que je me suis débarrassée de tous ceux qui entravaient ma route, il ne reste plus que toi et moi. Et lui, ton fils. J'ai attendu ce moment si longtemps. Me retrouver face à toi et t'annoncer que tu vas mourir! Mais avant, tu vas connaître la plus horrible des souffrances: celle de voir ton fils écorché vif. Comment as-tu osé me faire ça? Dès ta première grossesse, tu mets au monde un garçon, alors que moi, je n'ai eu que des filles. Sept filles. Tu mérites doublement la mort pour cet affront.»

«Elle est folle. Complètement démente! Je dois faire quelque chose et vite. Elle est bien capable de le tuer. Quand je pense que cette monstruosité est ma mère et la grand-mère de mon fils! Mon Dieu! donnez-moi la force de le sauver. Il faut que j'arrive à détourner son attention et à lui arracher ce couteau.»

– Écoutez-moi, Yasmine. Votre histoire m'a beaucoup attristée. J'imagine facilement l'enfer qu'a dû être votre vie. Mais je n'y suis pour rien. Je ne suis pas venue au monde pour vous ennuyer et je n'ai pas choisi mon sexe. Ce sont les caprices de la nature.

«Mais je suis votre fille et mon fils, votre petit-fils. Vous ne pouvez pas le tuer. Vous n'en avez pas le droit. Faites ce que vous voulez de moi, mais laissez-lui la vie. Je vous donnerai une belle maison, de l'argent, des domestiques, des bijoux, des robes. Mon mari est riche, très riche. Encore plus qu'Abdel Mepphat. Nous vous offrirons tout ce que vous souhaitez posséder.»

Xaviera voyait le chemin que traçait sa proposition dans l'esprit dérangé de sa mère.

Ses yeux brillaient de convoitise. Son visage s'illuminait, en accroissant la laideur. Sans y prendre garde, trop occupée qu'elle était à considérer les avantages de cette offre alléchante, elle avait éloigné son couteau de la gorge de Xaviera.

Cette dernière rassembla ses forces, chassant de son esprit la petite voix qui lui disait : «Tu ne pourras pas. Tu es épuisée. Tu ne pourras pas.»

«C'est le moment ou jamais, pensa-t-elle. Je le peux. Non, je le dois.»

Tout se passa très vite. Elle bondit sur Yasmine, s'empara de son fils qu'elle repoussa de l'autre côté du lit et du couteau. La vieille femme poussa un cri de dépit. Elle avait été bernée! Elle s'élança et encercla le cou de la jeune femme de ses mains. Un combat à mort s'engageait.

Xaviera, affaiblie, tentait tant bien que mal de conserver son équilibre. Elles luttaient sans merci. Yasmine était sans aucun doute la plus forte. Elle esquivait les coups de couteau que Xaviera lançait au hasard, tout en maintenant ses mains serrées sur sa gorge.

La jeune femme étouffait. L'air ne parvenait plus à ses poumons qui semblaient prêts à éclater et sa tête bourdonnait. Dans un sursaut de volonté et de désespoir, elle parvint à se dégager et aspira goulûment quelques bouffées d'air. Des papillons scintillants voletaient devant ses yeux. Haletante, elle fixait sa mère, se sentant près de l'effondrement.

– Tu n'es pas assez forte, Xaviera. Dans quelques minutes, tu tomberas d'épuisement. Tu seras une proie facile, ricana la vieille femme en fermant les yeux, un instant.

– Jamais! hurla-t-elle en fonçant sur sa mère, le couteau pointé droit sur sa poitrine.

Yasmine ne put l'éviter.

Elle ouvrit de grands yeux lorsqu'elle sentit la lame pénétrer sa chair. Elle hoqueta et puis tomba à la renverse.

– Petite garce!... Je te hais, réussit-elle à vomir avant de mourir, le couteau enfoncé en plein cœur.

À cet instant, la porte s'ouvrit à toute volée.

– Marcus, souffla la jeune femme. J'ai sauvé votre fils.

Un voile noir tomba sur ses yeux tandis qu'elle sentait un liquide chaud et épais couler sur ses jambes. Du sang!

Marcus la rattrapa de justesse avant qu'elle ne s'aplatisse, face la première, sur le sol.

Le spectacle qui s'offrait à lui avait quelque chose d'irréel, d'hallucinant. Une vieille femme au visage défiguré gisait sur le plancher, visiblement tuée d'un coup de couteau. Xaviera pendait dans ses bras, un épais filet de sang s'échappant de ses entrailles et maculant ses cuisses. Emmitouflé dans une couverture, un bébé dormait paisiblement, inconscient du drame auquel il avait été mêlé.

– Nom de Dieu! Que s'est-il passé?

CHAPITRE IX

– Mais que s'est-il passé? répétait Marcus, affolé, quelques heures plus tard.

– Je ne sais pas, répondit Lady Gilberte d'une voix blanche, ses mains parcheminées reposant sur ses draps. Yasmine nous a préparé un remontant, qui avait fort bon goût, dois-je dire pour notre défense, et à peine quelques minutes plus tard, nous tombions tous endormis. Elle nous a sûrement drogués.

– Mais pourquoi? Cette histoire est complètement folle. Que lui voulait donc cette vieille pour que Xaviera s'abandonne à cette extrémité?

– Il n'y a qu'elle qui puisse nous répondre, Marcus.

– Si elle reprend jamais conscience. Le docteur Murray est auprès d'elle depuis des heures. S'il devait lui arriver quelque chose, je ne sais pas ce que je ferais.

– Je me sens tellement coupable! se lamenta la bonne dame, le visage torturé. Si je n'avais pas insisté pour que Xaviera demande les services d'une sage-femme, nous n'en serions pas là.

– Vous n'êtes pas responsable de cette tragédie, tante Gilberte. Il ne vous servira à rien de vous morfondre et de vous faire des reproches. Le plus important, c'est que Xaviera se rétablisse promptement, fit Marcus, farouche.

– Ainsi, je ne m'étais pas trompée. Tu l'aimes?

– Bien sûr que je l'aime! rugit-il. Plus que ma vie. Plus que tout.

– Alors, va. Va auprès d'elle, elle aura besoin de sentir la force de ton amour. Et exerce ton pouvoir sur cet idiot de Murray pour qu'il nous la rende telle qu'elle était avant cette horrible affaire.

Avant même que Lady Gilberte ait terminé sa phrase, Marcus se précipita hors de sa chambre et franchit au pas de course la distance qui le séparait des appartements de sa femme.

Il entra en coup de vent et fit sursauter le vieil homme qui rangeait des fioles dans sa sacoche.

– Ah! C'est vous, Marcus? constata-t-il platement.

– Comment va-t-elle? demanda ce dernier, anxieux.

– Eh bien! j'ai réussi à maîtriser l'hémorragie. Mais elle a perdu beaucoup de sang et elle est très faible. Les fatigues de l'accouchement, les émotions violentes et cette hémorragie l'ont totalement épuisée.

– Mais elle va s'en sortir, n'est-ce pas?

– Je ne peux jurer de rien, Marcus. J'ai fait ce que j'ai pu, mais elle ne réagit à aucun traitement. Si, dans quelques jours, elle est toujours vivante, alors…

– Toujours vivante? hurla Marcus en empoignant le vieux médecin par le collet de son habit et en le secouant comme un prunier. Toujours vivante? Il vaudrait mieux qu'elle ne meure pas ou je vous briserai les reins.

– Calmez-vous, jeune homme, lança le docteur Murray d'une voix sèche. M'égorger n'apportera pas la guérison à votre femme. Je mettrai en pratique toutes mes connaissances, mais je ne garantis pas de pouvoir la sauver. Je ne suis pas Dieu.

– Pardonnez-moi, murmura Marcus en laissant tomber ses bras le long de son corps, le visage blême.

– Ne vous excusez pas. Je comprends vos inquiétudes d'homme aimant. Mais je ne peux rien de plus pour elle. Mais vous, vous pouvez faire quelque chose. Pensez à votre fils, trouvez-lui une nourrice, entourez-le de tout votre amour, de toute votre attention.

– Vous parlez comme si elle était déjà morte! se révolta-t-il d'une voix sifflante.

Le vieux médecin haussa les épaules, sachant qu'aucune parole n'apaiserait le désespoir et la détresse qu'il lisait dans les yeux de Marcus.

– Donnez-lui-en trois gouttes par jour, dit-il en lui tendant une petite fiole contenant un liquide épais et translucide. Je viendrai la voir tous les jours, jusqu'à ce...

– Jusqu'à ce qu'elle aille mieux, l'interrompit Marcus. Merci, docteur Murray.

♦ ♦ ♦

Une terrible angoisse planait sur Milton Manor. Depuis trois jours, Xaviera était terrassée par une forte fièvre.

Le corps couvert de sueur pour être ensuite secoué par des frissons violents, le visage blafard et rigide, elle se débattait sans cesse, en proie au délire. Par moments, elle s'agitait tellement que même la force de son mari ne suffisait pas à la maintenir en place. Elle hurlait, criait, pleurait et gémissait, pour ensuite retomber dans une immobilité terrifiante.

Marcus, les cheveux en bataille, les yeux hagards, restait près d'elle jour et nuit. Malgré l'insistance de Mary et de Sharim, il refusait de la quitter, ne serait-ce qu'une minute. Une peur horrible lui tordait les tripes: celle de la trouver morte à son retour s'il s'absentait pour se reposer.

Alors, inlassable, il baignait son corps d'eau fraîche, forçait ses mâchoires pour lui faire avaler les gouttes laissées par le docteur Murray, caressant ses mains inertes et ses cheveux emmêlés, la rassurant, lui murmurant des mots d'amour secrets, essayant par tous les moyens de lui insuffler sa force.

– Marcus… Marcus…, gémit-elle, le corps crispé, tournant la tête de droite à gauche.

– Oui, oui, je suis là. Calme-toi, Xera. Je suis là. Je t'aime, ma douce. Je ne te quitte pas. Je prends soin de toi, psalmodia Marcus, tout en sachant que ses mots ne franchissaient pas le mur d'inconscience que la fièvre avait élevé autour de sa femme.

– Mon petit… mon fils… je vous aime.

– Notre fils va bien. Tu lui manques horriblement. Comme à moi. Je t'aime, Xera, passionnément. Je t'en supplie, tu dois vivre. Pour notre fils, pour moi, pour nous.

– Partir… veux partir…

– Tu partiras, mon doux amour, si c'est ce que tu souhaites. Je ne te retiendrai pas mais, je t'en supplie, ne meurs pas, murmura Marcus, un poids immense pesant sur son cœur.

Il se redressa sur sa chaise et, enfouissant son visage dans ses mains, il sanglota comme il ne se l'était jamais permis.

«Je t'aime, ma tendre amie. Mais si tu veux partir, je ne chercherai pas à te retenir. Je prendrai soin de toi et de notre fils, si tu es d'accord. Je ferai tout pour que tu sois heureuse. Mais je t'ordonne de ne pas mourir. Je ne le supporterais pas.»

♦ ♦ ♦

Deux semaines passèrent sans apporter le moindre changement. Un soir, Marcus fut réveillé par un cri atroce.

On pouvait à peine le reconnaître. Amaigri, hébété et désespéré, il refusait obstinément de quitter sa femme, ne dormant que quelques minutes, appuyé contre le dossier de sa chaise, quand Xaviera sombrait dans la torpeur. Il fixait sur elle ses yeux remplis de douleur, complètement affolé à l'idée que plus le temps passait, plus les chances de survie de sa femme s'amenuisaient.

Il fut projeté hors de sa chaise par ce cri déchirant. Xaviera, assise bien droite dans son lit, le corps raide, regardait devant elle, les yeux aveugles, ouvrant et refermant la bouche sans émettre le moindre son.

– Calme-toi, mon petit. Allonge-toi tranquillement et repose-toi. Je suis là, la rassura-t-il de sa voix rauque.

Il fut surpris par la violence avec laquelle la jeune femme le repoussa, le visage soudainement déformé par la haine.

– Ne me touchez pas... non... Vous n'êtes pas ma mère..., hurla-t-elle en se griffant sauvagement les bras.

– Arrêtez cela tout de suite! ordonna-t-il. Je ne suis pas votre mère. Je suis votre mari, Marcus.

– Je vous hais... vous êtes horrible... Je ne veux pas que vous soyez ma mère! persista-t-elle à hurler, les yeux hallucinés.

– Calme-toi, mon petit, calme-toi. Je ne suis pas ta mère. N'oublie pas qu'elle est morte depuis longtemps.

– Je l'ai tuée... je l'ai tuée... Mon fils... Marcus, cria-t-elle en opposant une résistance farouche aux mains qui essayaient de la retenir.

– Dieu tout-puissant! Que lui avez-vous fait? s'écria Mary en entrant dans la chambre, Sharim et Polly sur les talons. On entend ses hurlements dans toute la maison.

– Je ne lui ai rien fait, Mary. Elle délire. Elle répète sans cesse que je ne suis pas sa mère. Je ne parviens pas à la calmer.

– Oh! mademoiselle Xaviera, mademoiselle Xaviera, ne mourez pas, gémit Polly en se tordant les mains, les yeux pleins de larmes.

– Je vous hais... je vous hais... je vous hais..., scanda la jeune femme d'une voix stridente avant de retomber mollement sur ses oreillers, figeant les autres dans un paroxysme d'horreur glacée.

– Non!

Le hurlement chargé de douleur et de révolte poussé par Marcus résonna longtemps dans la pièce.

C'était le cri d'un homme aimant refusant la mort de sa femme.

CHAPITRE X

– Dieu tout-puissant! s'étrangla Mary, prise de vertige. Pas ma chatte, non, pas elle... Je vous en supplie, mon Dieu, ne me volez pas ma petite fille...

– Marcus, dit Sharim d'une voix douce, laissez-moi l'examiner.

– Non! Fichez le camp, cria-t-il. Je veux être seul avec elle.

Sourd à tout ce qui n'était pas sa douleur, Marcus se cramponnait au corps de sa femme, bien décidé à ne la quitter que lorsqu'on l'arracherait à lui par la force. Il gardait la tête appuyée contre la poitrine de Xaviera, pleurant à fendre l'âme, se rendant responsable de sa mort et submergé de regrets pour lui avoir tu son amour.

– Poussez-vous, mon ami, insista Sharim tout en parvenant à détacher les doigts de Marcus crispés sur le corps de Xaviera.

Le vieux médecin tâta le pouls de la jeune femme et perçut un battement faible et irrégulier. Croyant être victime de son imagination, il approfondit son examen et constata, étreint par une joie sans borne, qu'elle était toujours vivante.

– Elle n'est pas morte, énonça-t-il lentement. Marcus, entendez-vous? Elle n'est pas morte.

Ce dernier, hébété, le cœur figé dans un étau glacial, ne semblait pas comprendre.

– Merci, mon Dieu, souffla Mary avant de sombrer dans l'inconscience.

– Mademoiselle Xaviera! C'est un miracle, chuchota Polly, avant d'aller rejoindre Mary sur le sol.

– Répétez ce que vous venez de dire, Sharim, lui intima Marcus, débordant d'un fol espoir.

– Xaviera est bel et bien en vie.

– Nom de Dieu! soupira-t-il, la gorge serrée par des sanglots douloureux. Enfin. Enfin, elle est sauvée.

– Ne vous réjouissez pas trop vite, le calma Sharim, désolé de se voir dans l'obligation de doucher son enthousiasme. Elle est très faible. Son pouls est très agité, toutes ses extrémités sont glacées et sa respiration est à peine perceptible. Nous avons tout à craindre d'une congestion des poumons. Elle pourrait très bien ne jamais revenir à elle.

– Je vous en conjure, Sharim, faites tout ce qui est en votre pouvoir, le supplia Marcus, la voix blanche. Si vous avez besoin de quoi que ce soit, demandez-le. Si vous désirez l'avis d'autres médecins, nous les enverrons chercher. Peu importe ce que cela coûtera en temps, en efforts ou en argent, je ferai tout ce que vous voudrez. Mais rendez-la-moi. J'ai trop besoin d'elle!

♦ ♦ ♦

– Quelles nouvelles m'apportes-tu, mon enfant? demanda Lady Gilberte.

La vieille dame était alitée depuis le début de la maladie de Xaviera. Malgré les soins et les attentions dont chacun l'entourait, elle semblait s'affaiblir de jour en jour. Les traits tirés, le corps décharné, elle disparaissait presque entièrement sous de nombreuses couvertures, se plaignant constamment du froid sibérien qui sévissait dans ses appartements, malgré le feu ronflant que les valets entretenaient à toute heure du jour et de la nuit.

– Xaviera va beaucoup mieux, tante Gilberte. Son état s'est sensiblement amélioré, mentit son neveu en s'asseyant près d'elle, affichant courageusement un sourire rassurant.

– Quel soulagement! Marcus, promets-moi que lorsqu'elle reprendra des forces, tu diras à ta femme à quel point tu l'aimes. Il est grandement temps que vous cessiez de vous déchirer à belles dents et que vous soyez heureux, tous les deux. Vous le méritez grandement. Allez, promets-le-moi.

– Je vous le jure, tante Gilberte.

– À la bonne heure! De cette manière, je peux m'en aller l'âme en paix.

– Attendez tout de même d'avoir pris du mieux avant de penser à courir la prétentaine à Londres, tenta de plaisanter Marcus, luttant contre l'immense chagrin qui menaçait de l'envahir.

– Ne fais pas l'idiot. Tu as très bien compris à quel départ je faisais allusion. J'ai vécu pleinement, Marcus. Malgré tout, j'ai eu une vie heureuse. Mon seul regret est de n'avoir pas eu d'enfants, murmura-t-elle, le regard voilé de nostalgie. Mais si j'avais eu un fils, j'aurais aimé qu'il te ressemble.

– Merci, tante Gilberte, dit-il doucement, sachant que c'était là le plus beau compliment que la vieille dame pouvait lui faire.

– Ne nous attendrissons surtout pas. Je déteste les pleurnicheries. J'ai écrit une lettre à Xaviera. Quand tu jugeras qu'elle est en état de la lire, donne-la-lui. Et prends bien soin d'elle, tête de mule. La vie t'offre un merveilleux cadeau, ne néglige pas de l'apprécier à sa juste valeur.

– Je vous aime, tante Gilberte, chuchota Marcus en déposant un baiser sur les joues ridées et exsangues.

– Moi aussi. Beaucoup, répondit la bonne dame, ses yeux rayonnant d'une lumineuse tendresse. Pardonne-moi de te quitter, mais je vois Jason qui m'attend. Adieu, mon enfant. N'oublie pas tes promesses.

Lady Gilberte s'éteignit en silence, pressée d'aller rejoindre celui qui avait été son amant l'espace d'un été et son seul véritable amour.

♦ ♦ ♦

Marcus, l'âme en déroute, était assis dans la demi-obscurité de la nursery et contemplait son fils qui dormait paisiblement, inconscient de ce que sa mère menât un combat de tout instant contre la mort.

«Tout s'effondre autour de moi et je reste là, impuissant. D'abord Xaviera, et maintenant, tante Gilberte. Quand donc s'arrêtera cette pluie de malheurs? Oh! je sais, tu es là, toi, mon fils. Mais sauras-tu combler le vide qu'elle creusera dans mon existence si ta mère, la femme que j'aime, venait à mourir?»

Misérable, il regarda autour de lui, s'imprégnant des souvenirs que la nursery ravivait dans son esprit. C'est dans cette pièce qu'il avait passé les dix premières années de sa vie, seul la plupart du temps, ou bien prodiguant ses soins à Laurence lorsque ce dernier était né. Son père lui rendait bien quelquefois visite, mais son épouse, la terrible Elizabeth, l'injuriait tant et si bien, quand elle le surprenait occupé à s'amuser avec son fils, qu'Henry mettait un temps fou à oser revenir dans la nursery.

Cet endroit, que Xaviera avait redécoré avec l'aide de Lady Gilberte, réveillait en lui une souffrance profonde qu'il avait enterrée à force de volonté dans un tiroir secret de sa mémoire. C'est là que son premier fils, nouveau-né sans nom, avait vécu quelques jours, s'accrochant désespérément à une vie qui ne voulait pas de lui.

Ce fils qu'il avait honteusement détesté, parce que né d'une mère démente. Ce fils auquel il n'avait jeté qu'un rapide regard dégoûté, lui refusant tout amour, toute attention, et qui reposait sous la terre sans que quiconque se soucie de fleurir la petite tombe anonyme.

Ce retour en arrière lui donnait le vertige. Comment avait-il pu se montrer aussi cruel? Comment avait-il pu rejeter cette vie fragile sans lui accorder la chance de se faire aimer? L'innocence, la confiance et la préciosité de ce petit être humain ne l'avaient même pas touché! Quel souvenir horrible et combien pesant!

Effleurant la joue de son fils d'un doigt timide, Marcus s'adressa à lui d'une voix tremblante d'émotion:

– Je te fais le serment, aujourd'hui, que tu ne grandiras pas dans la solitude. Quoi qu'il advienne de Xaviera, je serai là, toujours présent, prêt à répondre à tes besoins.

«Je ne permettrai pas que ton enfance ne soit qu'un vide immense, comme l'a été la mienne. Tu pourras rire et crier, courir à toutes jambes dans les couloirs du manoir, te rouler dans l'herbe, te promener nu au soleil, te baigner dans le ruisseau, aller à la pêche, jouer avec les enfants du village. Tout ce à quoi, en somme, je n'ai pas eu droit.

«Mais, par-dessus tout, je t'aimerai sans condition, dans la confiance et la compréhension. Je serai plus qu'un père pour toi, un ami, un frère.»

– Oh! Pardon, milord. Je vous…

La nourrice rougit, ferma la bouche, la rouvrit, visiblement embarrassée.

– Entrez, Liza, dit Marcus qui, une fois de plus, remerciait intérieurement le docteur Murray de lui avoir envoyé cette femme pour prendre soin de son fils.

– J'venais juste m'assurer que le p'tit lord avait besoin de rien, s'excusa la bonne Liza, se dandinant d'un pied sur l'autre.

Avant que Marcus ait pu répondre, Polly pénétrait dans la nursery, le visage congestionné, ses boucles rousses en désordre, bredouillant des mots sans suite, incompréhensibles.

– Lord Milton… Venez… vite… C'est mademoiselle Xaviera... Elle... elle...

Marcus sentit le sang se retirer de ses veines et, le cœur glacé, il saisit la jeune fille par les épaules et fixa son regard étrange dans le sien.

– Elle... elle est guérie… Elle s'est réveillée… Oh! Lord Milton, n'est-ce pas merveilleux?

Polly pleurait et riait tout à la fois.

Marcus crut qu'il allait s'évanouir. Une vague de soulagement et de bonheur d'une telle intensité le souleva qu'il enfouit son visage entre ses mains et éclata en sanglots.

– Xaviera! Dieu merci!

♦ ♦ ♦

Une atmosphère de fête faisait résonner les murs de Milton Manor d'éclats de rire et de conversations bruyantes. Xaviera était enfin rétablie. Même Pierre, le terrible chef, participait à la bonne humeur générale en préparant ses plats préférés à la jeune femme. Tous manifestaient leur joie de la voir bien vivante. Tous, sauf Marcus.

Depuis qu'il la savait hors de danger, il adoptait un comportement étrange. Il chevauchait toute la journée en compagnie d'un Méphis rayonnant, pour ne revenir que tard le soir lorsque Xaviera était profondément endormie. Il allait s'enquérir de sa santé tous les matins mais, à peine lui avait-elle affirmé qu'elle se sentait de mieux en mieux qu'il lui tournait le dos et s'enfuyait littéralement. Il l'évitait.

Xaviera était bien obligée de se rendre à l'évidence, mais cette vérité la faisait souffrir. Sharim et Mary avaient pourtant clamé à cor et à cri qu'il n'avait pas voulu la quitter tout le temps qu'avait duré sa terrible maladie. Pourquoi avait-il changé à ce point? Cette question tournait sans cesse dans sa tête.

Polly qui entrait, le plateau du déjeuner sur les bras, interrompit le cours de ses pensées.

– Pierre a encore réalisé des merveilles, mademoiselle Xaviera. Vous allez vous régaler.

– Je n'ai pas envie de manger. Je veux voir mon fils, annonça la jeune femme d'une voix claire et décidée.

– Mais vous n'y pensez pas! Vous êtes trop faible…

– J'en ai assez. Voilà plus d'un mois que je vis dans cette chambre, sans pouvoir bouger. C'est assommant à la fin. Je me sens assez bien maintenant pour pouvoir prendre soin de mon fils. Je veux que tu ailles chercher la nourrice et qu'elle me l'amène à l'instant.

– Mais, mademoiselle Xaviera...

– Pas de discussion, Polly. C'est un ordre.

Aussitôt qu'elle fut seule, elle rejeta ses couvertures et se précipita vers sa glace du plus vite que ses jambes affaiblies le lui permettaient. Elle scruta ses traits et eut un sourire satisfait. Elle reprenait des couleurs et ses joues commençaient à s'arrondir.

Elle brossa rapidement ses cheveux, mit quelques gouttes de parfum derrière ses oreilles et appliqua un peu de fard d'une nuance rose pâle sur ses lèvres.

«Mon fils ne subira pas le choc d'être présenté à une mère à l'aspect maladif.»

Elle réintégra son lit en hâte et tapota ses couvertures en entendant des pas s'approcher. La porte s'ouvrit sur Polly, suivie de près par une grande femme d'une trentaine d'années, rougeaude et costaude, portant délicatement son précieux fardeau.

– Voilà Liza, la nourrice, mademoiselle Xaviera.

– Donnez-moi mon fils, ordonna-t-elle d'une voix qu'elle aurait voulu moins rude.

La femme s'approcha craintivement, impressionnée, et déposa le nourrisson dans les bras de sa mère.

– Il est si petit! s'exclama Xaviera, émue. Il est tellement beau!

Allant à la découverte de son fils, elle défit tendrement la couverture dans laquelle il était emmailloté et redressa la tête, les yeux brillant de colère.

– Que lui avez-vous fait? demanda-t-elle en s'adressant à Liza.

– Rien, m'dame. J'l'ai bien nourri, m'dame. J'vous l'jure, bredouilla la nourrice.

– Je ne parle pas de ça. Il a l'air en parfaite santé et je vous en remercie. Mais pourquoi avez-vous emprisonné ses membres dans ces ridicules bandelettes? Il a l'air d'une momie.

– C'est pour que ses jambes et ses bras soient bien droits, s'empressa de répondre Polly, voyant que Liza était incapable d'émettre le moindre son.

– Qu'est-ce que c'est que cette idée? Nous ne sommes plus au Moyen Âge. Je ne veux plus jamais voir mon fils mis au supplice de cette façon. Est-ce compris? dit-elle tout en déroulant les épaisses bandelettes de toile afin de dénuder son fils.

Admirative et craintive à la fois, elle contempla la chair de sa chair, buvant des yeux le petit corps potelé et rosé, caressant la peau douce et dorée, s'émerveillant de ce que ce petit être avait été conçu en elle et par elle. Farouche, elle s'empara de son fils et le serra contre elle, savourant ce contact intime, unique.

– Mon fils, murmura-t-elle, attendrie. Mon fils adoré. Tu es à moi. Comme je suis à toi. Je t'aimerai très fort, j'en fais le serment.

Puis, se tournant vers sa femme de chambre et la nourrice, elle annonça, le visage resplendissant de fierté maternelle:

– Je vous présente Lord Jason Gilbert Henry Milton.

– C't'un bien joli nom, m'dame, dit Liza.

– Plus que vous ne le croyez, renchérit Xaviera en pensant à ceux qui l'avaient inspirée.

Jason, le tendre amant de Lady Gilberte; Gilbert, l'équivalent masculin du nom de la vieille dame qu'elle aimait tant, et

Henry, en souvenir du père de Marcus, homme faible mais qui avait sûrement été d'une grande bonté.

Elle espérait que les qualités de ces trois êtres s'étaient glissées dans l'âme de son fils, pour en faire un petit homme généreux et aimant. Elle souhaitait plus que tout au monde qu'il n'ait pas hérité des traits de caractère de sa grand-mère, l'infâme Yasmine, et de son grand-père, le lâche John Newcomen.

♦ ♦ ♦

Un peu plus tard dans la journée, elle fit appeler Sharim à son chevet.

– Tu as demandé à me voir, jeune femme?

– Venez vous asseoir, Sharim. Il y a quelques détails que je veux éclaircir.

Après s'être installé, le vieux médecin fit signe qu'il était prêt à l'entendre.

– Vous saviez, n'est-ce-pas, que Yasmine était ma mère?

– Pas exactement. Je l'avais reconnue pour la jeune fille que j'avais soignée il y a de cela plusieurs années dans le palais d'Abdel Mepphat. Je savais qu'un lien très fort vous unissait, mais je n'ai compris lequel que trop tard.

– Pourquoi n'avez-vous pas tenté de l'arrêter? demanda calmement la jeune femme.

– Parce que ce n'était pas la volonté d'Allah.

– Mais elle voulait me tuer, tuer mon fils, et vous ne l'en avez pas empêchée? s'indigna-t-elle.

– Tu es bien en vie, ton fils aussi, c'est cela qui importe. Tu as triomphé, jeune femme, comme je l'avais prédit.

– Vous avez raison. Comme toujours... Mais laissons cela. Je voudrais savoir si vous connaissez la raison pour laquelle Marcus ne se préoccupe plus de moi.

– Pendant ta maladie, tu as déliré longtemps. Une des phrases que tu répétais sans arrêt n'était autre que: «Je veux partir.» Marcus a la conviction profonde que ce désir que tu as exprimé inconsciemment est bel et bien réel. Tu comprends, maintenant? Il te laisse libre de partir, si c'est ce que tu souhaites. C'est une belle preuve d'amour, jeune femme.

Xaviera, la tête remplie d'idées confuses, ne répondit pas.

– Je crois que tu as beaucoup de décisions à prendre. Réfléchis bien, conseilla le vieil homme en s'apprêtant à sortir de la chambre.

– Attendez, Sharim. Je voudrais vous entretenir d'un autre sujet. J'ai l'impression qu'on me cache quelque chose. Polly et Mary fondent en larmes pour tout et pour rien et, quand je cherche à savoir quelle est la cause de leur chagrin, elles prennent littéralement la fuite. Et puis, tante Gilberte n'est pas venue me voir une seule fois depuis que je suis rétablie.

Le visage du médecin se fit grave tandis qu'il se rapprochait de sa protégée.

La jeune femme sentit une sourde angoisse lui mordre le cœur.

– Lady Gilberte est morte, Xaviera. Elle n'a pas souffert. Elle s'est éteinte doucement, en faisant ses adieux à Marcus.

– Oh! non, murmura Xaviera, de grosses larmes roulant sur ses joues. Pas tante Gilberte! Je ne la reverrai plus, je ne lui parlerai plus jamais. Oh! comme elle va me manquer!...

– Elle t'a écrit une lettre et l'a confiée à Marcus. Ce dernier m'a prié de te la remettre quand tu manifesterais le désir de la lire. Je crois que le moment est venu, dit Sharim en lui tendant l'enveloppe avant de se retirer.

Restée seule, Xaviera sortit le feuillet de son enveloppe et, se calant contre ses oreillers, concentra son attention sur l'écriture soignée de sa vieille amie.

«Mon cher petit, je me doute que l'annonce de ma disparition te causera un grand choc. Du moins, je l'imagine. Par l'entremise de ce court message, je tenais à te dire combien notre

rencontre m'a rendue heureuse. En apprenant à te connaître, j'ai découvert en toi de belles qualités de cœur. Il te faut les libérer de la cage dans laquelle tu les tiens prisonnières depuis si longtemps. Ne détruis pas la chance que tu as de parvenir au bonheur, par peur de souffrir ou par excès d'orgueil. Le mien, de bonheur, fut si court...

«Prends l'amour à bras-le-corps et apprivoise-le. C'est un ordre. Et surtout, ne pleure pas sur moi. La mort n'est qu'un passage vers autre chose, vers un autre monde. Ce monde, pour moi, c'est Jason et la paix de l'âme, enfin. Soyez heureux.»

La jeune femme, pensive, se laissa envahir par des émotions contradictoires. La lettre de Lady Gilberte la forçait à un examen de conscience.

Elle avait l'impression de faire un retour en arrière, de revivre les événements qui avaient marqué sa vie. Un étrange sentiment de malaise se dégageait de ce flot de souvenirs qui remontaient à la surface. Celui d'avoir vécu sans donner ou recevoir assez d'amour.

«Depuis que je suis revenue à moi, j'ai la sensation d'avoir changé. À mon insu. Comme si les semaines pendant lesquelles je gisais, inconsciente, s'étaient chargées de faire la lumière en moi. Certaines choses n'ont plus pour moi la même portée qu'auparavant tandis que d'autres, qui n'éveillaient dans mon esprit que dérision, m'apparaissent aujourd'hui plus précieuses. J'ai négligé plusieurs aspects de ma vie. J'ai accordé trop d'importance à des gens qui en étaient indignes et trop peu à ceux qui le méritaient vraiment. J'ai commis d'énormes erreurs. J'ai laissé les autres diriger ma vie, tout en ayant l'air de leur opposer une résistance farouche. Je reconnais maintenant l'inutilité des combats que j'ai menés. Combats que je livrais, en fait, contre moi-même.

«Mais les épreuves que j'ai traversées ces derniers temps n'auront pas été vaines. Je sens une nouvelle force en moi, force que le feu de ma haine n'alimente plus. Je suis enfin armée pour continuer à vivre et apprendre à aimer.»

– Vous avez raison, tante Gilberte, dit Xaviera à voix haute. Je n'attendrai plus jamais que les autres me donnent ce dont j'ai besoin, sans le demander, en espérant qu'ils comprendront mes prières muettes.

CHAPITRE XI

Ce soir-là, Xaviera se plongea dans un bain parfumé et lava ses cheveux. Le cœur battant la chamade à l'idée de ce qu'elle allait faire, elle se répétait inlassablement qu'elle agissait pour le mieux.

Elle passa un déshabillé de soie transparente et brossa énergiquement son épaisse toison jusqu'à ce qu'elle brille. L'image que lui renvoya la glace lui redonna confiance. Ses yeux d'améthyste étaient voilés par des désirs contenus qui chargeaient son regard de mystère. Son visage aux traits détendus irradiait un trouble embarrassé, la rendant divinement belle et émouvante. Son corps avait presque entièrement retrouvé ses formes pleines et gracieuses, conservant de sa maladie une certaine fragilité attendrissante.

Elle se savait séduisante, mais l'image qui se reflétait dans la glace l'intimidait presque. C'était bien elle, Xaviera, mais tout autre. Elle s'apprêtait à faire quelque chose que l'ancienne Xaviera n'aurait jamais fait. Elle humecta ses lèvres et s'adressa un petit sourire. Elle glissa ses pieds dans de fines mules et sortit de sa chambre à pas de loup.

Elle suivit le couloir jusqu'aux appartements de son mari et, d'un geste décidé, ouvrit la porte. Elle distingua la forme de son corps dans la pénombre. Marcus était endormi, allongé sur le côté, les couvertures rejetées au pied du lit. Le reflet cuivré de sa peau nue agit sur elle comme un aimant. D'un coup de pied, elle envoya valser ses mules et se défit en hâte de son déshabillé. Elle s'avança silencieusement vers le grand lit et se coula en frissonnant contre le corps de son mari.

Ce dernier gémit et se retourna, les yeux agrandis par la surprise.

– Que faites-vous ici, Xaviera?

– Je vous en prie, ne me repoussez pas. Pour Jason, notre fils, nous devons essayer de nous entendre. Je ne veux pas être séparée de lui, pas plus que je ne souhaite le détacher de vous, dit-elle tout d'un trait, embarrassée par les yeux étranges de son mari qui jetaient sur elle un regard chargé de désir.

– Que voulez-vous, Xaviera? Signer une autre trêve?

– Non, répondit-elle d'une voix mourante.

– Alors? insista-t-il, impitoyable.

– Marcus... je vous aime... je t'aime... infiniment, passionnément. Peut-être pourrais-je réparer mes erreurs et t'apprendre à m'aimer aussi.

– Ce ne sera pas nécessaire, dit-il d'une voix douce.

– Je savais que vous me chasseriez, murmura-t-elle en se redressant.

– Ne pars pas. Il serait cruel de ma part de te faire souffrir. Je t'aime, Xera. Plus que tout au monde. J'ai désespérément besoin de toi.

– C'est bien vrai?

– Oui, mon doux amour, la rassura-t-il en prenant ses lèvres ardemment.

– Oh! Marcus, souffla-t-elle en plaquant son corps nu contre le sien. Aime-moi. Il y a si longtemps! Je veux sentir ton amour.

– Nous ne sommes pas pressés, haleta-t-il. Nous avons tant de choses à nous dire!

– Plus tard, gémit Xaviera en le caressant. J'ai trop envie de toi.

– Petite sorcière, je me rends, chuchota Marcus en riant tendrement.

Achevé d'imprimer au Canada
Sur les Presses
Imprimerie d'Arthabaska
Arthabaska